DAS NEUE TESTAMENT
Version 2000

Überreicht an:

_____

_____

_____

_____

DATUM

DAS NEUE TESTAMENT

nach dem Grundtext übersetzt
von Franz Eugen Schlachter

Version 2000
Neue revidierte Fassung

hänssler

Das Neue Testament
Neue revidierte Fassung
»F.E. Schlachter Version 2000«
© Genfer Bibelgesellschaft
CH-1211 Genf 3

Illustrierter Einband, Taschenbuch
1. Auflage 1999

Ausgabe Hänssler Verlag
Bestell-Nr. 393.443
ISBN 3-7751-3443-3

Titelbild: David Richoz

Andere Modelle:

»Mini« mit Psalmen, Format 83 x 120 mm
»Großdruck« mit Psalmen, Format 134 x 191 mm

Vertrieb:

Deutschland: Hänssler Verlag GmbH
            Postfach   D-71087 Holzgerlingen
Schweiz: Das Haus der Bibel
            Stockerstraße 46 CH-8039 Zürich
            Rebgasse 21   CH-4058 Basel
            Le Trési 6   CH-1028 Préverenges

Gedruckt in der Europäischen Union

VORSTELLUNG DES NEUEN TESTAMENTES
Die Übersetzung von Franz Eugen Schlachter

Die Genfer Bibelgesellschaft freut sich, die 1999 revidierte Ausgabe, Version 2000, des Neuen Testamentes vorzustellen. Franz Eugen Schlachters Übersetzung der ganzen Bibel erschien 1905 als erste deutsche Bibel dieses Jahrhunderts. Schlachter, der damals Prediger der Evangelischen Gesellschaft in Biel und Bern war, gelang es, der Übersetzung eine besondere seelsorgerliche Ausrichtung zu verleihen. Ein Merkmal der Schlachter-Bibel ist auch ihre sprachliche Ausdruckskraft. Schlachters Text wurde 1951 von der Genfer Bibelgesellschaft erstmals revidiert. Diese Fassung wurde nunmehr weiter bearbeitet. Überzeugt von der hohen Qualität der Übersetzung Schlachters, wollte die Genfer Bibelgesellschaft den besonderen Charakter und die treffenden Formulierungen des Originals beibehalten. Dabei wurde die Übersetzung noch genauer dem griechischen Grundtext angepaßt, der von den Reformatoren im 16. Jahrhundert benutzt worden war.

Somit bringt die Schlachter-Übersetzung, Version 2000, die kraftvolle Sprache des Originals in neuer Gestalt und hat sich dabei dem Grundtext noch wesentlich genähert. Zudem ist der Text auch für die jüngeren Leser verständlicher geworden. Wir wünschen dieser neuen Ausgabe des Neuen Testamentes eine weite Verbreitung und allen Lesern Gottes Segen.

Die Herausgeber

Das Wort Gottes –
zu allen Zeiten und für alle Menschen gültig

Vom Altertum bis in unsere Zeit hat die Bibel einen großen und weitreichenden Einfluß auf viele Millionen Menschen gehabt. Das „Buch der Bücher" hat das Leben ungezählter Männer und Frauen verändert.

Das Neue Testament, der zweite Teil der Bibel, wurde im Laufe des ersten Jahrhunderts nach Christus geschrieben, und doch bleibt seine Botschaft auch für die Menschen des 20. und 21. Jahrhunderts gültig. Bis heute wurde die Bibel ganz oder teilweise in über 2.200 Sprachen übersetzt. Sie ist immer noch, Jahr um Jahr, das weltweit am meisten verbreitete Buch. Ihre Botschaft gibt Antwort auf die grundlegenden Fragen des Menschen am Anfang des dritten Jahrtausends. Die Zusage von Jesus Christus gilt auch für jeden von uns heute:

Wahrlich, wahrlich, ich sage euch: Wer mein Wort hört und dem glaubt, der mich gesandt hat, der hat ewiges Leben und kommt nicht ins Gericht, sondern er ist vom Tod zum Leben hindurchgedrungen.

Johannes 5, 24

ZUR EINFÜHRUNG IN DAS NEUE TESTAMENT

Die Bibel besteht aus zwei Teilen, dem Alten und dem Neuen Testament. Das Neue Testament enthält siebenundzwanzig Bücher, die zwischen 40 und 100 n. Chr. verfaßt wurden. Die Schreiber des Neuen Testamentes hatten Jesus Christus entweder persönlich begleitet, wie Johannes, Petrus und Matthäus, oder standen in engstem Kontakt mit seinen Jüngern (wie etwa Markus und Lukas). Gott gebrauchte diese Männer, um seine Botschaft von Jesus Christus der Welt zu übermitteln. Er leitete sie so durch seinen Heiligen Geist, daß sie die Worte Gottes niederschrieben und nicht ihre eigenen Gedanken. Der Apostel Paulus schrieb: *„Die ganze Schrift ist von Gott eingegeben..."* (2. Timotheus 3,16). Und der Apostel Petrus bestätigte: *„Denn niemals wurde eine Weissagung durch menschlichen Willen hervorgebracht, sondern vom Heiligen Geist getrieben haben die heiligen Menschen Gottes geredet"* (2. Petrus 1,21).

Das Neue Testament beginnt mit den vier Evangelien. Sie geben uns einen Überblick über das Leben von Jesus Christus. Jedes unterstreicht ein besonderes Merkmal seiner Person und seines Wirkens. Die Evangelien schließen mit dem Bericht vom Kreuzestod und der Auferstehung des Herrn Jesus Christus - der Grundlage des christlichen Glaubens. Die Apostelgeschichte berichtet, wie sich die Heilsbotschaft von Jesus Christus ausbreitete, zuerst in Jerusalem, dann in Samaria, und schließlich in weiten Teilen des römischen Reiches. Die einundzwanzig Briefe des Neuen Testamentes bilden den Grundstein für die christliche Lehre und sind von größter Wichtigkeit für die Gemeinde. Das Buch der Offenbarung kündigt die Gerichte an, die über die Welt kommen werden, bevor der Herr sein Reich der Herrlichkeit aufrichtet, und vervollständigt so die Schriften des Neuen Testamentes.

WIE LIEST MAN DAS NEUE TESTAMENT MIT GEWINN?

Wir empfehlen, mit dem Johannesevangelium zu beginnen, das zahlreiche wichtige Worte des Herrn Jesus Christus enthält, oder auch mit dem Markusevangelium, in dem die bedeutendsten Abschnitte im Leben von Jesus Christus rasch aufeinanderfolgen. Die Apostelgeschichte schildert die Entstehung der christlichen Gemeinde, während der Römerbrief eine großartige Darlegung vieler wesentlicher christlicher Lehren gibt.

Doch vor allem ist wichtig, daß wir die Heilige Schrift mit Ehrfurcht vor Gott lesen und offen sind für ihre Botschaft. Das Neue Testament will uns Jesus Christus offenbaren als den Retter aus Sünde und Tod, als den einzigen Mittler zwischen Gott und den Menschen: *„Diese aber sind geschrieben, damit ihr glaubt, daß Jesus der Christus, der Sohn Gottes ist und daß ihr durch den Glauben Leben habt in seinem Namen"* (Johannes 20,31).

Das Wort Gottes ist die beste Nahrung für die Seele: *„Der Mensch lebt nicht vom Brot allein, sondern von einem jeden Wort, das aus dem Mund Gottes hervorgeht"* (Matthäus 4,4). Darum ist es gut, dieses Wort täglich in Ruhe zu lesen. Dabei dürfen wir Gott bitten, daß er uns sein Wort aufschließt und uns hilft, es zu verstehen. Wer auf diese Weise in der Bibel liest, wird in ihr Jesus Christus kennenlernen, den Sohn des lebendigen Gottes, der die Quelle allen Friedens, aller Erlösung und aller Lebenserfüllung ist. *„Denn so sehr hat Gott die Welt geliebt, daß er seinen eingeborenen Sohn gab, damit jeder, der an ihn glaubt, nicht verloren geht, sondern ewiges Leben hat"* (Johannes 3,16).

WICHTIGE BIBELWORTE
AUS DEM NEUEN TESTAMENT

Was ist geistliches Leben?

Grundlegende biblische Lehren

Praktische Ermutigungen

Hilfe in Zeiten der Not

Inhaltsverzeichnis des Anhangs

Inhaltsverzeichnis und Abkürzungen der Bücher des Neuen Testaments

Worte, die im Bibeltext in eckigen Klammern [ ] stehen, finden sich nicht im griechischen Grundtext und wurden zum besseren Verständnis ergänzt.

Wo die Schreiber des Neuen Testaments Worte aus dem Alten Testament anführen, sind diese *kursiv* gesetzt worden.

DAS EVANGELIUM NACH MATTHÄUS

Das Matthäus-Evangelium wurde von dem Apostel Matthäus (auch Levi genannt; vgl. Mt 9,9-13) etwa 40-60 n. Chr. niedergeschrieben. Es betont in seiner Schilderung des Lebens von Jesus Christus ganz besonders, daß er der von den Propheten des Alten Testaments verheißene Retter und König („Messias" oder griech. „Christus") Israels ist. Durch viele Zeichen und Wunder bestätigt Gott, daß der Herr Jesus der Christus ist, und in vollmächtigen Worten spricht der Sohn Gottes von dem Reich, das er aufrichten wird. Aber das Volk Israel verwirft seinen Messias, der am Kreuz als das Opferlamm Gottes stirbt.

Das Geschlechtsregister Jesu Christi   Lk 3,23-38; Apg 13,23

1 Geschlechtsregister Jesu Christi, des Sohnes Davids[a], des Sohnes Abrahams.
2 Abraham zeugte den Isaak; Isaak zeugte den Jakob; Jakob zeugte den Juda und seine Brüder; 3 Juda zeugte den Perez und den Serach mit der Tamar; Perez zeugte den Hezron; Hezron zeugte den Aram; 4 Aram zeugte den Amminadab; Amminadab zeugte den Nachschon; Nachschon zeugte den Salmon; 5 Salmon zeugte den Boas mit der Rahab; Boas zeugte den Obed mit der Ruth; Obed zeugte den Isai; 6 Isai zeugte den König David.
Der König David zeugte den Salomo mit der Frau des Uria; 7 Salomo zeugte den Rehabeam; Rehabeam zeugte den Abija; Abija zeugte den Asa; 8 Asa zeugte den Josaphat; Josaphat zeugte den Joram; Joram zeugte den Usija; 9 Usija zeugte den Jotam; Jotam zeugte den Ahas; Ahas zeugte den Hiskia; 10 Hiskia zeugte den Manasse; Manasse zeugte den Amon; Amon zeugte den Josia; 11 Josia zeugte den Jechonja und dessen Brüder zur Zeit der Wegführung nach Babylon.
12 Nach der Wegführung nach Babylon zeugte Jechonja den Schealtiel; Schealtiel zeugte den Serubbabel; 13 Serubbabel zeugte den Abihud; Abihud zeugte den Eljakim; Eljakim zeugte den Asor; 14 Asor zeugte den Zadok; Zadok zeugte den Achim; Achim zeugte den Eliud; 15 Eliud zeugte den Eleasar; Eleasar zeugte den Mattan; Mattan zeugte den Jakob; 16 Jakob zeugte

---

a. (1,1) *Sohn Davids:* ein Titel des Messias, vgl. Mt 12,23; Apg 2,30.

den Joseph, den Mann der Maria, von welcher Jesus geboren ist, der Christus[a] genannt wird.

17 So sind es nun von Abraham bis auf David insgesamt vierzehn Generationen und von David bis zur Wegführung nach Babylon vierzehn Generationen und von der Wegführung nach Babylon bis auf Christus vierzehn Generationen.

Die Geburt Jesu Christi Lk 1,26-38; 2,1-21

18 Die Geburt Jesu Christi aber geschah auf diese Weise: Als nämlich seine Mutter Maria mit Joseph verlobt war, noch ehe sie zusammengekommen waren, erwies es sich, daß sie vom Heiligen Geist schwanger geworden war. [19] Aber Joseph, ihr Mann, der gerecht war und sie doch nicht der öffentlichen Schande preisgeben wollte, gedachte sie heimlich zu entlassen. 20 Während er aber dies im Sinn hatte, siehe, da erschien ihm ein Engel des Herrn im Traum, der sprach: Joseph, Sohn Davids, scheue dich nicht, Maria, deine Frau, zu dir zu nehmen; denn was in ihr gezeugt ist, das ist vom Heiligen Geist. [21] Sie wird aber einen Sohn gebären, und du sollst ihm den Namen Jesus geben, denn er wird sein Volk retten von ihren Sünden. [22] Dies alles aber ist geschehen, damit erfüllt würde, was von dem Herrn durch den Propheten gesagt wurde, der spricht: [23] *Siehe, die Jungfrau wird schwanger werden und einen Sohn gebären; und man wird ihm den Namen Immanuel geben, das heißt übersetzt: Gott mit uns.*

24 Als nun Joseph vom Schlaf erwachte, tat er, wie ihm der Engel des Herrn befohlen hatte, und nahm seine Frau zu sich; [25] und er erkannte sie nicht, bis sie ihren erstgeborenen Sohn geboren hatte; und er gab ihm den Namen Jesus.

Die Weisen aus dem Morgenland

2 Als nun Jesus geboren war in Bethlehem in Judäa, in den Tagen des Königs Herodes[b], siehe, da kamen Weise aus dem Morgenland nach Jerusalem, die sprachen: [2] Wo ist der neugeborene König der Juden? Denn wir haben seinen Stern im Morgenland gesehen und sind gekommen, um ihn anzubeten.

3 Als das der König Herodes hörte, erschrak er, und ganz Jerusalem mit ihm. [4] Und er rief alle Hohenpriester und Schriftgelehrten des Volkes zusammen und erfragte von ihnen, wo der

---

a. (1,16) *Christus:* gr. Übersetzung von hebr. *maschiach* (Messias); bed. »der Gesalbte« (vgl. Ps 2,2); Titel des von Gott gesalbten göttlichen Königs und Retters Israels, daher an vielen Stellen »*der* Christus«.

b. (2,1) Herodes der Große (ca. 73-4 v. Chr.).

Christus geboren werden sollte. 5 Sie aber sagten ihm: In Bethlehem in Judäa; denn so steht es geschrieben durch den Propheten: 6 *Und du, Bethlehem im Lande Juda, bist keineswegs die geringste unter den Fürsten Judas; denn aus dir wird ein Herrscher hervorgehen, der mein Volk Israel weiden soll.*

7 Da rief Herodes die Weisen heimlich zu sich und erkundigte sich bei ihnen genau nach der Zeit, wann der Stern erschienen war, 8 und sandte sie nach Bethlehem und sprach: Zieht hin und forscht genau nach dem Kind. Und wenn ihr es gefunden habt, so tut es mir kund, damit auch ich komme und es anbete.

9 Und als sie den König gehört hatten, zogen sie hin. Und siehe, der Stern, den sie im Morgenland gesehen hatten, ging vor ihnen her, bis er ankam und über dem Ort stillstand, wo das Kind war. 10 Als sie nun den Stern sahen, wurden sie sehr hoch erfreut 11 und gingen in das Haus hinein und fanden das Kind samt Maria, seiner Mutter. Und sie fielen nieder, beteten es an, taten ihre Schätze auf und brachten ihm Gaben: Gold, Weihrauch und Myrrhe.

12 Und da sie im Traum angewiesen wurden, nicht wieder zu Herodes zurückzukehren, zogen sie auf einem anderen Weg zurück in ihr Land.

Die Flucht nach Ägypten

13 Als sie aber weggezogen waren, siehe, da erscheint ein Engel des Herrn dem Joseph im Traum und spricht: Steh auf, nimm das Kind und seine Mutter mit dir und fliehe nach Ägypten und bleibe dort, bis ich es dir sage; denn Herodes will das Kind suchen, um es umzubringen. 14 Da stand er auf, nahm das Kind und seine Mutter bei Nacht mit sich und entfloh nach Ägypten. 15 Und er blieb dort bis zum Tod des Herodes, damit erfüllt würde, was von dem Herrn durch den Propheten gesagt ist, der spricht: *Aus Ägypten habe ich meinen Sohn gerufen.*

Der Kindermord in Bethlehem

16 Als sich nun Herodes von den Weisen betrogen sah, wurde er sehr zornig, sandte hin und ließ alle Knaben töten, die in Bethlehem und in seinem ganzen Gebiet waren, von zwei Jahren und darunter, nach der Zeit, die er von den Weisen genau erforscht hatte. 17 Da wurde erfüllt, was durch den Propheten Jeremia gesagt ist, der spricht: 18 *Eine Stimme ist in Rama gehört worden, viel Jammern, Weinen und Klagen; Rahel beweint ihre Kinder und will sich nicht trösten lassen, weil sie nicht mehr sind.*

Die Rückkehr nach Nazareth   Lk 2,39-40

19 Als aber Herodes gestorben war, siehe, da erscheint ein Engel des Herrn dem Joseph in Ägypten im Traum [20] und spricht: Steh auf, nimm das Kind und seine Mutter zu dir und zieh in das Land Israel; denn die dem Kind nach dem Leben trachteten, sind gestorben! [21] Da stand er auf, nahm das Kind und seine Mutter zu sich und ging in das Land Israel.

22 Als er aber hörte, daß Archelaus anstatt seines Vaters Herodes über Judäa regierte, fürchtete er sich, dorthin zu gehen. Und auf eine Anweisung hin, die er im Traum erhielt, zog er weg in das Gebiet Galiläas. [23] Und dort angekommen, ließ er sich in einer Stadt namens Nazareth nieder, damit erfüllt würde, was durch die Propheten gesagt ist, daß er ein Nazarener genannt werden wird.

Die Verkündigung Johannes des Täufers   Mk 1,2-8; Lk 3,1-18

3 In jenen Tagen aber erscheint Johannes der Täufer und verkündigt in der Wüste von Judäa   [2] und spricht: Tut Buße, denn das Reich der Himmel ist nahe herbeigekommen! [3] Das ist der, von welchem geredet wurde durch den Propheten Jesaja, der spricht: *Eine Stimme ruft in der Wüste: Bereitet den Weg des Herrn, macht seine Pfade eben!* [4] Er aber, Johannes, hatte ein Gewand aus Kamelhaaren und einen ledernen Gürtel um seine Lenden, und seine Speise waren Heuschrecken und wilder Honig. [5] Da zog zu ihm hinaus Jerusalem und ganz Judäa und das ganze umliegende Gebiet des Jordan, [6] und es wurden von ihm im Jordan getauft, die ihre Sünden bekannten.

7 Als er aber viele von den Pharisäern[a] und Sadduzäern[b] zu seiner Taufe kommen sah, sprach er zu ihnen: Schlangenbrut! Wer hat euch unterwiesen, dem zukünftigen Zorn zu entfliehen? [8] So bringt nun Früchte, die der Buße würdig sind! [9] Und denkt nicht, bei euch selbst sagen zu können: Wir haben Abraham zum Vater. Denn ich sage euch: Gott vermag dem Abraham aus diesen Steinen Kinder zu erwecken! [10] Es ist aber auch schon die Axt an die Wurzel der Bäume gelegt. Jeder Baum nun, der keine gute Frucht bringt, wird abgehauen und ins Feuer geworfen!

---

a. (3,7) *Pharisäer:* Bund von »Eiferern für das Gesetz«, die Gerechtigkeit durch genaues Befolgen der Gebote erlangen wollten (vgl. Mt 15,1-10; Mt 23).

b. (3,7) *Sadduzäer:* Partei um die hohenpriesterlichen Familien, hatten Reichtum und politischen Einfluß, römerfreundlich und offen für die griechische Kultur. Verteter einer »aufgeklärten« Vernunftreligion (vgl. Mt 22,23-33).

11 Ich taufe euch mit Wasser zur Buße; der aber nach mir kommt, ist stärker als ich, so daß ich nicht gut genug bin, ihm die Schuhe zu tragen; der wird euch mit Heiligem Geist und Feuer taufen. [12] Er hat die Wurfschaufel in seiner Hand und wird seine Tenne gründlich reinigen und seinen Weizen in die Scheune sammeln; die Spreu aber wird er verbrennen mit unauslöschlichem Feuer.

Die Taufe Jesu Christi Lk 3,21-22; Joh 1,32-34

13 Da kommt Jesus aus Galiläa an den Jordan zu Johannes, um sich von ihm taufen zu lassen. [14] Johannes aber wehrte ihm und sprach: Ich habe es nötig, von dir getauft zu werden, und du kommst zu mir? [15] Jesus aber antwortete und sprach zu ihm: Laß es jetzt zu; denn so gebührt es uns, alle Gerechtigkeit zu erfüllen! Da ließ er es ihm zu.
16 Und als Jesus getauft war, stieg er sogleich aus dem Wasser; und siehe, da tat sich ihm der Himmel auf, und er sah den Geist Gottes wie eine Taube herabsteigen und auf ihn kommen. [17] Und siehe, eine Stimme [kam] vom Himmel, die sprach: Dies ist mein geliebter Sohn, an dem ich Wohlgefallen habe!

Die Versuchung Jesu Mk 1,12-13; Lk 4,1-13

4 Darauf wurde Jesus vom Geist in die Wüste geführt, damit er vom Teufel versucht würde. [2] Und als er vierzig Tage und vierzig Nächte gefastet hatte, war er zuletzt hungrig. [3] Und der Versucher trat zu ihm und sprach: Wenn du Gottes Sohn bist, so sprich, daß diese Steine Brot werden! [4] Er aber antwortete und sprach: Es steht geschrieben: *Der Mensch lebt nicht vom Brot allein, sondern von einem jeden Wort, das aus dem Mund Gottes hervorgeht.*
5 Darauf nimmt ihn der Teufel mit sich in die heilige Stadt und stellt ihn auf die Zinne des Tempels [6] und spricht zu ihm: Wenn du Gottes Sohn bist, so stürze dich hinab; denn es steht geschrieben: *Er wird seinen Engeln deinetwegen Befehl geben, und sie werden dich auf den Händen tragen, damit du deinen Fuß nicht etwa an einen Stein stößt.* [7] Da sprach Jesus zu ihm: Wiederum steht geschrieben: *Du sollst den Herrn, deinen Gott, nicht versuchen!*
8 Wiederum nimmt ihn der Teufel mit auf einen sehr hohen Berg und zeigt ihm alle Reiche der Welt und ihre Herrlichkeit [9] und spricht zu ihm: Dieses alles will ich dir geben, wenn du niederfällst und mich anbetest. [10] Da spricht Jesus zu ihm:

Weiche, Satan[a]! Denn es steht geschrieben: *Du sollst den Herrn, deinen Gott, anbeten und ihm allein dienen!* [11] Da verließ ihn der Teufel; und siehe, Engel traten hinzu und dienten ihm.

Der Beginn der Verkündigung Jesu in Galiläa Mk 1,14-15

[12] Als aber Jesus hörte, daß Johannes gefangengesetzt worden war, zog er weg nach Galiläa. [13] Und er verließ Nazareth, kam und ließ sich in Kapernaum nieder, das am See liegt, im Gebiet von Sebulon und Naphtali, [14] damit erfüllt würde, was durch den Propheten Jesaja gesagt ist, der spricht: [15] *Das Land Sebulon und das Land Naphtali, am Weg des Sees, jenseits des Jordan, das Galiläa der Heiden,* [16] *das Volk, das in der Finsternis saß, hat ein großes Licht gesehen, und denen, die im Land und Schatten des Todes saßen, ist ein Licht aufgegangen.* [17] Von da an begann Jesus zu verkündigen und zu sprechen: Tut Buße, denn das Reich der Himmel[b] ist nahe herbeigekommen!

Die Berufung der ersten Jünger Mk 1,16-20; Lk 5,1-11; Joh 1,35-51

[18] Als Jesus aber am See von Galiläa entlangging, sah er zwei Brüder, Simon, genannt Petrus, und dessen Bruder Andreas; die warfen das Netz in den See, denn sie waren Fischer. [19] Und er spricht zu ihnen: Folgt mir nach, und ich will euch zu Menschenfischern machen! [20] Da verließen sie sogleich die Netze und folgten ihm nach. [21] Und als er von dort weiterging, sah er in einem Schiff zwei andere Brüder, Jakobus, den Sohn des Zebedäus, und dessen Bruder Johannes mit ihrem Vater Zebedäus ihre Netze flicken; und er berief sie. [22] Da verließen sie sogleich das Schiff und ihren Vater und folgten ihm nach.

Jesu Wirken in Galiläa Lk 6,17-19

[23] Und Jesus durchzog ganz Galiläa, lehrte in ihren Synagogen[c] und verkündigte das Evangelium von dem Reich und heilte alle Krankheiten und alle Gebrechen im Volk. [24] Und sein Ruf verbreitete sich in ganz Syrien; und sie brachten alle Kranken zu ihm, die von mancherlei Krankheiten und Schmerzen geplagt waren, und Besessene und Mondsüchtige und Lahme; und er heilte sie. [25] Und es folgte ihm eine große Volksmenge nach aus Galiläa und aus dem Gebiet der Zehn Städte und aus Jerusalem und Judäa und von jenseits des Jordan.

---

a. (4,10) *Satan* = hebr. »Widersacher, Ankläger«; Bezeichnung für den Teufel, ein von Gott abgefallenes, aufrührerisches Engelwesen.

b. (4,17) d.h. die Königsherrschaft Gottes.

c. (4,23) Versammlungsstätten der Juden.

Die Bergpredigt (Kapitel 5 bis 7)

5 Als er aber die Volksmenge sah, stieg er auf den Berg; und als er sich setzte, traten seine Jünger zu ihm. ² Und er tat seinen Mund auf, lehrte sie und sprach:

Die Seligpreisungen Lk 6,20-26

3 Glückselig sind die geistlich Armen, denn ihrer ist das Reich der Himmel!

4 Glückselig sind die Trauernden, denn sie sollen getröstet werden!

5 Glückselig sind die Sanftmütigen, denn sie werden das Land erben!

6 Glückselig sind, die nach der Gerechtigkeit hungern und dürsten, denn sie sollen satt werden!

7 Glückselig sind die Barmherzigen, denn sie werden Barmherzigkeit erlangen!

8 Glückselig sind, die reinen Herzens sind, denn sie werden Gott schauen!

9 Glückselig sind die Friedfertigen, denn sie werden Söhne Gottes heißen!

10 Glückselig sind, die um der Gerechtigkeit willen verfolgt werden, denn ihrer ist das Reich der Himmel!

11 Glückselig seid ihr, wenn sie euch schmähen und verfolgen und lügnerisch jegliches böse Wort gegen euch reden um meinetwillen! ¹² Freut euch und frohlockt, denn euer Lohn ist groß im Himmel; denn ebenso haben sie die Propheten verfolgt, die vor euch gewesen sind.

Die Jünger – Salz und Licht

13 Ihr seid das Salz der Erde. Wenn aber das Salz fade wird, womit soll es wieder salzig gemacht werden? Es taugt zu nichts mehr, als daß es hinausgeworfen und von den Leuten zertreten wird.

14 Ihr seid das Licht der Welt. Es kann eine Stadt, die auf einem Berg liegt, nicht verborgen bleiben. ¹⁵ Man zündet auch nicht ein Licht an und setzt es unter den Scheffelª, sondern auf den Leuchter; so leuchtet es allen, die im Haus sind. ¹⁶ So soll euer Licht leuchten vor den Leuten, daß sie eure guten Werke sehen und euren Vater im Himmel preisen.

Die Erfüllung des Gesetzes

17 Ihr sollt nicht meinen, daß ich gekommen sei, um das Gesetz oder die Propheten aufzulösen. Ich bin nicht gekommen,

a. (5,15) Tongefäß zum Abmessen von Getreide.

um aufzulösen, sondern um zu erfüllen! [18] Denn wahrlich, ich sage euch: Bis daß Himmel und Erde vergangen sind, wird nicht ein Jota noch ein einziges Strichlein vom Gesetz vergehen, bis alles geschehen ist. [19] Wer nun eines von diesen kleinsten Geboten auflöst und die Leute so lehrt, der wird der Kleinste heißen im Reich der Himmel; wer sie aber tut und lehrt, der wird groß heißen im Reich der Himmel. [20] Denn ich sage euch: Wenn eure Gerechtigkeit die der Schriftgelehrten und Pharisäer nicht weit übertrifft, so werdet ihr gar nicht in das Reich der Himmel eingehen!

Ermahnung zu Versöhnlichkeit   Lk 12,58-59; 1Joh 3,15

21 Ihr habt gehört, daß zu den Alten gesagt ist: *Du sollst nicht töten!*, wer aber tötet, der wird dem Gericht verfallen sein. [22] Ich aber sage euch: Jeder, der seinem Bruder ohne Ursache zürnt, wird dem Gericht verfallen sein. Wer aber zu seinem Bruder sagt: Raka!,[a] der wird dem Hohen Rat[b] verfallen sein. Wer aber sagt: Du Narr!, der wird dem höllischen Feuer verfallen sein.

23 Wenn du nun deine Gabe zum Altar bringst und dich dort erinnerst, daß dein Bruder etwas gegen dich hat, [24] so laß deine Gabe dort vor dem Altar und geh zuvor hin und versöhne dich mit deinem Bruder, und dann komm und opfere deine Gabe.

25 Sei deinem Widersacher bald geneigt, während du noch mit ihm auf dem Weg bist, damit der Widersacher dich nicht etwa dem Richter ausliefert und der Richter dich dem Gerichtsdiener übergibt und du ins Gefängnis geworfen wirst. [26] Wahrlich, ich sage dir: Du wirst von dort nicht herauskommen, bis du den letzten Groschen bezahlt hast!

Ehebruch und Ehescheidung   Mt 19,3-9; Mk 10,2-12

27 Ihr habt gehört, daß zu den Alten gesagt ist: *Du sollst nicht ehebrechen!* [28] Ich aber sage euch: Wer eine Frau ansieht, um sie zu begehren, der hat in seinem Herzen schon Ehebruch mit ihr begangen. [29] Wenn dir aber dein rechtes Auge ein Anstoß zur Sünde wird, so reiß es aus und wirf es von dir! Denn es ist besser für dich, daß eines deiner Glieder verloren geht, als daß dein ganzer Leib in die Hölle geworfen wird. [30] Und wenn deine rechte Hand für dich ein Anstoß zur Sünde wird, so haue sie

---

a. (5,22) d.h. »Nichtsnutz« od. »Hohlkopf« (aramäischer Ausdruck der Verachtung).
b. (5,22) gr. *Synedrion*, der höchste Verwaltungs- bzw. Gerichtsrat der Juden unter dem Vorsitz des Hohenpriesters.

ab und wirf sie von dir! Denn es ist besser für dich, daß eines deiner Glieder verloren geht, als daß dein ganzer Leib in die Hölle geworfen wird.

31 Es ist auch gesagt: Wer sich von seiner Frau scheidet, der gebe ihr einen Scheidebrief. [32] Ich aber sage euch: Wer sich von seiner Frau scheidet, ausgenommen wegen Unzucht, der macht, daß sie die Ehe bricht. Und wer eine Geschiedene heiratet, der bricht die Ehe.

Vom Schwören und vom Vergelten   Jak 5,12; Röm 12,17-19

33 Wiederum habt ihr gehört, daß zu den Alten gesagt ist: *Du sollst nicht falsch schwören; du sollst aber dem Herrn deine Schwüre halten.* [34] Ich aber sage euch, daß ihr überhaupt nicht schwören sollt, weder bei dem Himmel, denn er ist Gottes Thron, [35] noch bei der Erde, denn sie ist der Schemel seiner Füße, noch bei Jerusalem, denn sie ist die Stadt des großen Königs. [36] Auch bei deinem Haupt sollst du nicht schwören, denn du vermagst kein einziges Haar weiß oder schwarz zu machen. [37] Es sei aber eure Rede: Ja, ja! Nein, nein! Was darüber ist, das ist vom Bösen.

38 Ihr habt gehört, daß gesagt ist: *Auge um Auge und Zahn um Zahn!* [39] Ich aber sage euch: Ihr sollt dem Bösen nicht widerstehen; sondern wenn dich jemand auf deine rechte Backe schlägt, so biete ihm auch die andere dar; [40] und wer mit dir vor Gericht gehen und dein Hemd nehmen will, dem laß auch den Mantel; [41] und wenn dich jemand nötigt, eine Meile weit zu gehen, so geh mit ihm zwei. [42] Gib dem, der dich bittet, und wende dich nicht ab von dem, der von dir borgen will!

Liebe zu den Feinden

43 Ihr habt gehört, daß gesagt ist: Du sollst deinen Nächsten lieben und deinen Feind hassen. [44] Ich aber sage euch: Liebt eure Feinde, segnet, die euch fluchen, tut wohl denen, die euch hassen, und bittet für die, welche euch beleidigen und verfolgen, [45] damit ihr Söhne eures Vaters im Himmel seid. Denn er läßt seine Sonne aufgehen über Böse und Gute und läßt regnen über Gerechte und Ungerechte. [46] Denn wenn ihr die liebt, die euch lieben, was habt ihr für einen Lohn? Tun nicht auch die Zöllner[a] dasselbe? [47] Und wenn ihr nur eure Brüder grüßt, was tut ihr Besonderes? Machen es nicht auch die Zöllner ebenso?

---

a. (5,46) d.h. die Steuereintreiber; Juden, die im Auftrag der römischen Besatzungsmacht die Abgaben eintrieben und als besonders verachtenswerte Sünder galten.

⁴⁸ Darum sollt ihr vollkommen sein, gleichwie euer Vater im Himmel vollkommen ist!

Vom Almosengeben

6 Habt acht, daß ihr eure Almosen nicht vor den Leuten gebt, um von ihnen gesehen zu werden; sonst habt ihr keinen Lohn bei eurem Vater im Himmel. ² Wenn du nun Almosen gibst, sollst du nicht vor dir her posaunen lassen, wie es die Heuchler in den Synagogen und auf den Gassen tun, um von den Leuten gepriesen zu werden. Wahrlich, ich sage euch: Sie haben ihren Lohn dahin. ³ Wenn du aber Almosen gibst, so soll deine linke Hand nicht wissen, was deine rechte tut, ⁴ damit dein Almosen im Verborgenen ist. Und dein Vater, der ins Verborgene sieht, er wird es dir öffentlich vergelten.

Vom Beten   Lk 11,1-4

5 Und wenn du betest, sollst du nicht sein wie die Heuchler; denn sie beten gern in den Synagogen und an den Straßenekken, um von den Leuten bemerkt zu werden. Wahrlich, ich sage euch: Sie haben ihren Lohn dahin. ⁶ Du aber, wenn du betest, geh in dein Kämmerlein und schließe deine Türe zu und bete zu deinem Vater, der im Verborgenen ist; und dein Vater, der ins Verborgene sieht, wird es dir öffentlich vergelten.

7 Und wenn ihr betet, sollt ihr nicht plappern wie die Heiden[a]; denn sie meinen, sie werden erhört um ihrer vielen Worte willen. ⁸ Darum sollt ihr ihnen nicht gleichen! Denn euer Vater weiß, was ihr bedürft, ehe ihr ihn bittet. ⁹ Deshalb sollt ihr so beten: Unser Vater, der du bist im Himmel! Geheiligt werde dein Name. ¹⁰ Dein Reich komme. Dein Wille geschehe, wie im Himmel, so auch auf Erden. ¹¹ Gib uns heute unser tägliches Brot. ¹² Und vergib uns unsere Schulden, wie auch wir vergeben unseren Schuldnern. ¹³ Und führe uns nicht in Versuchung, sondern errette uns von dem Bösen. Denn dein ist das Reich und die Kraft und die Herrlichkeit in Ewigkeit! Amen.

14 Denn wenn ihr den Menschen ihre Verfehlungen vergebt, so wird euer himmlischer Vater euch auch vergeben. ¹⁵ Wenn ihr aber den Menschen ihre Verfehlungen nicht vergebt, so wird euch euer Vater eure Verfehlungen auch nicht vergeben.

Vom Fasten

16 Wenn ihr aber fastet, sollt ihr nicht finster dreinsehen wie die Heuchler; denn sie verstellen ihr Angesicht, damit es von

---

a. (6,7) d.h. Angehörige der nichtjüdischen Völker.

den Leuten bemerkt wird, daß sie fasten. Wahrlich, ich sage euch: Sie haben ihren Lohn dahin. [17] Du aber, wenn du fastest, so salbe dein Haupt und wasche dein Angesicht, [18] damit es nicht von den Leuten bemerkt wird, daß du fastest, sondern von deinem Vater, der im Verborgenen ist; und dein Vater, der ins Verborgene sieht, wird es dir öffentlich vergelten.

Schätze auf Erden und im Himmel   Lk 12,15-34; 1Tim 6,9-10

19 Ihr sollt euch nicht Schätze sammeln auf Erden, wo die Motten und der Rost sie fressen und wo die Diebe nachgraben und stehlen. [20] Sammelt euch vielmehr Schätze im Himmel, wo weder die Motten noch der Rost sie fressen und wo die Diebe nicht nachgraben und stehlen! [21] Denn wo euer Schatz ist, da wird auch euer Herz sein.

22 Das Auge ist des Leibes Leuchte. Wenn nun dein Auge lauter ist, so wird dein ganzer Leib licht sein. [23] Wenn aber dein Auge verdorben ist, so wird dein ganzer Leib finster sein. Wenn nun das Licht in dir Finsternis ist, wie groß wird dann die Finsternis sein!

24 Niemand kann zwei Herren dienen, denn entweder wird er den einen hassen und den anderen lieben, oder er wird dem einen anhangen und den anderen verachten. Ihr könnt nicht Gott dienen und dem Mammon![a]

Von unnützen Sorgen

25 Darum sage ich euch: Sorgt euch nicht um euer Leben, was ihr essen und was ihr trinken sollt, noch um euren Leib, was ihr anziehen sollt! Ist nicht das Leben mehr als die Speise und der Leib mehr als die Kleidung? [26] Seht die Vögel des Himmels an: Sie säen nicht und ernten nicht, sie sammeln auch nicht in die Scheunen, und euer himmlischer Vater ernährt sie doch. Seid ihr nicht viel mehr wert als sie? [27] Wer aber von euch kann durch sein Sorgen zu seiner Lebenslänge eine einzige Elle hinzusetzen?

28 Und warum sorgt ihr euch um die Kleidung? Betrachtet die Lilien des Feldes, wie sie wachsen! Sie mühen sich nicht und spinnen nicht; [29] ich sage euch aber, daß auch Salomo in all seiner Herrlichkeit nicht gekleidet gewesen ist wie eine von ihnen. [30] Wenn nun Gott das Gras des Feldes, das heute steht und morgen in den Ofen geworfen wird, so kleidet, wird er das nicht viel mehr euch tun, ihr Kleingläubigen? [31] Darum sollt ihr nicht sorgen und sagen: Was werden wir essen? oder: Was werden wir trinken? oder: Womit werden wir uns kleiden?

a. (6,24) aramäisches Wort für Reichtum, Besitz, irdisches Vermögen.

³²Denn nach allen diesen Dingen trachten die Heiden, aber euer himmlischer Vater weiß, daß ihr das alles benötigt. ³³Trachtet vielmehr zuerst nach dem Reich Gottes und nach seiner Gerechtigkeit, so wird euch dies alles hinzugefügt werden! ³⁴Darum sollt ihr euch nicht sorgen um den anderen Morgen; denn der morgige Tag wird für das Seine sorgen. Jedem Tag genügt seine eigene Plage.

Warnung vor dem Richten Lk 6,37-38; 6,41-42

7 Richtet nicht, damit ihr nicht gerichtet werdet! ²Denn mit welchem Gericht ihr richtet, werdet ihr gerichtet werden; und mit welchem Maß ihr meßt, wird auch euch gemessen werden. ³Was siehst du aber den Splitter im Auge deines Bruders, und den Balken in deinem Auge bemerkst du nicht? ⁴Oder wie kannst du zu deinem Bruder sagen: Halt, ich will den Splitter aus deinem Auge ziehen! – und siehe, der Balken ist in deinem Auge? ⁵Du Heuchler, zieh zuerst den Balken aus deinem Auge, und dann wirst du klar sehen, um den Splitter aus dem Auge deines Bruders zu ziehen!
6 Gebt das Heilige nicht den Hunden und werft eure Perlen nicht vor die Schweine, damit diese sie nicht mit ihren Füßen zertreten und sich umwenden und euch zerreißen.

Ermutigung zum Gebet Lk 11,5-13

7 Bittet, so wird euch gegeben; sucht, so werdet ihr finden; klopft an, so wird euch aufgetan! ⁸Denn jeder, der bittet, empfängt; und wer sucht, der findet; und wer anklopft, dem wird aufgetan. ⁹Oder ist unter euch ein Mensch, der, wenn sein Sohn ihn um Brot bittet, ihm einen Stein gibt, ¹⁰und, wenn er um einen Fisch bittet, ihm eine Schlange gibt? ¹¹Wenn nun ihr, die ihr böse seid, euren Kindern gute Gaben zu geben versteht, wieviel mehr wird euer Vater im Himmel denen Gutes geben, die ihn bitten!

Die Summe des Gesetzes - Die zwei Wege Lk 13,23-25

12 Alles nun, was ihr wollt, daß die Leute euch tun sollen, das tut auch ihr ihnen ebenso; denn dies ist das Gesetz und die Propheten[a].
13 Geht ein durch die enge Pforte! Denn die Pforte ist weit und der Weg ist breit, der ins Verderben führt; und viele sind es, die da hineingehen. ¹⁴Denn die Pforte ist eng und der Weg ist schmal, der zum Leben führt; und wenige sind es, die ihn finden.

a. (7,12) Bezeichnung für die Schriften des AT.

Warnung vor falschen Propheten   Mt 24,3-13.24; Lk 6,43-46

15 Hütet euch aber vor den falschen Propheten, die in Schafskleidern zu euch kommen, inwendig aber reißende Wölfe sind! [16] An ihren Früchten sollt ihr sie erkennen. Sammelt man auch Trauben von Dornen, oder Feigen von Disteln? [17] So bringt jeder gute Baum gute Früchte, der schlechte Baum aber bringt schlechte Früchte. [18] Ein guter Baum kann keine schlechten Früchte bringen, und ein schlechter Baum kann keine guten Früchte bringen. [19] Jeder Baum, der keine gute Frucht bringt, wird abgehauen und ins Feuer geworfen. [20] Darum sollt ihr sie an ihren Früchten erkennen.

21 Nicht jeder, der zu mir sagt: Herr, Herr! wird in das Reich der Himmel eingehen, sondern wer den Willen meines Vaters im Himmel tut. [22] Viele werden an jenem Tag zu mir sagen: Herr, Herr, haben wir nicht in deinem Namen geweissagt und in deinem Namen Dämonen ausgetrieben und in deinem Namen viele Wundertaten vollbracht? [23] Und dann werde ich ihnen bezeugen: Ich habe euch nie gekannt; weicht von mir, ihr Gesetzlosen!

Der kluge und der törichte Baumeister   Lk 6,47-49

24 Ein jeder nun, der diese meine Worte hört und sie tut, den will ich mit einem klugen Mann vergleichen, der sein Haus auf den Felsen baute. [25] Als nun der Platzregen fiel und die Wasserströme kamen und die Winde stürmten und an dieses Haus stießen, fiel es nicht; denn es war auf den Felsen gegründet. [26] Und jeder, der diese meine Worte hört und sie nicht tut, wird einem törichten Mann gleich sein, der sein Haus auf den Sand baute. [27] Als nun der Platzregen fiel und die Wasserströme kamen und die Winde stürmten und an dieses Haus stießen, da fiel es, und sein Fall war groß.

28 Und es geschah, als Jesus diese Worte beendet hatte, erstaunte die Volksmenge über seine Lehre, [29] denn er lehrte sie wie einer, der Vollmacht hat, und nicht wie die Schriftgelehrten.

Die Heilung eines Aussätzigen   Mk 1,40-45; Lk 5,12-16

8 Als er aber von dem Berg herabstieg, folgte ihm eine große Volksmenge nach. [2] Und siehe, ein Aussätziger[a] kam, fiel anbetend vor ihm nieder und sprach: Herr, wenn du willst,

---

a. (8,2) Aussatz war eine Hautkrankheit, die in der Bibel die Folgen der Sünde versinnbildlicht; sie machte nach dem mosaischen Gesetz die Erkrankten unrein und führte zum Ausschluß aus der Gemeinschaft.

kannst du mich reinigen! ^{3} Und Jesus streckte die Hand aus, rührte ihn an und sprach: Ich will; sei gereinigt! Und sogleich wurde er von seinem Aussatz rein. ^{4} Und Jesus spricht zu ihm: Sieh zu, daß du es niemand sagst; sondern geh hin, zeige dich dem Priester und bringe das Opfer, das Mose befohlen hat, ihnen zum Zeugnis!

Der Hauptmann von Kapernaum Lk 7,1-10

5 Als Jesus aber nach Kapernaum kam, trat ein Hauptmann zu ihm, bat ihn ^{6} und sprach: Herr, mein Knecht liegt daheim gelähmt danieder und ist furchtbar geplagt! ^{7} Und Jesus spricht zu ihm: Ich will kommen und ihn heilen. ^{8} Der Hauptmann antwortete und sprach: Herr, ich bin nicht wert, daß du unter mein Dach kommst, sondern sprich nur ein Wort, so wird mein Knecht gesund werden! ^{9} Denn auch ich bin ein Mensch, der unter Vorgesetzten steht, und habe Kriegsknechte unter mir; und wenn ich zu diesem sage: Geh hin!, so geht er; und zu einem anderen: Komm her!, so kommt er; und zu meinem Knecht: Tu das!, so tut er's.

10 Als Jesus das hörte, verwunderte er sich und sprach zu denen, die nachfolgten: Wahrlich, ich sage euch: Einen so großen Glauben habe ich in Israel nicht gefunden! ^{11} Ich sage euch aber: Viele werden kommen vom Osten und vom Westen und werden im Reich der Himmel mit Abraham, Isaak und Jakob zu Tisch sitzen, ^{12} aber die Kinder des Reiches werden in die äußerste Finsternis hinausgeworfen werden; dort wird Heulen und Zähneknirschen sein.

13 Und Jesus sprach zu dem Hauptmann: Geh hin, und dir geschehe, wie du geglaubt hast! Und sein Knecht wurde in derselben Stunde gesund.

Die Heilung der Schwiegermutter des Petrus und anderer Kranker Mk 1,29-39; Lk 4,38-44

14 Und als Jesus in das Haus des Petrus kam, sah er, daß dessen Schwiegermutter danniederlag und Fieber hatte. ^{15} Und er berührte ihre Hand; und das Fieber verließ sie, und sie stand auf und diente ihnen:

16 Als es aber Abend geworden war, brachten sie viele Besessene zu ihm, und er trieb die Geister aus durch das Wort und heilte alle Kranken, ^{17} damit erfüllt würde, was durch den Propheten Jesaja gesagt ist, der spricht: *Er hat unsere Gebrechen weggenommen und die Krankheiten getragen.*

Vom Preis der Nachfolge   Lk 9,57-62

18 Als aber Jesus die große Volksmenge um sich sah, befahl er, ans jenseitige Ufer zu fahren. [19] Und ein Schriftgelehrter trat herzu und sprach zu ihm: Meister, ich will dir nachfolgen, wohin du auch gehst! [20] Und Jesus sprach zu ihm: Die Füchse haben Gruben, und die Vögel des Himmels haben Nester; aber der Sohn des Menschen[a] hat nichts, wo er sein Haupt hinlegen kann.

21 Ein anderer seiner Jünger sprach zu ihm: Herr, erlaube mir, zuvor hinzugehen und meinen Vater zu begraben! [22] Jesus aber sprach zu ihm: Folge mir nach, und laß die Toten ihre Toten begraben!

Jesus stillt den Sturm   Mk 4,35-41; Lk 8,22-25; Ps 89,9

23 Und er trat in das Schiff, und seine Jünger folgten ihm nach. [24] Und siehe, es erhob sich ein großer Sturm auf dem See, so daß das Schiff von den Wellen bedeckt wurde; er aber schlief. [25] Und seine Jünger traten zu ihm, weckten ihn auf und sprachen: Herr, rette uns! Wir kommen um! [26] Da sprach er zu ihnen: Was seid ihr so furchtsam, ihr Kleingläubigen? Dann stand er auf und gebot den Winden und dem See; und es entstand eine große Stille. [27] Die Menschen aber verwunderten sich und sprachen: Wer ist dieser, daß ihm selbst die Winde und der See gehorsam sind?

Die Heilung von zwei Besessenen   Mk 5,1-20; Lk 8,26-39

28 Und als er ans jenseitige Ufer in das Gebiet der Gergesener kam, liefen ihm zwei Besessene entgegen, die kamen aus den Gräbern heraus und waren sehr gefährlich, so daß niemand auf jener Straße wandern konnte. [29] Und siehe, sie schrieen und sprachen: Was haben wir mit dir zu tun, Jesus, du Sohn Gottes? Bist du hierher gekommen, um uns vor der Zeit zu quälen?

30 Es war aber fern von ihnen eine große Herde Schweine auf der Weide. [31] Und die Dämonen baten ihn und sprachen: Wenn du uns austreibst, so erlaube uns, in die Schweineherde zu fahren! [32] Und er sprach zu ihnen: Geht hin! Da fuhren sie aus und fuhren in die Schweineherde. Und siehe, die ganze Schweineherde stürzte sich den Abhang hinunter in den See, und sie kamen im Wasser um.

33 Die Hirten aber flohen, gingen in die Stadt und verkündeten alles, auch was mit den Besessenen vorgegangen war. [34] Und

---

a. (8,20) *Sohn des Menschen:* Bezeichnung für den Messias (vgl. Joh 1,14; 1Tim 3,16; Phil 2,7; Hebr 2,14-18).

siehe, die ganze Stadt kam heraus, Jesus entgegen. Und als sie ihn sahen, baten sie ihn, aus ihrem Gebiet wegzugehen.

Die Heilung eines Gelähmten Mk 2,1-12; Lk 5,17-26

9 Und er trat in das Schiff, fuhr hinüber und kam in seine Stadt[a]. [2] Und siehe, da brachten sie einen Gelähmten zu ihm, der auf einem Bett lag. Und als Jesus ihren Glauben sah, sprach er zu dem Gelähmten: Sei getrost, mein Sohn, deine Sünden sind dir vergeben!
3 Und siehe, etliche der Schriftgelehrten sprachen bei sich selbst: Dieser lästert!
4 Und da Jesus ihre Gedanken sah, sprach er: Warum denkt ihr Böses in euren Herzen? [5] Was ist denn leichter, zu sagen: Deine Sünden sind dir vergeben! oder zu sagen: Steh auf und geh umher? [6] Damit ihr aber wißt, daß der Sohn des Menschen Vollmacht hat, auf Erden Sünden zu vergeben – sprach er zu dem Gelähmten: Steh auf, nimm dein Bett und geh heim! [7] Und er stand auf und ging heim. [8] Als aber die Volksmenge das sah, verwunderte sie sich und pries Gott, der solche Vollmacht den Menschen gegeben hatte.

Die Berufung des Matthäus Mk 2,13-17; Lk 5,27-32

9 Und als Jesus von da weiterging, sah er einen Menschen an der Zollstätte sitzen, der hieß Matthäus; und er sprach zu ihm: Folge mir nach! Und er stand auf und folgte ihm nach.
10 Und es geschah, als er in dem Haus zu Tisch saß, siehe, da kamen viele Zöllner und Sünder und saßen mit Jesus und seinen Jüngern zu Tisch. [11] Und als die Pharisäer es sahen, sprachen sie zu seinen Jüngern: Warum ißt euer Meister mit den Zöllnern und Sündern? [12] Jesus aber, als er es hörte, sprach zu ihnen: Die Starken bedürfen des Arztes nicht, sondern die Kranken. [13] Geht aber hin und lernt, was das heißt: *Ich will Barmherzigkeit und nicht Opfer.* Denn ich bin nicht gekommen, Gerechte zu berufen, sondern Sünder zur Buße.

Vom Fasten. Gleichnisse vom neuen Flicken und vom neuen Wein Mk 2,18-22; Lk 5,33-39

14 Da kamen die Jünger des Johannes zu ihm und sprachen: Warum fasten wir und die Pharisäer so viel, deine Jünger aber fasten nicht? [15] Und Jesus sprach zu ihnen: Können die Hochzeitsgäste trauern, solange der Bräutigam bei ihnen ist? Es wer-

a. (9,1) d.h. Kapernaum (vgl. Mt 4,13).

den aber Tage kommen, da der Bräutigam von ihnen genommen sein wird, und dann werden sie fasten.
16 Niemand aber setzt einen Lappen von neuem Tuch auf ein altes Kleid, denn der Flicken reißt von dem Kleid, und der Riß wird schlimmer. 17 Man füllt auch nicht neuen Wein in alte Schläuche, sonst zerreißen die Schläuche, und der Wein wird verschüttet, und die Schläuche verderben; sondern man füllt neuen Wein in neue Schläuche, so bleiben beide miteinander erhalten.

Heilung einer blutflüssigen Frau. Die Auferweckung der Tochter des Jairus Mk 5,22-43; Lk 8,41-56

18 Und als er dies mit ihnen redete, siehe, da kam ein Vorsteher[a], fiel vor ihm nieder und sprach: Meine Tochter ist eben gestorben; aber komm und lege deine Hand auf sie, so wird sie leben! 19 Und Jesus stand auf und folgte ihm mit seinen Jüngern. 20 Und siehe, eine Frau, die zwölf Jahre blutflüssig war, trat von hinten herzu und rührte den Saum seines Gewandes an. 21 Denn sie sagte bei sich selbst: Wenn ich nur sein Gewand anrühre, so bin ich geheilt! 22 Jesus aber wandte sich um, sah sie und sprach: Sei getrost, meine Tochter! Dein Glaube hat dich gerettet! Und die Frau war geheilt von jener Stunde an.
23 Als nun Jesus in das Haus des Obersten kam und die Pfeifer und das Getümmel sah, 24 spricht er zu ihnen: Entfernt euch! Denn das Mädchen ist nicht gestorben, sondern es schläft. Und sie lachten ihn aus. 25 Als aber die Menge hinausgetrieben war, ging er hinein und ergriff ihre Hand; und das Mädchen stand auf. 26 Und die Kunde hiervon verbreitete sich in jener ganzen Gegend.

Heilung von zwei Blinden und einem Besessenen Mk 8,22-26

27 Und als Jesus von dort weiterging, folgten ihm zwei Blinde nach, die schrieen und sprachen: Du Sohn Davids, erbarme dich über uns! 28 Als er nun ins Haus kam, traten die Blinden zu ihm. Und Jesus fragte sie: Glaubt ihr, daß ich dies tun kann? Sie sprachen zu ihm: Ja, Herr! 29 Da rührte er ihre Augen an und sprach: Euch geschehe nach eurem Glauben! 30 Und ihre Augen wurden geöffnet. Und Jesus ermahnte sie ernstlich und sprach: Seht zu, daß es niemand erfährt! 31 Sie aber gingen hinaus und machten ihn in jener ganzen Gegend bekannt.
32 Als sie aber hinausgingen, siehe, da brachte man einen Menschen zu ihm, der stumm und besessen war. 33 Und nachdem der Dämon ausgetrieben war, redete der Stumme. Und die

a. (9,18) d.h. der Vorsteher einer Synagoge.

Volksmenge verwunderte sich und sprach: So etwas ist noch nie in Israel gesehen worden! [34] Die Pharisäer aber sagten: Durch den Obersten der Dämonen treibt er die Dämonen aus!

Die große Ernte

35 Und Jesus durchzog alle Städte und Dörfer, lehrte in ihren Synagogen, verkündigte das Evangelium von dem Reich und heilte jede Krankheit und jedes Gebrechen im Volk.

36 Als er aber die Volksmenge sah, empfand er Mitleid mit ihnen, weil sie ermattet und vernachlässigt waren wie Schafe, die keinen Hirten haben. [37] Da sprach er zu seinen Jüngern: Die Ernte ist groß, aber es sind wenig Arbeiter. [38] Darum bittet den Herrn der Ernte, daß er Arbeiter in seine Ernte aussende!

Die Aussendung der zwölf Apostel Mk 3,13-19; 6,7-11

10 Da rief er seine zwölf Jünger zu sich und gab ihnen Vollmacht über die unreinen Geister, sie auszutreiben, und jede Krankheit und jedes Gebrechen zu heilen.

2 Die Namen der zwölf Apostel[a] aber sind diese: Der erste Simon, genannt Petrus, und sein Bruder Andreas; Jakobus, der Sohn des Zebedäus, und sein Bruder Johannes; [3] Philippus und Bartholomäus; Thomas und Matthäus der Zöllner; Jakobus, der Sohn des Alphäus, und Lebbäus, mit dem Beinamen Thaddäus; [4] Simon der Kananiter, und Judas Ischariot, der ihn auch verriet.

5 Diese zwölf sandte Jesus aus, gebot ihnen und sprach: Begebt euch nicht auf die Straße der Heiden[b] und betretet keine Stadt der Samariter; [6] geht vielmehr zu den verlorenen Schafen des Hauses Israel. [7] Geht aber hin, verkündigt und sprecht: Das Reich der Himmel ist nahe herbeigekommen! [8] Heilt Kranke, reinigt Aussätzige, weckt Tote auf, treibt Dämonen aus! Umsonst habt ihr es empfangen, umsonst gebt es! [9] Nehmt weder Gold noch Silber noch Kupfer in eure Gürtel, [10] keine Tasche auf den Weg, auch nicht zwei Hemden, weder Schuhe noch Stab; denn der Arbeiter ist seiner Nahrung wert.

11 Wo ihr aber in eine Stadt oder in ein Dorf hineingeht, da erkundigt euch, wer darin würdig ist, und bleibt dort, bis ihr weiterzieht. [12] Wenn ihr aber in das Haus eintretet, so grüßt es. [13] Und wenn das Haus würdig ist, so komme euer Friede über dasselbe. Ist es aber nicht würdig, so soll euer Friede wieder zu euch zurückkehren. [14] Und wenn euch jemand nicht aufneh-

---

a. (10,2) gr. *apostolos* = Gesandter, bevollmächtigter Botschafter.
b. (10,5) od. *Heidenvölker*, nichtjüdische Völker.

men noch eure Worte hören wird, so geht fort aus diesem Haus
oder dieser Stadt und schüttelt den Staub von euren Füßen!
[15] Wahrlich, ich sage euch: Es wird dem Land Sodom und Gomorra erträglicher gehen am Tag des Gerichts als dieser Stadt.
[16] Siehe, ich sende euch wie Schafe mitten unter die Wölfe.
Darum seid klug wie die Schlangen und ohne Falsch wie die
Tauben!

Die kommenden Verfolgungen Lk 12,11-12; 21,12-17

17 Hütet euch aber vor den Menschen! Denn sie werden euch
den Gerichten ausliefern, und in ihren Synagogen werden sie
euch geißeln; [18] auch vor Fürsten und Könige wird man euch
führen um meinetwillen, ihnen und den Heiden zum Zeugnis.
19 Wenn sie euch aber ausliefern, so sorgt euch nicht darum,
wie oder was ihr reden sollt; denn es wird euch in jener Stunde
gegeben werden, was ihr reden sollt. [20] Denn nicht ihr seid es,
die reden, sondern der Geist eures Vaters ist's, der durch euch
redet.
21 Es wird aber ein Bruder den anderen zum Tode ausliefern
und ein Vater sein Kind; und Kinder werden sich gegen die Eltern erheben und werden sie töten helfen. [22] Und ihr werdet
von jedermann gehaßt sein um meines Namens willen. Wer
aber ausharrt bis ans Ende, der wird gerettet werden. [23] Wenn
sie euch aber in der einen Stadt verfolgen, so flieht in eine andere. Denn wahrlich, ich sage euch: Ihr werdet mit den Städten
Israels nicht fertig sein, bis der Sohn des Menschen kommt.
24 Der Jünger ist nicht über dem Meister, noch der Knecht über
seinem Herrn; [25] es ist für den Jünger genug, daß er sei wie sein
Meister und der Knecht wie sein Herr. Haben sie den Hausherrn Beelzebul[a] genannt, wieviel mehr seine Hausgenossen!

Vom Bekennen Lk 12,2-9

26 So fürchtet euch nun nicht vor ihnen! Denn es ist nichts verdeckt, das nicht aufgedeckt werden wird, und nichts verborgen, das man nicht erfahren wird. [27] Was ich euch im Finstern
sage, das redet im Licht, und was ihr ins Ohr hört, das verkündigt auf den Dächern! [28] Und fürchtet euch nicht vor denen,
die den Leib töten, die Seele aber nicht zu töten vermögen;
fürchtet vielmehr den, der Seele und Leib verderben kann in
der Hölle! [29] Verkauft man nicht zwei Sperlinge um einen Groschen? Und doch fällt keiner von ihnen auf die Erde ohne euren
Vater. [30] Bei euch aber sind selbst die Haare des Hauptes alle

---

a. (10,25) im Judentum gebräuchlicher Name des Teufels.

gezählt. [31] Darum fürchtet euch nicht! Ihr seid mehr wert als viele Sperlinge.

32 Jeder nun, der mich bekennt vor den Menschen, den will auch ich bekennen vor meinem Vater im Himmel; [33] wer mich aber verleugnet vor den Menschen, den will auch ich verleugnen vor meinem Vater im Himmel.

Kämpfe und Opfer der Nachfolge   Mt 16,24-25; Lk 12,51-53

34 Ihr sollt nicht meinen, daß ich gekommen sei, Frieden auf die Erde zu bringen. Ich bin nicht gekommen, Frieden zu bringen, sondern das Schwert! [35] Denn ich bin gekommen, den Menschen zu entzweien mit seinem Vater und die Tochter mit ihrer Mutter und die Schwiegertochter mit ihrer Schwiegermutter; [36] und die Feinde des Menschen werden seine eigenen Hausgenossen sein. [37] Wer Vater oder Mutter mehr liebt als mich, der ist meiner nicht wert; und wer Sohn oder Tochter mehr liebt als mich, der ist meiner nicht wert. [38] Und wer nicht sein Kreuz nimmt und mir nachfolgt, der ist meiner nicht wert. [39] Wer sein Leben findet, der wird es verlieren; und wer sein Leben verliert um meinetwillen, der wird es finden!

Vom gerechten Lohn   Mt 25,34-40

40 Wer euch aufnimmt, der nimmt mich auf; und wer mich aufnimmt, der nimmt den auf, der mich gesandt hat. [41] Wer einen Propheten aufnimmt, weil er ein Prophet ist, der wird den Lohn eines Propheten empfangen; und wer einen Gerechten aufnimmt, weil er ein Gerechter ist, der wird den Lohn eines Gerechten empfangen; [42] und wer einem dieser Geringen auch nur einen Becher mit kaltem Wasser zu trinken gibt, weil er ein Jünger ist, wahrlich, ich sage euch, der wird seinen Lohn nicht verlieren!

Jesus und Johannes der Täufer   Lk 7,18-35

11 Und es geschah, als Jesus die Befehle an seine zwölf Jünger vollendet hatte, zog er von dort weg, um in ihren Städten zu lehren und zu verkündigen.

2 Als aber Johannes im Gefängnis die Werke des Christus vernahm, sandte er zwei seiner Jünger und ließ ihm sagen: [3] Bist du es, der da kommen soll, oder sollen wir auf einen anderen warten?

4 Und Jesus antwortete und sprach zu ihnen: Geht hin und verkündigt dem Johannes, was ihr hört und seht: [5] Blinde werden sehend und Lahme gehen, Aussätzige werden rein und Taube

hören, Tote werden auferweckt, und Armen wird das Evangelium
verkündigt. **6** Und glückselig ist, wer nicht Anstoß nimmt an mir!

7 Als aber diese aufbrachen, fing Jesus an, zu der Volksmenge
über Johannes zu reden: Was seid ihr in die Wüste hinausgegangen zu sehen? Ein Rohr, das vom Wind bewegt wird? **8** Oder
was seid ihr hinausgegangen zu sehen? Einen Menschen, mit
weichen Kleidern bekleidet? Siehe, die, welche weiche Kleider
tragen, sind in den Häusern der Könige! **9** Oder was seid ihr
hinausgegangen zu sehen? Einen Propheten? Ja, ich sage euch,
einen, der mehr ist als ein Prophet! **10** Denn dieser ist's, von
dem geschrieben steht: *Siehe, ich sende meinen Boten vor deinem Angesicht her, der deinen Weg vor dir bereiten soll.*

11 Wahrlich, ich sage euch: Unter denen, die von Frauen geboren sind, ist kein Größerer aufgetreten als Johannes der Täufer;
doch der Kleinste im Reich der Himmel ist größer als er.
12 Aber von den Tagen Johannes des Täufers an bis jetzt leidet
das Reich der Himmel Gewalt, und die, welche Gewalt anwen-
den, reißen es an sich. **13** Denn alle Propheten und das Gesetz
haben geweissagt bis auf Johannes. **14** Und wenn ihr es annehmen wollt: Er ist der Elia, der kommen soll. **15** Wer Ohren hat
zu hören, der höre!

16 Wem soll ich aber dieses Geschlecht vergleichen? Es ist Kindern gleich, die am Markt sitzen und ihren Freunden zurufen
17 und sprechen: Wir haben euch aufgespielt, und ihr habt
nicht getanzt; wir haben euch Klagelieder gesungen, und ihr
habt nicht geweint! **18** Denn Johannes ist gekommen, der aß
nicht und trank nicht; da sagen sie: Er hat einen Dämon! **19** Der
Sohn des Menschen ist gekommen, der ißt und trinkt; da sagen
sie: Wie ist der Mensch ein Fresser und Weinsäufer, ein Freund
der Zöllner und Sünder! Und doch ist die Weisheit gerechtfertigt worden von ihren Kindern.

Weheruf über unbußfertige Städte Lk 10,13-16

20 Da fing er an, die Städte zu schelten, in denen die meisten
seiner Wundertaten geschehen waren, weil sie nicht Buße getan hatten: **21** Wehe dir, Chorazin! Wehe dir, Bethsaida! Denn
wenn in Tyrus und Sidon die Wundertaten geschehen wären,
die bei euch geschehen sind, so hätten sie längst in Sack und
Asche Buße getan. **22** Doch ich sage euch: Es wird Tyrus und Sidon erträglicher gehen am Tag des Gerichts als euch! **23** Und
du, Kapernaum, die du bis zum Himmel erhöht worden bist,
du wirst bis zum Totenreich hinabgeworfen werden! Denn
wenn in Sodom die Wundertaten geschehen wären, die bei dir

geschehen sind, es würde noch heutzutage stehen. ²⁴ Doch ich sage euch: Es wird dem Land Sodom erträglicher gehen am Tag des Gerichts als dir!

Jesus, der Heiland für die Unmündigen und Bedrückten

25 Zu jener Zeit begann Jesus und sprach: Ich preise dich, Vater, Herr des Himmels und der Erde, daß du dies den Weisen und Klugen verborgen und es den Unmündigen geoffenbart hast! ²⁶ Ja, Vater, denn so ist es wohlgefällig gewesen vor dir. ²⁷ Alles ist mir von meinem Vater übergeben worden, und niemand erkennt den Sohn als nur der Vater; und niemand erkennt den Vater als nur der Sohn und wem der Sohn es offenbaren will.

28 Kommt her zu mir alle, die ihr mühselig und beladen seid, so will ich euch erquicken! ²⁹ Nehmt auf euch mein Joch[a] und lernt von mir, denn ich bin sanftmütig und von Herzen demütig; so werdet ihr Ruhe finden für eure Seelen! ³⁰ Denn mein Joch ist sanft und meine Last ist leicht.

Jesus ist der Herr über den Sabbat   Mk 2,23-28; Lk 6,1-5

12 Zu jener Zeit ging Jesus am Sabbat[b] durch die Kornfelder; seine Jünger aber waren hungrig und fingen an, Ähren abzustreifen und zu essen. ² Als aber das die Pharisäer sahen, sprachen sie zu ihm: Siehe, deine Jünger tun, was am Sabbat zu tun nicht erlaubt ist!

3 Er aber sagte zu ihnen: Habt ihr nicht gelesen, was David tat, als er und seine Gefährten hungrig waren? ⁴ Wie er in das Haus Gottes hineinging und die Schaubrote aß, welche weder er noch seine Gefährten essen durften, sondern allein die Priester? ⁵ Oder habt ihr nicht im Gesetz gelesen, daß am Sabbat die Priester im Tempel den Sabbat entweihen und doch ohne Schuld sind? ⁶ Ich sage euch aber: Hier ist ein Größerer als der Tempel! ⁷ Wenn ihr aber wüßtet, was das heißt: *Ich will Barmherzigkeit und nicht Opfer,* so hättet ihr nicht die Unschuldigen verurteilt. ⁸ Denn der Sohn des Menschen ist Herr auch über den Sabbat.

Der Mann mit der verdorrten Hand   Mk 3,1-6; Lk 6,6-11

9 Und er ging von dort weiter und kam in ihre Synagoge. ¹⁰ Und siehe, da war ein Mensch, der hatte eine verdorrte

---

a. (11,29) *Joch* = der Holzbalken, mit dem zwei Tiere vor einen Pflug oder Wagen zusammengespannt wurden.

b. (12,1) *Sabbat:* Tag der Ruhe, 7. Tag der Woche; im mosaischen Gesetz gebotener Feiertag Israels, an dem keinerlei Arbeit getan werden durfte.

Hand. Und sie fragten ihn und sprachen: Darf man am Sabbat heilen?, damit sie ihn verklagen könnten. ¹¹ Er aber sprach zu ihnen: Welcher Mensch ist unter euch, der ein Schaf hat und, wenn es am Sabbat in eine Grube fällt, es nicht ergreift und herauszieht? ¹² Wieviel mehr ist nun ein Mensch wert als ein Schaf! Darum darf man am Sabbat wohl Gutes tun. ¹³ Dann sprach er zu dem Menschen: Strecke deine Hand aus! Und er streckte sie aus, und sie wurde gesund wie die andere.

Jesus, der Knecht Gottes   Mk 3,7-12; Lk 6,17-19

14 Da gingen die Pharisäer hinaus und hielten Rat gegen ihn, wie sie ihn umbringen könnten. ¹⁵ Jesus aber zog sich von dort zurück, als er es bemerkte. Und es folgte ihm eine große Menge nach, und er heilte sie alle. ¹⁶ Und er gebot ihnen, daß sie ihn nicht offenbar machen sollten, ¹⁷ damit erfüllt würde, was durch den Propheten Jesaja geredet wurde, der spricht:
18 *Siehe, mein Knecht, den ich erwählt habe, mein Geliebter, an dem meine Seele Wohlgefallen hat! Ich will meinen Geist auf ihn legen, und er wird den Heiden das Recht verkündigen.* ¹⁹ *Er wird nicht streiten noch schreien, und niemand wird auf den Gassen seine Stimme hören.* ²⁰ *Ein geknicktes Rohr wird er nicht zerbrechen, und einen glimmenden Docht wird er nicht auslöschen, bis er das Recht zum Sieg hinausführt.* ²¹ *Und die Heiden werden auf seinen Namen hoffen.*

Jesu Macht über die bösen Geister. Die Lästerung gegen den Heiligen Geist.   Mk 3,20-30; Lk 11,14-23

22 Da wurde ein Besessener zu ihm gebracht, der blind und stumm war, und er heilte ihn, so daß der Blinde und Stumme sowohl redete als auch sah. ²³ Und die Volksmenge staunte und sprach: Ist dieser nicht etwa der Sohn Davids?
24 Als aber die Pharisäer es hörten, sprachen sie: Dieser treibt die Dämonen nicht anders aus als durch Beelzebul, den Obersten der Dämonen!
25 Da aber Jesus ihre Gedanken kannte, sprach er zu ihnen: Jedes Reich, das mit sich selbst uneins ist, wird verwüstet, und keine Stadt, kein Haus, das mit sich selbst uneins ist, kann bestehen. ²⁶ Wenn nun der Satan den Satan austreibt, so ist er mit sich selbst uneins. Wie kann dann sein Reich bestehen? ²⁷ Und wenn ich die Dämonen durch Beelzebul austreibe, durch wen treiben eure Söhne sie aus? Darum werden sie eure Richter sein. ²⁸ Wenn ich aber die Dämonen durch den Geist Gottes austreibe, so ist ja das Reich Gottes zu euch gekommen!

29 Oder wie kann jemand in das Haus des Starken hineingehen und seinen Hausrat rauben, wenn er nicht zuerst den Starken bindet? Erst dann kann er sein Haus berauben. ³⁰ Wer nicht mit mir ist, der ist gegen mich, und wer nicht mit mir sammelt, der zerstreut.

31 Darum sage ich euch: Jede Sünde und Lästerung wird den Menschen vergeben werden; aber die Lästerung des Geistes wird den Menschen nicht vergeben werden. ³² Und wer ein Wort redet gegen den Sohn des Menschen, dem wird vergeben werden; wer aber gegen den Heiligen Geist redet, dem wird nicht vergeben werden, weder in dieser Weltzeit noch in der zukünftigen.

Gottes Gericht über das Böse im Menschen Mt 7,15-23

33 Entweder pflanzt einen guten Baum, so wird die Frucht gut, oder pflanzt einen schlechten Baum, so wird die Frucht schlecht! Denn an der Frucht erkennt man den Baum.

34 Schlangenbrut, wie könnt ihr Gutes reden, da ihr böse seid? Denn wovon das Herz voll ist, davon redet der Mund. ³⁵ Der gute Mensch bringt aus dem guten Schatz des Herzens das Gute hervor, und der böse Mensch bringt aus seinem bösen Schatz Böses hervor.

36 Ich sage euch aber, daß die Menschen am Tag des Gerichts Rechenschaft geben müssen von jedem unnützen Wort, das sie geredet haben. ³⁷ Denn nach deinen Worten wirst du gerechtfertigt, und nach deinen Worten wirst du verurteilt werden.

Das Zeichen des Propheten Jona Lk 11,29-32

38 Da antworteten etliche der Schriftgelehrten und Pharisäer und sprachen: Meister, wir wollen von dir ein Zeichen sehen!

39 Er aber erwiderte und sprach zu ihnen: Das böse und ehebrecherische Geschlecht begehrt ein Zeichen; aber es wird ihm kein Zeichen gegeben werden als nur das Zeichen des Propheten Jona. ⁴⁰ Denn gleichwie Jona drei Tage und drei Nächte im Bauch des Riesenfisches war, so wird der Sohn des Menschen drei Tage und drei Nächte im Schoß der Erde sein.

41 Die Männer von Ninive werden im Gericht auftreten gegen dieses Geschlecht und werden es verurteilen, denn sie taten Buße auf die Verkündigung des Jona hin; und siehe, hier ist ein Größerer als Jona! ⁴² Die Königin des Südens wird im Gericht auftreten gegen dieses Geschlecht und wird es verurteilen, denn sie kam vom Ende der Erde, um die Weisheit Salomos zu hören; und siehe, hier ist ein Größerer als Salomo!

Die Rückkehr des unreinen Geistes Lk 11,24-26

43 Wenn aber der unreine Geist von dem Menschen ausgefahren ist, so durchzieht er wasserlose Stätten und sucht Ruhe und findet sie nicht. 44 Dann spricht er: Ich will in mein Haus zurückkehren, aus dem ich gegangen bin. Und wenn er kommt, findet er es leer, gesäubert und geschmückt. 45 Dann geht er hin und nimmt sieben andere Geister mit sich, die bösartiger sind als er; und sie ziehen ein und wohnen dort, und es wird zuletzt mit diesem Menschen schlimmer als zuerst. So wird es auch sein mit diesem bösen Geschlecht.

Die wahren Verwandten Jesu Mk 3,31-35; Lk 8,19-21

46 Während er aber noch zu dem Volk redete, siehe, da standen seine Mutter und seine Brüder draußen und wollten mit ihm reden. 47 Da sprach einer zu ihm: Siehe, deine Mutter und deine Brüder stehen draußen und wollen mit dir reden! 48 Er aber antwortete und sprach zu dem, der es ihm sagte: Wer ist meine Mutter, und wer sind meine Brüder? 49 Und er streckte seine Hand aus über seine Jünger und sprach: Seht da, meine Mutter und meine Brüder! 50 Denn wer den Willen meines Vaters im Himmel tut, der ist mir Bruder und Schwester und Mutter!

Die Geheimnisse des Reiches der Himmel

13 An jenem Tag aber ging Jesus aus dem Haus hinaus und setzte sich an den See[a]. 2 Und es versammelte sich eine große Volksmenge zu ihm, so daß er in das Schiff stieg und sich setzte; und alles Volk stand am Ufer.

Das Gleichnis vom Sämann Mk 4,3-9; Lk 8,4-8

3 Und er redete zu ihnen vieles in Gleichnissen und sprach: Siehe, der Sämann ging aus, um zu säen. 4 Und als er säte, fiel etliches an den Weg, und die Vögel kamen und fraßen es auf. 5 Anderes aber fiel auf den felsigen Boden, wo es nicht viel Erde hatte; und es ging sogleich auf, weil es keine tiefe Erde hatte. 6 Als aber die Sonne aufging, wurde es verbrannt, und weil es keine Wurzel hatte, verdorrte es. 7 Anderes aber fiel unter die Dornen; und die Dornen wuchsen auf und erstickten es. 8 Anderes aber fiel auf das gute Erdreich und brachte Frucht, etliches hundertfältig, etliches sechzigfältig und etliches dreißigfältig. 9 Wer Ohren hat zu hören, der höre!

---

a. (13,1) d.h. den See Genezareth.

Der Grund für die Gleichnisreden Mk 4,10-13; Lk 8,9-10

10 Da traten die Jünger herzu und sprachen zu ihm: Warum redest du in Gleichnissen mit ihnen? [11] Er aber antwortete und sprach zu ihnen: Weil es euch gegeben ist, die Geheimnisse des Reiches der Himmel zu verstehen; jenen aber ist es nicht gegeben. [12] Denn wer da hat, dem wird gegeben werden, und er wird Überfluß haben; wer aber nicht hat, von dem wird auch das genommen werden, was er hat. [13] Darum rede ich in Gleichnissen zu ihnen, weil sie sehen und doch nicht sehen und hören und doch nicht hören und nicht verstehen; [14] und es wird an ihnen die Weissagung des Jesaja erfüllt, welche lautet: *Mit den Ohren werdet ihr hören und nicht verstehen, und mit den Augen werdet ihr sehen und nicht erkennen!* [15] *Denn das Herz dieses Volkes ist verstockt, und mit den Ohren hören sie schwer, und ihre Augen haben sie verschlossen, daß sie nicht etwa mit den Augen sehen und mit den Ohren hören und mit dem Herzen verstehen und sich bekehren und ich sie heile.*

16 Aber glückselig sind eure Augen, daß sie sehen, und eure Ohren, daß sie hören! [17] Denn wahrlich, ich sage euch: Viele Propheten und Gerechte haben zu sehen begehrt, was ihr seht, und haben es nicht gesehen, und zu hören, was ihr hört, und haben es nicht gehört.

Die Deutung des Gleichnisses vom Sämann Mk 4,14-20

18 So hört nun ihr das Gleichnis vom Sämann: [19] So oft jemand das Wort vom Reich hört und nicht versteht, kommt der Böse und raubt das, was in sein Herz gesät ist. Das ist der, bei dem es an den Weg gestreut war. [20] Auf den felsigen Boden gestreut aber ist es bei dem, der das Wort hört und sogleich mit Freuden aufnimmt; [21] er hat aber keine Wurzel in sich, sondern ist wetterwendisch. Wenn nun Drangsal oder Verfolgung entsteht um des Wortes willen, so nimmt er sogleich Anstoß. [22] Unter die Dornen gesät aber ist es bei dem, der das Wort hört, aber die Sorge dieser Weltzeit und der Betrug des Reichtums ersticken das Wort, und es wird unfruchtbar. [23] Auf das gute Erdreich gesät aber ist es bei dem, der das Wort hört und versteht; der bringt dann auch Frucht, und der eine trägt hundertfältig, ein anderer sechzigfältig, ein dritter dreißigfältig.

Das Gleichnis vom Unkraut unter dem Weizen

24 Ein anderes Gleichnis legte er ihnen vor und sprach: Das Reich der Himmel gleicht einem Menschen, der guten Samen auf seinen Acker säte. [25] Während aber die Leute schliefen, kam

sein Feind und säte Unkraut mitten unter den Weizen und ging davon. 26 Als nun die Saat wuchs und Frucht ansetzte, da zeigte sich auch das Unkraut. 27 Und die Knechte des Hausherrn traten herzu und sprachen zu ihm: Herr, hast du nicht guten Samen in deinen Acker gesät? Woher hat er denn das Unkraut?

28 Er aber sprach zu ihnen: Das hat der Feind getan! Da sagten die Knechte zu ihm: Willst du nun, daß wir hingehen und es zusammenlesen? 29 Er aber sprach: Nein! damit ihr nicht beim Zusammenlesen des Unkrauts zugleich mit ihm den Weizen ausreißt. 30 Laßt beides miteinander wachsen bis zur Ernte, und zur Zeit der Ernte will ich den Schnittern sagen: Lest zuerst das Unkraut zusammen und bindet es in Bündel, daß man es verbrenne; den Weizen aber sammelt in meine Scheune!

Das Gleichnis vom Senfkorn   Mk 4,30-32; Lk 13,18-19

31 Ein anderes Gleichnis legte er ihnen vor und sprach: Das Reich der Himmel gleicht einem Senfkorn, das ein Mensch nahm und auf seinen Acker säte. 32 Dieses ist zwar unter allen Samen das kleinste; wenn es aber wächst, so wird es größer als die Gartengewächse und wird ein Baum, so daß die Vögel des Himmels kommen und in seinen Zweigen nisten.

Das Gleichnis vom Sauerteig   Lk 13,20-21

33 Ein anderes Gleichnis sagte er ihnen: Das Reich der Himmel gleicht einem Sauerteig, den eine Frau nahm und heimlich in drei Scheffel Mehl hineinmischte, bis das Ganze durchsäuert war.

34 Dies alles redete Jesus in Gleichnissen zu der Volksmenge, und ohne Gleichnis redete er nicht zu ihnen, 35 damit erfüllt würde, was durch den Propheten gesagt ist, der spricht: *Ich will meinen Mund in Gleichnissen auftun; ich will verkündigen, was von Grundlegung der Welt an verborgen war.*

Die Deutung des Gleichnisses vom Unkraut

36 Da entließ Jesus die Volksmenge und ging in das Haus. Und seine Jünger traten zu ihm und sprachen: Erkläre uns das Gleichnis vom Unkraut auf dem Acker!

37 Und er antwortete und sprach zu ihnen: Der den guten Samen sät, ist der Sohn des Menschen. 38 Der Acker ist die Welt; der gute Same sind die Kinder des Reichs; das Unkraut aber sind die Kinder des Bösen. 39 Der Feind, der es sät, ist der Teufel; die Ernte ist das Ende der Weltzeit; die Schnitter sind die Engel.

40 Gleichwie man nun das Unkraut sammelt und mit Feuer verbrennt, so wird es sein am Ende dieser Weltzeit. 41 Der Sohn des Menschen wird seine Engel aussenden, und sie werden alle Ärgernisse und die Unrecht tun aus seinem Reich sammeln 42 und werden sie in den Feuerofen werfen; dort wird das Heulen und das Zähneknirschen sein. 43 Dann werden die Gerechten leuchten wie die Sonne im Reich ihres Vaters. Wer Ohren hat zu hören, der höre!

Das Gleichnis vom Schatz im Acker und von der kostbaren Perle

44 Wiederum gleicht das Reich der Himmel einem verborgenen Schatz im Acker, den ein Mensch fand und verbarg. Und vor Freude darüber geht er hin und verkauft alles, was er hat, und kauft jenen Acker.
45 Wiederum gleicht das Reich der Himmel einem Kaufmann, der schöne Perlen suchte. 46 Als er eine kostbare Perle fand, ging er hin, verkaufte alles, was er hatte, und kaufte sie.

Das Gleichnis vom Fischnetz

47 Wiederum gleicht das Reich der Himmel einem Netz, das ins Meer geworfen wurde und alle Arten [von Fischen] zusammenbrachte. 48 Als es voll war, zogen sie es ans Ufer, setzten sich und sammelten die guten in Gefäße, die faulen aber warfen sie weg. 49 So wird es am Ende der Weltzeit sein: Die Engel werden ausgehen und die Bösen von den Gerechten scheiden 50 und sie in den Feuerofen werfen. Dort wird das Heulen und Zähneknirschen sein.
51 Da sprach Jesus zu ihnen: Habt ihr das alles verstanden? Sie sprachen zu ihm: Ja, Herr! 52 Da sagte er zu ihnen: Darum gleicht jeder Schriftgelehrte, der für das Reich der Himmel unterrichtet ist, einem Hausvater, der aus seinem Schatz Neues und Altes hervorholt.

Der Unglaube der Einwohner von Nazareth   Mk 6,1-6; Lk 4,16-30

53 Und es geschah, als Jesus diese Gleichnisse beendet hatte, zog er von dort weg. 54 Und als er in seine Vaterstadt kam, lehrte er sie in ihrer Synagoge, so daß sie staunten und sprachen: Woher hat dieser solche Weisheit und solche Wunderkräfte? 55 Ist dieser nicht der Sohn des Zimmermanns? Heißt nicht seine Mutter Maria, und seine Brüder [heißen] Jakobus und Joses und Simon und Judas? 56 Und sind nicht seine Schwestern alle bei uns? Woher hat dieser denn das alles? 57 Und sie nahmen Anstoß an ihm. Jesus aber sprach zu ihnen: Ein Prophet ist nirgends verachtet au-

ßer in seiner Vaterstadt und in seinem Haus! **58** Und er tat dort nicht viele Wunder um ihres Unglaubens willen.

Der Tod Johannes des Täufers Mk 6,14-29; Lk 9,7-9

14 Zu jener Zeit hörte der Vierfürst Herodes[a] das Gerücht von Jesus. **2** Und er sprach zu seinen Dienern: Das ist Johannes der Täufer, der ist aus den Toten auferstanden; darum wirken auch die Wunderkräfte in ihm! **3** Denn Herodes hatte den Johannes ergreifen, binden und ins Gefängnis legen lassen wegen Herodias, der Frau seines Bruders Philippus. **4** Denn Johannes hatte zu ihm gesagt: Es ist dir nicht erlaubt, sie zu haben! **5** Und er wollte ihn töten, fürchtete aber die Volksmenge, denn sie hielten ihn für einen Propheten.

6 Als nun Herodes seinen Geburtstag beging, tanzte die Tochter der Herodias vor den Gästen und gefiel dem Herodes. **7** Darum versprach er ihr mit einem Eid, ihr zu geben, was sie auch fordern würde. **8** Da sie aber von ihrer Mutter angeleitet war, sprach sie: Gib mir hier auf einer Schüssel das Haupt Johannes des Täufers! **9** Und der König wurde betrübt; doch um des Eides willen und derer, die mit ihm zu Tisch saßen, befahl er, es zu geben. **10** Und er sandte hin und ließ Johannes im Gefängnis enthaupten. **11** Und sein Haupt wurde auf einer Schüssel gebracht und dem Mädchen gegeben, und sie brachte es ihrer Mutter. **12** Und seine Jünger kamen herbei, nahmen den Leib und begruben ihn und gingen hin und verkündeten es Jesus.

Die Speisung der Fünftausend Mk 6,30-44; Lk 9,10-17; Joh 6,1-14

13 Und als Jesus das hörte, zog er sich von dort in einem Schiff abseits an einen einsamen Ort zurück. Und als die Volksmenge es vernahm, folgte sie ihm aus den Städten zu Fuß nach. **14** Als nun Jesus ausstieg, sah er eine große Menge und erbarmte sich über sie und heilte ihre Kranken.

15 Und als es Abend geworden war, traten seine Jünger zu ihm und sprachen: Der Ort ist einsam, und die Stunde ist schon vorgeschritten; entlasse das Volk, damit sie in die Dörfer gehen und sich Speise kaufen! **16** Jesus aber sprach zu ihnen: Sie haben es nicht nötig, wegzugehen. Gebt ihr ihnen zu essen! **17** Sie sprachen zu ihm: Wir haben nichts hier als fünf Brote und zwei Fische.

18 Da sprach er: Bringt sie mir hierher! **19** Und er befahl der Volksmenge, sich in das Gras zu lagern, und nahm die fünf Brote und die zwei Fische, sah zum Himmel auf, dankte, brach die Bro-

---

a. (14,1) d.h. Herodes Antipas, der Sohn Herodes des Großen, der 4 v. - 39 n. Chr. über Galiläa und Peräa herrschte.

te und gab sie den Jüngern; die Jünger aber gaben sie dem Volk. [20] Und sie aßen alle und wurden satt; und sie hoben auf, was an Brocken übrigblieb, zwölf Körbe voll. [21] Die aber gegessen hatten, waren etwa fünftausend Männer, ohne Frauen und Kinder.

Jesus geht auf dem See   Mk 6,45-56; Joh 6,15-21

22 Und sogleich nötigte Jesus seine Jünger, in das Schiff zu steigen und vor ihm ans jenseitige Ufer zu fahren, bis er die Volksmenge entlassen hätte. [23] Und nachdem er die Menge entlassen hatte, stieg er auf den Berg, um abseits zu beten; und als es Abend geworden war, war er dort allein.

24 Das Schiff aber war schon mitten auf dem See und litt Not von den Wellen; denn der Wind stand ihnen entgegen. [25] Aber um die vierte Nachtwache[a] kam Jesus zu ihnen und ging auf dem See. [26] Und als ihn die Jünger auf dem See gehen sahen, erschraken sie und sprachen: Es ist ein Gespenst! und schrieen vor Furcht. [27] Jesus aber redete sogleich mit ihnen und sprach: Seid getrost, ich bin's; fürchtet euch nicht!

28 Petrus aber antwortete ihm und sprach: Herr, wenn du es bist, so befiehl mir, zu dir auf das Wasser zu kommen! [29] Da sprach er: Komm! Und Petrus stieg aus dem Schiff und ging auf dem Wasser, um zu Jesus zu kommen. [30] Als er aber den starken Wind sah, fürchtete er sich, und da er zu sinken anfing, schrie er und sprach: Herr, rette mich! [31] Jesus aber streckte sogleich die Hand aus, ergriff ihn und sprach zu ihm: Du Kleingläubiger, warum hast du gezweifelt? [32] Und als sie in das Schiff stiegen, legte sich der Wind. [33] Da kamen die in dem Schiff waren, warfen sich anbetend vor ihm nieder und sprachen: Wahrhaftig, du bist Gottes Sohn!

34 Und sie fuhren hinüber und kamen in das Land Genezareth. [35] Und als ihn die Männer dieser Gegend erkannten, sandten sie in die ganze Umgebung und brachten alle Kranken zu ihm. [36] Und sie baten ihn, daß sie nur den Saum seines Gewandes anrühren dürften; und alle, die ihn anrührten, wurden ganz gesund.

Die Pharisäer und die Überlieferung der Alten   Mk 7,1-13

15 Da kamen die Schriftgelehrten und Pharisäer von Jerusalem zu Jesus und sprachen: [2] Warum übertreten deine Jünger die Überlieferung der Alten? Denn sie waschen ihre Hände nicht, wenn sie Brot essen.

---

a. (14,25) Die Zeit zwischen Untergang und Aufgang der Sonne wurde in vier Nachtwachen aufgeteilt: Abend, Mitternacht, Hahnenschrei und Morgen.

3 Er aber antwortete und sprach zu ihnen: Und warum übertretet ihr das Gebot Gottes um eurer Überlieferung willen? 4 Denn Gott hat geboten und gesagt: *Du sollst deinen Vater und deine Mutter ehren!* und: *Wer Vater oder Mutter flucht, der soll des Todes sterben!* 5 Ihr aber sagt: Wer zum Vater oder zur Mutter spricht: Ich habe zum Opfer bestimmt, was dir von mir zugute kommen sollte!, der braucht auch seinen Vater oder seine Mutter nicht mehr zu ehren. 6 Und so habt ihr das Gebot Gottes um eurer Überlieferung willen aufgehoben. 7 Ihr Heuchler! Treffend hat Jesaja von euch geweissagt, wenn er spricht: 8 *Dieses Volk naht sich zu mir mit seinem Mund und ehrt mich mit den Lippen, aber ihr Herz ist fern von mir.* 9 *Vergeblich aber verehren sie mich, weil sie Lehren vortragen, die Menschengebote sind.*

Das Herz des Menschen: Quelle der Verunreinigung   Mk 7,14-23

10 Und er rief die Volksmenge zu sich und sprach zu ihnen: Hört und versteht! 11 Nicht das, was zum Mund eingeht, verunreinigt den Menschen, sondern was aus dem Mund herauskommt, das verunreinigt den Menschen.

12 Da traten seine Jünger herzu und sprachen zu ihm: Weißt du, daß die Pharisäer Anstoß nahmen, als sie das Wort hörten? 13 Er aber antwortete und sprach: Jede Pflanze, die nicht mein himmlischer Vater gepflanzt hat, wird ausgerissen werden. 14 Laßt sie; sie sind blinde Blindenleiter! Wenn aber ein Blinder den anderen leitet, werden beide in die Grube fallen.

15 Petrus aber antwortete und sprach zu ihm: Erkläre uns dieses Gleichnis! 16 Jesus aber sprach: Seid denn auch ihr noch unverständig? 17 Begreift ihr noch nicht, daß alles, was zum Mund eingeht, in den Bauch kommt und in den Abort geworfen wird? 18 Was aber aus dem Mund herauskommt, das kommt aus dem Herzen, und das verunreinigt den Menschen. 19 Denn aus dem Herzen kommen böse Gedanken, Mord, Ehebruch, Unzucht, Diebstahl, falsche Zeugnisse, Lästerungen. 20 Das ist's, was den Menschen verunreinigt! Aber mit ungewaschenen Händen essen, das verunreinigt den Menschen nicht.

Die kananäische Frau   Mk 7,24-30

21 Und Jesus ging von dort weg und zog sich in die Gegend von Tyrus und Sidon zurück. 22 Und siehe, eine kananäische Frau kam aus jener Gegend, rief ihn an und sprach: Erbarme dich über mich, Herr, du Sohn Davids! Meine Tochter ist schlimm

besessen! **23** Er aber antwortete ihr nicht ein Wort. Da traten seine Jünger herzu, baten ihn und sprachen: Fertige sie ab, denn sie schreit uns nach!

24 Er aber antwortete und sprach: Ich bin nur gesandt zu den verlorenen Schafen des Hauses Israel. **25** Da kam sie, fiel vor ihm nieder und sprach: Herr, hilf mir! **26** Er aber antwortete und sprach: Es ist nicht recht, daß man das Brot der Kinder nimmt und es den Hunden vorwirft. **27** Sie aber sprach: Ja, Herr; und doch essen die Hunde von den Brosamen, die vom Tisch ihrer Herren fallen!

28 Da antwortete Jesus und sprach zu ihr: O Frau, dein Glaube ist groß; dir geschehe, wie du willst! Und ihre Tochter war geheilt von jener Stunde an.

Zahlreiche Heilungen

29 Und Jesus zog weiter und kam an den See von Galiläa; und er stieg auf den Berg und setzte sich dort. **30** Und es kamen große Volksmengen zu ihm, die hatten Lahme, Blinde, Stumme, Krüppel und viele andere bei sich. Und sie legten sie zu Jesu Füßen, und er heilte sie, **31** so daß sich die Menge verwunderte, als sie sah, daß Stumme redeten, Krüppel gesund wurden, Lahme gingen und Blinde sehend wurden; und sie priesen den Gott Israels.

Die Speisung der Viertausend Mk 8,1-9

32 Da rief Jesus seine Jünger zu sich und sprach: Ich bin voll Mitleid mit der Menge; denn sie verharren nun schon drei Tage bei mir und haben nichts zu essen, und ich will sie nicht ohne Speise entlassen, damit sie nicht auf dem Weg verschmachten. **33** Und seine Jünger sprachen zu ihm: Woher sollen wir in der Einöde so viele Brote nehmen, um eine so große Menge zu sättigen? **34** Und Jesus sprach zu ihnen: Wie viele Brote habt ihr? Sie sprachen: Sieben, und ein paar Fische.

35 Da gebot er dem Volk, sich auf die Erde zu lagern, **36** und nahm die sieben Brote und die Fische, dankte, brach sie und gab sie seinen Jüngern; die Jünger aber gaben sie dem Volk. **37** Und sie aßen alle und wurden satt und hoben auf, was an Brocken übrigblieb, sieben Körbe voll. **38** Es waren aber etwa viertausend Männer, die gegessen hatten, ohne Frauen und Kinder. **39** Und nachdem er die Volksmenge entlassen hatte, stieg er in das Schiff und kam in die Gegend von Magdala.

Die Pharisäer und Sadduzäer fordern ein Zeichen Mk 8,11-13

16 Und die Pharisäer und Sadduzäer traten herzu, versuchten ihn und baten, daß er ihnen ein Zeichen aus dem Himmel zeigen möge.

2 Er aber antwortete und sprach zu ihnen: Am Abend sagt ihr: Es wird schön, denn der Himmel ist rot! [3] und am Morgen: Heute kommt ein Ungewitter, denn der Himmel ist rot und trübe! Ihr Heuchler, das Aussehen des Himmels versteht ihr zu beurteilen, die Zeichen der Zeit aber nicht! [4] Das böse und ehebrecherische Geschlecht fordert ein Zeichen, aber es wird ihm kein Zeichen gegeben werden als nur das Zeichen des Propheten Jona! Und er verließ sie und ging davon.

Warnung vor dem Sauerteig der Pharisäer und Sadduzäer
Mk 8,14-21; Gal 5,7-10

5 Als seine Jünger ans jenseitige Ufer kamen, hatten sie vergessen, Brot mitzunehmen. [6] Jesus aber sprach zu ihnen: Habt acht und hütet euch vor dem Sauerteig der Pharisäer und Sadduzäer! [7] Da machten sie sich untereinander Gedanken und sagten: Weil wir kein Brot mitgenommen haben!

8 Als es aber Jesus merkte, sprach er zu ihnen: Ihr Kleingläubigen, was macht ihr euch Gedanken darüber, daß ihr kein Brot mitgenommen habt? [9] Versteht ihr noch nicht, und denkt ihr nicht an die fünf Brote für die Fünftausend, und wie viele Körbe ihr da aufgehoben habt? [10] Auch nicht an die sieben Brote für die Viertausend, und wie viele Körbe ihr da aufgehoben habt? [11] Warum versteht ihr denn nicht, daß ich euch nicht wegen des Brotes gesagt habe, daß ihr euch vor dem Sauerteig der Pharisäer und Sadduzäer hüten solltet? [12] Da sahen sie ein, daß er nicht gesagt hatte, sie sollten sich hüten vor dem Sauerteig des Brotes, sondern vor der Lehre der Pharisäer und Sadduzäer.

Das Bekenntnis des Petrus Mk 8,27-30; Lk 9,18-21

13 Als aber Jesus in die Gegend von Cäsarea Philippi gekommen war, fragte er seine Jünger und sprach: Für wen halten die Leute mich, den Sohn des Menschen? [14] Sie sprachen: Etliche für Johannes den Täufer; andere aber für Elia; noch andere für Jeremia oder einen der Propheten. [15] Da spricht er zu ihnen: Ihr aber, für wen haltet ihr mich?

16 Da antwortete Simon Petrus und sprach: Du bist der Christus, der Sohn des lebendigen Gottes!

17 Und Jesus antwortete und sprach zu ihm: Glückselig bist du, Simon, Jonas Sohn; denn Fleisch und Blut hat dir das nicht ge-

offenbart, sondern mein Vater im Himmel! [18] Und ich sage dir auch: Du bist Petrus, und auf diesen Felsen will ich meine Gemeinde bauen, und die Pforten des Totenreiches sollen sie nicht überwältigen. [19] Und ich will dir die Schlüssel des Reiches der Himmel geben; und was du auf Erden binden wirst, das wird im Himmel gebunden sein; und was du auf Erden lösen wirst, das wird im Himmel gelöst sein. [20] Da gebot er seinen Jüngern, daß sie niemand sagen sollten, daß er Jesus der Christus sei.

Die erste Ankündigung von Jesu Leiden und Auferstehung Mk 8,31

21 Von da an begann Jesus seinen Jüngern zu zeigen, daß er nach Jerusalem gehen und viel leiden müsse von den Ältesten, Hohenpriestern und Schriftgelehrten, und getötet werden und am dritten Tag auferstehen müsse. [22] Da nahm Petrus ihn beiseite und fing an, ihm zu wehren und sprach: Herr, schone dich selbst! Das widerfahre dir nur nicht! [23] Er aber wandte sich um und sprach zu Petrus: Weiche von mir, Satan! Du bist mir ein Ärgernis; denn du denkst nicht göttlich, sondern menschlich!

Über die Nachfolge Mk 8,34-9,1; Lk 9,23-27

24 Da sprach Jesus zu seinen Jüngern: Wenn jemand mir nachkommen will, so verleugne er sich selbst und nehme sein Kreuz auf sich und folge mir nach! [25] Denn wer seine Seele retten will, der wird sie verlieren; wer aber seine Seele verliert um meinetwillen, der wird sie finden. [26] Denn was hilft es dem Menschen, wenn er die ganze Welt gewinnt, aber seine Seele verliert? Oder was kann der Mensch als Lösegeld für seine Seele geben? [27] Denn der Sohn des Menschen wird in der Herrlichkeit seines Vaters mit seinen Engeln kommen, und dann wird er einem jeden vergelten nach seinem Tun. [28] Wahrlich, ich sage euch: Es stehen einige hier, die den Tod nicht schmecken werden, bis sie den Sohn des Menschen haben kommen sehen in seinem Reich!

Die Verklärung Jesu Mk 9,2-13; Lk 9,28-36; 2Pt 1,16-18

17 Und nach sechs Tagen nahm Jesus den Petrus, den Jakobus und dessen Bruder Johannes mit sich und führte sie beiseite auf einen hohen Berg. [2] Und er wurde vor ihnen verklärt, und sein Angesicht leuchtete wie die Sonne, und seine Kleider wurden weiß wie das Licht. [3] Und siehe, es erschienen ihnen Mose und Elia, die redeten mit ihm.

4 Da begann Petrus und sprach zu Jesus: Herr, es ist gut, daß
wir hier sind! Wenn du willst, so laß uns hier drei Hütten bauen,
dir eine und Mose eine und Elia eine. 5 Als er noch redete, siehe, da überschattete sie eine lichte Wolke, und siehe, eine Stimme aus der Wolke sprach: Dies ist mein geliebter Sohn, an dem
ich Wohlgefallen habe; auf ihn sollt ihr hören! 6 Als die Jünger
das hörten, fielen sie auf ihr Angesicht und fürchteten sich
sehr. 7 Und Jesus trat herzu, rührte sie an und sprach: Steht auf
und fürchtet euch nicht! 8 Als sie aber ihre Augen erhoben,
sahen sie niemand als Jesus allein.

9 Und als sie den Berg hinabgingen, gebot ihnen Jesus und
sprach: Sagt niemand von dem Gesicht, bis der Sohn des Menschen aus den Toten auferstanden ist!

10 Und seine Jünger fragten ihn und sprachen: Warum sagen
denn die Schriftgelehrten, daß zuvor Elia kommen müsse?
11 Jesus aber antwortete und sprach zu ihnen: Elia kommt freilich zuvor und wird alles in den rechten Stand setzen. 12 Ich
sage euch aber, daß Elia schon gekommen ist; und sie haben
ihn nicht anerkannt, sondern mit ihm gemacht, was sie wollten. Ebenso wird auch der Sohn des Menschen von ihnen leiden müssen. 13 Da verstanden die Jünger, daß er zu ihnen von
Johannes dem Täufer redete.

Die Heilung eines mondsüchtigen Knaben Mk 9,14-29; Lk 9,37-43

14 Und als sie zur Volksmenge kamen, trat ein Mensch zu ihm,
fiel vor ihm auf die Knie 15 und sprach: Herr, erbarme dich
über meinen Sohn, denn er ist mondsüchtig und leidet schwer;
er fällt nämlich oft ins Feuer und oft ins Wasser! 16 Und ich
habe ihn zu deinen Jüngern gebracht, aber sie konnten ihn
nicht heilen. 17 Da antwortete Jesus und sprach: O du ungläubiges und verkehrtes Geschlecht! Wie lange soll ich bei euch
sein? Wie lange soll ich euch ertragen? Bringt ihn her zu mir!
18 Und Jesus bedrohte den Dämon, und er fuhr von ihm aus,
und der Knabe war gesund von jener Stunde an.

19 Da traten die Jünger allein zu Jesus und sprachen: Warum
konnten wir ihn nicht austreiben? 20 Jesus aber sprach zu ihnen: Um eures Unglaubens willen! Denn wahrlich, ich sage
euch: Wenn ihr Glauben hättet wie ein Senfkorn, so würdet ihr
zu diesem Berg sprechen: Hebe dich weg von hier dorthin! Und
er würde sich hinwegheben, und nichts würde euch unmöglich
sein. 21 Aber diese Art fährt nicht aus außer durch Gebet und
Fasten.

Die zweite Ankündigung von Jesu Tod und Auferstehung
Mk 9,30-32; Lk 9,43-45

22 Als sie nun ihren Weg durch Galiläa nahmen, sprach Jesus zu ihnen: Der Sohn des Menschen wird in die Hände der Menschen ausgeliefert werden, 23 und sie werden ihn töten, und am dritten Tag wird er auferstehen. Und sie wurden sehr betrübt.

Die Zahlung der Tempelsteuer

24 Als sie aber nach Kapernaum kamen, traten die Einnehmer der Tempelsteuer[a] zu Petrus und sprachen: Zahlt euer Meister nicht auch die zwei Drachmen? 25 Er antwortete: Doch! Und als er ins Haus trat, kam ihm Jesus zuvor und sprach: Was meinst du, Simon, von wem nehmen die Könige der Erde den Zoll oder die Steuer, von ihren Söhnen oder von den Fremden? 26 Petrus sagte zu ihm: Von den Fremden. Da sprach Jesus zu ihm: So sind also die Söhne frei!
27 Damit wir ihnen aber keinen Anstoß geben, geh hin an den See, wirf die Angel aus und nimm den ersten Fisch, den du herausziehst, und wenn du sein Maul öffnest, wirst du einen Stater[b] finden; den nimm und gib ihn für mich und dich.

Der Größte im Reich der Himmel Mk 9,33-37; Lk 9,46-48

18 Zu jener Stunde traten die Jünger zu Jesus und sprachen: Wer ist wohl der Größte im Reich der Himmel? 2 Und Jesus rief ein Kind herbei, stellte es mitten unter sie 3 und sprach: Wahrlich, ich sage euch: Wenn ihr nicht umkehrt und werdet wie die Kinder, so werdet ihr nicht in das Reich der Himmel kommen! 4 Wer nun sich selbst erniedrigt wie dieses Kind, der ist der Größte im Reich der Himmel. 5 Und wer ein solches Kind in meinem Namen aufnimmt, der nimmt mich auf.

Warnung vor Verführung zur Sünde Mk 9,42-49

6 Wer aber einem von diesen Kleinen, die an mich glauben, Anstoß zur Sünde gibt, für den wäre es besser, daß ein Mühlstein an seinen Hals gehängt und er in die Tiefe des Meeres versenkt würde.
7 Wehe der Welt wegen der Anstöße zur Sünde! Denn es ist zwar notwendig, daß die Anstöße zur Sünde kommen, aber wehe jenem Menschen, durch den der Anstoß zur Sünde kommt!

---

a. (17,24) w. *der Doppeldrachme,* d.h. der Abgabe für den Unterhalt des Tempeldienstes.
b. (17,27) der griechische Stater war zwei Doppeldrachmen wert.

8 Wenn aber deine Hand oder dein Fuß für dich ein Anstoß zur Sünde wird, so haue sie ab und wirf sie von dir! Es ist besser für dich, daß du lahm oder verstümmelt in das Leben eingehst, als daß du zwei Hände oder zwei Füße hast und in das ewige Feuer geworfen wirst. 9 Und wenn dein Auge für dich ein Anstoß zur Sünde wird, so reiß es aus und wirf es von dir! Es ist besser für dich, daß du einäugig in das Leben eingehst, als daß du zwei Augen hast und in die Hölle des Feuers geworfen wirst.

10 Seht zu, daß ihr keinen dieser Kleinen verachtet! Denn ich sage euch: Ihre Engel im Himmel schauen allezeit das Angesicht meines Vaters im Himmel. 11 Denn der Sohn des Menschen ist gekommen, um das Verlorene zu retten.

Das Gleichnis vom verlorenen Schaf Lk 15,4-7

12 Was meint ihr? Wenn ein Mensch hundert Schafe hat, und es verirrt sich eines von ihnen, läßt er nicht die neunundneunzig auf den Bergen, geht hin und sucht das verirrte? 13 Und wenn es geschieht, daß er es findet, wahrlich, ich sage euch: Er freut sich darüber mehr als über die neunundneunzig, die nicht verirrt waren. 14 So ist es auch nicht der Wille eures Vaters im Himmel, daß eines dieser Kleinen verloren geht.

Zurechtweisung und Gebet in der Gemeinde

15 Wenn aber dein Bruder an dir gesündigt hat, so geh hin und weise ihn zurecht unter vier Augen. Hört er auf dich, so hast du deinen Bruder gewonnen. 16 Hört er aber nicht, so nimm noch einen oder zwei mit dir, damit jede Sache auf der Aussage von zwei oder drei Zeugen beruht. 17 Hört er aber auf diese nicht, so sage es der Gemeinde. Hört er aber auch auf die Gemeinde nicht, so sei er für dich wie ein Heide und ein Zöllner.

18 Wahrlich, ich sage euch: Was ihr auf Erden binden werdet, das wird im Himmel gebunden sein, und was ihr auf Erden lösen werdet, das wird im Himmel gelöst sein.

19 Weiter sage ich euch: Wenn zwei von euch auf Erden übereinkommen über irgend eine Sache, für die sie bitten wollen, so soll sie ihnen zuteil werden von meinem Vater im Himmel. 20 Denn wo zwei oder drei in meinem Namen versammelt sind, da bin ich in ihrer Mitte.

Das Gleichnis vom unbarmherzigen Knecht Jak 2,13

21 Da trat Petrus zu ihm und sprach: Herr, wie oft soll ich meinem Bruder vergeben, der gegen mich sündigt? Bis sieben-

mal? [22] Jesus antwortete ihm: Ich sage dir, nicht bis siebenmal, sondern bis siebzigmalsiebenmal[']

23 Darum gleicht das Reich der Himmel einem König, der mit seinen Knechten abrechnen wollte. [24] Und als er anfing abzurechnen, wurde einer vor ihn gebracht, der war zehntausend Talente[a] schuldig. [25] Weil er aber nicht bezahlen konnte, befahl sein Herr, ihn und seine Frau und seine Kinder und alles, was er hatte, zu verkaufen und so zu bezahlen. [26] Da warf sich der Knecht nieder, huldigte ihm und sprach: Herr, habe Geduld mit mir, so will ich dir alles bezahlen! [27] Da erbarmte sich der Herr über diesen Knecht, gab ihn frei und erließ ihm die Schuld.

28 Als aber dieser Knecht hinausging, fand er einen Mitknecht, der war ihm hundert Denare schuldig; den ergriff er, würgte ihn und sprach: Bezahle mir, was du schuldig bist! [29] Da warf sich ihm sein Mitknecht zu Füßen, bat ihn und sprach: Habe Geduld mit mir, so will ich dir alles bezahlen! [30] Er aber wollte nicht, sondern ging hin und warf ihn ins Gefängnis, bis er bezahlt hätte, was er schuldig war. [31] Als aber seine Mitknechte sahen, was geschehen war, wurden sie sehr betrübt, kamen und berichteten ihrem Herrn den ganzen Vorfall.

32 Da ließ sein Herr ihn kommen und sprach zu ihm: Du böser Knecht! Jene ganze Schuld habe ich dir erlassen, weil du mich batest; [33] solltest denn nicht auch du dich über deinen Mitknecht erbarmen, wie ich mich über dich erbarmt habe? [34] Und voll Zorn übergab ihn sein Herr den Folterknechten, bis er alles bezahlt hätte, was er ihm schuldig war.

35 So wird auch mein himmlischer Vater euch behandeln, wenn ihr nicht ein jeder seinem Bruder von Herzen seine Verfehlungen vergebt.

Über Ehescheidung und Ehelosigkeit Mk 10,1-12; 1Kor 7

19 Und es geschah, als Jesus diese Worte beendet hatte, verließ er Galiläa und kam in das Gebiet von Judäa jenseits des Jordan. [2] Und es folgte ihm eine große Volksmenge nach, und er heilte sie dort.

3 Da traten die Pharisäer zu ihm, versuchten ihn und fragten ihn: Ist es einem Mann erlaubt, aus irgend einem Grund seine Frau zu entlassen? [4] Er aber antwortete und sprach zu ihnen: Habt ihr nicht gelesen, daß der Schöpfer sie am Anfang als Mann und Frau erschuf [5] und sprach: *Darum wird ein Mann*

---

a. (18,24) große Gold- bzw. Silbermünzeinheit; 1 Talent = 6000 Drachmen bzw. Denare; laut Mt 20,2 entspricht ein Denar dem Tageslohn eines Landarbeiters.

Vater und Mutter verlassen und seiner Frau anhangen; und die zwei werden ein *Fleisch sein?* ⁶So sind sie nicht mehr zwei, sondern *ein* Fleisch. Was nun Gott zusammengefügt hat, das soll der Mensch nicht scheiden!

7 Da sprachen sie zu ihm: Warum hat denn Mose befohlen, ihr einen Scheidebrief zu geben und sie so zu entlassen? ⁸Er sprach zu ihnen: Mose hat euch wegen der Härtigkeit eures Herzens erlaubt, eure Frauen zu entlassen; von Anfang an aber ist es nicht so gewesen. ⁹Ich sage euch aber: Wer seine Frau entläßt, es sei denn wegen Unzucht, und eine andere heiratet, der bricht die Ehe; und wer eine Geschiedene heiratet, der bricht die Ehe.

10 Da sprechen seine Jünger zu ihm: Wenn ein Mann solche Pflichten gegen seine Frau hat, so ist es nicht gut, zu heiraten! ¹¹Er aber sprach zu ihnen: Nicht alle fassen dieses Wort, sondern nur die, denen es gegeben ist. ¹²Denn es gibt Verschnitteneª, die von Mutterleib so geboren sind; und es gibt Verschnittene, die von Menschen verschnitten sind; und es gibt Verschnittene, die sich selbst verschnitten haben um des Reiches der Himmel willen. Wer es fassen kann, der fasse es!

Jesus segnet die Kinder Mk 10,13-16; Lk 18,15-17

13 Da wurden Kinder zu ihm gebracht, damit er die Hände auf sie lege und bete. Die Jünger aber tadelten sie. ¹⁴Aber Jesus sprach: Laßt die Kinder und wehrt ihnen nicht, zu mir zu kommen; denn solcher ist das Reich der Himmel! ¹⁵Und nachdem er ihnen die Hände aufgelegt hatte, zog er von dort weg.

Der reiche Jüngling Mk 10,17-27; Lk 18,18-27

16 Und siehe, einer trat herzu und fragte ihn: Guter Meister, was soll ich Gutes tun, um das ewige Leben zu erlangen? ¹⁷Er aber sprach zu ihm: Was nennst du mich gut? Niemand ist gut als Gott allein! Willst du aber in das Leben eingehen, so halte die Gebote! ¹⁸Er sagt zu ihm: Welche? Jesus aber sprach: Das: Du sollst nicht töten! Du sollst nicht ehebrechen! Du sollst nicht stehlen! Du sollst nicht falsches Zeugnis reden! ¹⁹Ehre deinen Vater und deine Mutter! und: Du sollst deinen Nächsten lieben wie dich selbst!

20 Der Jüngling spricht zu ihm: Das habe ich alles gehalten von meiner Jugend an; was fehlt mir noch? ²¹Jesus sprach zu ihm: Willst du vollkommen sein, so geh hin, verkaufe, was du hast, und gib es den Armen, so wirst du einen Schatz im Himmel ha-

a. (19,12) w. *Eunuchen*, hier übertragen für Ehelosigkeit; vgl. 1Kor 7.

ben; und komm, folge mir nach! **22** Als aber der Jüngling das Wort hörte, ging er betrübt davon; denn er hatte viele Güter.

23 Da sprach Jesus zu seinen Jüngern: Wahrlich, ich sage euch: Ein Reicher hat es schwer, in das Reich der Himmel hineinzukommen! **24** Und wiederum sage ich euch: Es ist leichter, daß ein Kamel durch ein Nadelöhr geht, als daß ein Reicher in das Reich Gottes hineinkommt! **25** Als seine Jünger das hörten, entsetzten sie sich sehr und sprachen: Wer kann denn dann gerettet werden? **26** Jesus aber sah sie an und sprach zu ihnen: Bei den Menschen ist dies unmöglich; aber bei Gott sind alle Dinge möglich.

Vom Lohn der Nachfolge Jesu   Mk 10,28-31; Lk 18,28-30

27 Da antwortete Petrus und sprach zu ihm: Siehe, wir haben alles verlassen und sind dir nachgefolgt; was wird uns dafür zuteil? **28** Jesus aber sprach zu ihnen: Wahrlich, ich sage euch: Ihr, die ihr mir nachgefolgt seid, werdet in der Wiedergeburt, wenn der Sohn des Menschen auf dem Thron seiner Herrlichkeit sitzen wird, auch auf zwölf Thronen sitzen und die zwölf Stämme Israels richten. **29** Und ein jeder, der Häuser oder Brüder oder Schwestern oder Vater oder Mutter oder Frau oder Kinder oder Äcker verlassen hat um meines Namens willen, der wird es hundertfältig empfangen und das ewige Leben erben. **30** Aber viele von den Ersten werden Letzte, und Letzte werden Erste sein.

Das Gleichnis von den Arbeitern im Weinberg

20 Denn das Reich der Himmel gleicht einem Hausherrn, der am Morgen früh ausging, um Arbeiter in seinen Weinberg einzustellen. **2** Und nachdem er mit den Arbeitern um einen Denar für den Tag übereingekommen war, sandte er sie in seinen Weinberg. **3** Als er um die dritte Stunde ausging, sah er andere auf dem Markt untätig stehen **4** und sprach zu diesen: Geht auch ihr in den Weinberg, und was recht ist, will ich euch geben! **5** Und sie gingen hin. Wiederum ging er aus um die sechste und um die neunte Stunde und tat dasselbe.

6 Als er aber um die elfte Stunde ausging, fand er andere untätig dastehen und sprach zu ihnen: Warum steht ihr hier den ganzen Tag untätig? **7** Sie sprachen zu ihm: Es hat uns niemand eingestellt! Er spricht zu ihnen: Geht auch ihr in den Weinberg, und was recht ist, das werdet ihr empfangen!

8 Als es aber Abend geworden war, sprach der Herr des Weinbergs zu seinem Verwalter: Rufe die Arbeiter und bezahle ihnen

den Lohn, indem du bei den Letzten anfängst, bis zu den Ersten. [9] Und es kamen die, welche um die elfte Stunde [eingestellt worden waren], und empfingen jeder einen Denar.

10 Als aber die Ersten kamen, meinten sie, sie würden mehr empfangen; da empfingen auch sie jeder einen Denar. [11] Und als sie ihn empfangen hatten, murrten sie gegen den Hausherrn [12] und sprachen: Diese Letzten haben nur eine Stunde gearbeitet, und du hast sie uns gleich gemacht, die wir die Last und Hitze des Tages getragen haben!

13 Er aber antwortete und sprach zu einem unter ihnen: Freund, ich tue dir nicht unrecht. Bist du nicht um einen Denar mit mir übereingekommen? [14] Nimm das Deine und gehe hin! Ich will aber diesem Letzten so viel geben wie dir. [15] Oder habe ich nicht Macht, mit dem Meinen zu tun, was ich will? Blickst du darum neidisch, weil ich gütig bin?

16 So werden die Letzten die Ersten und die Ersten die Letzten sein. Denn viele sind berufen, aber wenige auserwählt.

Die dritte Ankündigung von Jesu Tod und Auferstehung
Mk 10,32-34; Lk 18,31-34

17 Und als Jesus nach Jerusalem hinaufzog, nahm er die zwölf Jünger auf dem Weg beiseite und sprach zu ihnen: [18] Siehe, wir ziehen hinauf nach Jerusalem, und der Sohn des Menschen wird den Hohenpriestern und Schriftgelehrten ausgeliefert werden, und sie werden ihn zum Tode verurteilen [19] und werden ihn den Heiden ausliefern, damit diese ihn verspotten und geißeln und kreuzigen; und am dritten Tag wird er auferstehen.

Vom Herrschen und vom Dienen Mk 10,35-45

20 Da trat die Mutter der Söhne des Zebedäus mit ihren Söhnen zu ihm und warf sich vor ihm nieder, um etwas von ihm zu erbitten. [21] Er aber sprach zu ihr: Was willst du? Sie sagt zu ihm: Sprich, daß diese meine beiden Söhne einer zu deiner Rechten, der andere zur Linken sitzen sollen in deinem Reich! [22] Aber Jesus antwortete und sprach: Ihr wißt nicht, um was ihr bittet! Könnt ihr den Kelch trinken, den ich trinke, und getauft werden mit der Taufe, womit ich getauft werde? Sie sprechen zu ihm: Wir können es! [23] Und er spricht zu ihnen: Ihr werdet zwar meinen Kelch trinken und getauft werden mit der Taufe, womit ich getauft werde. Aber das Sitzen zu meiner Rechten und zu meiner Linken zu verleihen, steht nicht mir zu, sondern es wird denen zuteil, denen es von meinem Vater bereitet ist.

24 Und als die Zehn es hörten, wurden sie unwillig über die beiden Brüder. [25] Aber Jesus rief sie zu sich und sprach: Ihr wißt, daß die Fürsten der Völker sie unterdrücken und daß die Großen Gewalt über sie ausüben. [26] Unter euch aber soll es nicht so sein; sondern wer unter euch groß werden will, der sei euer Diener, [27] und wer unter euch der Erste sein will, der sei euer Knecht, [28] gleichwie der Sohn des Menschen nicht gekommen ist, um sich dienen zu lassen, sondern um zu dienen und sein Leben zu geben als Lösegeld für viele.

Die Heilung zweier Blinder in Jericho Mk 10,46-52; Lk 18,35-43

29 Und als sie von Jericho auszogen, folgte ihm eine große Volksmenge nach. [30] Und siehe, zwei Blinde saßen am Weg. Als sie hörten, daß Jesus vorüberziehe, riefen sie und sprachen: Herr, du Sohn Davids, erbarme dich über uns! [31] Aber das Volk gebot ihnen, sie sollten schweigen. Sie aber riefen nur noch mehr und sprachen: Herr, du Sohn Davids, erbarme dich über uns!
32 Und Jesus stand still, rief sie und sprach: Was wollt ihr, daß ich euch tun soll? [33] Sie sagten zu ihm: Herr, daß unsere Augen geöffnet werden! [34] Da erbarmte sich Jesus über sie und rührte ihre Augen an, und sogleich wurden ihre Augen wieder sehend, und sie folgten ihm nach.

Der Einzug des Messias Jesus in Jerusalem Mk 11,1-11; Lk 19,28-44

21 Als sie sich nun Jerusalem näherten und nach Bethphage an den Ölberg kamen, sandte Jesus zwei Jünger [2] und sprach zu ihnen: Geht in das Dorf, das vor euch liegt, und sogleich werdet ihr eine Eselin angebunden finden und ein Füllen bei ihr, die bindet los und führt sie zu mir! [3] Und wenn euch jemand etwas sagt, so sprecht: Der Herr braucht sie!, dann wird er sie sogleich senden. [4] Das ist aber alles geschehen, damit erfüllt würde, was durch den Propheten gesagt ist, der spricht: [5] *Sagt der Tochter Zion: Siehe, dein König kommt zu dir sanftmütig und reitend auf einer Eselin und einem Füllen, dem Jungen des Lasttiers.*
6 Die Jünger aber gingen hin und taten, wie Jesus ihnen befohlen hatte, [7] und brachten die Eselin und das Füllen und legten ihre Kleider auf sie und setzten ihn darauf. [8] Aber die meisten aus der Menge breiteten ihre Kleider aus auf dem Weg; andere hieben Zweige von den Bäumen und streuten sie auf den Weg. [9] Und das Volk, das vorausging, und die, welche nachfolgten, riefen und sprachen: Hosianna dem Sohn Davids! Gelobt sei, der da kommt im Namen des Herrn! Hosianna in der Höhe![a]

10 Und als er in Jerusalem einzog, kam die ganze Stadt in Bewegung und sprach: Wer ist dieser? [11] Die Menge aber sagte: Das ist Jesus, der Prophet von Nazareth in Galiläa!

Die zweite Tempelreinigung   Mk 11,15-19; Lk 19,45-48

12 Und Jesus ging in den Tempel Gottes hinein und trieb alle hinaus, die im Tempel verkauften und kauften, und stieß die Tische der Wechsler um und die Stühle der Taubenverkäufer. [13] Und er sprach zu ihnen: Es steht geschrieben: *Mein Haus soll ein Bethaus genannt werden!* Ihr aber habt eine Räuberhöhle daraus gemacht! [14] Und es kamen Blinde und Lahme im Tempel zu ihm, und er heilte sie.
15 Als aber die Hohenpriester und die Schriftgelehrten die Wunder sahen, die er tat, und die Kinder, die im Tempel riefen und sprachen: Hosianna dem Sohn Davids!, da wurden sie entrüstet [16] und sprachen zu ihm: Hörst du, was diese sagen? Jesus aber sprach zu ihnen: Ja! Habt ihr noch nie gelesen: *Aus dem Mund der Unmündigen und Säuglinge hast du ein Lob bereitet?* [17] Und er verließ sie, ging zur Stadt hinaus nach Bethanien und übernachtete dort.

Der unfruchtbare Feigenbaum. Die Macht des Glaubens
Mk 11,12-14; 11,20-26

18 Als er aber früh am Morgen in die Stadt zurückkehrte, hatte er Hunger. [19] Und als er einen einzelnen Feigenbaum am Weg sah, ging er zu ihm hin und fand nichts daran als nur Blätter. Da sprach er zu ihm: Nun komme von dir keine Frucht mehr in Ewigkeit! Und auf der Stelle verdorrte der Feigenbaum. [20] Und als die Jünger es sahen, verwunderten sie sich und sprachen: Wie ist der Feigenbaum so plötzlich verdorrt?
21 Jesus aber antwortete und sprach zu ihnen: Wahrlich, ich sage euch: Wenn ihr Glauben habt und nicht zweifelt, so werdet ihr nicht nur tun, was mit dem Feigenbaum geschah, sondern auch, wenn ihr zu diesem Berg sagt: Hebe dich und wirf dich ins Meer!, so wird es geschehen. [22] Und alles, was ihr gläubig erbittet im Gebet, das werdet ihr empfangen!

Die Frage nach der Vollmacht Jesu   Mk 11,27-33; Lk 20,1-8

23 Und als er in den Tempel kam, traten die Hohenpriester und die Ältesten des Volkes zu ihm, während er lehrte, und sprachen: In welcher Vollmacht tust du dies, und wer hat dir diese Vollmacht gegeben? [24] Und Jesus antwortete und sprach zu ih-

a. (21,9) *Hosianna:* gr. Form des hebr. Rufes »Hilf doch, (Herr)!«, vgl. Ps 118,25-26.

nen: Auch ich will euch *ein* Wort fragen; wenn ihr mir darauf antwortet, will ich euch auch sagen, in welcher Vollmacht ich dies tue. 25 Woher war die Taufe des Johannes? Vom Himmel oder von Menschen? Da überlegten sie bei sich selbst und sprachen: Wenn wir sagen: Vom Himmel, so wird er uns fragen: Warum habt ihr ihm dann nicht geglaubt? 26 Wenn wir aber sagen: Von Menschen, so müssen wir die Volksmenge fürchten, denn alle halten Johannes für einen Propheten.

27 Und sie antworteten Jesus und sprachen: Wir wissen es nicht! Da sprach er zu ihnen: So sage ich euch auch nicht, in welcher Vollmacht ich dies tue.

Das Gleichnis von den zwei Söhnen

28 Was meint ihr aber? Ein Mensch hatte zwei Söhne. Und er ging zu dem ersten und sprach: Sohn, mache dich auf und arbeite heute in meinem Weinberg! 29 Der aber antwortete und sprach: Ich will nicht! Danach aber reute es ihn, und er ging. 30 Und er ging zu dem zweiten und sagte dasselbe. Da antwortete dieser und sprach: Ja, Herr! und ging nicht.

31 Wer von diesen beiden hat den Willen des Vaters getan? Sie sprachen zu ihm: Der erste. Da spricht Jesus zu ihnen: Wahrlich, ich sage euch: Die Zöllner und die Huren kommen eher in das Reich Gottes als ihr! 32 Denn Johannes ist zu euch gekommen mit dem Weg der Gerechtigkeit, und ihr habt ihm nicht geglaubt. Die Zöllner und die Huren aber glaubten ihm; und obwohl ihr es saht, reute es euch nicht nachträglich, so daß ihr ihm geglaubt hättet.

Das Gleichnis von den Weingärtnern   Mk 12,1-12; Lk 20,9-19

33 Hört ein anderes Gleichnis: Es war ein Hausherr, der pflanzte einen Weinberg, zog einen Zaun darum, grub eine Kelter darin, baute einen Wachtturm, verpachtete ihn an Weingärtner und reiste außer Landes. 34 Als nun die Zeit der Früchte nahte, sandte er seine Knechte zu den Weingärtnern, um seine Früchte in Empfang zu nehmen. 35 Aber die Weingärtner ergriffen seine Knechte und schlugen den einen, den anderen töteten sie, den dritten steinigten sie. 36 Da sandte er wieder andere Knechte, mehr als zuvor; und sie behandelten sie ebenso.

37 Zuletzt sandte er seinen Sohn zu ihnen und sprach: Sie werden sich vor meinem Sohn scheuen! 38 Als aber die Weingärtner den Sohn sahen, sprachen sie untereinander: Das ist der Erbe! Kommt, laßt uns ihn töten und sein Erbgut in Besitz neh-

men! **39** Und sie ergriffen ihn, stießen ihn zum Weinberg hinaus und töteten ihn.

40 Wenn nun der Herr des Weinbergs kommt, was wird er mit diesen Weingärtnern tun? **41** Sie sprachen zu ihm: Er wird die Übeltäter auf üble Weise umbringen und den Weinberg anderen Weingärtnern verpachten, welche ihm die Früchte zu ihrer Zeit abliefern werden.

42 Jesus spricht zu ihnen: Habt ihr noch nie gelesen in den Schriften: *Der Stein, den die Bauleute verworfen haben, der ist zum Eckstein geworden. Vom Herrn ist das geschehen, und es ist wunderbar in unseren Augen?* **43** Darum sage ich euch: Das Reich Gottes wird von euch genommen und einem Volk gegeben werden, das dessen Früchte bringt. **44** Und wer auf diesen Stein fällt, der wird zerschmettert werden; auf wen er aber fällt, den wird er zermalmen.

45 Und als die Hohenpriester und die Pharisäer seine Gleichnisse hörten, erkannten sie, daß er von ihnen redete. **46** Und sie suchten ihn zu ergreifen, fürchteten aber die Volksmenge, weil sie ihn für einen Propheten hielt.

Das Gleichnis vom königlichen Hochzeitsmahl   Lk 14,16-24

22 Da begann Jesus und redete wieder in Gleichnissen zu ihnen und sprach: **2** Das Reich der Himmel gleicht einem König, der seinem Sohn Hochzeit machte. **3** Und er sandte seine Knechte aus, um die Geladenen zur Hochzeit zu rufen; aber sie wollten nicht kommen. **4** Da sandte er nochmals andere Knechte und sprach: Sagt den Geladenen: Siehe, meine Mahlzeit habe ich bereitet; meine Ochsen und das Mastvieh sind geschlachtet, und alles ist bereit; kommt zur Hochzeit! **5** Sie aber achteten nicht darauf, sondern gingen hin, der eine auf seinen Acker, der andere zu seinem Gewerbe; **6** die übrigen aber ergriffen seine Knechte, mißhandelten und töteten sie. **7** Als das der König hörte, wurde er zornig, sandte seine Heere aus und brachte diese Mörder um und zündete ihre Stadt an.

8 Dann sprach er zu seinen Knechten: Die Hochzeit ist zwar bereit, aber die Geladenen waren nicht würdig. **9** Darum geht hin an die Kreuzungen der Straßen und ladet zur Hochzeit ein, so viele ihr findet! **10** Und jene Knechte gingen hinaus auf die Straßen und brachten alle zusammen, so viele sie fanden, Böse und Gute, und der Hochzeitssaal wurde voll von Gästen.

11 Als aber der König hineinging, um die Gäste zu besehen, sah er dort einen Menschen, der kein hochzeitliches Gewand anhatte; **12** und er sprach zu ihm: Freund, wie bist du hier hereinge-

kommen und hast doch kein hochzeitliches Gewand an? Er aber verstummte. [13] Da sprach der König zu den Dienern: Bindet ihm Hände und Füße, führt ihn weg und werft ihn hinaus in die äußerste Finsternis! Da wird das Heulen und Zähneknirschen sein. [14] Denn viele sind berufen, aber wenige sind auserwählt!

Die Frage nach der Steuer Mk 12,13-17; Lk 20,20-26

15 Da gingen die Pharisäer und hielten Rat, wie sie ihn in der Rede fangen könnten. [16] Und sie sandten ihre Jünger samt den Herodianern zu ihm, die sprachen: Meister, wir wissen, daß du wahrhaftig bist und den Weg Gottes in Wahrheit lehrst und auf niemand Rücksicht nimmst; denn du siehst die Person der Menschen nicht an. [17] Darum sage uns, was meinst du: Ist es erlaubt, dem Kaiser die Steuer zu geben, oder nicht?

18 Da aber Jesus ihre Bosheit erkannte, sprach er: Ihr Heuchler, was versucht ihr mich? [19] Zeigt mir die Steuermünze! Da reichten sie ihm einen Denar. [20] Und er spricht zu ihnen: Wessen ist dieses Bild und die Aufschrift? [21] Sie sprachen zu ihm: Des Kaisers. Da spricht er zu ihnen: So gebt dem Kaiser, was des Kaisers ist, und Gott, was Gottes ist! [22] Als sie das hörten, verwunderten sie sich, und sie ließen ihn und gingen davon.

Die Frage nach der Auferstehung Mk 12,18-27; Lk 20,27-40

23 An jenem Tag traten Sadduzäer zu ihm, die sagen, es gebe keine Auferstehung, und sie fragten ihn [24] und sprachen: Meister, Mose hat gesagt: Wenn jemand ohne Kinder stirbt, so soll sein Bruder dessen Frau zur Ehe nehmen und seinem Bruder Nachkommen erwecken. [25] Nun waren bei uns sieben Brüder. Der erste heiratete und starb; und weil er keine Nachkommen hatte, hinterließ er seine Frau seinem Bruder. [26] Gleicherweise auch der andere und der dritte, bis zum siebten. [27] Zuletzt, nach allen, starb auch die Frau. [28] Wem von den Sieben wird sie nun in der Auferstehung als Frau angehören? Denn alle haben sie zur Frau gehabt.

29 Aber Jesus antwortete und sprach zu ihnen: Ihr irrt, weil ihr weder die Schriften noch die Kraft Gottes kennt. [30] Denn in der Auferstehung heiraten sie nicht, noch werden sie verheiratet, sondern sie sind wie die Engel Gottes im Himmel. [31] Was aber die Auferstehung der Toten betrifft, habt ihr nicht gelesen, was euch von Gott gesagt ist, der spricht: [32] *Ich bin der Gott Abrahams und der Gott Isaaks und der Gott Jakobs?* Gott ist aber nicht ein Gott der Toten, sondern der Lebendigen. [33] Und als die Menge dies hörte, erstaunte sie über seine Lehre.

Die Frage nach dem größten Gebot   Mk 12,28-34

34 Als nun die Pharisäer hörten, daß er den Sadduzäern den Mund gestopft hatte, versammelten sie sich; [35] und einer von ihnen, ein Gesetzesgelehrter, stellte ihm eine Frage, um ihn zu versuchen, und sprach: [36] Meister, welches ist das größte Gebot im Gesetz? [37] Und Jesus sprach zu ihm: *Du sollst den Herrn, deinen Gott, lieben mit deinem ganzen Herzen und mit deiner ganzen Seele und mit deinem ganzen Denken.* [38] Das ist das erste und größte Gebot. [39] Und das zweite ist ihm zu vergleichen: *Du sollst deinen Nächsten lieben wie dich selbst.* [40] An diesen zwei Geboten hängen das ganze Gesetz und die Propheten.

Wessen Sohn ist der Christus?   Mk 12,35-37; Lk 20,41-44

41 Als nun die Pharisäer versammelt waren, fragte sie Jesus [42] und sprach: Was denkt ihr von dem Christus? Wessen Sohn ist er? Sie sagten zu ihm: Davids. [43] Er spricht zu ihnen: Wie nennt ihn denn David im Geist »Herr«, indem er spricht: [44] *Der Herr hat zu meinem Herrn gesagt: Setze dich zu meiner Rechten, bis ich deine Feinde hinlege als Schemel deiner Füße?* [45] Wenn also David ihn Herr nennt, wie ist er denn sein Sohn? [46] Und niemand konnte ihm ein Wort erwidern. Auch getraute sich von jenem Tag an niemand mehr, ihn zu fragen.

Strafrede gegen die Schriftgelehrten und Pharisäer   Mk 12,38-40

23 Da redete Jesus zu der Volksmenge und zu seinen Jüngern [2] und sprach: Die Schriftgelehrten und Pharisäer haben sich auf Moses Stuhl gesetzt. [3] Alles nun, was sie euch sagen, daß ihr halten sollt, das haltet und tut; aber nach ihren Werken tut nicht, denn sie sagen es wohl, tun es aber nicht. [4] Sie binden nämlich schwere und kaum erträgliche Bürden und legen sie den Menschen auf die Schultern; sie aber wollen sie nicht mit einem Finger anrühren. [5] Alle ihre Werke tun sie aber, um von den Leuten gesehen zu werden. Sie machen ihre Gebetsriemen breit und die Säume an ihren Gewändern groß, [6] und sie lieben den obersten Platz bei den Mahlzeiten und die ersten Sitze in den Synagogen [7] und die Begrüßungen auf den Märkten und wenn sie von den Leuten »Rabbi, Rabbi« genannt werden.

8 Ihr aber sollt euch nicht Rabbi nennen lassen, denn *einer* ist euer Meister, der Christus; ihr aber seid alle Brüder. [9] Nennt auch niemand auf Erden euren Vater; denn *einer* ist euer Vater, der im Himmel ist. [10] Auch sollt ihr euch nicht Meister nennen

lassen; denn *einer* ist euer Meister, der Christus. [11] Der Größte aber unter euch soll euer Diener sein. [12] Wer sich aber selbst erhöht, der wird erniedrigt werden; und wer sich selbst erniedrigt, der wird erhöht werden.

13 Aber wehe euch, ihr Schriftgelehrten und Pharisäer, ihr Heuchler, daß ihr das Reich der Himmel vor den Menschen zuschließt! Ihr selbst geht nicht hinein, und die hinein wollen, die laßt ihr nicht hinein. [14] Wehe euch, ihr Schriftgelehrten und Pharisäer, ihr Heuchler, daß ihr die Häuser der Witwen freßt und zum Schein lange betet. Darum werdet ihr ein schwereres Gericht empfangen!

15 Wehe euch, ihr Schriftgelehrten und Pharisäer, ihr Heuchler, daß ihr Meer und Land durchzieht, um einen einzigen Proselyten[a] zu machen, und wenn er es geworden ist, macht ihr ein Kind der Hölle aus ihm, zweimal mehr, als ihr es seid!

16 Wehe euch, ihr blinden Führer, die ihr sagt: Wer beim Tempel schwört, das gilt nichts; wer aber beim Gold des Tempels schwört, der ist gebunden. [17] Ihr Narren und Blinde, was ist denn größer, das Gold oder der Tempel, der das Gold heiligt? [18] Und: Wer beim Brandopferaltar schwört, das gilt nichts; wer aber beim Opfer schwört, das darauf liegt, der ist gebunden. [19] Ihr Narren und Blinden! Was ist denn größer, das Opfer oder der Brandopferaltar, der das Opfer heiligt? [20] Darum, wer beim Altar schwört, der schwört bei ihm und bei allem, was darauf ist. [21] Und wer beim Tempel schwört, der schwört bei ihm und bei dem, der darin wohnt. [22] Und wer beim Himmel schwört, der schwört bei dem Thron Gottes und bei dem, der darauf sitzt.

23 Wehe euch, ihr Schriftgelehrten und Pharisäer, ihr Heuchler, daß ihr die Minze und den Anis und den Kümmel verzehntet und das Wichtigere im Gesetz vernachlässigt, nämlich das Gericht und das Erbarmen und den Glauben! Dieses sollte man tun und jenes nicht lassen. [24] Ihr blinden Führer, die ihr die Mücke aussiebt, das Kamel aber verschluckt!

25 Wehe euch, ihr Schriftgelehrten und Pharisäer, ihr Heuchler, daß ihr das Äußere des Bechers und der Schüssel reinigt, inwendig aber sind sie voller Raub und Unmäßigkeit! [26] Du blinder Pharisäer, reinige zuerst das Inwendige des Bechers und der Schüssel, damit auch ihr Äußeres rein werde!

27 Wehe euch, ihr Schriftgelehrten und Pharisäer, ihr Heuchler, daß ihr getünchten Gräbern gleicht, die äußerlich zwar schön scheinen, inwendig aber voller Totengebeine und aller Unreinheit sind! [28] So erscheint auch ihr äußerlich vor den Menschen

a. (23,15) d.h. einen Heiden, der zum Judentum übertritt (vgl. Gal 3,10-14; 5,2-6).

als gerecht, inwendig aber seid ihr voller Heuchelei und Gesetzlosigkeit.

29 Wehe euch, ihr Schriftgelehrten und Pharisäer, ihr Heuchler, daß ihr die Gräber der Propheten baut und die Denkmäler der Gerechten schmückt [30] und sagt: Hätten wir in den Tagen unserer Väter gelebt, wir hätten uns nicht mit ihnen des Blutes der Propheten schuldig gemacht. [31] So gebt ihr ja euch selbst das Zeugnis, daß ihr Söhne der Prophetenmörder seid. [32] Ja, macht ihr nur das Maß eurer Väter voll!

33 Ihr Schlangen! Ihr Otterngezücht! Wie wollt ihr dem Gericht der Hölle entgehen? [34] Siehe, darum sende ich zu euch Propheten und Weise und Schriftgelehrte; und etliche von ihnen werdet ihr töten und kreuzigen, und etliche werdet ihr in euren Synagogen geißeln und sie verfolgen von einer Stadt zur anderen, [35] damit über euch alles gerechte Blut kommt, das auf Erden vergossen worden ist, vom Blut Abels, des Gerechten, bis auf das Blut Zacharias, des Sohnes Barachias, den ihr zwischen dem Tempel und dem Altar getötet habt. [36] Wahrlich, ich sage euch: Dies alles wird über dieses Geschlecht kommen!

Klage über Jerusalem Lk 13,34-35; 19,41-44

37 Jerusalem, Jerusalem, die du die Propheten tötest und steinigst, die zu dir gesandt sind! Wie oft habe ich deine Kinder sammeln wollen, wie eine Henne ihre Küken unter die Flügel sammelt, aber ihr habt nicht gewollt! [38] Siehe, euer Haus wird euch verwüstet gelassen werden; [39] denn ich sage euch: Ihr werdet mich von jetzt an nicht mehr sehen, bis ihr sprechen werdet: Gelobt sei, der da kommt im Namen des Herrn!

Die Endzeitrede Jesu auf dem Ölberg (Kapitel 24 u. 25)
Mk 13,1-37; Lk 21,5-37

24 Und Jesus trat hinaus und ging vom Tempel hinweg. Und seine Jünger traten herzu, um ihm die Gebäude des Tempels zu zeigen. [2] Jesus aber sprach zu ihnen: Seht ihr nicht dies alles? Wahrlich, ich sage euch: Hier wird kein Stein auf dem anderen bleiben, der nicht abgebrochen wird![a] [3] Als er aber auf dem Ölberg saß, traten die Jünger allein zu ihm und sprachen: Sage uns, wann wird dies geschehen, und was wird das Zeichen deiner Wiederkunft und des Endes der Weltzeit sein?

---

a. (24,2) Diese Weissagung wurde 70 n. Chr. wortwörtlich erfüllt, als die Soldaten des römischen Feldherren Titus den Tempel des Herodes niederbrannten und abrissen.

Verführungen und Nöte in der Endzeit   Mk 13,5-13; Lk 21,8-19

4 Und Jesus antwortete und sprach zu ihnen: Habt acht, daß euch niemand verführt! ⁵ Denn viele werden unter meinem Namen kommen und sagen: Ich bin der Christus! Und sie werden viele verführen. ⁶ Ihr werdet aber von Kriegen und Kriegsgerüchten hören; habt acht, erschreckt nicht; denn dies alles muß geschehen; aber es ist noch nicht das Ende. ⁷ Denn ein Volk wird sich gegen das andere erheben und ein Königreich gegen das andere; und es werden hier und dort Hungersnöte, Seuchen und Erdbeben geschehen. ⁸ Dies alles ist der Anfang der Wehen.

9 Dann wird man euch der Drangsal preisgeben und euch töten; und ihr werdet gehaßt sein von allen Völkern um meines Namens willen. ¹⁰ Und dann werden viele Anstoß nehmen, einander verraten und einander hassen. ¹¹ Und es werden viele falsche Propheten auftreten und werden viele verführen. ¹² Und weil die Gesetzlosigkeit überhand nimmt, wird die Liebe in vielen erkalten. ¹³ Wer aber ausharrt bis ans Ende, der wird gerettet werden. ¹⁴ Und dieses Evangelium vom Reich wird in der ganzen Welt verkündigt werden, zum Zeugnis für alle Heiden, und dann wird das Ende kommen.

Die große Drangsal   Mk 13,14-23; Lk 21,20-24

15 Wenn ihr nun den Greuel der Verwüstung, von dem durch den Propheten Daniel geredet wurde, an heiliger Stätte stehen seht (wer es liest, der achte darauf!), ¹⁶ dann fliehe auf die Berge, wer in Judäa ist; ¹⁷ wer auf dem Dach ist, der steige nicht hinab, um etwas aus seinem Haus zu holen, ¹⁸ und wer auf dem Feld ist, der kehre nicht zurück, um seine Kleider zu holen. ¹⁹ Wehe aber den Schwangeren und den Stillenden in jenen Tagen! ²⁰ Bittet aber, daß eure Flucht nicht im Winter noch am Sabbat geschieht.

21 Denn dann wird eine große Drangsal sein, wie von Anfang der Welt an bis jetzt keine gewesen ist und auch keine mehr kommen wird. ²² Und wenn jene Tage nicht verkürzt würden, so würde kein Fleisch gerettet werden; aber um der Auserwählten willen sollen jene Tage verkürzt werden.

23 Wenn dann jemand zu euch sagen wird: Siehe, hier ist der Christus, oder dort, so glaubt es nicht! ²⁴ Denn es werden falsche Christusse und falsche Propheten auftreten und werden große Zeichen und Wunder tun, um, wenn möglich, auch die Auserwählten zu verführen. ²⁵ Siehe, ich habe es euch vorhergesagt. ²⁶ Wenn sie nun zu euch sagen werden: Siehe, er ist in

der Wüste!, so geht nicht hinaus; Siehe, er ist in den Kammern!, so glaubt es nicht. ²⁷ Denn wie der Blitz vom Osten ausfährt und bis zum Westen scheint, so wird auch die Wiederkunft des Menschensohnes sein. ²⁸ Denn wo das Aas ist, da sammeln sich die Geier.

Das Kommen des Menschensohnes   Mk 13,24-27; Lk 21,25-28

29 Bald aber nach der Drangsal jener Tage wird die Sonne verfinstert werden, und der Mond wird seinen Schein nicht geben, und die Sterne werden vom Himmel fallen und die Kräfte des Himmels erschüttert werden. ³⁰ Und dann wird das Zeichen des Menschensohnes am Himmel erscheinen, und dann werden sich alle Geschlechter der Erde an die Brust schlagen, und sie werden den Sohn des Menschen kommen sehen auf den Wolken des Himmels mit großer Kraft und Herrlichkeit. ³¹ Und er wird seine Engel aussenden mit starkem Posaunenschall, und sie werden seine Auserwählten versammeln von den vier Winden her, von einem Ende des Himmels bis zum anderen.

32 Von dem Feigenbaum aber lernt das Gleichnis: Wenn sein Zweig schon saftig wird und Blätter treibt, so erkennt ihr, daß der Sommer nahe ist. ³³ Also auch ihr, wenn ihr dies alles seht, so erkennt, daß er nahe vor der Türe ist. ³⁴ Wahrlich, ich sage euch: Dieses Geschlecht wird nicht vergehen, bis dies alles geschehen ist. ³⁵ Himmel und Erde werden vergehen, aber meine Worte werden nicht vergehen.

Ermahnung zur Wachsamkeit   Mk 13,32-37; Lk 21,34-36

36 Um jenen Tag aber und die Stunde weiß niemand, auch die Engel im Himmel nicht, sondern allein mein Vater. ³⁷ Wie es aber in den Tagen Noahs war, so wird es auch bei der Wiederkunft des Menschensohnes sein. ³⁸ Denn wie sie in den Tagen vor der Sintflut aßen und tranken, heirateten und verheirateten bis zu dem Tag, als Noah in die Arche ging, ³⁹ und nichts merkten, bis die Sintflut kam und sie alle dahinraffte, so wird auch die Wiederkunft des Menschensohnes sein. ⁴⁰ Dann werden zwei auf dem Feld sein; der eine wird genommen, und der andere wird zurückgelassen. ⁴¹ Zwei werden auf der Mühle mahlen; eine wird genommen, und die andere wird zurückgelassen. 42 So wachet nun, da ihr nicht wißt, in welcher Stunde euer Herr kommt! ⁴³ Das aber erkennt: Wenn der Hausherr wüßte, in welcher Nachtstunde der Dieb käme, so würde er wohl wachen und nicht in sein Haus einbrechen lassen. ⁴⁴ Darum seid

auch ihr bereit! Denn der Sohn des Menschen kommt zu einer Stunde, da ihr es nicht meint.

45 Wer ist nun der treue und kluge Knecht, den sein Herr über seine Dienerschaft gesetzt hat, damit er ihnen die Speise gibt zur rechten Zeit? 46 Glückselig ist jener Knecht, den sein Herr, wenn er kommt, bei solchem Tun finden wird. 47 Wahrlich, ich sage euch: Er wird ihn über alle seine Güter setzen. 48 Wenn aber jener böse Knecht in seinem Herzen spricht: Mein Herr säumt zu kommen! 49 und anfängt, die Mitknechte zu schlagen und mit den Schlemmern zu essen und zu trinken, 50 so wird der Herr jenes Knechtes an einem Tag kommen, da er es nicht erwartet, und zu einer Stunde, die er nicht kennt, 51 und wird ihn entzweihauen und ihm seinen Teil mit den Heuchlern geben. Da wird das Heulen und Zähneknirschen sein.

Das Gleichnis von den zehn Jungfrauen

25 Dann wird das Reich der Himmel zehn Jungfrauen gleichen, die ihre Lampen nahmen und dem Bräutigam entgegengingen. 2 Fünf von ihnen aber waren klug und fünf töricht. 3 Die törichten nahmen zwar ihre Lampen, aber sie nahmen kein Öl mit sich. 4 Die klugen aber nahmen Öl in ihren Gefäßen mitsamt ihren Lampen. 5 Als nun der Bräutigam auf sich warten ließ, wurden sie alle schläfrig und schliefen ein.

6 Um Mitternacht aber entstand ein Geschrei: Siehe, der Bräutigam kommt! Geht aus, ihm entgegen! 7 Da erwachten alle jene Jungfrauen und rüsteten ihre Lampen. 8 Die törichten aber sprachen zu den klugen: Gebt uns von eurem Öl, denn unsere Lampen erlöschen! 9 Aber die klugen antworteten und sprachen: Nein, es würde nicht reichen für uns und für euch. Geht doch vielmehr hin zu den Händlern und kauft für euch selbst!

10 Während sie aber hingingen, um zu kaufen, kam der Bräutigam; und die bereit waren, gingen mit ihm hinein zur Hochzeit; und die Tür wurde verschlossen. 11 Danach kommen auch die übrigen Jungfrauen und sagen: Herr, Herr, tue uns auf! 12 Er aber antwortete und sprach: Wahrlich, ich sage euch: Ich kenne euch nicht! 13 Darum wachet! Denn ihr wißt weder den Tag noch die Stunde, in welcher der Sohn des Menschen kommen wird.

Das Gleichnis von den anvertrauten Talenten Lk 19,11-26

14 Denn es ist wie bei einem Menschen, der außer Landes reisen wollte, seine Knechte rief und ihnen seine Güter übergab. 15 Dem einen gab er fünf Talente, dem andern zwei, dem dritten eins, einem jeden nach seiner Kraft, und reiste sogleich ab.

[16] Da ging der hin, welcher die fünf Talente empfangen hatte, handelte mit ihnen und gewann fünf andere Talente. [17] Und ebenso der, welcher die zwei Talente [empfangen hatte], auch er gewann zwei andere. [18] Aber der, welcher das eine empfangen hatte, ging hin, grub die Erde auf und verbarg das Geld seines Herrn.

19 Nach langer Zeit aber kommt der Herr dieser Knechte und hält Abrechnung mit ihnen. [20] Und es trat der hinzu, der die fünf Talente empfangen hatte, brachte noch fünf andere Talente herzu und sprach: Herr, du hast mir fünf Talente übergeben; siehe, ich habe mit ihnen fünf andere Talente gewonnen. [21] Da sagte sein Herr zu ihm: Recht so, du guter und treuer Knecht! Du bist über wenigem treu gewesen, ich will dich über vieles setzen; gehe ein zu deines Herrn Freude!

22 Und es trat auch der hinzu, der die zwei Talente empfangen hatte, und sprach: Herr, du hast mir zwei Talente übergeben; siehe, ich habe mit ihnen zwei andere Talente gewonnen. [23] Sein Herr sagte zu ihm: Recht so, du guter und treuer Knecht! Du bist über wenigem treu gewesen, ich will dich über vieles setzen; gehe ein zu deines Herrn Freude!

24 Da trat auch der hinzu, der das eine Talent empfangen hatte, und sprach: Herr, ich kannte dich, daß du ein harter Mann bist. Du erntest, wo du nicht gesät, und sammelst, wo du nicht ausgestreut hast; [25] und ich fürchtete mich, ging hin und verbarg dein Talent in der Erde. Siehe, da hast du das Deine! [26] Aber sein Herr antwortete und sprach zu ihm: Du böser und fauler Knecht! Wußtest du, daß ich ernte, wo ich nicht gesät, und sammle, wo ich nicht ausgestreut habe? [27] Dann hättest du mein Geld den Wechslern bringen sollen, so hätte ich bei meinem Kommen das Meine mit Zinsen zurückerhalten. [28] Darum nehmt ihm das Talent weg und gebt es dem, der die zehn Talente hat!

29 Denn wer da hat, dem wird gegeben werden, damit er Überfluß hat; von dem aber, der nicht hat, wird auch das genommen werden, was er hat. [30] Und den unnützen Knecht werft hinaus in die äußerste Finsternis! Dort wird das Heulen und Zähneknirschen sein.

Das Gericht über die Heidenvölker

31 Wenn aber der Sohn des Menschen in seiner Herrlichkeit kommen wird und alle heiligen Engel mit ihm, dann wird er auf dem Thron seiner Herrlichkeit sitzen, [32] und vor ihm werden alle Heiden versammelt werden. Und er wird sie voneinander

scheiden, wie ein Hirte die Schafe von den Böcken scheidet, [33] und er wird die Schafe zu seiner Rechten stellen, die Böcke aber zu seiner Linken. [34] Dann wird der König denen zu seiner Rechten sagen: Kommt her, ihr Gesegneten meines Vaters, und erbt das Reich, das euch bereitet ist seit Grundlegung der Welt! [35] Denn ich bin hungrig gewesen, und ihr habt mich gespeist; ich bin durstig gewesen, und ihr habt mir zu trinken gegeben; ich bin ein Fremdling gewesen, und ihr habt mich beherbergt; [36] ich bin ohne Kleidung gewesen, und ihr habt mich bekleidet; ich bin krank gewesen, und ihr habt mich besucht; ich bin gefangen gewesen, und ihr seid zu mir gekommen.

37 Dann werden ihm die Gerechten antworten und sagen: Herr, wann haben wir dich hungrig gesehen und haben dich gespeist, oder durstig, und haben dir zu trinken gegeben? [38] Wann haben wir dich als Fremdling gesehen und haben dich beherbergt, oder ohne Kleidung, und haben dich bekleidet? [39] Wann haben wir dich krank gesehen, oder im Gefängnis, und sind zu dir gekommen? [40] Und der König wird ihnen antworten und sagen: Wahrlich, ich sage euch: Was ihr einem dieser meiner geringsten Brüder getan habt, das habt ihr mir getan!

41 Dann wird er auch denen zur Linken sagen: Geht hinweg von mir, ihr Verfluchten, in das ewige Feuer, das dem Teufel und seinen Engeln bereitet ist! [42] Denn ich bin hungrig gewesen, und ihr habt mich nicht gespeist; ich bin durstig gewesen, und ihr habt mir nicht zu trinken gegeben; [43] ich bin ein Fremdling gewesen, und ihr habt mich nicht beherbergt; ohne Kleidung, und ihr habt mich nicht bekleidet; krank und gefangen, und ihr habt mich nicht besucht!

44 Dann werden auch sie ihm antworten und sagen: Herr, wann haben wir dich hungrig oder durstig oder als Fremdling oder ohne Kleidung oder krank oder gefangen gesehen und haben dir nicht gedient? [45] Dann wird er ihnen antworten: Wahrlich, ich sage euch: Was ihr einem dieser Geringsten nicht getan habt, das habt ihr mir auch nicht getan!

46 Und sie werden in die ewige Strafe gehen, die Gerechten aber in das ewige Leben.

Das Leiden und Sterben Jesu Christi (Kapitel 26 u. 27)

26 Und es geschah, als Jesus alle diese Worte beendet hatte, sprach er zu seinen Jüngern: [2] Ihr wißt, daß in zwei Tagen das Passah[a] ist; dann wird der Sohn des Menschen ausgeliefert, damit er gekreuzigt werde.

a. (26,2) eines der drei großen Feste Israels; vgl. 2Mo 12; 1Kor 5,6-8.

Der Plan der Hohenpriester und Ältesten Mk 14,1-2; Lk 22,1-2

3 Da versammelten sich die Hohenpriester und die Schriftgelehrten und die Ältesten des Volkes im Hof des obersten Prie-
sters, der Kajaphas hieß. [4] Und sie hielten miteinander Rat, wie
sie Jesus mit List ergreifen und töten könnten. [5] Sie sprachen
aber: Nicht während des Festes, damit kein Aufruhr unter dem
Volk entsteht!

Die Salbung Jesu in Bethanien Mk 14,3-9; Joh 12,1-8

6 Als nun Jesus in Bethanien im Hause Simons des Aussätzigen
war, [7] da trat eine Frau zu ihm mit einer alabasternen Flasche
voll kostbaren Salböls und goß es auf sein Haupt, während er
zu Tisch saß. [8] Als das seine Jünger sahen, wurden sie unwillig
und sprachen: Wozu diese Verschwendung? [9] Man hätte dieses Salböl doch teuer verkaufen und den Armen geben können!
10 Als es aber Jesus bemerkte, sprach er zu ihnen: Warum bekümmert ihr die Frau? Sie hat doch ein gutes Werk an mir getan! [11] Denn die Armen habt ihr allezeit bei euch, mich aber
habt ihr nicht allezeit. [12] Damit, daß sie dieses Salböl auf meinen Leib goß, hat sie mich zum Begräbnis bereitet.
[13] Wahrlich, ich sage euch: Wo immer dieses Evangelium verkündigt wird in der ganzen Welt, da wird man auch von dem
sprechen, was diese getan hat, zu ihrem Gedenken!

Der Verrat des Judas Mk 14,10-11; Lk 22,3-6

14 Da ging einer der Zwölf namens Judas Ischariot hin zu den Hohenpriestern [15] und sprach: Was wollt ihr mir geben, wenn ich
ihn euch verrate? Und sie setzten ihm dreißig Silberlinge fest.
[16] Und von da an suchte er eine gute Gelegenheit, ihn zu verraten.

Das letzte Passahmahl Mk 14,12-21; Lk 22,7-18; 22,21-23

17 Am ersten Tag der ungesäuerten Brote traten die Jünger nun
zu Jesus und sprachen zu ihm: Wo willst du, daß wir dir das
Passahmahl zu essen bereiten? [18] Und er sprach: Geht hin in
die Stadt zu dem und dem und sprecht zu ihm: Der Meister läßt
dir sagen: Meine Zeit ist nahe; bei dir will ich mit meinen Jüngern das Passah halten! [19] Und die Jünger taten, wie Jesus ihnen befohlen hatte, und bereiteten das Passah.
20 Als es nun Abend geworden war, setzte er sich mit den zwölf
Jüngern zu Tisch. [21] Und während sie aßen, sprach er: Wahrlich, ich sage euch: Einer von euch wird mich verraten! [22] Da
wurden sie sehr betrübt, und jeder von ihnen fing an, ihn zu

fragen: Herr, doch nicht ich? ²³ Er antwortete aber und sprach: Der mit mir die Hand in die Schüssel taucht, der wird mich verraten. ²⁴ Der Sohn des Menschen geht zwar dahin, wie von ihm geschrieben steht; aber wehe jenem Menschen, durch den der Sohn des Menschen verraten wird! Es wäre für jenen Menschen besser, wenn er nicht geboren wäre. ²⁵ Da antwortete Judas, der ihn verriet, und sprach: Rabbi, doch nicht ich? Er spricht zu ihm: Du hast es gesagt!

Die Einsetzung des Mahles des Herrn   Mk 14,22-25; Lk 22,19-20

26 Als sie nun aßen, nahm Jesus das Brot und sprach den Segen, brach es, gab es den Jüngern und sprach: Nehmt, eßt! Das ist mein Leib. ²⁷ Und er nahm den Kelch und dankte, gab ihnen denselben und sprach: Trinkt alle daraus! ²⁸ Denn das ist mein Blut, das des neuen Bundes, das für viele vergossen wird zur Vergebung der Sünden. ²⁹ Ich sage euch aber: Ich werde von jetzt an von diesem Gewächs des Weinstocks nicht mehr trinken bis zu jenem Tag, da ich es neu mit euch trinken werde im Reich meines Vaters!

Die Ankündigung der Verleugnung durch Petrus   Mk 14,27-31

30 Und nachdem sie den Lobgesang gesungen hatten, gingen sie hinaus an den Ölberg. ³¹ Da spricht Jesus zu ihnen: Ihr werdet in dieser Nacht alle an mir Anstoß nehmen; denn es steht geschrieben: *Ich werde den Hirten schlagen, und die Schafe der Herde werden sich zerstreuen.* ³² Aber nachdem ich auferstanden bin, will ich euch nach Galiläa vorangehen. ³³ Da antwortete Petrus und sprach zu ihm: Wenn auch alle an dir Anstoß nehmen, so werde doch ich niemals Anstoß nehmen! ³⁴ Jesus spricht zu ihm: Wahrlich, ich sage dir: In dieser Nacht, ehe der Hahn kräht, wirst du mich dreimal verleugnen! ³⁵ Petrus spricht zu ihm: Und wenn ich auch mit dir sterben müßte, werde ich dich nicht verleugnen! Ebenso sprachen auch alle Jünger.

Gethsemane   Mk 14,32-42; Lk 22,39-46

36 Da kommt Jesus mit ihnen in ein Gut, genannt Gethsemane. Und er spricht zu den Jüngern: Setzt euch hier hin, während ich weggehe und dort bete! ³⁷ Und er nahm Petrus und die zwei Söhne des Zebedäus mit sich; und er fing an, betrübt zu werden, und ihm graute sehr. ³⁸ Da spricht er zu ihnen: Meine Seele ist tief betrübt bis zum Tod. Bleibt hier und wacht mit mir!

39 Und er ging ein wenig weiter, warf sich auf sein Angesicht, betete und sprach: Mein Vater! Ist es möglich, so gehe dieser Kelch an mir vorüber; doch nicht wie ich will, sondern wie du willst! [40] Und er kommt zu den Jüngern und findet sie schlafend und spricht zu Petrus: Könnt ihr also nicht eine Stunde mit mir wachen? [41] Wachet und betet, damit ihr nicht in Anfechtung geratet! Der Geist ist willig, aber das Fleisch ist schwach.

42 Wiederum ging er zum zweitenmal hin, betete und sprach: Mein Vater, wenn dieser Kelch nicht an mir vorübergehen kann, ohne daß ich ihn trinke, so geschehe dein Wille! [43] Und er kommt und findet sie wieder schlafend; denn die Augen waren ihnen schwer geworden.

44 Und er ließ sie, ging wieder hin, betete zum drittenmal und sprach dieselben Worte. [45] Dann kommt er zu seinen Jüngern und spricht zu ihnen: Schlaft ihr noch immer und ruht? Siehe, die Stunde ist nahe, und der Sohn des Menschen wird in die Hände der Sünder ausgeliefert. [46] Steht auf, laßt uns gehen! Siehe, der mich verrät, ist nahe.

Die Gefangennahme Jesu   Mk 14,43-50; Lk 22,47-53; Joh 18,3-11

47 Und während er noch redete, siehe, da kam Judas, einer der Zwölf, und mit ihm eine große Schar mit Schwertern und Stökken, [gesandt] von den Hohenpriestern und Ältesten des Volkes. [48] Der ihn aber verriet, hatte ihnen ein Zeichen gegeben und gesagt: Der, den ich küssen werde, der ist's, den ergreift! [49] Und sogleich trat er zu Jesus und sprach: Sei gegrüßt, Rabbi! und küßte ihn. [50] Jesus aber sprach zu ihm: Freund, wozu bist du hier? Da traten sie hinzu, legten Hand an Jesus und nahmen ihn fest.

51 Und siehe, einer von denen, die bei Jesus waren, streckte die Hand aus, zog sein Schwert, schlug den Knecht des Hohenpriesters und hieb ihm ein Ohr ab. [52] Da sprach Jesus zu ihm: Stekke dein Schwert an seinen Ort! Denn alle, die zum Schwert greifen, werden durch das Schwert umkommen! [53] Oder meinst du, ich könnte nicht jetzt meinen Vater bitten, und er würde mir mehr als zwölf Legionen Engel schicken? [54] Wie würden dann aber die Schriften erfüllt, daß es so kommen muß?

55 In jener Stunde sprach Jesus zu der Volksmenge: Wie gegen einen Räuber seid ihr ausgezogen mit Schwertern und Stöcken, um mich zu fangen! Täglich bin ich bei euch im Tempel gesessen und habe gelehrt, und ihr habt mich nicht ergriffen. [56] Das alles aber ist geschehen, damit die Schriften der Propheten erfüllt würden. – Da verließen ihn alle Jünger und flohen.

Jesus vor dem Hohen Rat Mk 14,53-65; Lk 22,54; 22,63-71

57 Die aber Jesus festgenommen hatten, führten ihn ab zu dem Hohenpriester Kajaphas, wo die Schriftgelehrten und die Ältesten versammelt waren. 58 Petrus aber folgte ihnen von ferne bis zum Hof des Hohenpriesters. Und er ging hinein und setzte sich zu den Dienern, um den Ausgang [der Sache] zu sehen.

59 Aber die Hohenpriester und die Ältesten und der ganze Hohe Rat suchten ein falsches Zeugnis gegen Jesus, um ihn zu töten. 60 Aber sie fanden keines; und obgleich viele falsche Zeugen herzukamen, fanden sie doch keines. 61 Zuletzt aber kamen zwei falsche Zeugen und sprachen: Dieser hat gesagt: Ich kann den Tempel Gottes zerstören und ihn in drei Tagen aufbauen! 62 Und der Hohepriester stand auf und sprach zu ihm: Antwortest du nichts auf das, was diese gegen dich bezeugen? 63 Jesus aber schwieg. Und der Hohepriester begann und sprach zu ihm: Ich beschwöre dich bei dem lebendigen Gott, daß du uns sagst, ob du der Christus bist, der Sohn Gottes!

64 Jesus spricht zu ihm: Du hast es gesagt! Überdies sage ich euch: Künftig werdet ihr den Sohn des Menschen sitzen sehen zur Rechten der Macht und kommen auf den Wolken des Himmels!

65 Da zerriß der Hohepriester seine Kleider und sprach: Er hat gelästert! Was brauchen wir weitere Zeugen? Siehe, nun habt ihr seine Lästerung gehört. 66 Was meint ihr? Sie antworteten und sprachen: Er ist des Todes schuldig!

67 Da spuckten sie ihm ins Angesicht und schlugen ihn mit Fäusten; andere gaben ihm Backenstreiche 68 und sprachen: Christus, weissage uns! Wer ist's, der dich geschlagen hat?

Die dreifache Verleugnung durch Petrus Mk 14,66-72; Lk 22,55-62

69 Petrus aber saß draußen im Hof. Und eine Magd trat zu ihm und sprach: Auch du warst mit Jesus, dem Galiläer! 70 Er aber leugnete vor allen und sprach: Ich weiß nicht, was du sagst!

71 Als er dann in den Vorhof hinausging, sah ihn eine andere und sprach zu denen, die dort waren: Auch dieser war mit Jesus, dem Nazarener! 72 Und er leugnete nochmals mit einem Schwur: Ich kenne den Menschen nicht!

73 Bald darauf aber traten die Umstehenden herzu und sagten zu Petrus: Wahrhaftig, du bist auch einer von ihnen; denn auch deine Sprache verrät dich. 74 Da fing er an, [sich] zu verfluchen und zu schwören: Ich kenne den Menschen nicht! Und sogleich krähte der Hahn. 75 Und Petrus erinnerte sich an das Wort Je-

su, der zu ihm gesagt hatte: Ehe der Hahn kräht, wirst du mich
dreimal verleugnen. Und er ging hinaus und weinte bitterlich.

Die Auslieferung Jesu an Pilatus   Mk 15,1; Lk 23,1; Joh 18,28

27 Als es aber Morgen geworden war, hielten alle Hohenpriester und die Ältesten des Volkes einen Rat gegen Jesus, um ihn zu töten. ²Und sie banden ihn, führten ihn ab und
lieferten ihn dem Statthalter[a] Pontius Pilatus aus.

Das Ende des Judas   Apg 1,16-20

3 Als nun Judas, der ihn verraten hatte, sah, daß er verurteilt
war, reute es ihn; und er brachte die dreißig Silberlinge den Hohenpriestern und den Ältesten zurück ⁴und sprach: Ich habe
gesündigt, daß ich unschuldiges Blut verraten habe! Sie aber
sprachen: Was geht das uns an? Da sieh du zu! ⁵Da warf er die
Silberlinge im Tempel hin und machte sich davon, ging hin und
erhängte sich. ⁶Die Hohenpriester aber nahmen die Silberlinge und sprachen: Wir dürfen sie nicht in den Opferkasten legen, weil es Blutgeld ist.
7 Nachdem sie aber Rat gehalten hatten, kauften sie dafür den
Acker des Töpfers als Begräbnisstätte für die Fremdlinge.
⁸Daher wird jener Acker »Blutacker« genannt bis auf den heutigen Tag. ⁹Da wurde erfüllt, was durch den Propheten Jeremia
gesagt ist, der spricht: »Und sie nahmen die dreißig Silberlinge,
den Wert des Geschätzten, den die Kinder Israels geschätzt hatten, ¹⁰und gaben sie für den Acker des Töpfers, wie der Herr
mir befohlen hatte.«

Jesus vor Pilatus   Mk 15,2-5; Lk 23,1-4; Joh 18,28-38

11 Jesus aber stand vor dem Statthalter; und der Statthalter
fragte ihn und sprach: Bist du der König der Juden? Jesus
sprach zu ihm: Du sagst es! ¹²Und als er von den Hohenpriestern und den Ältesten verklagt wurde, antwortete er nichts.
¹³Da sprach Pilatus zu ihm: Hörst du nicht, wie viele Dinge sie
gegen dich bezeugen? ¹⁴Und er antwortete ihm auch nicht auf
ein einziges Wort, so daß der Statthalter sich sehr verwunderte.

Die Verurteilung Jesu durch die Volksmenge   Mk 15,6-15

15 Aber anläßlich des Festes pflegte der Statthalter der Volksmenge einen Gefangenen freizugeben, welchen sie wollten.
¹⁶Sie hatten aber damals einen berüchtigten Gefangenen na-

---

a. (27,2) Der Statthalter des römischen Reiches war Befehlshaber der Besatzungs-
   truppen und der oberste Machthaber im Land.

mens Barabbas. [17] Als sie nun versammelt waren, sprach Pilatus zu ihnen: Welchen wollt ihr, daß ich euch freilasse, Barabbas oder Jesus, den man Christus nennt? [18] Denn er wußte, daß sie ihn aus Neid ausgeliefert hatten.

19 Als er aber auf dem Richterstuhl saß, sandte seine Frau zu ihm und ließ ihm sagen: Habe du nichts zu schaffen mit diesem Gerechten; denn ich habe heute im Traum seinetwegen viel gelitten!

20 Aber die Hohenpriester und die Ältesten überredeten die Volksmenge, den Barabbas zu erbitten, Jesus aber umbringen zu lassen. [21] Der Statthalter aber antwortete und sprach zu ihnen: Welchen von diesen beiden wollt ihr, daß ich euch freilasse? Sie sprachen: Den Barabbas! [22] Pilatus spricht zu ihnen: Was soll ich denn mit Jesus tun, den man Christus nennt? Sie sprachen alle zu ihm: Kreuzige ihn! [23] Da sagte der Statthalter: Was hat er denn Böses getan? Sie aber schrieen noch viel mehr und sprachen: Kreuzige ihn!

24 Als nun Pilatus sah, daß er nichts ausrichtete, sondern daß vielmehr ein Aufruhr entstand, nahm er Wasser und wusch sich vor der Volksmenge die Hände und sprach: Ich bin unschuldig an dem Blut dieses Gerechten; seht ihr zu! [25] Und das ganze Volk antwortete und sprach: Sein Blut komme über uns und über unsere Kinder!

26 Da gab er ihnen den Barabbas frei; Jesus aber ließ er geißeln und übergab ihn zur Kreuzigung.

Verspottung und Dornenkrone   Mk 15,16-20; Joh 19,1-5

27 Da nahmen die Kriegsknechte des Statthalters Jesus in das Prätorium[a] und versammelten die ganze Schar[b] um ihn. [28] Und sie zogen ihn aus und legten ihm einen Purpurmantel um [29] und flochten eine Krone aus Dornen, setzten sie auf sein Haupt, gaben ihm ein Rohr in die rechte Hand und beugten vor ihm die Knie, verspotteten ihn und sprachen: Sei gegrüßt, König der Juden! [30] Dann spuckten sie ihn an und nahmen das Rohr und schlugen ihn auf das Haupt. [31] Und nachdem sie ihn verspottet hatten, zogen sie ihm den Mantel aus und legten ihm seine Kleider an. Und sie führten ihn hin, um ihn zu kreuzigen.

Die Kreuzigung Jesu   Mk 15,21-32; Lk 23,26-43; Joh 19,16-27

32 Als sie aber hinauszogen, fanden sie einen Mann von Kyrene namens Simon; den zwangen sie, ihm das Kreuz zu tragen.

a. (27,27) Sitz des römischen Statthalters, auch als Gefängnis benutzt.
b. (27,27) od. *Truppe, Kohorte* (römische Truppeneinheit).

[33] Und als sie an den Platz kamen, den man Golgatha nennt, das heißt Schädelstätte, [34] gaben sie ihm Essig mit Galle vermischt zu trinken; und als er es gekostet hatte, wollte er nicht trinken.

35 Nachdem sie ihn nun gekreuzigt hatten, teilten sie seine Kleider unter sich und warfen das Los, damit erfüllt würde, was durch den Propheten gesagt ist: *Sie haben meine Kleider unter sich geteilt, und über mein Gewand haben sie das Los geworfen.* [36] Und sie saßen dort und bewachten ihn. [37] Und sie befestigten über seinem Haupt die Inschrift seiner Schuld: Dies ist Jesus, der König der Juden. [38] Dann wurden mit ihm zwei Räuber gekreuzigt, einer zur Rechten, der andere zur Linken.

39 Aber die Vorübergehenden lästerten ihn, schüttelten den Kopf [40] und sprachen: Der du den Tempel zerstörst und in drei Tagen aufbaust, rette dich selbst! Wenn du Gottes Sohn bist, so steige vom Kreuz herab! [41] Gleicherweise spotteten aber auch die Hohenpriester samt den Schriftgelehrten und Ältesten und sprachen: [42] Andere hat er gerettet, sich selbst kann er nicht retten! Ist er der König Israels, so steige er nun vom Kreuz herab, und wir wollen ihm glauben! [43] Er hat auf Gott vertraut; der befreie ihn jetzt, wenn er Lust an ihm hat; denn er hat ja gesagt: Ich bin Gottes Sohn! [44] Ebenso schmähten ihn auch die Räuber, die mit ihm gekreuzigt waren.

Der Tod Jesu   Mk 15,33-41; Lk 23,44-49; Joh 19,28-30

45 Aber von der sechsten Stunde an kam eine Finsternis über das ganze Land bis zur neunten Stunde. [46] Und um die neunte Stunde rief Jesus mit lauter Stimme: Eli, Eli, lama sabachthani, das heißt: *Mein Gott, mein Gott, warum hast du mich verlassen?* [47] Etliche der Anwesenden sprachen, als sie es hörten: Der ruft den Elia! [48] Und sogleich lief einer von ihnen, nahm einen Schwamm, füllte ihn mit Essig, steckte ihn auf ein Rohr und gab ihm zu trinken. [49] Die übrigen aber sprachen: Halt, laßt uns sehen, ob Elia kommt, um ihn zu retten! [50] Jesus aber schrie nochmals mit lauter Stimme und gab den Geist auf.

51 Und siehe, der Vorhang im Tempel riß von oben bis unten entzwei, und die Erde erbebte, und die Felsen spalteten sich. [52] Und die Gräber öffneten sich, und viele Leiber der entschlafenen Heiligen wurden auferweckt [53] und gingen aus den Gräbern hervor nach seiner Auferstehung und kamen in die heilige Stadt und erschienen vielen.

54 Als aber der Hauptmann und die, welche mit ihm Jesus bewachten, das Erdbeben sahen und was da geschah, fürchteten

sie sich sehr und sprachen: Wahrhaftig, dieser war Gottes Sohn!
55 Es waren aber dort viele Frauen, die von ferne zusahen, welche Jesus von Galiläa her gefolgt waren und ihm gedient hatten; [56] unter ihnen waren Maria Magdalena und Maria, die Mutter des Jakobus und Joses, und die Mutter der Söhne des Zebedäus.

Die Grablegung Jesu   Mk 15,42-47; Lk 23,50-56; Joh 19,38-42

57 Als es nun Abend geworden war, kam ein reicher Mann von Arimathia namens Joseph, der auch ein Jünger Jesu geworden war. [58] Dieser ging zu Pilatus und bat um den Leib Jesu. Da befahl Pilatus, daß ihm der Leib gegeben werde. [59] Und Joseph nahm den Leib, wickelte ihn in reine Leinwand [60] und legte ihn in sein neues Grab, das er im Felsen hatte aushauen lassen; und er wälzte einen großen Stein vor den Eingang des Grabes und ging davon. [61] Es waren aber dort Maria Magdalena und die andere Maria, die saßen dem Grab gegenüber.

Das Grab wird versiegelt und bewacht

62 Am anderen Tag nun, der auf den Rüsttag folgt, versammelten sich die Hohenpriester und die Pharisäer bei Pilatus [63] und sprachen: Herr, wir erinnern uns, daß dieser Verführer sprach, als er noch lebte: Nach drei Tagen werde ich auferstehen. [64] So befiehl nun, daß das Grab sicher bewacht werde bis zum dritten Tag, damit nicht etwa seine Jünger in der Nacht kommen, ihn stehlen und zum Volk sagen: Er ist aus den Toten auferstanden! und der letzte Betrug schlimmer wird als der erste. [65] Pilatus aber sprach zu ihnen: Ihr sollt eine Wache haben! Geht hin und bewacht es, so gut ihr könnt! [66] Da gingen sie hin, versiegelten den Stein und bewachten das Grab mit der Wache.

Die Auferstehung Jesu Christi   Mk 16,1-11; Lk 24,1-12; Joh 20,1-18

28 Nach dem Sabbat aber, als der erste Tag der Woche anbrach, kamen Maria Magdalena und die andere Maria, um das Grab zu besehen. [2] Und siehe, es geschah ein großes Erdbeben, denn ein Engel des Herrn stieg vom Himmel herab, trat herzu, wälzte den Stein von dem Eingang hinweg und setzte sich darauf. [3] Sein Aussehen war wie der Blitz und sein Gewand weiß wie der Schnee. [4] Vor seinem furchtbaren Anblick aber erbebten die Wächter und wurden wie tot.
5 Der Engel aber wandte sich zu den Frauen und sprach: Fürchtet ihr euch nicht! Ich weiß wohl, daß ihr Jesus, den Ge-

kreuzigten, sucht. [6] Er ist nicht hier, denn er ist auferstanden, wie er gesagt hat. Kommt her, seht den Ort, wo der Herr gelegen hat! [7] Und geht schnell hin und sagt seinen Jüngern, daß er aus den Toten auferstanden ist. Und siehe, er geht euch voran nach Galiläa; dort werdet ihr ihn sehen. Siehe, ich habe es euch gesagt!

8 Und sie gingen schnell zum Grab hinaus mit Furcht und großer Freude und liefen, um es seinen Jüngern zu verkünden. [9] Und als sie gingen, um es seinen Jüngern zu verkünden, siehe, da begegnete ihnen Jesus und sprach: Seid gegrüßt! Sie aber traten herzu und umfaßten seine Füße und beteten ihn an. [10] Da sprach Jesus zu ihnen: Fürchtet euch nicht! Geht hin, verkündet meinen Brüdern, daß sie nach Galiläa gehen sollen; dort werden sie mich sehen!

Die Bestechung der Kriegsknechte

11 Während sie aber hingingen, siehe, da kamen etliche von der Wache in die Stadt und verkündeten den Hohenpriestern alles, was geschehen war. [12] Diese versammelten sich samt den Ältesten, und nachdem sie Rat gehalten hatten, gaben sie den Kriegsknechten Geld genug [13] und sprachen: Sagt, seine Jünger sind bei Nacht gekommen und haben ihn gestohlen, während wir schliefen. [14] Und wenn dies vor den Statthalter kommt, so wollen wir ihn besänftigen und machen, daß ihr ohne Sorge sein könnt. [15] Sie aber nahmen das Geld und taten, wie sie belehrt worden waren. Und so wurde dieses Wort unter den Juden verbreitet bis zum heutigen Tag.

Der Auftrag an die Jünger   Mk 16,15-18; Lk 24,44-49

16 Die elf Jünger aber gingen nach Galiläa auf den Berg, wohin Jesus sie bestellt hatte. [17] Und als sie ihn sahen, warfen sie sich anbetend vor ihm nieder; etliche aber zweifelten. [18] Und Jesus trat herzu, redete mit ihnen und sprach: Mir ist gegeben alle Macht im Himmel und auf Erden. [19] So geht nun hin und macht zu Jüngern alle Völker, und tauft sie auf den Namen des Vaters und des Sohnes und des Heiligen Geistes [20] und lehrt sie alles halten, was ich euch befohlen habe. Und siehe, ich bin bei euch alle Tage bis an das Ende der Weltzeit! Amen.

DAS EVANGELIUM NACH MARKUS

Das Markus-Evangelium wurde von Johannes Markus, einem Mitarbeiter von Paulus und Petrus, ca. 63-68 n. Chr. geschrieben. Es berichtet besonders den Dienst von Jesus Christus als dem vollkommenen Knecht Gottes, der auf die Erde kam, „um zu dienen und sein Leben zu geben als Lösegeld für viele" (Mk 10,45).

Die Verkündigung Johannes des Täufers Mt 3,1-12; Lk 3,1-18

1 Anfang des Evangeliums[a] von Jesus Christus, dem Sohn Gottes. 2 Wie geschrieben steht in den Propheten: *Siehe, ich sende meinen Boten vor deinem Angesicht her, der deinen Weg vor dir bereiten wird.* 3 *Eine Stimme ruft in der Wüste: Bereitet den Weg des Herrn, macht seine Pfade eben!* 4 So begann Johannes in der Wüste, taufte und verkündigte eine Taufe der Buße zur Vergebung der Sünden. 5 Und es ging zu ihm hinaus das ganze Land Judäa und die Bewohner von Jerusalem, und es wurden von ihm alle im Jordan getauft, die ihre Sünden bekannten. 6 Johannes aber war bekleidet mit Kamelhaaren und trug einen ledernen Gürtel um seine Lenden, und er aß Heuschrecken und wilden Honig.
7 Und er verkündigte und sprach: Es kommt einer nach mir, der stärker ist als ich, für den ich nicht gut genug bin, gebückt seinen Schuhriemen aufzulösen. 8 Ich habe euch mit Wasser getauft; er aber wird euch mit Heiligem Geist taufen.

Die Taufe und die Versuchung Jesu Christi Mt 3,13-17; 4,1-11

9 Und es geschah in jenen Tagen, daß Jesus von Nazareth in Galiläa kam und sich von Johannes im Jordan taufen ließ. 10 Und sogleich, als er aus dem Wasser stieg, sah er den Himmel zerrissen und den Geist wie eine Taube auf ihn herabsteigen. 11 Und eine Stimme ertönte aus dem Himmel: Du bist mein geliebter Sohn, an dem ich Wohlgefallen habe! 12 Und sogleich treibt ihn der Geist in die Wüste hinaus. 13 Und er war vierzig Tage dort in der Wüste und wurde von dem Satan versucht; und er war bei den wilden Tieren, und die Engel dienten ihm.

Der Beginn des Wirkens Jesu in Galiläa Mt 4,12-17; Lk 4,14-15

14 Nachdem aber Johannes gefangengenommen worden war, kam Jesus nach Galiläa und verkündigte das Evangelium vom

---

a. (1,1) d.h. der Heilsbotschaft, der frohen Botschaft von der Errettung.

Reich Gottes[a] [15] und sprach: Die Zeit ist erfüllt, und das Reich Gottes ist nahe. Tut Buße[b] und glaubt an das Evangelium!

Die Berufung der ersten Jünger   Mt 4,18-22; Lk 5,1-11; Joh 1,35-51

16 Als er aber am See von Galiläa[c] entlangging, sah er Simon und dessen Bruder Andreas; die warfen das Netz aus im See, denn sie waren Fischer. [17] Und Jesus sprach zu ihnen: Folgt mir nach, und ich will euch zu Menschenfischern machen! [18] Da verließen sie sogleich ihre Netze und folgten ihm nach. [19] Und als er von dort ein wenig weiter ging, sah er Jakobus, den Sohn des Zebedäus, und seinen Bruder Johannes, die auch im Schiff waren und die Netze flickten. [20] Und sogleich berief er sie; und sie ließen ihren Vater Zebedäus samt den Tagelöhnern im Schiff und folgten ihm nach.

Jesus treibt in Kapernaum einen unreinen Geist aus   Lk 4,31-37

21 Und sie begaben sich nach Kapernaum; und er ging am Sabbat sogleich in die Synagoge und lehrte. [22] Und sie erstaunten über seine Lehre; denn er lehrte sie wie einer, der Vollmacht hat, und nicht wie die Schriftgelehrten.

23 Und es war in ihrer Synagoge ein Mensch mit einem unreinen Geist, der schrie [24] und sprach: Laß ab! Was haben wir mit dir zu tun, Jesus, du Nazarener? Bist du gekommen, um uns zu verderben? Ich weiß, wer du bist: der Heilige Gottes! [25] Aber Jesus bedrohte ihn und sprach: Verstumme und fahre aus von ihm! [26] Da zerrte ihn der unreine Geist hin und her, schrie mit lauter Stimme und fuhr von ihm aus.

27 Und sie erstaunten alle, so daß sie sich untereinander fragten und sprachen: Was ist das? Was für eine neue Lehre ist dies? Mit Vollmacht gebietet er auch den unreinen Geistern, und sie gehorchen ihm! [28] Und das Gerücht von ihm verbreitete sich sogleich in das ganze umliegende Gebiet von Galiläa.

Die Heilung der Schwiegermutter des Petrus und anderer Kranker

29 Und sogleich verließen sie die Synagoge und gingen mit Jakobus und Johannes in das Haus des Simon und Andreas. [30] Simons Schwiegermutter aber lag krank am Fieber danieder, und sogleich sagten sie ihm von ihr. [31] Und er trat hinzu, ergriff ihre Hand und richtete sie auf; und das Fieber verließ sie sogleich, und sie diente ihnen.

a. (1,14) d.h. von der Königsherrschaft Gottes.
b. (1,15) d.h. kehrt von Herzen um zu Gott.
c. (1,16) auch See Genezareth genannt.

32 Als es aber Abend geworden und die Sonne untergegangen war, brachten sie alle Kranken und Besessenen zu ihm. 33 Und die ganze Stadt war vor der Tür versammelt. 34 Und er heilte viele, die an mancherlei Krankheiten litten, und trieb viele Dämonen aus und ließ die Dämonen nicht reden, denn sie kannten ihn.

35 Und am Morgen, als es noch sehr dunkel war, stand er auf, ging hinaus an einen einsamen Ort und betete dort. 36 Und es folgten ihm Simon und die, welche bei ihm waren; 37 und als sie ihn gefunden hatten, sprachen sie zu ihm: Jedermann sucht dich! 38 Und er spricht zu ihnen: Laßt uns in die umliegenden Orte gehen, damit ich auch dort verkündige; denn dazu bin ich gekommen. 39 Und er verkündigte in ihren Synagogen in ganz Galiläa und trieb die Dämonen aus.

Die Heilung eines Aussätzigen   Mt 8,2-4; Lk 5,12-16

40 Und es kam ein Aussätziger zu ihm, bat ihn, fiel vor ihm auf die Knie und sprach zu ihm: Wenn du willst, kannst du mich reinigen! 41 Da erbarmte sich Jesus über ihn, streckte die Hand aus, rührte ihn an und sprach zu ihm: Ich will; sei gereinigt! 42 Und während er redete, wich der Aussatz sogleich von ihm, und er wurde rein.

43 Und er ermahnte ihn ernstlich und schickte ihn sogleich fort 44 und sprach zu ihm: Sieh zu, sage es niemand; sondern geh hin, zeige dich dem Priester und opfere für deine Reinigung, was Mose befohlen hat, ihnen zum Zeugnis! 45 Er aber ging und fing an, es vielfach zu verkündigen und breitete die Sache überall aus, so daß Jesus nicht mehr öffentlich in eine Stadt hineingehen konnte, sondern er war draußen an einsamen Orten; und sie kamen von allen Seiten zu ihm.

Die Heilung eines Gelähmten   Mt 9,1-8; Lk 5,17-26

2 Und nach etlichen Tagen ging er wieder nach Kapernaum; und als man hörte, daß er im Haus sei, 2 da versammelten sich sogleich viele, so daß kein Platz mehr war, auch nicht draußen bei der Tür; und er verkündigte ihnen das Wort. 3 Und etliche kamen zu ihm und brachten einen Gelähmten, der von vier Leuten getragen wurde. 4 Und da sie wegen der Menge nicht zu ihm herankommen konnten, deckten sie dort, wo er war, das Dach ab, und nachdem sie es aufgebrochen hatten, ließen sie das Bett herab, auf dem der Gelähmte lag. 5 Als aber Jesus ihren Glauben sah, sprach er zu dem Gelähmten: Sohn, deine Sünden sind dir vergeben!

6 Es saßen aber dort etliche von den Schriftgelehrten, die dachten in ihren Herzen: 7 Was redet dieser solche Lästerung? Wer kann Sünden vergeben als nur Gott allein? 8 Und sogleich erkannte Jesus in seinem Geist, daß sie so bei sich dachten, und sprach zu ihnen: Warum denkt ihr dies in euren Herzen? 9 Was ist leichter, zu dem Gelähmten zu sagen: Dir sind die Sünden vergeben, oder zu sagen: Steh auf und nimm dein Bett und geh umher? 10 Damit ihr aber wißt, daß der Sohn des Menschen Vollmacht hat, auf Erden Sünden zu vergeben – sprach er zu dem Gelähmten: 11 Ich sage dir, steh auf und nimm dein Bett und geh heim! 12 Und er stand sogleich auf, nahm sein Bett und ging vor aller Augen hinaus, so daß sie alle erstaunten, Gott priesen und sprachen: So etwas haben wir noch nie gesehen!

Die Berufung des Levi Mt 9,9-13; Lk 5,27-32

13 Da ging er wieder an den See hinaus, und die ganze Menge kam zu ihm, und er lehrte sie. 14 Und als er vorüberging, sah er Levi, den Sohn des Alphäus, an der Zollstätte sitzen. Und er sprach zu ihm: Folge mir nach! Und er stand auf und folgte ihm. 15 Und es begab sich, als er in dessen Haus zu Tisch saß, daß auch viele Zöllner und Sünder sich mit Jesus und seinen Jüngern zu Tisch setzten, denn es waren viele, die ihm nachfolgten. 16 Und als die Schriftgelehrten und die Pharisäer sahen, daß er mit den Zöllnern und Sündern aß, sprachen sie zu seinen Jüngern: Warum ißt und trinkt er mit den Zöllnern und Sündern? 17 Als Jesus es hörte, sprach er zu ihnen: Nicht die Starken bedürfen des Arztes, sondern die Kranken. Ich bin nicht gekommen, Gerechte zu rufen, sondern Sünder zur Buße.

Vom Fasten. Gleichnisse vom neuen Flicken und vom neuen Wein Mt 9,14-17; Lk 5,33-39

18 Und die Jünger des Johannes und die der Pharisäer pflegten zu fasten; und sie kamen zu ihm und fragten: Warum fasten die Jünger des Johannes und der Pharisäer, deine Jünger aber fasten nicht? 19 Und Jesus sprach zu ihnen: Können die Hochzeitsgäste fasten, solange der Bräutigam bei ihnen ist? Solange sie den Bräutigam bei sich haben, können sie nicht fasten. 20 Es werden aber Tage kommen, da der Bräutigam von ihnen genommen sein wird, und dann, in jenen Tagen, werden sie fasten. 21 Und niemand näht einen Lappen von neuem Tuch auf ein altes Kleid; sonst löst sein neuer Flicken sich ab vom alten, und der Riß wird schlimmer. 22 Und niemand füllt neuen Wein in alte Schläuche, sonst zerreißt der neue Wein die Schläuche,

und der Wein wird verschüttet und die Schläuche verderben; sondern neuer Wein soll in neue Schläuche gefüllt werden.

Jesus ist Herr über den Sabbat Mt 12,1-8; Lk 6,1-5

23 Und es begab sich, daß er am Sabbat durch die Kornfelder ging. Und seine Jünger fingen an, auf dem Weg die Ähren abzustreifen. 24 Da sprachen die Pharisäer zu ihm: Sieh doch, warum tun sie am Sabbat, was nicht erlaubt ist?

25 Und er sprach zu ihnen: Habt ihr nie gelesen, was David tat, als er Mangel litt und er und seine Gefährten Hunger hatten, 26 wie er zur Zeit des Hohenpriesters Abjathar in das Haus Gottes hineinging und die Schaubrote aß, die niemand essen darf als nur die Priester, und auch denen davon gab, die bei ihm waren? 27 Und er sprach zu ihnen: Der Sabbat wurde um des Menschen willen geschaffen, nicht der Mensch um des Sabbats willen. 28 Also ist der Sohn des Menschen Herr auch über den Sabbat.

Der Mann mit der verdorrten Hand. Weitere Heilungen Mt 12,9-16

3 Und er ging wiederum in die Synagoge. Und es war dort ein Mensch, der hatte eine verdorrte Hand. 2 Und sie lauerten ihm auf, ob er ihn am Sabbat heilen würde, damit sie ihn verklagen könnten. 3 Und er spricht zu dem Menschen, der die verdorrte Hand hatte: Steh auf und tritt in die Mitte! 4 Und er spricht zu ihnen: Darf man am Sabbat Gutes tun oder Böses tun, das Leben retten oder töten? Sie aber schwiegen. 5 Und indem er sie ringsumher mit Zorn ansah, betrübt wegen der Verstocktheit ihres Herzens, sprach er zu dem Menschen: Strecke deine Hand aus! Und er streckte sie aus, und seine Hand wurde wieder gesund wie die andere.

6 Da gingen die Pharisäer hinaus und hielten sogleich mit den Herodianern Rat gegen ihn, wie sie ihn umbringen könnten.

7 Aber Jesus zog sich mit seinen Jüngern an den See zurück; und eine große Menge aus Galiläa folgte ihm nach, auch aus Judäa 8 und von Jerusalem und von Idumäa und von jenseits des Jordan; und die aus der Gegend von Tyrus und Sidon kamen in großen Scharen zu ihm, weil sie gehört hatten, wie viel er tat. 9 Und er befahl seinen Jüngern, ihm ein kleines Schiff bereitzuhalten um der Volksmenge willen, damit sie ihn nicht bedrängten. 10 Denn er heilte viele, so daß alle, die eine Plage hatten, ihn überfielen, um ihn anzurühren. 11 Und wenn ihn die unreinen Geister erblickten, fielen sie vor ihm nieder, schrieen und sprachen: Du bist der Sohn Gottes! 12 Und er gebot ihnen streng, daß sie ihn nicht offenbar machen sollten.

Die Berufung der zwölf Apostel Lk 6,12-16

13 Und er stieg auf den Berg und rief zu sich, welche er wollte; und sie kamen zu ihm. 14 Und er bestimmte zwölf, daß sie bei ihm seien und daß er sie aussende, um zu verkündigen, 15 und daß sie Vollmacht hätten, die Krankheiten zu heilen und die Dämonen auszutreiben: 16 Simon, dem er den Beinamen Petrus gab, 17 und Jakobus, den Sohn des Zebedäus, und Johannes, den Bruder des Jakobus, denen er den Beinamen Boanerges gab, das heißt Donnersöhne, 18 und Andreas, Philippus, Bartholomäus, Matthäus, Thomas, Jakobus, den Sohn des Alphäus, Thaddäus, Simon den Kananiter, 19 und Judas Ischariot, der ihn auch verriet.

Jesu Macht über die bösen Geister. Die Lästerung gegen den Heiligen Geist Mt 12,22-37; Lk 11,14-23

20 Und sie traten in das Haus, und es kam nochmals eine Volksmenge zusammen, so daß sie nicht einmal Speise zu sich nehmen konnten. 21 Und als die, die um ihn waren, es hörten, gingen sie aus, um ihn zu ergreifen; denn sie sagten: Er ist von Sinnen! 22 Und die Schriftgelehrten, die von Jerusalem herabgekommen waren, sprachen: Er hat den Beelzebul! und: Durch den Obersten der Dämonen treibt er die Dämonen aus!
23 Da rief er sie zu sich und sprach in Gleichnissen zu ihnen: Wie kann der Satan den Satan austreiben? 24 Und wenn ein Reich in sich selbst uneinig ist, so kann ein solches Reich nicht bestehen. 25 Und wenn ein Haus in sich selbst uneinig ist, so kann ein solches Haus nicht bestehen. 26 Und wenn der Satan gegen sich selbst auftritt und entzweit ist, so kann er nicht bestehen, sondern er nimmt ein Ende. 27 Niemand kann in das Haus des Starken hineingehen und seinen Hausrat rauben, es sei denn, er bindet zuvor den Starken; dann erst wird er sein Haus berauben.
28 Wahrlich, ich sage euch: Alle Sünden sollen den Menschenkindern vergeben werden, auch die Lästerungen, womit sie lästern; 29 wer aber gegen den Heiligen Geist lästert, der hat in Ewigkeit keine Vergebung, sondern er ist einem ewigen Gericht verfallen. 30 Denn sie sagten: Er hat einen unreinen Geist.

Die wahren Verwandten Jesu Mt 12,46-50; Lk 8,19-21

31 Da kamen seine Brüder und seine Mutter; sie blieben aber draußen, schickten zu ihm und ließen ihn rufen. 32 Und die Volksmenge saß um ihn her. Sie sprachen aber zu ihm: Siehe,

deine Mutter und deine Brüder sind draußen und suchen dich! ³³ Und er antwortete ihnen und sprach: Wer ist meine Mutter oder wer sind meine Brüder? ³⁴ Und indem er ringsumher die ansah, die um ihn saßen, sprach er: Siehe da, meine Mutter und meine Brüder! ³⁵ Denn wer den Willen Gottes tut, der ist mein Bruder und meine Schwester und Mutter.

Die Geheimnisse des Reiches Gottes

4 Und wiederum fing er an, am See zu lehren. Und es versammelte sich eine große Volksmenge bei ihm, so daß er in das Schiff stieg und sich auf dem See darin niedersetzte; und alles Volk war am See auf dem Land. ² Und er lehrte sie vieles in Gleichnissen und sagte zu ihnen in seiner Lehre:

Das Gleichnis vom Sämann Mt 13,3-9; Lk 8,4-8

3 Hört zu! Siehe, der Sämann ging aus, um zu säen. ⁴ Und es begab sich, als er säte, daß etliches an den Weg fiel; und die Vögel des Himmels kamen und fraßen es auf. ⁵ Anderes aber fiel auf den felsigen Boden, wo es nicht viel Erde hatte; und es ging sogleich auf, weil es keine tiefe Erde hatte. ⁶ Als aber die Sonne aufging, wurde es verbrannt; und weil es keine Wurzel hatte, verdorrte es. ⁷ Und anderes fiel unter die Dornen; und die Dornen wuchsen auf und erstickten es, und es brachte keine Frucht. ⁸ Und anderes fiel auf das gute Erdreich und brachte Frucht, die aufwuchs und zunahm; und etliches trug dreißigfältig, etliches sechzigfältig und etliches hundertfältig. ⁹ Und er sprach zu ihnen: Wer Ohren hat zu hören, der höre!

Der Grund für die Gleichnisreden Mt 13,10-17; Lk 8,9-10

10 Als er aber allein war, fragten ihn die, welche um ihn waren, samt den Zwölfen über das Gleichnis. ¹¹ Und er sprach zu ihnen: Euch ist es gegeben, das Geheimnis des Reiches Gottes zu erkennen, denen aber, die draußen sind, wird alles in Gleichnissen zuteil, ¹² damit sie mit sehenden Augen sehen und doch nicht erkennen, und mit hörenden Ohren hören und doch nicht verstehen, damit sie nicht etwa umkehren und ihnen die Sünden vergeben werden.

Die Deutung des Gleichnisses vom Sämann Mt 13,18-23

13 Und er spricht zu ihnen: Wenn ihr dieses Gleichnis nicht versteht, wie wollt ihr dann alle Gleichnisse verstehen? ¹⁴ Der Sämann sät das Wort. ¹⁵ Die am Weg aber sind die, bei denen das Wort gesät wird, und wenn sie es gehört haben, kommt so-

gleich der Satan und nimmt das Wort weg, das in ihre Herzen gesät worden ist. [16] Und gleicherweise, wo auf steinigen Boden gesät wurde, das sind die, welche das Wort, wenn sie es hören, sogleich mit Freuden aufnehmen; [17] aber sie haben keine Wurzel in sich, sondern sind wetterwendisch. Später, wenn Drangsal oder Verfolgung entsteht um des Wortes willen, nehmen sie sogleich Anstoß. [18] Und die, bei denen unter die Dornen gesät wurde, das sind solche, die das Wort hören, [19] aber die Sorgen dieser Weltzeit und der Betrug des Reichtums und die Begierden nach anderen Dingen dringen ein und ersticken das Wort, und es wird unfruchtbar. [20] Und die, bei denen auf das gute Erdreich gesät wurde, das sind solche, die das Wort hören und es aufnehmen und Frucht bringen, der eine dreißigfältig, der andere sechzigfältig, der dritte hundertfältig.

Das Licht auf dem Leuchter   Mt 5,15-16; Lk 8,16-18; 11,33-36

[21] Und er sprach zu ihnen: Kommt etwa das Licht, damit es unter den Scheffel oder unter das Bett gestellt wird, und nicht vielmehr, damit man es auf den Leuchter setzt? [22] Denn nichts ist verborgen, das nicht offenbar gemacht wird, und nichts geschieht so heimlich, daß es nicht an den Tag kommt. [23] Wer Ohren hat zu hören, der höre!
[24] Und er sprach zu ihnen: Achtet auf das, was ihr hört! Mit welchem Maß ihr meßt, wird euch gemessen werden, und es wird euch, die ihr hört, noch hinzugelegt werden. [25] Denn wer da hat, dem wird gegeben werden; wer aber nicht hat, von dem wird auch das genommen werden, was er hat.

Das Gleichnis vom Wachstum der Saat

[26] Und er sprach: Mit dem Reich Gottes ist es so, wie wenn ein Mensch den Samen auf die Erde wirft [27] und schläft und aufsteht, Nacht und Tag, und der Same keimt und geht auf, ohne daß er es weiß. [28] Denn die Erde trägt von selbst Frucht, zuerst den Halm, danach die Ähre, dann den vollen Weizen in der Ähre. [29] Wenn aber die Frucht es zuläßt, schickt er sogleich die Sichel hin; denn die Ernte ist da.

Das Gleichnis vom Senfkorn   Mt 13,31-32; Lk 13,18-19

[30] Und er sprach: Womit sollen wir das Reich Gottes vergleichen, oder durch was für ein Gleichnis sollen wir es darstellen? [31] Es ist einem Senfkorn gleich, das, wenn es in die Erde gesät wird, das kleinste ist unter allen Samen auf Erden. [32] Und wenn es gesät ist, geht es auf und wird größer als alle Gartenge-

wächse und treibt große Zweige, so daß die Vögel des Himmels unter seinem Schatten nisten können.

33 Und in vielen solchen Gleichnissen sagte er ihnen das Wort, wie sie es zu hören vermochten. **34** Ohne Gleichnis aber redete er nicht zu ihnen; wenn sie aber alleine waren, legte er seinen Jüngern alles aus.

Jesus stillt den Sturm Mt 8,23-27; Lk 8,22-25

35 Und an jenem Tag, als es Abend geworden war, sprach er zu ihnen: Laßt uns hinüberfahren an das jenseitige Ufer! **36** Und nachdem sie die Volksmenge entlassen hatten, nahmen sie ihn mit, wie er da in dem Schiff war; es waren aber auch andere kleine Schiffe bei ihm. **37** Und es erhob sich ein großer Sturm, und die Wellen schlugen in das Schiff, so daß es sich schon zu füllen begann. **38** Und er war hinten auf dem Schiff und schlief auf einem Kissen. Und sie weckten ihn und sprachen zu ihm: Meister, kümmert es dich nicht, daß wir umkommen?
39 Und er stand auf, gebot dem Wind und sprach zum See: Schweig, verstumme! Da legte sich der Wind, und es entstand eine große Stille. **40** Und er sprach zu ihnen: Was seid ihr so furchtsam? Wie, habt ihr keinen Glauben? **41** Und sie gerieten in große Furcht und sprachen zueinander: Wer ist denn dieser, daß auch der Wind und der See ihm gehorsam sind?

Heilung eines Besessenen Mt 8,28-34; Lk 8,26-39

5 Und sie kamen ans andere Ufer des Sees in das Gebiet der Gadarener. **2** Und als er aus dem Schiff gestiegen war, lief ihm sogleich aus den Gräbern ein Mensch mit einem unreinen Geist entgegen, **3** der seine Wohnung in den Gräbern hatte. Und selbst mit Ketten konnte niemand ihn binden, **4** denn schon oft war er mit Fußfesseln und Ketten gebunden worden, aber die Ketten wurden von ihm zerrissen und die Fußfesseln zerrieben; und niemand konnte ihn bändigen. **5** Und er war allezeit, Tag und Nacht, auf den Bergen und in den Gräbern, schrie und schlug sich selbst mit Steinen.
6 Als er aber Jesus von ferne sah, lief er und warf sich vor ihm nieder, **7** schrie mit lauter Stimme und sprach: Jesus, du Sohn Gottes, des Höchsten, was habe ich mit dir zu tun? Ich beschwöre dich bei Gott, daß du mich nicht quälst! **8** Denn Er sprach zu ihm: Fahre aus dem Menschen aus, du unreiner Geist! **9** Und er fragte ihn: Wie heißt du? Und er antwortete und sprach: Legion heiße ich; denn wir sind viele! **10** Und er bat ihn sehr, sie nicht aus dem Land zu verweisen.

11 Es war aber dort an den Bergen eine große Herde Schweine zur Weide. ¹²Und die Dämonen baten ihn alle und sprachen: Schicke uns in die Schweine, damit wir in sie fahren! ¹³Und sogleich erlaubte es ihnen Jesus. Und die unreinen Geister fuhren aus und fuhren in die Schweine. Und die Herde stürzte sich den Abhang hinunter in den See. Es waren aber etwa zweitausend, und sie ertranken im See.

14 Die Schweinehirten aber flohen und verkündeten es in der Stadt und auf dem Land. Und sie gingen hinaus, um zu sehen, was da geschehen war. ¹⁵Und sie kamen zu Jesus und sahen den Besessenen, der die Legion gehabt hatte, dasitzen, bekleidet und vernünftig; und sie fürchteten sich. ¹⁶Und die es gesehen hatten, erzählten ihnen, wie es mit dem Besessenen zugegangen war, und von den Schweinen. ¹⁷Da begannen sie ihn zu bitten, er möge aus ihrem Gebiet weggehen.

18 Und als er in das Schiff trat, bat ihn der besessen Gewesene, daß er bei ihm bleiben dürfe. ¹⁹Aber Jesus ließ es ihm nicht zu, sondern sprach zu ihm: Geh in dein Haus, zu den Deinen, und verkündige ihnen, welch große Dinge der Herr an dir getan und wie er sich über dich erbarmt hat! ²⁰Und er ging hin und fing an, im Gebiet der Zehn Städte zu verkündigen, welch große Dinge Jesus an ihm getan hatte; und jedermann verwunderte sich.

Die Heilung einer blutflüssigen Frau. Die Auferweckung der Tochter des Jairus   Mt 9,18-26; Lk 8,40-56

21 Und als Jesus im Schiff wieder ans jenseitige Ufer hinübergefahren war, versammelte sich eine große Volksmenge bei ihm; und er war am See. ²²Und siehe, da kam einer der Obersten der Synagoge, namens Jairus; und als er ihn erblickte, warf er sich ihm zu Füßen, ²³und er bat ihn sehr und sprach: Mein Töchterlein liegt in den letzten Zügen; komme doch und lege ihr die Hände auf, damit sie gesund wird und am Leben bleibt! ²⁴Und er ging mit ihm; und es folgte ihm eine große Menge nach, und sie bedrängten ihn.

25 Und es war eine gewisse Frau, die hatte seit zwölf Jahren den Blutfluß, ²⁶und hatte viel erlitten von vielen Ärzten und all ihr Gut aufgewendet, ohne daß es ihr geholfen hätte – es war vielmehr noch schlimmer mit ihr geworden. ²⁷Als sie nun von Jesus hörte, kam sie unter dem Volk von hinten heran und rührte sein Gewand an. ²⁸Denn sie sagte sich: Wenn ich nur sein Gewand anrühre, so werde ich geheilt! ²⁹Und sogleich vertrocknete der Quell ihres Blutes, und sie merkte es am Leib, daß sie von der Plage geheilt war.

30 Jesus aber, der in sich selbst erkannt hatte, daß eine Kraft von ihm ausgegangen war, wandte sich sogleich inmitten der Menge um und sprach: Wer hat meine Gewand angerührt? 31 Da sprachen seine Jünger zu ihm: Du siehst, wie das Volk dich drängt, und sprichst: Wer hat mich angerührt? 32 Und er sah sich um nach der, die das getan hatte. 33 Aber die Frau kam mit Furcht und Zittern, weil sie wußte, was an ihr geschehen war, und warf sich vor ihm nieder und sagte ihm die ganze Wahrheit. 34 Er aber sprach zu ihr: Tochter, dein Glaube hat dich gerettet! Geh hin im Frieden und sei von deiner Plage gesund!

35 Während er noch redete, kommen etliche von den Leuten des Obersten der Synagoge und sprechen: Deine Tochter ist gestorben, was bemühst du den Meister noch? 36 Sobald aber Jesus das Wort hörte, das sie redeten, sprach er zum Obersten der Synagoge: Fürchte dich nicht, glaube nur! 37 Und er ließ niemand mitgehen als Petrus und Jakobus und Johannes, den Bruder des Jakobus.

38 Und er kommt in das Haus des Obersten der Synagoge und sieht das Getümmel, wie sehr sie weinten und heulten. 39 Und er geht hinein und spricht zu ihnen: Was lärmt ihr so und weint? Das Kind ist nicht gestorben, sondern es schläft! 40 Und sie lachten ihn aus. Nachdem er aber alle hinausgewiesen hatte, nahm er den Vater und die Mutter des Kindes mit sich und die, welche bei ihm waren, und ging hinein, wo das Kind lag. 41 Und er ergriff die Hand des Kindes und sprach zu ihm: Talita kumi!, das heißt übersetzt: Mädchen, ich sage dir, steh auf! 42 Und sogleich stand das Mädchen auf und ging umher; es war nämlich zwölf Jahre alt. Und sie gerieten außer sich vor Staunen. 43 Und er gebot ihnen ernstlich, daß es niemand erfahren dürfe, und befahl, man solle ihr zu essen geben.

Der Unglaube der Einwohner von Nazareth Mt 13,54-58; Lk 4,16-30

6 Und er zog von dort weg und kam in seine Vaterstadt[a]; und seine Jünger folgten ihm nach. 2 Und als der Sabbat kam, fing er an, in der Synagoge zu lehren; und viele, die zuhörten, erstaunten und sprachen: Woher hat dieser solches? Und was ist das für eine Weisheit, die ihm gegeben ist, daß sogar solche Wundertaten durch seine Hände geschehen? 3 Ist dieser nicht der Zimmermann, der Sohn der Maria, der Bruder von Jakobus und Joses und Judas und Simon? Und sind nicht seine Schwestern hier bei uns? Und sie nahmen Anstoß an ihm.

---

a. (6,1) d.h. nach Nazareth.

4 Jesus aber sprach zu ihnen: Ein Prophet ist nirgends verachtet außer in seiner Vaterstadt und bei seinen Verwandten und in seinem Haus! 5 Und er konnte dort kein Wunder tun, außer daß er wenigen Kranken die Hände auflegte und sie heilte. 6 Und er verwunderte sich wegen ihres Unglaubens. Und er zog durch die Dörfer ringsumher und lehrte.

Die Aussendung der zwölf Apostel Lk 9,1-6

7 Und er rief die Zwölf zu sich und begann, sie je zwei und zwei auszusenden, und gab ihnen Vollmacht über die unreinen Geister. 8 Und er befahl ihnen, sie sollten nichts auf den Weg nehmen als nur einen Stab; keine Tasche, kein Brot, kein Geld im Gürtel; 9 sie sollten aber Sandalen an den Füßen tragen und nicht zwei Hemden anziehen. 10 Und er sprach zu ihnen: Wo immer ihr in ein Haus eintretet, da bleibt, bis ihr von dort weggeht. 11 Und von allen, die euch nicht aufnehmen noch hören wollen, zieht fort und schüttelt den Staub von euren Füßen, ihnen zum Zeugnis. Wahrlich, ich sage euch: Es wird Sodom und Gomorra erträglicher gehen am Tag des Gerichts als jener Stadt! 12 Und sie gingen und verkündigten, man solle Buße tun, 13 und trieben viele Dämonen aus und salbten viele Kranke mit Öl und heilten sie.

Die Enthauptung Johannes des Täufers Mt 14,1-12; Lk 9,7-9

14 Und der König Herodes hörte das (denn sein Name wurde bekannt), und er sprach: Johannes der Täufer ist aus den Toten auferstanden; darum wirken auch die Wunderkräfte in ihm! 15 Andere sagten: Er ist Elia; wieder andere aber sagten: Er ist ein Prophet, oder wie einer der Propheten. 16 Als das Herodes hörte, sprach er: Er ist Johannes, den ich enthauptet habe; der ist aus den Toten auferstanden!
17 Denn er, Herodes, hatte ausgesandt und Johannes ergreifen und ihn im Gefängnis binden lassen wegen Herodias, der Frau seines Bruders Philippus, weil er sie zur Frau genommen hatte. 18 Denn Johannes hatte zu Herodes gesagt: Es ist dir nicht erlaubt, die Frau deines Bruders zu haben! 19 Herodias aber stellte ihm nach und wollte ihn töten; und sie konnte es nicht, 20 denn Herodes fürchtete den Johannes, weil er wußte, daß er ein gerechter und heiliger Mann war, und er bewachte ihn, und er gehorchte ihm in manchem und hörte ihn gern.
21 Als aber ein gelegener Tag kam, als Herodes seinen Großen und Obersten und den Vornehmsten von Galiläa an seinem Geburtstag ein Gastmahl gab, 22 da trat die Tochter der Hero-

dias herein und tanzte. Und weil sie dem Herodes und denen, die mit ihm zu Tisch saßen, gefiel, sprach der König zu dem Mädchen: Bitte von mir, was du willst, so will ich es dir geben! [23] Und er schwor ihr: Was du auch von mir erbitten wirst, das will ich dir geben, bis zur Hälfte meines Königreichs! [24] Sie aber ging hinaus und sprach zu ihrer Mutter: Was soll ich erbitten? Diese aber sprach: Das Haupt Johannes des Täufers! [25] Und sogleich ging sie rasch zum König hinein, bat und sprach: Ich will, daß du mir jetzt gleich auf einer Schüssel das Haupt Johannes des Täufers gibst!

26 Da wurde der König sehr betrübt; doch um des Eides und um derer willen, die mit ihm zu Tisch saßen, wollte er sie nicht abweisen. [27] Und der König schickte sogleich einen von der Wache hin und befahl, daß sein Haupt gebracht werde. [28] Dieser aber ging hin und enthauptete ihn im Gefängnis und brachte sein Haupt auf einer Schüssel und gab es dem Mädchen, und das Mädchen gab es seiner Mutter. [29] Und als seine Jünger es hörten, kamen sie und nahmen seinen Leichnam und legten ihn in ein Grab.

Die Speisung der Fünftausend   Mt 14,13-21; Lk 9,10-17; Joh 6,1-14

30 Und die Apostel versammelten sich bei Jesus und verkündeten ihm alles, was sie getan und was sie gelehrt hatten. [31] Und er sprach zu ihnen: Kommt ihr allein abseits an einen einsamen Ort und ruht ein wenig! Denn es waren viele, die gingen und kamen, und sie hatten nicht einmal Zeit zu essen. [32] Und sie fuhren allein zu Schiff an einen einsamen Ort. [33] Und die Leute sahen sie wegfahren, und viele erkannten ihn; und sie liefen aus allen Städten zu Fuß dort zusammen und kamen ihnen zuvor und versammelten sich bei ihm. [34] Und als Jesus ausstieg, sah er eine große Volksmenge; und er hatte Erbarmen mit ihnen, denn sie waren wie Schafe, die keinen Hirten haben. Und er fing an, sie vieles zu lehren.

35 Und als nun der Tag fast vergangen war, traten seine Jünger zu ihm und sagten: Dieser Ort ist einsam, und der Tag ist fast vergangen. [36] Entlasse sie, damit sie in die Höfe und Dörfer ringsumher gehen und sich Brot kaufen; denn sie haben nichts zu essen. [37] Er aber antwortete und sprach zu ihnen: Gebt ihr ihnen zu essen! Und sie sprachen zu ihm: Sollen wir hingehen und für zweihundert Denare Brot kaufen und ihnen zu essen geben? [38] Er aber sprach zu ihnen: Wie viele Brote habt ihr? Geht hin und seht nach! Und als sie es erkundet hatten, sprachen sie: Fünf, und zwei Fische.

39 Und er befahl ihnen, daß sich alle in Gruppen ins grüne Gras
setzen sollten. ⁴⁰ Und sie setzten sich gruppenweise, zu hundert und zu fünfzig. ⁴¹ Und er nahm die fünf Brote und die
zwei Fische, blickte zum Himmel auf und dankte, brach die
Brote und gab sie seinen Jüngern, damit sie sie ihnen austeilten; auch die zwei Fische teilte er unter alle. ⁴² Und sie aßen
alle und wurden satt. ⁴³ Und sie hoben zwölf Körbe voll an
Brocken auf, und auch von den Fischen. ⁴⁴ Und die, welche die
Brote gegessen hatten, waren etwa fünftausend Männer.

Jesus geht auf dem See. Heilungen in Genezareth Mt 14,22-36

45 Und sogleich nötigte er seine Jünger, in das Schiff zu steigen
und ans jenseitige Ufer, nach Bethsaida, vorauszufahren, bis er
die Volksmenge entlassen hatte. ⁴⁶ Und nachdem er sie verabschiedet hatte, ging er auf einen Berg, um zu beten.
47 Und als es Abend geworden war, befand sich das Schiff mitten auf dem See und er allein auf dem Land. ⁴⁸ Und er sah, daß
sie beim Rudern Not litten; denn der Wind stand ihnen entgegen. Und um die vierte Nachtwache kommt er zu ihnen, auf
dem See gehend; und er wollte bei ihnen vorübergehen. ⁴⁹ Als
sie ihn aber auf dem See gehen sahen, meinten sie, es sei ein
Gespenst, und schrieen. ⁵⁰ Denn sie sahen ihn alle und erschraken. Und sogleich redete er mit ihnen und sprach: Seid
getrost, ich bin's; fürchtet euch nicht! ⁵¹ Und er stieg zu ihnen
in das Schiff, und der Wind legte sich. Und sie erstaunten bei
sich selbst über die Maßen und verwunderten sich. ⁵² Denn sie
waren nicht verständig geworden durch die Brote; denn ihr
Herz war verhärtet.
53 Und als sie hinübergefahren waren, kamen sie zum Land
Genezareth und legten dort an. ⁵⁴ Und als sie aus dem Schiff
traten, erkannten die Leute ihn sogleich, ⁵⁵ durchliefen die
ganze umliegende Gegend und fingen an, die Kranken auf den
Betten dorthin zu tragen, wo sie hörten, daß er sei. ⁵⁶ Und wo
er in Dörfer oder Städte oder Gehöfte einkehrte, da legten sie
die Kranken auf die freien Plätze und baten ihn, daß sie nur den
Saum seines Gewandes anrühren dürften. Und alle, die ihn anrührten, wurden gesund.

Die Pharisäer und die Überlieferung der Alten Mt 15,1-9

7 Und es versammelten sich bei ihm die Pharisäer und etliche
Schriftgelehrte, die von Jerusalem gekommen waren, ² und
als sie einige seiner Jünger mit unreinen, das heißt mit ungewaschenen Händen Brot essen sahen, tadelten sie es. ³ Denn

die Pharisäer und alle Juden essen nicht, wenn sie sich nicht zuvor gründlich die Hände gewaschen haben, weil sie die Überlieferung der Alten halten. **4** Und wenn sie vom Markt kommen, essen sie nicht, ohne sich gewaschen zu haben. Und noch vieles andere haben sie zu halten angenommen, nämlich Waschungen von Bechern und Krügen und ehernem Geschirr und Polstern. **5** Daraufhin fragten ihn die Pharisäer und Schriftgelehrten: Warum wandeln deine Jünger nicht nach der Überlieferung der Alten, sondern essen das Brot mit ungewaschenen Händen? **6** Er aber antwortete und sprach zu ihnen: Trefflich hat Jesaja von euch Heuchlern geweissagt, wie geschrieben steht: *Dieses Volk ehrt mich mit den Lippen, doch ihr Herz ist fern von mir.* **7** *Vergeblich aber verehren sie mich, weil sie Lehren vortragen, die Menschengebote sind.*

8 Denn ihr verlaßt das Gebot Gottes und haltet die Überlieferung der Menschen ein, Waschungen von Krügen und Bechern, und viele andere ähnliche Dinge tut ihr. **9** Und er sprach zu ihnen: Trefflich verwerft ihr das Gebot Gottes, um eure Überlieferung festzuhalten. **10** Denn Mose hat gesagt: *Du sollst deinen Vater und deine Mutter ehren!* und: *Wer Vater oder Mutter flucht, der soll des Todes sterben!* **11** Ihr aber lehrt: Wenn jemand zum Vater oder zur Mutter spricht: »Korban«, das heißt zum Opfer ist bestimmt, was dir von mir zugute kommen sollte!, **12** so gestattet ihr ihm auch fortan nicht mehr, irgend etwas für seinen Vater oder seine Mutter zu tun. **13** Also hebt ihr mit eurer Überlieferung, die ihr weitergegeben habt, das Wort Gottes auf; und viele ähnliche Dinge tut ihr.

Das Herz des Menschen: Quelle der Verunreinigung   Mt 15,10-20

14 Und er rief die ganze Volksmenge zu sich und sprach zu ihnen: Hört mir alle zu und versteht! **15** Nichts, was außerhalb des Menschen ist und in ihn hineingeht, kann ihn verunreinigen; sondern was aus ihm herauskommt, das ist es, was den Menschen verunreinigt. **16** Wenn jemand Ohren hat zu hören, der höre!

17 Und als er von der Menge weg nach Hause gegangen war, fragten ihn seine Jünger über das Gleichnis. **18** Und er sprach zu ihnen: Seid auch ihr so unverständig? Begreift ihr nicht, daß alles, was von außen in den Menschen hineingeht, ihn nicht verunreinigen kann? **19** Denn es geht nicht in sein Herz, sondern in den Bauch und wird auf dem natürlichen Weg, der alle Speisen reinigt, ausgeschieden. **20** Er sprach aber: Was aus dem Menschen herauskommt, das verunreinigt den Menschen.

21 Denn von innen, aus dem Herzen des Menschen, kommen die bösen Gedanken hervor, Ehebruch, Unzucht, Mord, Diebstahl, 22 Geiz, Bosheit, Betrug, Zügellosigkeit, Neid, Lästerung, Hochmut, Unvernunft. 23 All dieses Böse kommt von innen heraus und verunreinigt den Menschen.

Jesus und die Frau aus Syrophönizien   Mt 15,21-28

24 Und er brach auf von dort und begab sich in die Gegend von Tyrus und Sidon und trat in das Haus, wollte aber nicht, daß es jemand erfuhr, und konnte doch nicht verborgen bleiben. 25 Denn eine Frau hatte von ihm gehört, deren Tochter einen unreinen Geist hatte, und sie kam und fiel ihm zu Füßen 26 – die Frau war aber eine Griechin, aus Syrophönizien gebürtig –, und sie bat ihn, den Dämon aus ihrer Tochter auszutreiben. 27 Aber Jesus sprach zu ihr: Laß zuvor die Kinder satt werden! Denn es ist nicht recht, daß man das Brot der Kinder nimmt und es den Hunden hinwirft! 28 Sie aber antwortete und sprach zu ihm: Ja, Herr; und doch essen die Hunde unter dem Tisch von den Brosamen der Kinder! 29 Und er sprach zu ihr: Um dieses Wortes willen geh hin; der Dämon ist aus deiner Tochter ausgefahren. 30 Und als sie in ihr Haus kam, fand sie, daß der Dämon ausgefahren war und die Tochter auf dem Bett lag.

Die Heilung eines Taubstummen

31 Und er verließ das Gebiet von Tyrus und Sidon wieder und begab sich zum See von Galiläa, mitten durch das Gebiet der Zehn Städte. 32 Und sie brachten einen Tauben zu ihm, der kaum reden konnte, und baten ihn, ihm die Hand aufzulegen. 33 Und er nahm ihn beiseite, weg von der Volksmenge, legte seine Finger in seine Ohren und berührte seine Zunge mit Speichel. 34 Dann blickte er zum Himmel auf, seufzte und sprach zu ihm: Ephata!, das heißt: Tu dich auf! 35 Und sogleich wurden seine Ohren aufgetan und das Band seiner Zunge gelöst, und er redete richtig. 36 Und er gebot ihnen, sie sollten es niemand sagen; aber je mehr er es ihnen gebot, desto mehr machten sie es bekannt. 37 Und sie erstaunten über die Maßen und sprachen: Er hat alles wohl gemacht! Die Tauben macht er hören und die Sprachlosen reden!

Die Speisung der Viertausend   Mt 15,32-39

8 In jenen Tagen, als eine sehr große Volksmenge zugegen war und sie nichts zu essen hatten, rief Jesus seine Jünger zu sich und sprach zu ihnen: 2 Ich bin voll Mitleid mit der Menge,

denn sie verharren nun schon drei Tage bei mir und haben nichts zu essen. ³ Und wenn ich sie ohne Speise nach Hause entlasse, so werden sie auf dem Weg verschmachten, denn etliche von ihnen sind von weit her gekommen.

4 Und seine Jünger antworteten ihm: Woher könnte jemand diese hier in der Einöde mit Brot sättigen? ⁵ Und er fragte sie: Wie viele Brote habt ihr? Sie aber sprachen: Sieben.

6 Da befahl er der Menge, sich auf die Erde zu lagern. Und er nahm die sieben Brote, dankte, brach sie und gab sie seinen Jüngern, damit sie sie austeilen. Und sie teilten sie dem Volk aus. ⁷ Sie hatten auch noch einige kleine Fische; und nachdem er gedankt hatte, gebot er, auch diese auszuteilen. ⁸ Sie aber aßen und wurden satt. Und sie hoben noch sieben Körbe voll übriggebliebener Brocken auf. ⁹ Es waren aber etwa viertausend, die gegessen hatten; und er entließ sie.

Die Pharisäer fordern ein Zeichen vom Himmel   Mt 16,1-4

10 Und sogleich stieg er mit seinen Jüngern in das Schiff und kam in die Gegend von Dalmanutha. ¹¹ Und die Pharisäer gingen hinaus und fingen an, mit ihm zu streiten, indem sie von ihm ein Zeichen vom Himmel forderten, um ihn zu versuchen. ¹² Und er seufzte in seinem Geist und sprach: Warum fordert dieses Geschlecht ein Zeichen? Wahrlich, ich sage euch: Es wird diesem Geschlecht kein Zeichen gegeben werden! ¹³ Und er ließ sie [stehen], stieg wieder in das Schiff und fuhr ans jenseitige Ufer.

Warnung vor dem Sauerteig der Pharisäer   Mt 16,5-12; Gal 5,7-10

14 Und sie hatten vergessen, Brote mitzunehmen, und hatten nur ein Brot bei sich im Schiff. ¹⁵ Da gebot er ihnen und sprach: Seht euch vor, hütet euch vor dem Sauerteig der Pharisäer und vor dem Sauerteig des Herodes! ¹⁶ Und sie besprachen sich untereinander und sagten: Weil wir kein Brot haben!

17 Und als es Jesus merkte, sprach er zu ihnen: Was macht ihr euch Gedanken darüber, daß ihr kein Brot habt? Versteht ihr noch nicht und begreift ihr noch nicht? Habt ihr noch euer verhärtetes Herz? ¹⁸ Habt Augen und seht nicht, Ohren und hört nicht? Und denkt ihr nicht daran, ¹⁹ als ich die fünf Brote brach für die Fünftausend, wieviel Körbe voll Brocken ihr aufgehoben habt? Sie sprachen zu ihm: Zwölf! ²⁰ Als ich aber die sieben für die Viertausend [brach], wieviel Körbe voll Brocken habt ihr aufgehoben? Sie sprachen: Sieben! ²¹ Und er sprach zu ihnen: Warum seid ihr denn noch so unverständig?

Jesus heilt einen Blinden

22 Und er kommt nach Bethsaida; und man bringt einen Blinden zu ihm und bittet ihn, daß er ihn anrühre. ²³ Und er nahm den Blinden bei der Hand und führte ihn vor das Dorf hinaus, spuckte ihm in die Augen, legte ihm die Hände auf und fragte ihn, ob er etwas sehe. ²⁴ Und er blickte auf und sprach: Ich sehe die Leute, als sähe ich wandelnde Bäume! 25 Hierauf legte er noch einmal die Hände auf seine Augen und ließ ihn aufblicken; und er wurde wiederhergestellt und sah alles deutlich. ²⁶ Und er schickte ihn in sein Haus und sprach: Du sollst nicht ins Dorf hineingehen, noch es jemand im Dorf sagen!

Das Bekenntnis des Petrus   Mt 16,13-20; Lk 9,18-21

27 Und Jesus ging samt seinen Jüngern hinaus in die Dörfer bei Cäsarea Philippi; und auf dem Weg fragte er seine Jünger und sprach zu ihnen: Für wen halten mich die Leute? ²⁸ Sie antworteten: Für Johannes den Täufer; und andere für Elia; andere aber für einen der Propheten.
29 Und er sprach zu ihnen: Ihr aber, für wen haltet ihr mich? Da antwortete Petrus und sprach zu ihm: Du bist der Christus! ³⁰ Und er gebot ihnen ernstlich, daß sie niemand von ihm sagen sollten.

Die erste Ankündigung von Jesu Leiden und Auferstehung
Mt 16,21-23; Lk 9,22

31 Und er fing an, sie zu lehren, der Sohn des Menschen müsse viel leiden und von den Ältesten und Hohenpriestern und Schriftgelehrten verworfen und getötet werden und nach drei Tagen wieder auferstehen. ³² Und er redete das Wort ganz offen. Da nahm Petrus ihn beiseite und fing an, ihm zu wehren. ³³ Er aber wandte sich um und sah seine Jünger an und ermahnte den Petrus ernstlich und sprach: Weiche von mir, Satan! Denn du denkst nicht göttlich, sondern menschlich!

Über die Nachfolge   Mt 16,24-28; Lk 9,23-27

34 Und er rief die Volksmenge samt seinen Jüngern zu sich und sprach zu ihnen: Wer mir nachkommen will, der verleugne sich selbst und nehme sein Kreuz auf sich und folge mir nach! ³⁵ Denn wer seine Seele retten will, der wird sie verlieren; wer aber seine Seele verliert um meinetwillen und um des Evangeliums willen, der wird sie retten. ³⁶ Denn was hilft es einem

Menschen, wenn er die ganze Welt gewinnt und seine Seele verliert? [37] Oder was kann ein Mensch als Lösegeld für seine Seele geben?

38 Denn wer sich meiner und meiner Worte schämt unter diesem ehebrecherischen und sündigen Geschlecht, dessen wird sich auch der Sohn des Menschen schämen, wenn er kommen wird in der Herrlichkeit seines Vaters mit den heiligen Engeln.

9 Und er sprach zu ihnen: Wahrlich, ich sage euch: Es sind einige unter denen, die hier stehen, die den Tod nicht schmecken werden, bis sie das Reich Gottes in Kraft haben kommen sehen!

Die Verklärung Jesu Mt 17,1-13; Lk 9,28-36; 2Pt 1,16-18

2 Und nach sechs Tagen nimmt Jesus den Petrus und den Jakobus und den Johannes zu sich und führt sie allein beiseite auf einen hohen Berg. Und er wurde vor ihnen verklärt, [3] und seine Kleider wurden glänzend, sehr weiß wie Schnee, wie sie kein Bleicher auf Erden weiß machen kann. [4] Und es erschien ihnen Elia mit Mose, die redeten mit Jesus.

5 Und Petrus begann und sprach zu Jesus: Rabbi, es ist gut, daß wir hier sind! So laß uns drei Hütten bauen, dir eine und Mose eine und Elia eine. [6] Er wußte nämlich nicht, was er sagen sollte; denn sie waren voller Furcht. [7] Da kam eine Wolke, die überschattete sie, und aus der Wolke kam eine Stimme, die sprach: Dies ist mein geliebter Sohn; auf ihn sollt ihr hören! [8] Und plötzlich, als sie umherblickten, sahen sie niemand mehr bei sich als Jesus allein.

9 Als sie aber vom Berg herabgingen, gebot er ihnen, niemand zu erzählen, was sie gesehen hatten, bis der Sohn des Menschen aus den Toten auferstanden sei. [10] Und sie behielten das Wort bei sich und besprachen sich untereinander, was das Auferstehen aus den Toten bedeute.

11 Und sie fragten ihn und sprachen: Warum sagen die Schriftgelehrten, daß zuvor Elia kommen müsse? [12] Er aber antwortete und sprach zu ihnen: Elia kommt wirklich zuvor und stellt alles wieder her. Und wie steht über den Sohn des Menschen geschrieben? Daß er viel leiden und verachtet werden muß! [13] Aber ich sage euch, daß Elia schon gekommen ist, und sie haben mit ihm gemacht, was sie wollten, wie über ihn geschrieben steht.

Heilung eines besessenen Knaben Mt 17,14-21; Lk 9,37-43

14 Und als er zu den Jüngern kam, sah er eine große Volksmenge um sie her und Schriftgelehrte, die sich mit ihnen stritten. [15] Und die ganze Volksmenge geriet sogleich in Bewegung, als sie ihn sah, und sie liefen herzu und begrüßten ihn. [16] Und er fragte die Schriftgelehrten: Was streitet ihr euch mit ihnen? [17] Und einer aus der Menge antwortete und sprach: Meister, ich habe meinen Sohn zu dir gebracht, der hat einen sprachlosen Geist; [18] und wo immer der ihn ergreift, da wirft er ihn nieder, und er schäumt und knirscht mit seinen Zähnen und wird starr. Und ich habe deinen Jüngern gesagt, sie sollten ihn austreiben; aber sie konnten es nicht!

19 Er aber antwortete ihm und sprach: O du ungläubiges Geschlecht! Wie lange soll ich bei euch sein? Wie lange soll ich euch ertragen? Bringt ihn her zu mir! [20] Und sie brachten ihn zu ihm. Und sobald der Geist ihn sah, zerrte er ihn, und er fiel auf die Erde, wälzte sich und schäumte. [21] Und er fragte seinen Vater: Wie lange geht es ihm schon so? Er sprach: Von Kindheit an; [22] und er hat ihn oft ins Feuer und ins Wasser geworfen, um ihn umzubringen; doch wenn du etwas kannst, so erbarme dich über uns und hilf uns!

23 Jesus aber sprach zu ihm: Wenn du glauben kannst – alles ist möglich dem, der glaubt! [24] Und sogleich rief der Vater des Knaben mit Tränen und sprach: Ich glaube, Herr; hilf meinem Unglauben! [25] Da nun Jesus eine Volksmenge herbeilaufen sah, bedrohte er den unreinen Geist und sprach zu ihm: Du sprachloser und tauber Geist, ich gebiete dir: Fahre aus von ihm und fahre nicht mehr in ihn hinein! [26] Da schrie er und zerrte ihn heftig und fuhr aus; und er wurde wie tot, so daß viele sagten: Er ist tot! [27] Aber Jesus ergriff ihn bei der Hand und richtete ihn auf; und er stand auf.

28 Und als er in ein Haus getreten war, fragten ihn seine Jünger für sich allein: Warum konnten wir ihn nicht austreiben? [29] Und er sprach zu ihnen: Diese Art kann durch nichts ausfahren außer durch Gebet und Fasten.

Zweite Ankündigung von Jesu Tod und Auferstehung
Mt 17,22-23; Lk 9,43-45

30 Und sie gingen von dort weg und zogen durch Galiläa. Und er wollte nicht, daß es jemand erfuhr. [31] Denn er lehrte seine Jünger und sprach zu ihnen: Der Sohn des Menschen wird in die Hände der Menschen ausgeliefert; und sie werden ihn töten, und nachdem er getötet worden ist, wird er am dritten Tag

auferstehen. [32] Sie aber verstanden das Wort nicht und fürchteten sich, ihn zu fragen.

Der Größte im Reich Gottes   Mt 18,1-5; Lk 9,46-50

33 Und er kam nach Kapernaum; und als er zu Hause angelangt war, fragte er sie: Was habt ihr unterwegs miteinander verhandelt? [34] Sie aber schwiegen; denn sie hatten unterwegs miteinander verhandelt, wer der Größte sei. [35] Und er setzte sich und rief die Zwölf und sprach zu ihnen: Wenn jemand der Erste sein will, so sei er von allen der Letzte und aller Diener.

36 Und er nahm ein Kind und stellte es mitten unter sie; und nachdem er es in die Arme genommen hatte, sprach er zu ihnen: [37] Wer ein solches Kind in meinem Namen aufnimmt, der nimmt mich auf; und wer mich aufnimmt, der nimmt nicht mich auf, sondern den, der mich gesandt hat.

38 Johannes aber antwortete ihm und sprach: Meister, wir sahen einen, der uns nicht nachfolgt, in deinem Namen Dämonen austreiben, und wir wehrten es ihm, weil er uns nicht nachfolgt. [39] Jesus aber sprach: Wehrt es ihm nicht! Denn niemand, der in meinem Namen ein Wunder tut, wird mich bald darauf schmähen können. [40] Denn wer nicht gegen uns ist, der ist für uns. [41] Denn wer euch einen Becher Wasser in meinem Namen zu trinken gibt, weil ihr Christus angehört, wahrlich, ich sage euch: Ihm wird sein Lohn nicht ausbleiben.

Warnung vor Verführung zur Sünde   Mt 18,6-9

42 Wer aber einem dieser Kleinen, die an mich glauben, Anstoß zur Sünde gibt, für den wäre es besser, daß ein Mühlstein um seinen Hals gelegt und er ins Meer geworfen würde.

43 Und wenn deine Hand für dich ein Anstoß zur Sünde wird, so haue sie ab! Es ist besser für dich, daß du als Krüppel in das Leben eingehst, als daß du beide Hände hast und in die Hölle fährst, in das unauslöschliche Feuer, [44] wo ihr Wurm nicht stirbt und das Feuer nicht erlischt.

45 Und wenn dein Fuß für dich ein Anstoß zur Sünde wird, so haue ihn ab! Es ist besser für dich, daß du lahm in das Leben eingehst, als daß du beide Füße hast und in die Hölle geworfen wirst, in das unauslöschliche Feuer, [46] wo ihr Wurm nicht stirbt und das Feuer nicht erlischt.

47 Und wenn dein Auge für dich ein Anstoß zur Sünde wird, so reiß es aus! Es ist besser für dich, daß du einäugig in das Reich Gottes eingehst, als daß du zwei Augen hast und in die Hölle des Feuers geworfen wirst, [48] wo ihr Wurm nicht stirbt und das

Feuer nicht erlischt. ⁴⁹ Denn jeder muß mit Feuer gesalzen werden, wie jedes Opfer mit Salz gesalzen wird.

50 Das Salz ist etwas Gutes; wenn aber das Salz salzlos wird, womit wollt ihr es würzen? Habt Salz in euch und haltet Frieden untereinander!

Über die Ehescheidung   Mt 19,1-12; 1Kor 7,10-16.39; Röm 7,2-3

10 Und er brach auf von dort und kam durch das Land jenseits des Jordan in das Gebiet von Judäa. Und wieder kamen die Volksmengen zu ihm, und er lehrte sie wieder, wie er gewohnt war. ² Und die Pharisäer traten herzu und fragten ihn, um ihn zu versuchen: Ist es einem Mann erlaubt, seine Frau zu entlassen? ³ Er aber antwortete und sprach zu ihnen: Was hat euch Mose geboten? ⁴ Sie sprachen: Mose hat erlaubt, einen Scheidebrief zu schreiben und [seine Frau] zu entlassen.

5 Da antwortete Jesus und sprach zu ihnen: Wegen der Härte eures Herzens hat er euch dieses Gebot geschrieben. ⁶ Am Anfang der Schöpfung aber hat Gott sie als Mann und Frau erschaffen. ⁷ *Darum wird ein Mann seinen Vater und seine Mutter verlassen und seiner Frau anhangen;* ⁸ *und die zwei werden* ein *Fleisch sein.* So sind sie nicht mehr zwei, sondern *ein* Fleisch. ⁹ Was nun Gott zusammengefügt hat, das soll der Mensch nicht scheiden!

10 Und seine Jünger fragten ihn zu Hause nochmals darüber. ¹¹ Und er sprach zu ihnen: Wer seine Frau entläßt und eine andere heiratet, der bricht die Ehe ihr gegenüber. ¹² Und wenn eine Frau ihren Mann entläßt und sich mit einem anderen verheiratet, so bricht sie die Ehe.

Jesus segnet die Kinder   Mt 19,13-15; Lk 18,15-17

13 Und sie brachten Kinder zu ihm, damit er sie anrühre; die Jünger aber tadelten die, welche sie brachten. ¹⁴ Da das Jesus sah, wurde er unwillig und sprach zu ihnen: Laßt die Kinder zu mir kommen und wehrt ihnen nicht; denn solcher ist das Reich Gottes! ¹⁵ Wahrlich, ich sage euch: Wer das Reich Gottes nicht annimmt wie ein Kind, wird nicht hineinkommen! ¹⁶ Und er nahm sie auf die Arme, legte ihnen die Hände auf und segnete sie.

Der reiche Jüngling   Mt 19,16-26; Lk 18,18-27

17 Und als er auf den Weg hinausging, lief einer herzu, fiel vor ihm auf die Knie und fragte ihn: Guter Meister, was soll ich tun,

um das ewige Leben zu erben? **18** Jesus aber sprach zu ihm:
Was nennst du mich gut? Niemand ist gut als Gott allein! **19** Du
kennst die Gebote: Du sollst nicht ehebrechen! Du sollst nicht
töten! Du sollst nicht stehlen! Du sollst nicht falsches Zeugnis
reden! Du sollst nicht rauben! Du sollst deinen Vater und deine
Mutter ehren! **20** Er aber antwortete und sprach zu ihm: Meister, das alles habe ich gehalten von meiner Jugend an.

21 Da blickte ihn Jesus an und gewann ihn lieb und sprach zu
ihm: Eines fehlt dir! Geh hin, verkaufe alles, was du hast, und
gib es den Armen, so wirst du einen Schatz im Himmel haben;
und komm, nimm das Kreuz auf dich und folge mir nach! **22** Er
aber wurde traurig über dieses Wort und ging betrübt davon;
denn er hatte viele Güter.

23 Da blickte Jesus umher und sprach zu seinen Jüngern: Wie
schwer werden die Reichen in das Reich Gottes eingehen!
24 Die Jünger aber erstaunten über seine Worte. Da begann Jesus wiederum und sprach zu ihnen: Kinder, wie schwer ist es
für die, welche ihr Vertrauen auf Reichtum setzen, in das Reich
Gottes hineinzukommen! **25** Es ist leichter, daß ein Kamel
durch das Nadelöhr geht, als daß ein Reicher in das Reich Gottes hineinkommt. **26** Sie aber entsetzten sich sehr und sprachen untereinander: Wer kann denn dann gerettet werden?
27 Jesus aber blickte sie an und sprach: Bei den Menschen ist es
unmöglich, aber nicht bei Gott! Denn bei Gott sind alle Dinge
möglich.

Vom Lohn der Nachfolge Mt 19,27-30; Lk 18,28-30

28 Da begann Petrus und sprach zu ihm: Siehe, wir haben alles
verlassen und sind dir nachgefolgt! **29** Jesus aber antwortete
und sprach: Wahrlich, ich sage euch: Es ist niemand, der Haus
oder Brüder oder Schwestern oder Vater oder Mutter oder Frau
oder Kinder oder Äcker verlassen hat um meinetwillen und um
des Evangeliums willen, **30** der nicht hundertfältig empfängt,
jetzt in dieser Zeit Häuser und Brüder und Schwestern und
Mütter und Kinder und Äcker unter Verfolgungen, und in der
zukünftigen Weltzeit ewiges Leben.

31 Aber viele von den Ersten werden Letzte sein und die Letzten Erste.

Die dritte Ankündigung von Jesu Tod und Auferstehung
Mt 20,17-19; Lk 18,31-34

32 Sie waren aber auf dem Weg und zogen hinauf nach Jerusalem, und Jesus ging ihnen voran, und sie entsetzten sich und

folgten ihm mit Bangen. Da nahm er die Zwölf nochmals beiseite und fing an, ihnen zu sagen, was mit ihm geschehen werde: ³³ Siehe, wir ziehen hinauf nach Jerusalem, und der Sohn
des Menschen wird den Hohenpriestern und den Schriftge-
lehrtcn ausgeliefert werden; und sie werden ihn zum Tode verurteilen und ihn den Heiden ausliefern; ³⁴ und sie werden ihn
verspotten und geißeln und anspucken und ihn töten; und am
dritten Tag wird er wieder auferstehen.

Vom Herrschen und vom Dienen   Mt 20,20-28

35 Da begaben sich Jakobus und Johannes, die Söhne des Zebedäus, zu ihm und sprachen: Meister, wir wünschen, daß du
uns gewährst, um was wir bitten! ³⁶ Und er sprach zu ihnen:
Was wünscht ihr, daß ich euch tun soll? ³⁷ Sie sprachen zu ihm:
Gewähre uns, daß wir einer zu deiner Rechten und einer zu
deiner Linken sitzen dürfen in deiner Herrlichkeit!
38 Jesus aber sprach zu ihnen: Ihr wißt nicht, um was ihr bittet!
Könnt ihr den Kelch trinken, den ich trinke, und getauft werden mit der Taufe, womit ich gctauft werde? ³⁹ Und sie sprachen zu ihm: Wir können es! Jesus aber sprach zu ihnen: Ihr
werdet zwar den Kelch trinken, den ich trinke, und getauft werden mit der Taufe, womit ich getauft werde; ⁴⁰ aber das Sitzen
zu meiner Rechten und zu meiner Linken zu verleihen, steht
nicht mir zu, sondern [es wird denen zuteil], denen es bereitet
ist.
41 Und als die Zehn es hörten, fingen sie an, über Jakobus und
Johannes unwillig zu werden. ⁴² Aber Jesus rief sie zu sich und
sprach zu ihnen: Ihr wißt, daß diejenigen, welche als Herrscher
der Völker gelten, sie unterdrücken, und daß ihre Großen Gewalt über sie ausüben. ⁴³ Unter euch aber soll es nicht so sein,
sondern wer unter euch groß werden will, der sei euer Diener,
⁴⁴ und wer von euch der Erste werden will, der sei aller Knecht.
⁴⁵ Denn auch der Sohn des Menschen ist nicht gekommen, um
sich dienen zu lassen, sondern um zu dienen und sein Leben
zu geben als Lösegeld für viele.

Die Heilung des blinden Bartimäus   Mt 20,29-34; Lk 18,35-43

46 Und sie kommen nach Jericho. Und als er von Jericho
auszog samt seinen Jüngern und einer großen Volksmenge, saß
ein Sohn des Timäus, Bartimäus der Blinde, am Weg und bettelte. ⁴⁷ Und als er hörte, daß es Jesus von Nazareth war, begann er zu rufen und sprach: Jesus, du Sohn Davids, erbarme
dich über mich! ⁴⁸ Und es geboten ihm viele, er solle schwei-

gen; er aber rief noch viel mehr: Du Sohn Davids, erbarme dich über mich! **49** Und Jesus stand still und ließ ihn rufen. Da riefen sie den Blinden und sprachen zu ihm: Sei getrost, steh auf; er ruft dich! **50** Er aber warf seinen Mantel ab, stand auf und kam zu Jesus.

51 Und Jesus begann und sprach zu ihm: Was willst du, daß ich dir tun soll? Der Blinde sprach zu ihm: Rabbuni, daß ich sehend werde! **52** Da sprach Jesus zu ihm: Geh hin; dein Glaube hat dich gerettet! Und sogleich wurde er sehend und folgte Jesus nach auf dem Weg.

Der Einzug des Messias Jesus in Jerusalem   Mt 21,1-11; Lk 19,28-40

11 Und als sie sich Jerusalem näherten und nach Bethphage und Bethanien an den Ölberg kamen, sandte er zwei seiner Jünger **2** und sprach zu ihnen: Geht in das Dorf, das vor euch liegt, und sobald ihr dort hineinkommt, werdet ihr ein Füllen angebunden finden, auf dem noch kein Mensch gesessen hat; bindet es los und führt es her! **3** Und wenn jemand zu euch sagt: Warum tut ihr das? so sprecht: Der Herr braucht es!, so wird er es sogleich hierher senden.

4 Sie aber gingen hin und fanden das Füllen angebunden an dem Tor draußen am Scheideweg und banden es los. **5** Und etliche der Umstehenden sprachen zu ihnen: Was macht ihr da, daß ihr das Füllen losbindet? **6** Sie aber redeten zu ihnen, wie Jesus befohlen hatte, und sie ließen es ihnen. **7** Und sie führten das Füllen zu Jesus und legten ihre Kleider darauf, und er setzte sich darauf.

8 Da breiteten viele ihre Kleider aus auf dem Weg, andere aber hieben Zweige von den Bäumen und streuten sie auf den Weg. **9** Und die vorausgingen und die nachfolgten, riefen und sprachen: Hosianna! Gepriesen sei, der da kommt im Namen des Herrn! **10** Gepriesen sei das Reich unseres Vaters David, das kommt im Namen des Herrn! Hosianna in der Höhe! **11** Und Jesus zog ein in Jerusalem und in den Tempel. Und nachdem er alles betrachtet hatte, ging er, da die Stunde schon vorgerückt war, mit den Zwölfen hinaus nach Bethanien.

Der unfruchtbare Feigenbaum. Die zweite Tempelreinigung. Die Macht des Glaubens   Mt 21,12-22; Lk 19,45-48

12 Und als sie am folgenden Tag Bethanien verließen, hatte er Hunger. **13** Und als er von fern einen Feigenbaum sah, der Blätter hatte, ging er hin, ob er etwas daran finden würde. Und als er zu ihm kam, fand er nichts als Blätter; denn es war nicht die

Zeit der Feigen.[a] [14] Und Jesus begann und sprach zu ihm: Es
esse in Ewigkeit niemand mehr eine Frucht von dir! Und seine
Jünger hörten es.

15 Und sie kamen nach Jerusalem. Und Jesus ging in den Tempel und begann die hinauszutreiben, die im Tempel verkauften
und kauften, und stieß die Tische der Wechsler um und die
Stühle der Taubenverkäufer. [16] Und er ließ nicht zu, daß jemand ein Gerät durch den Tempel trug. [17] Und er lehrte und
sprach zu ihnen: Steht nicht geschrieben: *Mein Haus soll ein
Bethaus für alle Völker genannt werden*? Ihr aber habt eine Räuberhöhle daraus gemacht! [18] Und die Schriftgelehrten und die
Hohenpriester hörten es und suchten, wie sie ihn umbringen
könnten; denn sie fürchteten ihn, weil die ganze Volksmenge
über seine Lehre staunte. [19] Und als es Abend geworden war,
ging er aus der Stadt hinaus.

20 Und als sie am Morgen vorbeikamen, sahen sie, daß der Feigenbaum von den Wurzeln an verdorrt war. [21] Und Petrus erinnerte sich und sprach zu ihm: Rabbi, siehe, der Feigenbaum,
den du verflucht hast, ist verdorrt!

22 Und Jesus antwortete und sprach zu ihnen: Habt Glauben
an Gott! [23] Denn wahrlich, ich sage euch: Wenn jemand zu
diesem Berg spricht: Hebe dich und wirf dich ins Meer! und in
seinem Herzen nicht zweifelt, sondern glaubt, daß das, was
er sagt, geschieht, so wird ihm zuteil werden, was immer er
sagt.

24 Darum sage ich euch: Alles, was ihr auch immer im Gebet
erbittet, glaubt, daß ihr es empfangt, so wird es euch zuteil werden! [25] Und wenn ihr dasteht und betet, so vergebt, wenn ihr
etwas gegen jemand habt, damit auch euer Vater im Himmel
euch eure Verfehlungen vergibt. [26] Wenn ihr aber nicht vergebt, so wird auch euer Vater im Himmel eure Verfehlungen
nicht vergeben.

Die Frage nach der Vollmacht Jesu Mt 21,23-27; Lk 20,1-8

27 Und sie kamen wiederum nach Jerusalem. Und als er im
Tempel umherging, traten die Hohenpriester und die Schriftgelehrten und die Ältesten zu ihm [28] und sprachen zu ihm: In
welcher Vollmacht tust du dies? Und wer hat dir diese Vollmacht gegeben, diese Dinge zu tun?

---

a. (11,13) Um die Zeit des Passah (April) tragen die Feigenbäume in Israel noch
    keine reifen Früchte, aber eßbare »Frühfeigen« (Knospen). Ihr Fehlen bedeutete,
    daß der Baum keine Früchte tragen würde.

29 Jesus aber antwortete und sprach zu ihnen: Auch ich will euch *ein* Wort fragen; wenn ihr mir antwortet, so will ich euch sagen, in welcher Vollmacht ich dies tue. [30] War die Taufe des Johannes vom Himmel oder von Menschen? Antwortet mir! [31] Und sie überlegten bei sich selbst und sprachen: Wenn wir sagen: Vom Himmel, so wird er fragen: Warum habt ihr ihm dann nicht geglaubt? [32] Wenn wir aber sagen: Von Menschen – da fürchteten sie das Volk; denn alle meinten, daß Johannes wirklich ein Prophet gewesen war.

33 Und sie antworten Jesus und sprachen: Wir wissen es nicht! Da erwiderte Jesus und sprach zu ihnen: So sage ich euch auch nicht, in welcher Vollmacht ich dies tue!

Das Gleichnis von den Weingärtnern   Mt 21,33-46; Lk 20,9-19

12 Und er fing an, in Gleichnissen zu ihnen zu reden: Ein Mensch pflanzte einen Weinberg und zog einen Zaun darum und grub eine Kelter[a] und baute einen Wachtturm und verpachtete ihn an Weingärtner und reiste außer Landes.

2 Und er sandte zur bestimmten Zeit einen Knecht zu den Weingärtnern, damit er von den Weingärtnern [seinen Anteil] von der Frucht des Weinberges empfange. [3] Die aber ergriffen ihn, schlugen ihn und schickten ihn mit leeren Händen fort. [4] Und wiederum sandte er einen anderen Knecht zu ihnen; und den steinigten sie, schlugen ihn auf den Kopf und schickten ihn entehrt fort. [5] Und er sandte wiederum einen anderen; den töteten sie; und noch viele andere; die einen schlugen sie, die anderen töteten sie.

6 Nun hatte er noch einen einzigen Sohn, seinen geliebten; den sandte er zuletzt auch zu ihnen und sprach: Sie werden sich vor meinem Sohn scheuen! [7] Jene Weingärtner aber sprachen untereinander: Das ist der Erbe! Kommt, laßt uns ihn töten, so wird das Erbgut uns gehören! [8] Und sie ergriffen ihn, töteten ihn und warfen ihn zum Weinberg hinaus.

9 Was wird nun der Herr des Weinbergs tun? Er wird kommen und die Weingärtner umbringen und den Weinberg anderen geben! [10] Habt ihr nicht auch dieses Schriftwort gelesen: *Der Stein, den die Bauleute verworfen haben, der ist zum Eckstein geworden.* [11] *Vom Herrn ist das geschehen, und es ist wunderbar in unseren Augen*?

12 Da suchten sie ihn zu ergreifen, aber sie fürchteten das Volk; denn sie erkannten, daß er das Gleichnis gegen sie gesagt hatte. Und sie ließen ab von ihm und gingen davon.

a. (12,1) d.h. eine Art Grube, in der die Weintrauben getreten wurden.

Die Frage nach der Steuer Mt 22,15-22; Lk 20,20-26

13 Und sie sandten etliche von den Pharisäern und Herodianern zu ihm, um ihn in der Rede zu fangen. 14 Diese kamen nun und sprachen zu ihm: Meister, wir wissen, daß du wahrhaftig bist und auf niemand Rücksicht nimmst; denn du siehst die Person der Menschen nicht an, sondern lehrst den Weg Gottes der Wahrheit gemäß. Ist es erlaubt, dem Kaiser die Steuer zu geben, oder nicht? Sollen wir sie geben oder nicht geben? 15 Da er aber ihre Heuchelei kannte, sprach er zu ihnen: Was versucht ihr mich? Bringt mir einen Denar, damit ich ihn ansehe! 16 Sie brachten einen. Und er sprach zu ihnen: Wessen ist dieses Bild und die Aufschrift? Sie aber sprachen zu ihm: Des Kaisers! 17 Und Jesus antwortete und sprach zu ihnen: Gebt dem Kaiser, was des Kaisers ist, und Gott, was Gottes ist! Und sie verwunderten sich über ihn.

Die Frage nach der Auferstehung Mt 22,23-33; Lk 20,27-40

18 Und es kamen Sadduzäer zu ihm, die sagen, es gebe keine Auferstehung; und sie fragten ihn und sprachen: 19 Meister, Mose hat uns geschrieben: Wenn jemandes Bruder stirbt und eine Frau hinterläßt, aber keine Kinder, so soll sein Bruder dessen Frau nehmen und seinem Bruder Nachkommen erwecken.
20 Nun waren da sieben Brüder. Und der erste nahm eine Frau, und er starb und hinterließ keine Nachkommen. 21 Da nahm sie der zweite, und er starb, und auch er hinterließ keine Nachkommen; und der dritte ebenso. 22 Und es nahmen sie alle sieben und hinterließen keine Nachkommen. Als letzte von allen starb auch die Frau. 23 In der Auferstehung nun, wenn sie auferstehen, wessen Frau wird sie sein? Denn alle sieben haben sie zur Frau gehabt.
24 Da antwortete Jesus und sprach zu ihnen: Irrt ihr nicht darum, weil ihr weder die Schriften kennt noch die Kraft Gottes? 25 Denn wenn sie aus den Toten auferstehen, so heiraten sie nicht noch werden sie verheiratet, sondern sie sind wie die Engel, die im Himmel sind. 26 Was aber die Toten anbelangt, daß sie auferstehen: Habt ihr nicht gelesen im Buch Moses, bei [der Stelle von] dem Busch, wie Gott zu ihm sprach: *Ich bin der Gott Abrahams und der Gott Isaaks und der Gott Jakobs*? 27 Er ist nicht der Gott der Toten, sondern der Gott der Lebendigen. Darum irrt ihr sehr.

Die Frage nach dem größten Gebot Mt 22,34-40

28 Da trat einer der Schriftgelehrten herzu, der ihrem Wortwechsel zugehört hatte, und weil er sah, daß er ihnen gut geantwortet hatte, fragte er ihn: Welches ist das erste Gebot unter allen? 29 Jesus aber antwortete ihm: Das erste Gebot unter allen ist: *Höre, Israel, der Herr, unser Gott, ist Herr allein;* 30 *und du sollst den Herrn, deinen Gott, lieben mit deinem ganzen Herzen und mit deiner ganzen Seele und mit deinem ganzen Denken und mit deiner ganzen Kraft!* Dies ist das erste Gebot. 31 Und das zweite ist [ihm] zu vergleichen, nämlich dies: *Du sollst deinen Nächsten lieben wie dich selbst!* Größer als diese ist kein anderes Gebot. 32 Und der Schriftgelehrte sprach zu ihm: Recht so, Meister! Es ist in Wahrheit so, wie du sagst, daß nur ein Gott ist und kein anderer außer ihm; 33 und ihn zu lieben mit ganzem Herzen und mit ganzem Verständnis und mit ganzer Seele und mit aller Kraft und den Nächsten zu lieben wie sich selbst, das ist mehr als alle Brandopfer und Schlachtopfer.

34 Und da Jesus sah, daß er verständig geantwortet hatte, sprach er zu ihm: Du bist nicht fern vom Reich Gottes! Und es getraute sich niemand mehr, ihn weiter zu fragen.

Wessen Sohn ist der Christus? – Warnung vor den Schriftgelehrten Mt 22,41-45; 23,1-36; Lk 20,41-47

35 Und Jesus begann und sprach, während er im Tempel lehrte: Wie können die Schriftgelehrten sagen, daß der Christus Davids Sohn ist? 36 David selbst sprach doch im Heiligen Geist: *Der Herr sprach zu meinem Herrn: Setze dich zu meiner Rechten, bis ich deine Feinde hinlege als Schemel deiner Füße!* 37 David selbst nennt ihn also Herr; woher ist er denn sein Sohn? Und die große Volksmenge hörte ihm mit Freude zu.

38 Und er sagte ihnen in seiner Lehre: Hütet euch vor den Schriftgelehrten, welche gern im Talar einhergehen und auf den Märkten sich grüßen lassen 39 und die ersten Sitze in den Synagogen und die obersten Plätze bei den Mahlzeiten einnehmen wollen, 40 welche die Häuser der Witwen fressen und zum Schein lange Gebete sprechen. Diese werden ein um so schwereres Gericht empfangen.

Das Scherflein der Witwe Lk 21,1-4

41 Und Jesus setzte sich dem Opferkasten gegenüber und schaute zu, wie die Leute Geld in den Opferkasten legten. Und viele Reiche legten viel ein. 42 Und es kam eine arme Witwe, die

legte zwei Scherflein ein, das ist ein Groschen. **43** Da rief er seine Jünger zu sich und sprach zu ihnen: Wahrlich, ich sage euch: Diese arme Witwe hat mehr in den Opferkasten gelegt als alle, die eingelegt haben. **44** Denn alle haben von ihrem Überfluß eingelegt; diese aber hat von ihrer Armut alles eingelegt, was sie hatte, ihren ganzen Lebensunterhalt.

Die Endzeitrede Jesu auf dem Ölberg   Mt 24 u. 25; Lk 21,5-37

13 Und als er aus dem Tempel ging, sprach einer seiner Jünger zu ihm: Meister, sieh nur! Was für Steine! Und welch ein Bau ist das! **2** Und Jesus antwortete und sprach zu ihm: Siehst du diese großen Bauten? Es wird kein einziger Stein auf dem anderen bleiben, der nicht abgebrochen wird! **3** Und als er am Ölberg saß, dem Tempel gegenüber, fragten ihn Petrus und Jakobus und Johannes und Andreas für sich allein: **4** Sage uns, wann wird dies geschehen, und was wird das Zeichen sein, wann dies alles vollendet werden soll?

Verführungen und Nöte in der Endzeit   Mt 24,4-14; Lk 21,8-19

5 Jesus aber antwortete ihnen und begann zu reden: Habt acht, daß euch niemand verführt! **6** Denn viele werden unter meinem Namen kommen und sagen: Ich bin es!, und werden viele verführen. **7** Wenn ihr aber von Kriegen und Kriegsgeschrei hören werdet, so erschreckt nicht; denn es muß geschehen, aber es ist noch nicht das Ende. **8** Denn ein Volk wird sich gegen das andere erheben und ein Königreich gegen das andere; und es wird hier und dort Erdbeben geben, und Hungersnöte und Unruhen werden geschehen. Das sind die Anfänge der Wehen.

9 Ihr aber, habt acht auf euch selbst! Denn sie werden euch Gerichten übergeben, und in Synagogen werdet ihr geschlagen werden, und man wird euch vor Fürsten und Könige stellen um meinetwillen, ihnen zum Zeugnis. **10** Und unter allen Heiden muß zuvor das Evangelium verkündigt werden.

11 Wenn sie euch aber wegführen und ausliefern werden, so sorgt nicht im voraus, was ihr reden sollt und überlegt es nicht vorher, sondern was euch zu jener Stunde gegeben wird, das redet! Denn nicht ihr seid es, die da reden, sondern der Heilige Geist. **12** Es wird aber ein Bruder den anderen zum Tode ausliefern und der Vater das Kind, und Kinder werden sich gegen die Eltern erheben und werden sie töten helfen; **13** und ihr werdet von allen gehaßt sein um meines Namens willen. Wer aber ausharrt bis ans Ende, der wird gerettet werden.

Die große Drangsal Mt 24,15-28; Lk 21,20-24

14 Wenn ihr aber den Greuel der Verwüstung, von dem durch
den Propheten Daniel geredet wurde, da stehen seht, wo er
nicht soll (wer es liest, der achte darauf!), dann fliehe auf die
Berge, wer in Judäa ist; 15 wer aber auf dem Dach ist, der steige
nicht hinab ins Haus und gehe auch nicht hinein, um etwas aus
seinem Haus zu holen; 16 und wer auf dem Feld ist, der kehre
nicht zurück, um sein Gewand zu holen. 17 Wehe aber den
Schwangeren und den Stillenden in jenen Tagen! 18 Bittet aber,
daß eure Flucht nicht im Winter geschieht.
19 Denn jene Tage werden eine Drangsal sein, wie es keine gegeben hat von Anfang der Schöpfung, die Gott erschuf, bis jetzt,
und wie es auch keine mehr geben wird. 20 Und wenn der Herr
die Tage nicht verkürzt hätte, so würde kein Mensch   gerettet
werden; aber um der Auserwählten willen, die er erwählt hat,
hat er die Tage verkürzt. 21 Und wenn dann jemand zu euch sagen wird: Siehe, hier ist der Christus! oder: Siehe, dort!, so
glaubt es nicht. 22 Denn es werden falsche Christusse und falsche Propheten auftreten und werden Zeichen und Wunder
tun, um, wenn möglich, auch die Auserwählten zu verführen.
23 Ihr aber, habt acht! Siehe, ich habe euch alles vorhergesagt.

Das Kommen des Menschensohnes Mt 24,29-31; Lk 21,25-28

24 Aber in jenen Tagen, nach jener Drangsal, wird die Sonne
verfinstert werden, und der Mond wird seinen Schein nicht geben, 25 und die Sterne des Himmels werden herabfallen und
die Kräfte im Himmel erschüttert werden. 26 Und dann wird
man den Sohn des Menschen in den Wolken kommen sehen
mit großer Kraft und Herrlichkeit. 27 Und dann wird er seine
Engel aussenden und seine Auserwählten sammeln von den
vier Winden, vom äußersten Ende der Erde bis zum äußersten
Ende des Himmels.
28 Von dem Feigenbaum aber lernt das Gleichnis: Wenn sein
Zweig schon saftig wird und Blätter treibt, so erkennt ihr, daß
der Sommer nahe ist. 29 So auch ihr, wenn ihr seht, daß dies
geschieht, so erkennt, daß er nahe vor der Türe ist. 30 Wahrlich,
ich sage euch: Dieses Geschlecht wird nicht vergehen, bis dies
alles geschehen ist. 31 Himmel und Erde werden vergehen,
aber meine Worte werden nicht vergehen.

Ermahnung zur Wachsamkeit Mt 24,36-51; Lk 21,34-36

32 Um jenen Tag aber und die Stunde weiß niemand, auch die
Engel im Himmel nicht, auch nicht der Sohn, sondern nur der

Vater. ³³ Habt acht, wachet und betet! Denn ihr wißt nicht, wann die Zeit da ist. ³⁴ Es ist wie bei einem Menschen, der außer Landes reiste, sein Haus verließ und seinen Knechten Vollmacht gab und einem jeden sein Werk, und dem Türhüter befahl, daß er wachen solle. ³⁵ So wachet nun! Denn ihr wißt nicht, wann der Herr des Hauses kommt, am Abend oder zur Mitternacht oder um den Hahnenschrei oder am Morgen; ³⁶ damit er nicht, wenn er unversehens kommt, euch schlafend findet. ³⁷ Was ich aber euch sage, das sage ich allen: Wachet!

Das Leiden und Sterben Jesu Christi   (Kapitel 14 u. 15)

Der Plan der Hohenpriester und Schriftgelehrten

14 Es war aber zwei Tage vor dem Passah und dem Fest der ungesäuerten Brote. Und die Hohenpriester und die Schriftgelehrten suchten, wie sie ihn mit List ergreifen und töten könnten; ² sie sprachen aber: Nicht während des Festes, damit kein Aufruhr unter dem Volk entsteht!

Die Salbung Jesu in Bethanien   Mt 26,6-13; Joh 12,1-8

3 Und als er in Bethanien im Hause Simons des Aussätzigen war und zu Tisch saß, kam eine Frau mit einer alabasternen Flasche voll Salböl, echter, köstlicher Narde, und sie zerbrach die alabasterne Flasche und goß sie aus auf sein Haupt. ⁴ Es wurden aber etliche unwillig bei sich selbst und sprachen: Wozu ist diese Verschwendung des Salböls geschehen? ⁵ Man hätte dies doch um mehr als dreihundert Denare verkaufen und den Armen geben können! Und sie murrten über sie. ⁶ Jesus aber sprach: Laßt sie! Warum bekümmert ihr sie? Sie hat ein gutes Werk an mir getan. ⁷ Denn die Armen habt ihr allezeit bei euch, und ihr könnt ihnen Gutes tun, wann immer ihr wollt; mich aber habt ihr nicht allezeit. ⁸ Sie hat getan, was sie konnte; sie hat meinen Leib im voraus zum Begräbnis gesalbt. ⁹ Wahrlich, ich sage euch: Wo immer dieses Evangelium verkündigt wird in der ganzen Welt, da wird man auch von dem sprechen, was diese getan hat, zu ihrem Gedenken!

Der Verrat des Judas   Mt 26,14-16; Lk 22,3-6

10 Da ging Judas Ischariot, einer von den Zwölfen, hin zu den Hohenpriestern, um ihn an sie zu verraten. ¹¹ Sie aber freuten sich, als sie das hörten, und versprachen, ihm Geld zu geben. Und er suchte eine gute Gelegenheit, um ihn zu verraten.

Das letzte Passahmahl Mt 26,17-25; Lk 22,7-18; 22,21-30

12 Und am ersten Tag der ungesäuerten Brote, als man das Passahlamm schlachtete, sprachen seine Jünger zu ihm: Wo willst du, daß wir hingehen und das Passah zubereiten, damit du es essen kannst? [13] Und er sendet zwei seiner Jünger und spricht zu ihnen: Geht in die Stadt; da wird euch ein Mensch begegnen, der einen Wasserkrug trägt; dem folgt, [14] und wo er hineingeht, da sagt zu dem Hausherrn: Der Meister läßt fragen: Wo ist das Gastzimmer, in dem ich mit meinen Jüngern das Passah essen kann? [15] Und er wird euch einen großen Obersaal zeigen, der mit Polstern belegt und hergerichtet ist; dort bereitet es für uns zu. [16] Und seine Jünger gingen hin und kamen in die Stadt und fanden es, wie er ihnen gesagt hatte; und sie bereiteten das Passah.

17 Und als es Abend geworden war, kam er mit den Zwölfen. [18] Und als sie zu Tisch saßen und aßen, sprach Jesus: Wahrlich, ich sage euch: Einer von euch, der mit mir ißt, wird mich verraten! [19] Da fingen sie an, betrübt zu werden und fragten ihn einer nach dem anderen: Doch nicht ich? Und der nächste: Doch nicht ich? [20] Er aber antwortete und sprach zu ihnen: Einer von den Zwölfen, der mit mir [das Brot] in die Schüssel eintaucht! [21] Der Sohn des Menschen geht zwar dahin, wie von ihm geschrieben steht; aber wehe jenem Menschen, durch den der Sohn des Menschen verraten wird! Es wäre für jenen Menschen besser, wenn er nicht geboren wäre!

Die Einsetzung des Mahles des Herrn Mt 26,26-29; Lk 22,19-20

22 Und während sie aßen, nahm Jesus Brot, sprach den Segen, brach es, gab es ihnen und sprach: Nehmt, eßt! Das ist mein Leib. [23] Und er nahm den Kelch, dankte und gab ihnen denselben; und sie tranken alle daraus. [24] Und er sprach zu ihnen: Das ist mein Blut, das des neuen Bundes, welches für viele vergossen wird.

25 Wahrlich, ich sage euch: Ich werde nicht mehr von dem Gewächs des Weinstocks trinken bis zu jenem Tag, da ich es neu trinken werde im Reich Gottes.

Die Ankündigung der Verleugnung durch Petrus Mt 26,31-35; Lk 22,31-34; Joh 13,36-38

26 Und nachdem sie den Lobgesang gesungen hatten, gingen sie hinaus an den Ölberg. [27] Und Jesus spricht zu ihnen: Ihr werdet in dieser Nacht alle an mir Anstoß nehmen; denn es steht geschrieben: *Ich werde den Hirten schlagen, und die Scha-*

fe werden sich zerstreuen. ²⁸ Aber nachdem ich auferstanden bin, will ich euch nach Galiläa vorangehen. ²⁹ Petrus aber sagte zu ihm: Wenn auch alle an dir Anstoß nehmen, doch nicht ich! ³⁰ Und Jesus spricht zu ihm: Wahrlich, ich sage dir: Heute, in dieser Nacht, ehe der Hahn zweimal kräht, wirst du mich dreimal verleugnen! ³¹ Er aber sagte desto mehr: Wenn ich auch mit dir sterben müßte, werde ich dich nicht verleugnen! Das gleiche sagten aber auch alle.

Gethsemane   Mt 26,36-46; Lk 22,39-46

32 Und sie kommen in ein Gut namens Gethsemane. Und er spricht zu seinen Jüngern: Setzt euch hier hin, bis ich gebetet habe! ³³ Und er nahm Petrus und Jakobus und Johannes mit sich; und er fing an, zu erschrecken, und ihm graute sehr.
34 Und er sprach zu ihnen: Meine Seele ist tief betrübt bis zum Tod. Bleibt hier und wachet! ³⁵ Und er ging ein wenig weiter, warf sich auf die Erde und betete, daß, wenn es möglich wäre, die Stunde an ihm vorüberginge. ³⁶ Und er sprach: Abba, Vater! Alles ist dir möglich; nimm diesen Kelch von mir! Doch nicht, was ich will, sondern was du willst! ³⁷ Und er kommt und findet sie schlafend. Und er spricht zu Petrus: Simon, schläfst du? Konntest du nicht eine Stunde wachen? ³⁸ Wachet und betet, damit ihr nicht in Anfechtung geratet! Der Geist ist willig, aber das Fleisch ist schwach.
39 Und er ging wiederum hin, betete und sprach dieselben Worte. ⁴⁰ Und als er zurückkam, fand er sie wieder schlafend; denn die Augen waren ihnen schwer geworden. Und sie wußten nicht, was sie ihm antworten sollten.
41 Und er kommt zum dritten Mal und spricht zu ihnen: Schlaft ihr noch immer und ruht? – Es ist genug! Die Stunde ist gekommen. Siehe, der Sohn des Menschen wird in die Hände der Sünder ausgeliefert. ⁴² Steht auf, laßt uns gehen! Siehe, der mich verrät, ist nahe.

Die Gefangennahme Jesu   Mt 26,47-56; Lk 22,47-53; Joh 18,2-12

43 Und sogleich, als er noch redete, erschien Judas, der einer der Zwölf war, und mit ihm eine große Schar mit Schwertern und Stöcken, [gesandt] von den Hohenpriestern und den Schriftgelehrten und den Ältesten. ⁴⁴ Der ihn verriet, hatte ihnen aber ein Zeichen gegeben und gesagt: Der, den ich küssen werde, der ist's, den ergreift und führt ihn vorsichtig ab! ⁴⁵ Und als er nun kam, trat er sogleich auf ihn zu und sprach: Rabbi, Rabbi! und küßte ihn. ⁴⁶ Sie aber legten ihre Hände an ihn und

nahmen ihn fest. [47] Einer aber von denen, die dabei standen, zog das Schwert, schlug den Knecht des Hohenpriesters und hieb ihm ein Ohr ab.

48 Und Jesus begann und sprach zu ihnen: Wie gegen einen Räuber seid ihr ausgezogen mit Schwertern und Stöcken, um mich gefangenzunehmen! [49] Täglich war ich bei euch im Tempel und lehrte, und ihr habt mich nicht ergriffen. Doch damit die Schriften erfüllt werden –! [50] Da verließen ihn alle und flohen.

51 Und ein gewisser Jüngling folgte ihm, der ein Leinengewand auf dem bloßen Leib trug; und die Jünglinge ergriffen ihn, [52] er aber ließ das Leinengewand zurück, und entblößt floh er von ihnen.

Jesus vor dem Hohen Rat   Mt 26,57-68; Lk 22,54; 22,63-65

53 Und sie führten Jesus ab zum Hohenpriester; und alle Hohenpriester und die Ältesten und die Schriftgelehrten kamen bei ihm zusammen. [54] Und Petrus folgte ihm von ferne bis hinein in den Hof des Hohenpriesters; und er saß bei den Dienern und wärmte sich am Feuer.

55 Die Hohenpriester aber und der ganze Hohe Rat suchten ein Zeugnis gegen Jesus, um ihn zu töten, und sie fanden keines. [56] Denn viele legten ein falsches Zeugnis gegen ihn ab, doch stimmten die Zeugnisse nicht überein. [57] Und es standen etliche auf, legten ein falsches Zeugnis gegen ihn ab und sprachen: [58] Wir haben ihn sagen hören: Ich will diesen mit Händen gemachten Tempel zerstören und in drei Tagen einen anderen aufbauen, der nicht mit Händen gemacht ist. [59] Aber auch so war ihr Zeugnis nicht übereinstimmend. [60] Und der Hohepriester stand auf, trat in die Mitte, fragte Jesus und sprach: Antwortest du nichts auf das, was diese gegen dich bezeugen? `

61 Er aber schwieg und antwortete nichts. Wieder fragte ihn der Hohepriester und sagte zu ihm: Bist du der Christus, der Sohn des Hochgelobten? [62] Jesus aber sprach: Ich bin's. Und ihr werdet den Sohn des Menschen sitzen sehen zur Rechten der Macht und kommen mit den Wolken des Himmels!

63 Da zerriß der Hohepriester seine Kleider und sagte: Was brauchen wir weitere Zeugen? [64] Ihr habt die Lästerung gehört. Was meint ihr? Und sie urteilten alle, daß er des Todes schuldig sei. [65] Und etliche fingen an, ihn anzuspucken und sein Angesicht zu verhüllen und ihn mit Fäusten zu schlagen und zu ihm zu sagen: Weissage! Und die Diener schlugen ihn ins Angesicht.

Die Verleugnung durch Petrus Mt 26,69-75; Lk 22,55-62

66 Und während Petrus unten im Hof war, kam eine von den Mägden des Hohenpriesters. [67] Und als sie Petrus sah, der sich wärmte, blickte sie ihn an und sprach: Auch du warst mit Jesus, dem Nazarener! [68] Er aber leugnete und sprach: Ich weiß nicht und verstehe auch nicht, was du sagst! Und er ging in den Vorhof hinaus, und der Hahn krähte.

69 Und als die Magd ihn sah, begann sie wieder und sprach zu den Umstehenden: Dieser ist einer von ihnen! [70] Er aber leugnete wiederum. Und ein wenig nachher sprachen die Umstehenden nochmals zu Petrus: Wahrhaftig, du bist einer von ihnen! Denn du bist ein Galiläer, und deine Sprache ist gleich. [71] Er aber fing an, [sich] zu verfluchen[a] und zu schwören: Ich kenne diesen Menschen nicht, von dem ihr redet!

72 Da krähte der Hahn zum zweitenmal; und Petrus erinnerte sich an das Wort, das Jesus zu ihm gesagt hatte: Ehe der Hahn zweimal kräht, wirst du mich dreimal verleugnen. Und er begann zu weinen.

Jesus vor Pilatus Mt 27,1-2; 27,11-14; Lk 22,66-71; 23,1-4

15 Und gleich in der Frühe faßten die Hohenpriester mit den Ältesten und Schriftgelehrten und dem ganzen Hohen Rat einen Beschluß und führten Jesus gebunden hin und lieferten ihn dem Pilatus aus.

2 Und Pilatus fragte ihn: Bist du der König der Juden? Er aber antwortete und sprach zu ihm: Du sagst es! [3] Und die Hohenpriester brachten viele Anklagen gegen ihn vor. [4] Pilatus aber fragte ihn wieder und sprach: Antwortest du nichts? Sieh, wie viele Dinge sie gegen dich bezeugen! [5] Jesus aber antwortete nichts mehr, so daß sich Pilatus verwunderte.

Die Verurteilung Jesu durch die Volksmenge Mt 27,15-26

6 Aber anläßlich des Festes pflegte er ihnen einen Gefangenen freizugeben, welchen sie wollten. [7] Es lag aber ein gewisser Barabbas gefangen samt den Mitaufrührern, die im Aufruhr einen Mord begangen hatten. [8] Und die Menge erhob ein Geschrei und fing an zu verlangen, [daß er tue,] wie er ihnen allezeit getan hatte. [9] Pilatus aber antwortete ihnen und sprach: Wollt ihr, daß ich euch den König der Juden freigebe? [10] Denn er wußte, daß die Hohenpriester ihn aus Neid ausgeliefert hatten.

---

a. (14,71) d.h. er sprach einen Fluch über sich aus, der ihn treffen sollte, wenn er die Unwahrheit sagte.

[11] Aber die Hohenpriester wiegelten die Volksmenge auf, daß er ihnen lieber den Barabbas losgeben solle. [12] Und Pilatus antwortete und sprach wiederum zu ihnen: Was wollt ihr nun, daß ich mit dem tue, den ihr König der Juden nennt? [13] Sie aber schrieen wiederum: Kreuzige ihn! [14] Und Pilatus sprach zu ihnen: Was hat er denn Böses getan? Sie aber schrieen noch viel mehr: Kreuzige ihn! [15] Da nun Pilatus die Menge befriedigen wollte, gab er ihnen den Barabbas frei und übergab Jesus, nachdem er ihn hatte auspeitschen lassen, damit er gekreuzigt werde.

Verspottung und Dornenkrone Mt 27,27-31; Joh 19,2-5

[16] Da führten ihn die Kriegsknechte hinein in den Hof, das ist das Prätorium[a]; und sie riefen die ganze Schar zusammen, [17] legten ihm einen Purpur[mantel] um, flochten eine Dornenkrone und setzten sie ihm auf. [18] Und sie fingen an, ihn zu begrüßen: Sei gegrüßt, König der Juden! [19] Und sie schlugen sein Haupt mit einem Rohr, spuckten ihn an, beugten die Knie und fielen vor ihm nieder. [20] Und nachdem sie ihn verspottet hatten, zogen sie ihm den Purpur[mantel] aus und legten ihm seine eigenen Kleider an. Und sie führten ihn hinaus, um ihn zu kreuzigen.

Die Kreuzigung Jesu Mt 27,32-44; Lk 23,26-43; Joh 19,17-27

21 Und sie zwangen einen Vorübergehenden, der vom Feld kam, Simon von Kyrene, den Vater von Alexander und Rufus, ihm das Kreuz zu tragen. [22] Und sie brachten ihn auf den Platz Golgatha, das heißt übersetzt Schädelstätte. [23] Und sie gaben ihm Myrrhenwein zu trinken, aber er nahm ihn nicht.

24 Und nachdem sie ihn gekreuzigt hatten, teilten sie seine Kleider und warfen das Los darüber, was ein jeder bekommen sollte. [25] Es war aber die dritte Stunde, als sie ihn kreuzigten. [26] Und die Inschrift, die seine Schuld anzeigte, war darüber geschrieben: Der König der Juden. [27] Und mit ihm kreuzigten sie zwei Räuber, einen zu seiner Rechten und einen zu seiner Linken. [28] Da wurde die Schrift erfüllt, die spricht: *Und er ist unter die Gesetzlosen gerechnet worden.*

29 Und die Vorübergehenden lästerten ihn, schüttelten den Kopf und sprachen: Ha, der du den Tempel zerstörst und in drei Tagen aufbaust, [30] rette dich selbst und steige vom Kreuz herab! [31] Gleicherweise spotteten aber auch die Hohenpriester

---

a. (15,16) Bezeichnung für den Amtssitz des römischen Statthalters.

untereinander samt den Schriftgelehrten und sprachen: Andere hat er gerettet, sich selbst kann er nicht retten! [32] Der Christus, der König Israels, steige nun vom Kreuz herab, damit wir
sehen und glauben! Auch die, welche mit ihm gekreuzigt wurden, schmähten ihn.

Der Tod Jesu   Mt 27,45-56; Lk 23,44-49; Joh 19,28-37

33 Als aber die sechste Stunde anbrach, kam eine Finsternis
über das ganze Land bis zur neunten Stunde. [34] Und um die
neunte Stunde rief Jesus mit lauter Stimme und sprach: Eloi,
Eloi, lama sabachthani? Das heißt übersetzt: *Mein Gott, mein
Gott, warum hast du mich verlassen?* [35] Und etliche der Umstehenden, die es hörten, sprachen: Siehe, er ruft den Elia!
[36] Einer aber lief und füllte einen Schwamm mit Essig und
steckte ihn auf ein Rohr, gab ihm zu trinken und sprach: Halt!
Laßt uns sehen, ob Elia kommt, um ihn herabzunehmen!
37 Jesus aber stieß einen lauten Schrei aus und verschied.
[38] Und der Vorhang im Tempel riß von oben bis unten entzwei.
39 Als aber der Hauptmann, der ihm gegenüberstand, sah, daß
er so schrie und verschied, sprach er: Wahrhaftig, dieser
Mensch war Gottes Sohn!
40 Es sahen aber auch Frauen von ferne zu, unter ihnen war
auch Maria Magdalena und Maria, die Mutter des jüngeren Jakobus und des Joses, sowie Salome, [41] die ihm auch, als er in
Galiläa war, nachgefolgt waren und ihm gedient hatten, und
viele andere, die mit ihm nach Jerusalem hinaufgezogen waren.

Die Grablegung Jesu   Mt 27,57-61; Lk 23,50-56; Joh 19,38-42

42 Und als es schon Abend geworden war (es war nämlich
Rüsttag, das ist der Tag vor dem Sabbat), [43] da kam Joseph von
Arimathia, ein angesehener Ratsherr, der selbst auch auf das
Reich Gottes wartete; der wagte es, ging zu Pilatus hinein und
bat um den Leib Jesu. [44] Pilatus aber wunderte sich, daß er
schon gestorben sein sollte, und er rief den Hauptmann und
fragte ihn, ob er schon lange gestorben sei. [45] Und als er es von
dem Hauptmann erfahren hatte, gab er dem Joseph den Leib.
[46] Da kaufte dieser Leinwand und nahm ihn herab, wickelte ihn
in die Leinwand und legte ihn in ein Grab, das in einen Felsen
gehauen war, und wälzte einen Stein vor den Eingang des Grabes. [47] Maria Magdalena aber und Maria, die Mutter des Joses,
sahen, wo er hingelegt wurde.

Die Auferstehung Jesu Christi   Mt 28,1-8; Lk 24,1-12; Joh 20,1-18

16 Und als der Sabbat vorüber war, kauften Maria Magdalena und Maria, die Mutter des Jakobus, und Salome wohlriechende Gewürze, um hinzugehen und ihn zu salben. ²Und sehr früh am ersten Tag der Woche, als die Sonne aufging, kamen sie zu dem Grab. ³Und sie sagten zueinander: Wer wälzt uns den Stein von dem Eingang des Grabes?
4 Und als sie aufblickten, sahen sie, daß der Stein weggewälzt war. Er war nämlich sehr groß. ⁵Und sie gingen in das Grab hineinᵃ und sahen einen Jüngling zur Rechten sitzen, bekleidet mit einem langen, weißen Gewand; und sie erschraken. ⁶Er aber spricht zu ihnen: Erschreckt nicht! Ihr sucht Jesus den Nazarener, den Gekreuzigten; er ist auferstanden, er ist nicht hier; seht den Ort, wo sie ihn hingelegt hatten! ⁷Aber geht hin, sagt seinen Jüngern und dem Petrus, daß er euch nach Galiläa vorangeht. Dort werdet ihr ihn sehen, wie er euch gesagt hat. ⁸Und sie gingen schnell hinaus und flohen von dem Grab. Es hatte sie aber ein Zittern und Entsetzen befallen; und sie sagten niemand etwas, denn sie fürchteten sich.

Der Auferstandene erscheint seinen Jüngern   Mt 28,8-10; Lk 24,13-43; Joh 20,11-29

9 Als er aber früh am ersten Tag der Woche auferstanden war, erschien er zuerst der Maria Magdalena, von der er sieben Dämonen ausgetrieben hatte. ¹⁰Diese ging hin und verkündete es denen, die mit ihm gewesen waren, die trauerten und weinten. ¹¹Und als diese hörten, daß er lebte und von ihr gesehen worden war, glaubten sie es nicht.
12 Danach offenbarte er sich zwei von ihnen auf dem Weg in einer anderen Gestalt, als sie sich aufs Land begaben. ¹³Und diese gingen hin und verkündeten es den übrigen; aber auch ihnen glaubten sie nicht.
14 Danach offenbarte er sich den Elfen selbst, als sie zu Tisch saßen, und tadelte ihren Unglauben und die Härte ihres Herzens, daß sie denen, die ihn auferstanden gesehen hatten, nicht geglaubt hatten.

Der Auftrag zur Verkündigung des Evangeliums und die Himmelfahrt Jesu Christi   Mt 28,16-20; Lk 24,44-53, Apg 1,8-12

15 Und er sprach zu ihnen: Geht hin in alle Welt und verkündigt das Evangelium der ganzen Schöpfung! ¹⁶Wer glaubt und getauft wird, der wird gerettet werden; wer aber nicht glaubt, der

---

a. (16,5) Das Grab bestand aus in den Felsen gehauenen Kammern, vgl. Mt 27,60.

wird verdammt werden. [17] Diese Zeichen aber werden die begleiten, die gläubig geworden sind: In meinem Namen werden sie Dämonen austreiben, sie werden in neuen Sprachen reden, [18] Schlangen werden sie aufheben, und wenn sie etwas Tödliches trinken, wird es ihnen nichts schaden; Kranken werden sie die Hände auflegen, und sie werden sich wohl befinden.

19 Der Herr nun, nachdem er mit ihnen geredet hatte, wurde aufgenommen in den Himmel und setzte sich zur Rechten Gottes. [20] Sie aber gingen hinaus und verkündigten überall; und der Herr wirkte mit ihnen und bekräftigte das Wort durch die begleitenden Zeichen. Amen.

DAS EVANGELIUM NACH LUKAS

Das Lukas-Evangelium wurde ca. 59-64 n. Chr. von dem nichtjüdischen Arzt Lukas geschrieben, der ein Begleiter und Mitarbeiter des Apostels Paulus war und seinen Bericht auf gründliche Befragung von Augenzeugen gründet. Es zeigt Jesus Christus besonders als den menschgewordenen Sohn Gottes voll Erbarmen und Retterliebe: „Denn der Sohn des Menschen ist gekommen, um zu suchen und zu retten, was verloren ist" (Lk 19,10).

Vorrede: Das zuverlässige Zeugnis des Evangeliums Hebr 2,1-4

1 Nachdem viele es unternommen haben, einen Bericht über die Tatsachen abzufassen, die unter uns völlig erwiesen sind, ² wie sie uns diejenigen überliefert haben, die von Anfang an Augenzeugen und Diener des Wortes gewesen sind, ³ so schien es auch mir gut, der ich allem von Anfang an genau nachgegangen bin, es dir der Reihe nach zu beschreiben, vortrefflichster Theophilus, ⁴ damit du die Gewißheit der Dinge erkennst, in denen du unterrichtet worden bist.

Die Ankündigung der Geburt Johannes des Täufers

5 In den Tagen des Herodes, des Königs von Judäa, war ein Priester mit Namen Zacharias, aus der Abteilung Abijas; der hatte eine Frau von den Töchtern Aarons, und ihr Name war Elisabeth. ⁶ Sie waren aber beide gerecht vor Gott und wandelten in allen Geboten und Rechten des Herrn untadelig. ⁷ Und sie hatten kein Kind, weil Elisabeth unfruchtbar war, und beide waren recht betagt.

8 Es begab sich aber, als er seinen Priesterdienst vor Gott verrichtete, zur Zeit, als seine Abteilung an die Reihe kam, ⁹ da traf ihn nach dem Brauch des Priestertums das Los, daß er in den Tempel des Herrn gehen und räuchern sollte. ¹⁰ Und die ganze Menge des Volkes betete draußen zur Stunde des Räucherns. ¹¹ Da erschien ihm ein Engel des Herrn, stehend zur Rechten des Räucheraltars. ¹² Und Zacharias erschrak, als er ihn sah, und Furcht überfiel ihn.

13 Aber der Engel sprach zu ihm: Fürchte dich nicht, Zacharias! Denn dein Gebet ist erhört worden, und deine Frau Elisabeth wird dir einen Sohn gebären, und du sollst ihm den Namen Johannes geben. ¹⁴ Und er wird dir Freude und Frohlocken bereiten, und viele werden sich über seine Geburt freuen. ¹⁵ Denn er wird groß sein vor dem Herrn; Wein und starkes Getränk

wird er nicht trinken, und mit Heiligem Geist wird er erfüllt werden schon von Mutterleib an. [16] Und viele von den Kindern Israels wird er zu dem Herrn, ihrem Gott, zurückführen. [17] Und er wird vor ihm hergehen im Geist und in der Kraft Elias, um die Herzen der Väter umzuwenden zu den Kindern und die Ungehorsamen zur Gesinnung der Gerechten, um dem Herrn ein zugerüstetes Volk zu bereiten.

18 Und Zacharias sprach zu dem Engel: Woran soll ich das erkennen? Denn ich bin alt, und meine Frau ist recht betagt. [19] Und der Engel antwortete und sprach zu ihm: Ich bin Gabriel, der vor Gott steht, und bin gesandt, zu dir zu reden und dir diese frohe Botschaft zu bringen. [20] Und siehe, du wirst stumm sein und nicht reden können bis zu dem Tag, an dem dies geschehen wird, weil du meinen Worten nicht geglaubt hast, welche erfüllt werden sollen zu ihrer Zeit. [21] Und das Volk wartete auf Zacharias; und sie verwunderten sich, daß er so lange im Tempel blieb. [22] Als er aber herauskam, konnte er nicht zu ihnen reden; und sie merkten, daß er im Tempel eine Erscheinung gesehen hatte. Und er winkte ihnen und blieb stumm.

23 Und es geschah, als die Tage seines Dienstes vollendet waren, ging er heim in sein Haus. [24] Aber nach diesen Tagen wurde seine Frau Elisabeth schwanger; und sie verbarg sich fünf Monate und sprach: [25] So hat mir der Herr getan in den Tagen, da er mich angesehen hat, um meine Schmach unter den Menschen hinwegzunehmen!

Die Ankündigung der Geburt Jesu Christi   Mt 1,18-23

26 Im sechsten Monat aber wurde der Engel Gabriel von Gott in eine Stadt Galiläas namens Nazareth gesandt, [27] zu einer Jungfrau, die verlobt war mit einem Mann namens Joseph, aus dem Haus Davids; und der Name der Jungfrau war Maria. [28] Und der Engel kam zu ihr herein und sprach: Sei gegrüßt, du Begnadigte! Der Herr ist mit dir, du Gesegnete unter den Frauen! [29] Als sie ihn aber sah, erschrak sie über sein Wort und dachte darüber nach, was das für ein Gruß sei.

30 Und der Engel sprach zu ihr: Fürchte dich nicht, Maria! Denn du hast Gnade bei Gott gefunden. [31] Und siehe, du wirst schwanger werden und einen Sohn gebären; und du sollst ihm den Namen Jesus[a] geben. [32] Dieser wird groß sein und Sohn des Höchsten genannt werden; und Gott der Herr wird ihm den Thron seines Vaters David geben; [33] und er wird regieren über das Haus Jakobs in Ewigkeit, und sein Reich wird kein Ende haben.

a. (1,31) gr. Form des hebr. *Jehoschua / Jeschuah* = »Jahweh ist Rettung«.

34 Maria aber sprach zu dem Engel: Wie kann das sein, da ich von keinem Mann weiß? 35 Und der Engel antwortete und sprach zu ihr: Der Heilige Geist wird über dich kommen, und die Kraft des Höchsten wird dich überschatten. Darum wird auch das Heilige, das geboren wird, Gottes Sohn genannt werden. 36 Und siehe, Elisabeth, deine Verwandte, hat auch einen Sohn empfangen in ihrem Alter und ist jetzt im sechsten Monat, sie, die vorher unfruchtbar genannt wurde. 37 Denn bei Gott ist kein Ding unmöglich. 38 Maria aber sprach: Siehe, ich bin die Magd des Herrn; mir geschehe nach deinem Wort! Und der Engel schied von ihr.

Der Besuch Marias bei Elisabeth

39 Maria aber machte sich auf in diesen Tagen und reiste rasch in das Gebirge, in eine Stadt in Juda, 40 und sie kam in das Haus des Zacharias und begrüßte Elisabeth.

41 Und es geschah, als Elisabeth den Gruß der Maria hörte, da hüpfte das Kind in ihrem Leib; und Elisabeth wurde mit Heiligem Geist erfüllt 42 und rief mit lauter Stimme und sprach: Gesegnet bist du unter den Frauen, und gesegnet ist die Frucht deines Leibes! 43 Und woher wird mir das zuteil, daß die Mutter meines Herrn zu mir kommt? 44 Denn siehe, sowie der Klang deines Grußes in mein Ohr drang, hüpfte das Kind vor Freude in meinem Leib. 45 Und glückselig ist, die geglaubt hat; denn es wird erfüllt werden, was ihr vom Herrn gesagt worden ist!

Der Lobpreis Marias

46 Und Maria sprach: Meine Seele erhebt den Herrn,

47 und mein Geist freut sich über Gott, meinen Retter,

48 daß er angesehen hat die Niedrigkeit seiner Magd; denn siehe, von nun an werden mich glückselig preisen alle Geschlechter!

49 Denn große Dinge hat der Mächtige an mir getan, und heilig ist sein Name;

50 und seine Barmherzigkeit währt von Geschlecht zu Geschlecht über die, welche ihn fürchten.

51 Er hat Mächtiges mit seinem Arm getan, er hat zerstreut, die hochmütig sind in ihres Herzens Sinn.

52 Er hat Gewaltige von den Thronen gestoßen und Niedrige erhöht.

53 Hungrige hat er mit Gütern gesättigt und Reiche leer fortgeschickt.

54 Er hat sich seines Knechtes Israel angenommen, um der Barmherzigkeit zu gedenken,

55 wie er geredet hat zu unseren Vätern, Abraham und seinem Samen, auf ewig!

56 Und Maria blieb bei ihr etwa drei Monate und kehrte wieder in ihr Haus zurück.

Die Geburt Johannes des Täufers

57 Für Elisabeth aber erfüllte sich die Zeit, da sie gebären sollte, und sie gebar einen Sohn. 58 Und ihre Nachbarn und Verwandten hörten, daß der Herr seine Barmherzigkeit an ihr groß gemacht hatte, und sie freuten sich mit ihr. 59 Und es begab sich am achten Tag, daß sie kamen, um das Kind zu beschneiden; und sie nannten es nach dem Namen seines Vaters Zacharias. 60 Seine Mutter aber sprach: Nein, sondern er soll Johannes heißen! 61 Und sie sprachen zu ihr: Es ist doch niemand in deiner Verwandtschaft, der diesen Namen trägt!

62 Sie winkten aber seinem Vater, wie er ihn genannt haben wolle. 63 Und er forderte ein Täfelchen und schrieb die Worte: Johannes ist sein Name! Und sie verwunderten sich alle. 64 Sofort aber tat sich sein Mund auf, und seine Zunge [wurde gelöst], und er redete und lobte Gott. 65 Und es kam Furcht über alle ihre Nachbarn, und auf dem ganzen Bergland von Judäa wurden alle diese Dinge besprochen. 66 Und alle, die es hörten, nahmen es sich zu Herzen und sprachen: Was wird wohl aus diesem Kind werden? Und die Hand des Herrn war mit ihm.

Der Lobpreis des Zacharias

67 Und sein Vater Zacharias wurde mit Heiligem Geist erfüllt, weissagte und sprach:

68 Gepriesen sei der Herr, der Gott Israels! Denn er hat sein Volk besucht und ihm Erlösung bereitet,

69 und hat uns aufgerichtet ein Horn des Heils[a] im Hause seines Knechtes David,

70 wie er verheißen hat durch den Mund seiner heiligen Propheten von alters her:

71 Errettung von unseren Feinden und aus der Hand aller, die uns hassen;

72 um Barmherzigkeit zu erweisen an unseren Vätern und zu gedenken seines heiligen Bundes,

73 des Eides, den er unserem Vater Abraham geschworen hat, uns zu geben,

---

a. (1,69) Eine bildhafte Bezeichnung für den Messias-König, der Rettung bringen wird.

74 daß wir, erlöst aus der Hand unserer Feinde, ihm dienten ohne Furcht

75 in Heiligkeit und Gerechtigkeit vor ihm alle Tage unseres Lebens.

76 Und du, Kindlein, wirst ein Prophet des Höchsten heißen, denn du wirst vor dem Angesicht des Herrn hergehen, um seine Wege zu bereiten,

77 um Erkenntnis des Heils zu geben seinem Volk, in Vergebung ihrer Sünden,

78 wegen der herzlichen Barmherzigkeit unseres Gottes, in welcher uns besucht hat der Aufgang aus der Höhe,

79 um denen zu scheinen, die in Finsternis und Todesschatten sitzen, um unsere Füße auf den Weg des Friedens zu richten!

80 Das Kind aber wuchs und wurde stark im Geist und war in der Wüste bis zum Tag seines Auftretens vor Israel.

Die Geburt Jesu Christi in Bethlehem   Mt 1,18-25

2 Es begab sich aber in jenen Tagen, daß ein Befehl ausging von dem Kaiser Augustus[a], daß der ganze Erdkreis sich schätzen lassen sollte. [2] Diese Schätzung war die erste und geschah, als Kyrenius Statthalter in Syrien war. [3] Und es zogen alle aus, um sich schätzen zu lassen, ein jeder in die eigene Stadt. [4] Es ging aber auch Joseph von Galiläa, aus der Stadt Nazareth, hinauf nach Judäa in die Stadt Davids, die Bethlehem heißt, weil er aus dem Haus und Geschlecht Davids war, [5] um sich schätzen zu lassen mit Maria, seiner ihm angetrauten Frau, die schwanger war.

6 Es geschah aber, während sie dort waren, da erfüllten sich die Tage, daß sie gebären sollte. [7] Und sie gebar ihren Sohn, den Erstgeborenen, und wickelte ihn in Windeln und legte ihn in die Krippe, weil für sie kein Raum war in der Herberge.

Die Hirten und die Engel

8 Und es waren Hirten in derselben Gegend auf dem Feld, die bewachten ihre Herde in der Nacht. [9] Und siehe, ein Engel des Herrn trat zu ihnen, und die Herrlichkeit des Herrn umleuchtete sie; und sie fürchteten sich sehr. [10] Und der Engel sprach zu ihnen: Fürchtet euch nicht! Denn siehe, ich verkündige euch große Freude, die dem ganzen Volk widerfahren soll. [11] Denn euch ist heute ein Retter geboren, welcher ist Christus, der Herr, in der Stadt Davids. [12] Und das sei für euch das Zeichen:

---

a. (2,1) »Augustus« = Titel der römischen Kaiser; gemeint ist Gajus Julius Caesar Octavianus (27 v. Chr. – 14 n. Chr.).

Ihr werdet ein Kind finden, in Windeln gewickelt, in der Krippe liegend.
13 Und plötzlich war bei dem Engel die Menge der himmlischen Heerscharen, die lobten Gott und sprachen: [14] Herrlichkeit [ist] bei Gott in der Höhe und Friede auf Erden, [und] unter den Menschen [Gottes] Wohlgefallen!
15 Und es begab sich, als die Engel von ihnen in den Himmel fuhren, daß die Hirten zueinander sprachen: Laßt uns doch bis nach Bethlehem gehen und die Sache sehen, die geschehen ist, die der Herr uns kundgetan hat! [16] Und sie gingen schnell und fanden Maria und Joseph, dazu das Kind in der Krippe liegend. [17] Nachdem sie es aber gesehen hatten, machten sie das Wort bekannt, das ihnen über dieses Kind gesagt worden war. [18] Und alle, die es hörten, verwunderten sich über das, was ihnen von den Hirten gesagt wurde. [19] Maria aber behielt alle diese Worte und bewegte sie in ihrem Herzen. [20] Und die Hirten kehrten wieder um und priesen und lobten Gott für alles, was sie gehört und gesehen hatten, so wie es ihnen gesagt worden war.

Die Darstellung Jesu im Tempel von Jerusalem

21 Und als acht Tage vollendet waren, als man das Kind beschneiden mußte, wurde ihm der Name Jesus gegeben, den der Engel genannt hatte, ehe er im Mutterleib empfangen worden war. [22] Und als die Tage ihrer Reinigung nach dem Gesetz Moses vollendet waren, brachten sie ihn nach Jerusalem, um ihn dem Herrn darzustellen, [23] wie im Gesetz des Herrn geschrieben steht: *Alle männliche Erstgeburt soll dem Herrn geheiligt heißen*, [24] und um ein Opfer darzubringen, wie es im Gesetz des Herrn geboten ist, ein Paar Turteltauben oder zwei junge Tauben.

Der Lobpreis Simeons. Die Prophetin Hanna

25 Und siehe, es war ein Mensch namens Simeon in Jerusalem; und dieser Mensch war gerecht und gottesfürchtig und wartete auf den Trost Israels; und der Heilige Geist war auf ihm. [26] Und er hatte vom Heiligen Geist die Zusage empfangen, daß er den Tod nicht sehen werde, bevor er den Gesalbten[a] des Herrn gesehen habe. [27] Und er kam auf Antrieb des Geistes in den Tempel. Und als die Eltern das Kind Jesus hineinbrachten, um für ihn zu tun, was die Sitte des Gesetzes verlangte, [28] da nahm er es auf seine Arme, lobte Gott und sprach:

a. (2,26) w. *den Christus*, d.h. den Messias.

29 Nun, Herr, entläßt du deinen Knecht in Frieden nach deinem Wort!

30 Denn meine Augen haben dein Heil gesehen,

31 das du vor allen Völkern bereitet hast,

32 ein Licht zur Erleuchtung der Heiden und zur Verherrlichung deines Volkes Israel!

33 Und Joseph und seine Mutter verwunderten sich über das, was über ihn gesagt wurde. 34 Und Simeon segnete sie und sprach zu Maria, seiner Mutter: Siehe, dieser ist gesetzt zum Fall und zum Auferstehen vieler in Israel und zu einem Zeichen, dem widersprochen wird – 35 aber auch dir selbst wird ein Schwert durch die Seele dringen –, damit aus vielen Herzen die Gedanken offenbar werden.

36 Und es war eine Prophetin Hanna, eine Tochter Phanuels, aus dem Stamm Asser, die war hochbetagt und hatte nach ihrer Jungfrauschaft mit ihrem Mann sieben Jahre gelebt; 37 und sie war eine Witwe von etwa vierundachtzig Jahren; die wich nicht vom Tempel, sondern diente [Gott] mit Fasten und Beten Tag und Nacht. 38 Auch diese trat zu derselben Stunde hinzu und pries den Herrn und redete von ihm zu allen, die auf die Erlösung warteten in Jerusalem.

Die Rückkehr nach Nazareth Mt 2,22-23

39 Und nachdem sie alles vollbracht hatten nach dem Gesetz des Herrn, kehrten sie zurück nach Galiläa, in ihre Stadt Nazareth. 40 Das Kind aber wuchs und wurde stark im Geist, erfüllt mit Weisheit, und Gottes Gnade war auf ihm.

Der zwölfjährige Jesus im Tempel

41 Und seine Eltern reisten jährlich am Passahfest nach Jerusalem. 42 Und als er zwölf Jahre alt war, gingen sie nach dem Brauch des Festes hinauf nach Jerusalem. 43 Und als sie die Tage vollendet hatten und wieder heimkehrten, blieb der Knabe Jesus in Jerusalem; und Joseph und seine Mutter wußten es nicht. 44 Da sie aber meinten, er wäre unter den Gefährten, zogen sie eine Tagesreise weit und suchten ihn unter den Verwandten und unter den Bekannten. 45 Und weil sie ihn nicht fanden, kehrten sie wieder nach Jerusalem zurück und suchten ihn. 46 Und es begab sich, nach drei Tagen fanden sie ihn im Tempel sitzend mitten unter den Lehrern, wie er ihnen zuhörte und sie befragte.

47 Es erstaunten aber alle, die ihn hörten, über sein Verständnis und seine Antworten. 48 Und als sie ihn sahen, waren sie be-

stürzt; und seine Mutter sprach zu ihm: Kind, warum hast du uns das getan? Siehe, dein Vater und ich haben dich mit Schmerzen gesucht! [49] Und er sprach zu ihnen: Weshalb habt ihr mich gesucht? Wußtet ihr nicht, daß ich in dem sein muß, was meines Vaters ist? [50] Und sie verstanden das Wort nicht, das er zu ihnen sagte. [51] Und er ging mit ihnen hinab und kam nach Nazareth und war ihnen untertan. Und seine Mutter behielt alle diese Worte in ihrem Herzen. [52] Und Jesus nahm zu an Weisheit und Alter und Gnade bei Gott und den Menschen.

Die Verkündigung Johannes des Täufers   Mt 3,1-12; Mk 1,1-8

3 Aber im fünfzehnten Jahr der Regierung des Kaisers Tiberius[a], als Pontius Pilatus Statthalter von Judäa war und Herodes Vierfürst von Galiläa, sein Bruder Philippus aber Vierfürst der Landschaft Ituräa und Trachonitis und Lysanias Vierfürst von Abilene, [2] unter den Hohenpriestern Hannas und Kajaphas, da erging das Wort Gottes an Johannes, den Sohn des Zacharias, in der Wüste.

3 Und er kam in die ganze Umgegend des Jordan und verkündigte eine Taufe der Buße zur Vergebung der Sünden, [4] wie geschrieben steht im Buch der Aussprüche des Propheten Jesaja, der spricht: *Eine Stimme ruft in der Wüste: Bereitet den Weg des Herrn, macht seine Pfade eben!* [5] *Jedes Tal soll ausgefüllt und jeder Berg und Hügel erniedrigt werden, und das Krumme soll gerade und die holprigen Wege eben werden,* [6] *und alles Fleisch wird das Heil Gottes sehen.*

7 Er sprach nun zu der Volksmenge, die hinausging, um sich von ihm taufen zu lassen: Schlangenbrut! Wer hat euch unterwiesen, dem kommenden Zorn zu entrinnen? [8] So bringt nun Früchte, die der Buße würdig sind! Und fangt nicht an, bei euch selbst zu sagen: Wir haben Abraham zum Vater! Denn ich sage euch: Gott vermag dem Abraham aus diesen Steinen Kinder zu erwecken. [9] Schon ist aber die Axt an die Wurzel der Bäume gelegt. Ein jeder Baum nun, der keine gute Frucht bringt, wird abgehauen und ins Feuer geworfen!

10 Da fragte ihn die Menge und sprach: Was sollen wir denn tun? [11] Und er antwortete und sprach zu ihnen: Wer zwei Hemden hat, gebe dem, der keines hat; und wer Speise hat, der mache es ebenso!

12 Es kamen auch Zöllner, um sich taufen zu lassen, und sprachen zu ihm: Meister, was sollen wir tun? [13] Er sprach zu ihnen: Fordert nicht mehr, als was euch vorgeschrieben ist!

a. (3,1) d.h. 29 n. Chr.

14 Es fragten ihn aber auch Kriegsleute und sprachen: Und was sollen *wir* tun? Und er sprach zu ihnen: Mißhandelt niemand, erhebt keine falsche Anklage und seid zufrieden mit eurem Sold!

15 Da aber das Volk in Erwartung stand und alle in ihren Herzen sich wegen Johannes fragten, ob er vielleicht der Christus sei, 16 antwortete Johannes allen und sprach: Ich taufe euch mit Wasser; es kommt aber einer, der stärker ist als ich, dem ich nicht gut genug bin, den Riemen seiner Schuhe zu lösen; der wird euch mit Heiligem Geist und Feuer taufen. 17 Er hat die Worfschaufel in seiner Hand, und er wird seine Tenne durch und durch reinigen und den Weizen in seine Scheune sammeln; die Spreu aber wird er mit unauslöschlichem Feuer verbrennen!

18 Auch mit vielen anderen Ermahnungen verkündigte er dem Volk die frohe Botschaft. 19 Der Vierfürst Herodes aber, da er von ihm getadelt wurde wegen Herodias, der Frau seines Bruders Philippus, und wegen all des Bösen, was Herodes tat, 20 fügte zu allem noch das hinzu, daß er den Johannes ins Gefängnis warf.

Die Taufe Jesu Christi   Mt 3,13-17; Mk 1,9-11; Joh 1,32-34

21 Es geschah aber, als alles Volk sich taufen ließ und auch Jesus getauft wurde und betete, daß sich der Himmel auftat 22 und der Heilige Geist in leiblicher Gestalt wie eine Taube auf ihn herabstieg und eine Stimme aus dem Himmel ertönte, die sprach: Du bist mein geliebter Sohn; an dir habe ich Wohlgefallen!

Das Geschlechtsregister Jesu Christi   Mt 1,1-16; Apg 13,23

23 Und Jesus war ungefähr dreißig Jahre alt, als er begann; er war, wie man meinte, ein Sohn Josephs, 24 des Eli, des Matthat, des Levi, des Melchi, des Janna, des Joseph, 25 des Mattathias, des Amos, des Nahum, des Esli, des Nangai, 26 des Maath, des Mattathias, des Semei, des Joseph, des Juda, 27 des Johanan, des Resa, des Serubbabel, des Schealtiel, des Neri, 28 des Melchi, des Addi, des Kosam, des Elmodam, des Er, 29 des Joses, des Elieser, des Jorim, des Matthat, des Levi, 30 des Simeon, des Juda, des Joseph, des Jonan, des Eljakim, 31 des Melea, des Mainan, des Mattatha, des Nathan, des David, 32 des Isai, des Obed, des Boas, des Salmon, des Nachschon, 33 des Amminadab, des Aram, des Hezron, des Perez, des Juda, 34 des Jakob, des Isaak, des Abraham, des Terach, des Nahor, 35 des Serug, des Regu, des Peleg, des Heber, des Schelach, 36 des Kainan,

des Arpakschad, des Sem, des Noah, des Lamech, ³⁷ des Methusalah, des Henoch, des Jared, des Mahalaleel, des Kainan, ³⁸ des Enosch, des Seth, des Adam, Gottes.

Die Versuchung Jesu Christi Mt 4,1-11; Mk 1,12-13

4 Jesus aber, voll Heiligen Geistes, kehrte vom Jordan zurück und wurde vom Geist in die Wüste geführt ² und vierzig Tage vom Teufel versucht. Und er aß nichts in jenen Tagen; und zuletzt, als sie zu Ende waren, war er hungrig. ³ Und der Teufel sprach zu ihm: Wenn du Gottes Sohn bist, so sprich zu diesem Stein, daß er Brot werde! ⁴ Und Jesus antwortete ihm und sprach: Es steht geschrieben: *Der Mensch lebt nicht vom Brot allein, sondern von einem jeglichen Wort Gottes.*
5 Da führte der Teufel ihn auf einen hohen Berg und zeigte ihm alle Reiche der Welt in einem Augenblick. ⁶ Und der Teufel sprach zu ihm: Dir will ich alle diese Macht und ihre Herrlichkeit geben; denn sie ist mir übergeben, und ich gebe sie, wem ich will. ⁷ Wenn du nun vor mir anbetest, so soll alles dein sein. ⁸ Und Jesus antwortete ihm und sprach: Weiche von mir, Satan! Denn es steht geschrieben: *Du sollst den Herrn, deinen Gott, anbeten und ihm allein dienen.*
9 Und er führte ihn nach Jerusalem und stellte ihn auf die Zinne des Tempels und sprach zu ihm: Wenn du der Sohn Gottes bist, so stürze dich von hier hinab; ¹⁰ denn es steht geschrieben: *Er wird seinen Engeln deinetwegen Befehl geben, dich zu behüten,* ¹¹ *und sie werden dich auf den Händen tragen, damit du deinen Fuß nicht etwa an einen Stein stößt.* ¹² Und Jesus antwortete und sprach zu ihm: Es ist gesagt: *Du sollst den Herrn, deinen Gott, nicht versuchen!*
13 Und nachdem der Teufel alle Versuchung vollendet hatte, wich er von ihm eine Zeitlang.

Der Beginn des Wirkens Jesu in Galiläa Mt 4,12-17; Mk 1,14-15

14 Und Jesus kehrte in der Kraft des Geistes zurück nach Galiläa; und das Gerücht von ihm verbreitete sich durch die ganze umliegende Gegend. ¹⁵ Und er lehrte in ihren Synagogen und wurde von allen gepriesen.

Die Verkündigung in der Synagoge von Nazareth

16 Und er kam nach Nazareth, wo er erzogen worden war, und ging nach seiner Gewohnheit am Sabbattag in die Synagoge und stand auf, um vorzulesen. ¹⁷ Und es wurde ihm die Buchrolle des Propheten Jesaja gegeben; und als er die Buchrolle öff-

nete, fand er die Stelle, wo geschrieben steht: ¹⁸ *Der Geist des Herrn ist auf mir, weil er mich gesalbt hat, den Armen frohe Botschaft zu verkünden; er hat mich gesandt, zu heilen, die zerbrochenen Herzens sind, Gefangenen Befreiung zu verkünden und den Blinden, daß sie wieder sehend werden, Zerschlagene in Freiheit zu setzen;* ¹⁹ *zu verkünden das angenehme Jahr des Herrn.* ²⁰ Und er rollte die Buchrolle zusammen und gab sie dem Diener wieder und setzte sich, und aller Augen in der Synagoge waren auf ihn gerichtet.

21 Er aber fing an, ihnen zu sagen: Heute ist diese Schrift erfüllt vor euren Ohren! ²² Und alle gaben ihm Zeugnis und wunderten sich über die Worte der Gnade, die aus seinem Mund kamen, und sprachen: Ist dieser nicht der Sohn Josephs?

23 Und er sprach zu ihnen: Allerdings werdet ihr mir dieses Sprichwort sagen: Arzt, hilf dir selber! Die großen Taten, von denen wir gehört haben, daß sie in Kapernaum geschahen, tue sie auch hier in deiner Vaterstadt! ²⁴ Er sprach aber: Wahrlich, ich sage euch: Kein Prophet ist angenehm in seiner Vaterstadt. ²⁵ In Wahrheit aber sage ich euch: Es waren viele Witwen in den Tagen Elias in Israel, als der Himmel drei Jahre und sechs Monate lang verschlossen war, da eine große Hungersnot entstand im ganzen Land; ²⁶ und zu keiner von ihnen wurde Elia gesandt, sondern nur zu einer Witwe nach Sarepta bei Sidon. ²⁷ Und viele Aussätzige waren in Israel zur Zeit des Propheten Elisa; aber keiner von ihnen wurde gereinigt, sondern nur Naeman, der Syrer.

28 Da wurden alle in der Synagoge voll Zorn, als sie dies hörten. ²⁹ Und sie standen auf und stießen ihn zur Stadt hinaus und führten ihn an den Rand des Berges, auf dem ihre Stadt gebaut war, um ihn hinabzustürzen. ³⁰ Er aber ging mitten durch sie hindurch und zog weiter.

Jesus treibt einen unreinen Geist aus   Mk 1,21-28

31 Und er kam hinab nach Kapernaum, einer Stadt in Galiläa, und lehrte sie am Sabbat. ³² Und sie waren betroffen über seine Lehre, denn er redete mit Vollmacht.

33 Und in der Synagoge war ein Mensch, der den Geist eines unreinen Dämons hatte. Und er schrie mit lauter Stimme ³⁴ und sprach: Laß ab! Was haben wir mit dir zu tun, Jesus, du Nazarener? Bist du gekommen, um uns zu verderben? Ich weiß, wer du bist: der Heilige Gottes!

35 Und Jesus bedrohte ihn und sprach: Verstumme und fahre aus von ihm! Da warf ihn der Dämon mitten unter sie und fuhr

aus von ihm und tat ihm keinen Schaden. [36] Und ein Entsetzen kam über alle, und sie redeten untereinander und sprachen: Was ist das für ein Wort, daß er mit Vollmacht und Kraft den unreinen Geistern gebietet und sie ausfahren? [37] Und sein Ruf verbreitete sich in alle Orte der umliegenden Gegend.

Die Heilung der Schwiegermutter des Petrus und anderer Kranker   Mt 8,14-17; Mk 1,29-39

38 Und er stand auf und ging aus der Synagoge in das Haus des Simon. Simons Schwiegermutter aber war von einem heftigen Fieber befallen, und sie baten ihn für sie. [39] Und er trat zu ihr und bedrohte das Fieber, und es verließ sie. Und sogleich stand sie auf und diente ihnen.

40 Als aber die Sonne unterging, brachten alle, die Kranke hatten mit mancherlei Gebrechen, sie zu ihm, und er legte einem jeden von ihnen die Hände auf und heilte sie. [41] Es fuhren auch Dämonen aus von vielen, indem sie schrieen und sprachen: Du bist der Christus, der Sohn Gottes! Und er bedrohte sie und ließ sie nicht reden, weil sie wußten, daß er der Christus war.

42 Als es aber Tag geworden war, ging er hinaus an einen abgelegenen Ort; und die Volksmenge suchte ihn und kam bis zu ihm, und sie wollten ihn zurückhalten, damit er nicht von ihnen wegginge. [43] Er aber sprach zu ihnen: Ich muß auch den anderen Städten die frohe Botschaft vom Reich Gottes verkündigen; denn dazu bin ich gesandt. [44] Und er verkündigte in den Synagogen von Galiläa.

Der wunderbare Fischzug. Die Berufung der ersten Jünger
Mt 4,18-22; Mk 1,16-20; Joh 1,35-51; 21,1-11

5 Es begab sich aber, als die Menge sich zu ihm drängte, um das Wort Gottes zu hören, stand er am See Genezareth; [2] und er sah zwei Schiffe am Ufer liegen; die Fischer aber waren aus ihnen ausgestiegen und wuschen die Netze. [3] Da stieg er in eines der Schiffe, das Simon gehörte, und bat ihn, ein wenig vom Land wegzufahren; und er setzte sich und lehrte die Volksmenge vom Schiff aus.

4 Als er aber zu reden aufgehört hatte, sprach er zu Simon: Fahre hinaus auf die Tiefe, und laßt eure Netze zu einem Fang hinunter! [5] Und Simon antwortete und sprach zu ihm: Meister, wir haben die ganze Nacht hindurch gearbeitet und nichts gefangen; aber auf dein Wort will ich das Netz auswerfen! [6] Und als sie das getan hatten, fingen sie eine große Menge Fische; und

ihr Netz begann zu reißen. ⁷ Da winkten sie den Gefährten, die
im anderen Schiff waren, daß sie kommen und ihnen helfen
sollten; und sie kamen und füllten beide Schiffe, so daß sie zu
sinken begannen.

8 Als aber Simon Petrus das sah, fiel er zu den Knien Jesu nieder
und sprach: Herr, gehe von mir hinweg, denn ich bin ein sündiger Mensch! ⁹ Denn ein Schrecken überkam ihn und alle, die
bei ihm waren, wegen des Fischzuges, den sie getan hatten;
¹⁰ gleicherweise auch Jakobus und Johannes, die Söhne des Zebedäus, die Simons Teilhaber waren. Und Jesus sprach zu Simon: Fürchte dich nicht; von nun an sollst du Menschen fangen! ¹¹ Und sie brachten die Schiffe ans Land, verließen alles
und folgten ihm nach.

Die Heilung eines Aussätzigen   Mt 8,2-4; Mk 1,40-45

12 Und es begab sich, als er in einer der Städte war, siehe, da
war ein Mann voll Aussatz. Und als er Jesus sah, fiel er auf sein
Angesicht, bat ihn und sprach: Herr, wenn du willst, so kannst
du mich reinigen! ¹³ Da streckte er die Hand aus, rührte ihn an
und sprach: Ich will; sei gereinigt! Und sogleich wich der Aussatz von ihm.

14 Und er befahl ihm, es niemand zu sagen: Geh vielmehr hin,
zeige dich dem Priester und opfere für deine Reinigung, wie
Mose befohlen hat, ihnen zum Zeugnis! ¹⁵ Aber die Kunde von
ihm breitete sich desto mehr aus; und große Volksmengen kamen zusammen, um ihn zu hören und durch ihn von ihren
Krankheiten geheilt zu werden. ¹⁶ Er aber hielt sich zurückge-
zogen an einsamen Orten auf und betete.

Die Heilung eines Gelähmten   Mt 9,1-8; Mk 2,1-12

17 Und es begab sich an einem Tag, daß er lehrte; und es saßen
Pharisäer da und Gesetzeslehrer, die aus allen Dörfern von Galiläa und Judäa und von Jerusalem gekommen waren; und die
Kraft des Herrn war da, um sie zu heilen. ¹⁸ Und siehe, Männer
trugen auf einem Bett einen Menschen, der gelähmt war; und
sie suchten ihn hineinzubringen und vor ihn zu legen. ¹⁹ Und
da sie wegen der Menge keine Möglichkeit fanden, ihn hineinzubringen, stiegen sie auf das Dach und ließen ihn mit dem
Bett durch die Ziegel hinunter in die Mitte vor Jesus. ²⁰ Und als
er ihren Glauben sah, sprach er zu ihm: Mensch, deine Sünden
sind dir vergeben!

21 Und die Schriftgelehrten und Pharisäer fingen an, sich Gedanken zu machen, und sprachen: Wer ist dieser, der solche

Lästerungen ausspricht? Wer kann Sünden vergeben als nur Gott allein? 22 Da aber Jesus ihre Gedanken erkannte, antwortete er und sprach zu ihnen: Was denkt ihr in euren Herzen? 23 Was ist leichter, zu sagen: Deine Sünden sind dir vergeben! oder zu sagen: Steh auf und geh umher? 24 Damit ihr aber wißt, daß der Sohn des Menschen Vollmacht hat, auf Erden Sünden zu vergeben – sprach er zu dem Gelähmten: Ich sage dir, steh auf, nimm dein Bett und geh heim! 25 Und sofort stand er auf vor ihren Augen, nahm sein Lager, ging heim und pries Gott. 26 Da gerieten alle außer sich vor Staunen, und sie priesen Gott und wurden voll Furcht und sprachen: Wir haben heute Unglaubliches gesehen!

Die Berufung des Levi   Mt 9,9-13; Mk 2,13-17

27 Danach ging er hinaus und sah einen Zöllner namens Levi an der Zollstätte sitzen und sprach zu ihm: Folge mir nach! 28 Und er verließ alles, stand auf und folgte ihm nach.

29 Und Levi bereitete ihm ein großes Mahl in seinem Haus; und es saß eine große Schar von Zöllnern und anderen, die es mit ihnen hielten, bei Tisch. 30 Und die Schriftgelehrten und Pharisäer murrten gegen seine Jünger und sprachen: Warum eßt und trinkt ihr mit Zöllnern und Sündern? 31 Und Jesus antwortete und sprach zu ihnen: Nicht die Gesunden bedürfen des Arztes, sondern die Kranken. 32 Ich bin nicht gekommen, Gerechte zu berufen, sondern Sünder zur Buße.

Vom Fasten. Gleichnisse vom neuen Flicken und vom neuen Wein   Mt 9,14-17; Mk 2,18-22

33 Sie aber sprachen zu ihm: Warum fasten die Jünger des Johannes so oft und verrichten Gebete, ebenso auch die der Pharisäer; die deinigen aber essen und trinken? 34 Und er sprach zu ihnen: Ihr könnt doch die Hochzeitsgäste nicht fasten lassen, solange der Bräutigam bei ihnen ist! 35 Es werden aber Tage kommen, da der Bräutigam von ihnen genommen sein wird; dann werden sie fasten, in jenen Tagen.

36 Er sagte aber auch ein Gleichnis zu ihnen: Niemand setzt einen Lappen von einem neuen Kleid auf ein altes Kleid; denn sonst zerreißt er auch das neue, und der Lappen vom neuen paßt nicht zu dem alten. 37 Und niemand füllt neuen Wein in alte Schläuche; denn sonst wird der neue Wein die Schläuche zerreißen, und er wird verschüttet, und die Schläuche verderben; 38 sondern neuer Wein soll in neue Schläuche gefüllt werden, so bleiben beide miteinander erhalten. 39 Und niemand,

der alten trinkt, will sogleich neuen; denn er spricht: Der alte ist besser!

Jesus ist der Herr über den Sabbat Mt 12,1-8; Mk 2,23-28

6 Es begab sich aber, daß er am zweiten Sabbat nach dem ersten durch die Kornfelder ging; und seine Jünger streiften Ähren ab, zerrieben sie mit den Händen und aßen sie. [2] Da sagten etliche von den Pharisäern zu ihnen: Warum tut ihr, was am Sabbat nicht zu tun erlaubt ist?
3 Und Jesus antwortete ihnen und sprach: Habt ihr nicht einmal gelesen, was David tat, als er und seine Gefährten hungrig waren? [4] Wie er in das Haus Gottes hineinging und die Schaubrote nahm und aß und auch seinen Gefährten davon gab, welche doch niemand essen darf als nur die Priester? [5] Und er sprach zu ihnen: Der Sohn des Menschen ist Herr auch über den Sabbat.

Der Mann mit der verdorrten Hand Mt 12,9-14; Mk 3,1-6

6 Es begab sich aber auch an einem anderen Sabbat, daß er in eine Synagoge ging und lehrte; und dort war ein Mensch, dessen rechte Hand verdorrt war. [7] Aber die Schriftgelehrten und Pharisäer lauerten ihm auf, ob er am Sabbat heilen würde, um einen Grund zur Anklage gegen ihn zu finden. [8] Er aber kannte ihre Gedanken und sprach zu dem Menschen, der die verdorrte Hand hatte: Steh auf und stelle dich in die Mitte! Da stand er auf und stellte sich dorthin.
9 Da sprach Jesus nun zu ihnen: Ich will euch etwas fragen: Darf man am Sabbat Gutes tun oder Böses tun, das Leben retten oder verderben? [10] Und indem er sie alle ringsumher ansah, sprach er zu dem Menschen: Strecke deine Hand aus! Der aber tat es, und seine Hand wurde wieder gesund wie die andere.
11 Sie aber wurden ganz unsinnig und besprachen sich miteinander, was sie Jesus antun könnten.

Die Wahl der zwölf Apostel Mk 3,13-19

12 Es geschah aber in jenen Tagen, daß er hinausging auf den Berg, um zu beten, und er verharrte die Nacht hindurch im Gebet zu Gott. [13] Und als es Tag wurde, rief er seine Jünger zu sich und erwählte aus ihnen zwölf, die er auch Apostel nannte: [14] Simon, den er auch Petrus nannte, und dessen Bruder Andreas, Jakobus und Johannes, Philippus und Bartholomäus, [15] Matthäus und Thomas, Jakobus, den Sohn des Alphäus, und

Simon, genannt Zelotes, ¹⁶ Judas, den Sohn des Jakobus, und Judas Ischariot, der auch zum Verräter wurde.

Jesu Wirken in Galiläa   Mt 4,23-25

17 Und er stieg mit ihnen hinab und stellte sich auf einen ebenen Platz mit einer Menge seiner Jünger und einer großen Menge Volkes aus ganz Judäa und von Jerusalem und von der Meeresküste von Tyrus und Sidon, die gekommen waren, um ihn zu hören und geheilt zu werden von ihren Krankheiten; ¹⁸ und die, welche von unreinen Geistern geplagt waren, wurden geheilt. ¹⁹ Und die ganze Volksmenge suchte ihn anzurühren, denn Kraft ging von ihm aus und heilte alle.

Seligpreisungen und Weherufe   Mt 5,1-12

20 Und er hob seine Augen auf über seine Jünger und sprach: Glückselig seid ihr Armen, denn das Reich Gottes ist euer! ²¹ Glückselig seid ihr, die ihr jetzt hungert, denn ihr sollt gesättigt werden! Glückselig seid ihr, die ihr jetzt weint, denn ihr werdet lachen! ²² Glückselig seid ihr, wenn euch die Menschen hassen, und wenn sie euch ausschließen und schmähen und euren Namen als einen lasterhaften verwerfen um des Menschensohnes willen. ²³ Freut euch an jenem Tag und hüpft! Denn siehe, euer Lohn ist groß im Himmel. Denn ebenso haben ihre Väter den Propheten getan.
24 Aber wehe euch, ihr Reichen, denn ihr habt euren Trost dahin! ²⁵ Wehe euch, die ihr satt seid; denn ihr werdet hungern! Wehe euch, die ihr jetzt lacht, denn ihr werdet trauern und weinen! ²⁶ Wehe euch, wenn alle Leute gut von euch reden! Denn ebenso haben es ihre Väter mit den falschen Propheten gemacht.

Liebe zu den Feinden   Mt 5,38-48

27 Euch aber, die ihr hört, sage ich: Liebt eure Feinde, tut wohl denen, die euch hassen; ²⁸ segnet, die euch fluchen, und bittet für die, welche euch beleidigen! ²⁹ Dem, der dich auf die eine Backe schlägt, biete auch die andere dar, und dem, der dir den Mantel nimmt, verweigere auch das Hemd nicht. ³⁰ Gib aber jedem, der dich bittet, und von dem, der dir das Deine nimmt, fordere es nicht zurück. ³¹ Und wie ihr wollt, daß euch die Leute tun sollen, so tut auch ihr ihnen gleicherweise.
32 Und wenn ihr die liebt, die euch lieben, was für einen Dank erwartet ihr dafür? Denn auch die Sünder lieben die, welche sie lieben. ³³ Und wenn ihr denen Gutes tut, die euch Gutes tun, was für einen Dank erwartet ihr dafür? Denn auch die Sünder

tun dasselbe. [34] Und wenn ihr denen leiht, von welchen ihr wieder zu empfangen hofft, was für einen Dank erwartet ihr dafür? Denn auch die Sünder leihen den Sündern, um das Gleiche wieder zu empfangen. [35] Vielmehr liebt eure Feinde und tut Gutes und leiht, ohne etwas dafür zu erhoffen; so wird euer Lohn groß sein, und ihr werdet Söhne des Höchsten sein; denn er ist gütig gegen die Undankbaren und Bösen. [36] Darum seid nun barmherzig, wie auch euer Vater barmherzig ist.

Warnung vor dem Richten Mt 7,1-5

37 Und richtet nicht, so werdet ihr nicht gerichtet; verurteilt nicht, so werdet ihr nicht verurteilt; sprecht los, so werdet ihr losgesprochen werden! [38] Gebt, so wird euch gegeben werden; ein gutes, vollgedrücktes und gerütteltes und überfließendes Maß wird man in euren Schoß schütten. Denn mit demselben Maß, mit dem ihr meßt, wird euch wieder gemessen werden.

39 Er sagte ihnen aber ein Gleichnis: Kann auch ein Blinder einen Blinden führen? Werden nicht beide in die Grube fallen?

40 Der Jünger ist nicht über seinem Meister; jeder aber, der vollendet ist, wird so sein wie sein Meister.

41 Was siehst du aber den Splitter im Auge deines Bruders, und den Balken in deinem eigenen Auge bemerkst du nicht? [42] Oder wie kannst du zu deinem Bruder sagen: Bruder, halt, ich will den Splitter herausziehen, der in deinem Auge ist! – während du doch den Balken in deinem Auge nicht siehst? Du Heuchler, zieh zuerst den Balken aus deinem Auge, und dann wirst du klar sehen, um den Splitter herauszuziehen, der im Auge deines Bruders ist!

Der Baum und die Früchte Mt 7,16-20

43 Denn es gibt keinen guten Baum, der schlechte Frucht bringt, noch einen schlechten Baum, der gute Frucht bringt. [44] Denn jeder Baum wird an seiner Frucht erkannt; denn von Dornen sammelt man keine Feigen, und vom Dornbusch liest man keine Trauben. [45] Der gute Mensch bringt aus dem guten Schatz seines Herzens das Gute hervor, und der böse Mensch bringt aus dem bösen Schatz seines Herzens das Böse hervor. Denn wovon das Herz voll ist, davon redet der Mund.

Der kluge und der törichte Baumeister Mt 7,21-29

46 Was nennt ihr mich aber »Herr, Herr« und tut nicht, was ich sage?

47 Jeder, der zu mir kommt und meine Worte hört und sie tut –
ich will euch zeigen, wem er gleich ist. **48** Er ist einem Menschen gleich, der ein Haus baute und dazu tief grub und den
Grund auf den Felsen legte. Als nun eine Überschwemmung
entstand, da brandete der Strom gegen dieses Haus und konnte
es nicht erschüttern, weil es auf den Felsen gegründet war.
49 Wer aber hört und nicht tut, der ist einem Menschen gleich,
der ein Haus auf das Erdreich baute, ohne den Grund zu legen;
und der Strom brandete gegen dasselbe, und es fiel sofort, und
der Zusammenbruch dieses Hauses war groß.

Der Hauptmann von Kapernaum   Mt 8,5-13

7 Nachdem er aber vor den Ohren des Volkes alle seine Reden
beendet hatte, ging er hinein nach Kapernaum. **2** Und ein
Knecht eines Hauptmanns, den jener schätzte, lag krank und
war am Sterben. **3** Als er aber von Jesus hörte, sandte er Älteste
der Juden zu ihm mit der Bitte, er möge kommen und seinen
Knecht retten. **4** Als diese zu Jesus kamen, baten sie ihn eindringlich und sprachen: Er ist es wert, daß du ihm dies gewährst; **5** denn er hat unser Volk lieb, und er hat uns die Synagoge erbaut.
6 Da ging Jesus mit ihnen hin. Und als er schon nicht mehr fern
von dem Haus war, schickte der Hauptmann Freunde zu ihm
und ließ ihm sagen: Herr, bemühe dich nicht; denn ich bin
nicht wert, daß du unter mein Dach kommst! **7** Darum hielt ich
auch mich selbst nicht für würdig, zu dir zu kommen; sondern
sprich nur ein Wort, so wird mein Knecht gesund! **8** Denn auch
ich bin ein Mensch, der einem Kommando untersteht, und
habe Kriegsknechte unter mir; und wenn ich zu diesem sage:
Geh hin!, so geht er; und zu einem anderen: Komm her!, so
kommt er; und zu meinem Knecht: Tu das!, so tut er's.
9 Als Jesus das hörte, verwunderte er sich über ihn und wandte
sich um und sprach zu der Menge, die ihm nachfolgte: Ich sage
euch: Einen so großen Glauben habe ich in Israel nicht gefunden! **10** Und als die Abgesandten in das Haus zurückkamen,
fanden sie den kranken Knecht gesund.

Die Auferweckung des Jünglings von Nain

11 Und es begab sich am folgenden Tag, daß er in eine Stadt namens Nain ging, und mit ihm zogen viele seiner Jünger und
eine große Volksmenge. **12** Wie er sich aber dem Stadttor näherte, siehe, da wurde ein Toter herausgetragen, der einzige
Sohn seiner Mutter, und sie war eine Witwe; und viele Leute

aus der Stadt begleiteten sie. ¹³ Und als der Herr sie sah, erbarmte er sich über sie und sprach zu ihr: Weine nicht! ¹⁴ Und er trat hinzu und rührte den Sarg an; die Träger aber standen still. Und er sprach: Jüngling, ich sage dir: Steh auf! ¹⁵ Und der Tote setzte sich auf und fing an zu reden; und er gab ihn seiner Mutter.

16 Da wurden sie alle von Furcht ergriffen und priesen Gott und sprachen: Ein großer Prophet ist unter uns aufgestanden, und Gott hat sein Volk heimgesucht! ¹⁷ Und dieses Wort über ihn verbreitete sich in ganz Judäa und in der ganzen Umgegend.

Jesus und Johannes der Täufer   Mt 11,2-19

18 Und die Jünger des Johannes berichteten ihm über all diese Dinge. Und Johannes rief zwei seiner Jünger zu sich, ¹⁹ sandte sie zu Jesus und ließ ihn fragen: Bist du es, der da kommen soll, oder sollen wir auf einen anderen warten? ²⁰ Als nun die Männer zu ihm kamen, sprachen sie: Johannes der Täufer hat uns zu dir gesandt und läßt dich fragen: Bist du es, der da kommen soll, oder sollen wir auf einen anderen warten? ²¹ Zu derselben Stunde aber heilte er viele von Krankheiten und Plagen und bösen Geistern und schenkte vielen Blinden das Augenlicht.

22 Und Jesus antwortete und sprach zu ihnen: Geht hin und verkündet dem Johannes, was ihr gesehen und gehört habt: Blinde werden sehend, Lahme gehen, Aussätzige werden rein, Taube hören, Tote werden auferweckt, Armen wird das Evangelium verkündigt. ²³ Und glückselig ist, wer nicht Anstoß nimmt an mir!

24 Und als die Boten des Johannes weggegangen waren, fing er an, zu der Volksmenge über Johannes zu reden: Was seid ihr in die Wüste hinausgegangen zu sehen? Ein Rohr, das vom Wind bewegt wird? ²⁵ Oder was seid ihr hinausgegangen zu sehen? Einen Menschen, mit weichen Kleidern bekleidet? Siehe, die in herrlicher Kleidung und Üppigkeit leben, sind an den königlichen Höfen! ²⁶ Oder was seid ihr hinausgegangen zu sehen? Einen Propheten? Ja, ich sage euch, einen, der mehr ist als ein Prophet!

27 Dieser ist's, von dem geschrieben steht: *Siehe, ich sende meinen Boten vor deinem Angesicht her, der deinen Weg vor dir bereiten soll.* ²⁸ Denn ich sage euch: Unter denen, die von Frauen geboren sind, ist kein größerer Prophet als Johannes der Täufer; doch der Kleinste im Reich Gottes ist größer als er.

29 Und alles Volk, das ihn hörte, und die Zöllner gaben Gott

recht, indem sie sich taufen ließen mit der Taufe des Johannes; [30] die Pharisäer aber und die Gesetzesgelehrten verwarfen den Rat Gottes, sich selbst zum Schaden, indem sie sich nicht von ihm taufen ließen.

31 Und der Herr sprach: Wcm soll ich nun die Menschen dieses Geschlechts vergleichen? Und wem sind sie gleich? [32] Sie sind Kindern gleich, die am Markt sitzen und einander zurufen und sprechen: Wir haben euch aufgespielt, und ihr habt nicht getanzt; wir haben euch Klagelieder gesungen, und ihr habt nicht geweint! [33] Denn Johannes der Täufer ist gekommen, der aß kein Brot und trank keinen Wein; da sagt ihr: Er hat einen Dämon! [34] Der Sohn des Menschen ist gekommen, der ißt und trinkt; da sagt ihr: Siehe, wie ist der Mensch ein Fresser und Weinsäufer, ein Freund der Zöllner und Sünder! [35] Und doch ist die Weisheit gerechtfertigt worden von allen ihren Kindern.

Die Salbung Jesu im Haus des Pharisäers

36 Es bat ihn aber cincr dcr Pharisäer, mit ihm zu essen. Und er ging in das Haus des Pharisäers und setzte[a] sich zu Tisch. [37] Und siehe, eine Frau war in der Stadt, eine Sünderin; als sie vernahm, daß er in dem Haus des Pharisäers zu Tisch war, da brachte sie eine alabasterne Flasche voll Salböl, [38] und sie trat hinten zu seinen Füßen, weinte und fing an, seine Füße mit Tränen zu benetzen; und sie trocknete sie mit den Haaren ihres Hauptes, küßte seine Füße und salbte sie mit der Salbe.

39 Als aber der Pharisäer, der ihn eingeladen hatte, das sah, sprach er bei sich selbst: Wenn dieser ein Prophet wäre, so wüßte er doch, wer und was für eine Frau das ist, die ihn anrührt, daß sie eine Sünderin ist! [40] Da antwortete Jesus und sprach zu ihm: Simon, ich habe dir etwas zu sagen. Er sprach: Meister, sprich!

41 Ein Gläubiger hatte zwei Schuldner. Der eine war fünfhundert Denare schuldig, der andere fünfzig. [42] Da sie aber nichts hatten, um zu bezahlen, schenkte er es beiden. Sage mir: Welcher von ihnen wird ihn nun am meisten lieben? [43] Simon aber antwortete und sprach: Ich vermute der, dem er am meisten geschenkt hat. Und er sprach zu ihm: Du hast richtig geurteilt!

44 Und indem er sich zu der Frau wandte, sprach er zu Simon: Siehst du diese Frau? Ich bin in dein Haus gekommen, und du

---

a. (7,36) w. *legte;* die Gäste lagen mit halb aufgerichtetem Oberkörper, auf Kissen gestützt, um einen halbhohen Tisch.

hast mir kein Wasser für meine Füße gegeben; sie aber hat
meine Füße mit Tränen benetzt und mit den Haaren ihres
Hauptes getrocknet. [45] Du hast mir keinen Kuß gegeben; sie
aber hat, seit sie hereingekommen ist, nicht aufgehört, meine
Füße zu küssen. [46] Du hast mein Haupt nicht mit Öl gesalbt, sie
aber hat meine Füße mit Salbe gesalbt. [47] Darum sage ich dir:
Ihre vielen Sünden sind vergeben worden, denn sie hat viel
Liebe erwiesen; wem aber wenig vergeben wird, der liebt wenig.

48 Und er sprach zu ihr: Dir sind deine Sünden vergeben! [49] Da
fingen die Tischgenossen an, bei sich selbst zu sagen: Wer ist
dieser, der sogar Sünden vergibt? [50] Er aber sprach zu der Frau:
Dein Glaube hat dich gerettet; geh hin in Frieden!

Die dienenden Frauen in der Begleitung Jesu

8 Und es begab sich danach, daß er durch Städte und Dörfer
reiste, wobei er das Evangelium vom Reich Gottes verkündigte; und die Zwölf waren mit ihm [2] und etliche Frauen, die
von bösen Geistern und Krankheiten geheilt worden waren:
Maria, genannt Magdalena, von der sieben Dämonen ausgefahren waren, [3] und Johanna, die Frau Chusas, eines Verwal-
ters des Herodes, und Susanna und viele andere, die ihm dienten mit ihrer Habe.

Das Gleichnis vom Sämann   Mt 13,3-9; Mk 4,3-9

4 Als nun eine große Menge zusammenkam und sie aus den
Städten zu ihm zogen, sprach er in einem Gleichnis: [5] Der Sämann ging aus, um seinen Samen zu säen. Und als er säte, fiel
etliches an den Weg und wurde zertreten, und die Vögel des
Himmels fraßen es auf. [6] Und anderes fiel auf den Felsen; und
als es aufwuchs, verdorrte es, weil es keine Feuchtigkeit hatte.
[7] Und anderes fiel mitten unter die Dornen; und die Dornen,
die mit ihm aufwuchsen, erstickten es. [8] Und anderes fiel auf
das gute Erdreich und wuchs auf und brachte hundertfältige
Frucht. Und als er das sagte, rief er: Wer Ohren hat zu hören,
der höre!

Der Grund für die Gleichnisreden   Mt 13,10-17; Mk 4,10-12

9 Da fragten ihn seine Jünger und sprachen: Was mag dieses
Gleichnis bedeuten? [10] Er aber sprach: Euch ist es gegeben, die
Geheimnisse des Reiches Gottes zu erkennen, den anderen
aber in Gleichnissen, damit sie sehen und doch nicht sehen
und hören und doch nicht verstehen.

Die Deutung des Gleichnisses vom Sämann Mt 13,18-23

11 Das Gleichnis aber bedeutet dies: Der Same ist das Wort Gottes. 12 Die am Weg sind die, welche es hören; danach kommt der Teufel und nimmt das Wort von ihren Herzen weg, damit sie nicht zum Glauben gelangen und gerettet werden. 13 Die aber auf dem Felsen sind die, welche das Wort, wenn sie es hören, mit Freuden aufnehmen; aber sie haben keine Wurzel; sie glauben nur eine Zeitlang, und zur Zeit der Anfechtung fallen sie ab. 14 Was aber unter die Dornen fiel, das sind die, welche es gehört haben; aber sie gehen hin und werden von Sorgen und Reichtum und Vergnügungen des Lebens erstickt und bringen die Frucht nicht zur Reife. 15 Das in dem guten Erdreich aber sind die, welche das Wort, das sie gehört haben, in einem feinen und guten Herzen behalten und Frucht bringen in Geduld.

Das Licht auf dem Leuchter Mt 5,15-16; Mk 4,21-24; Lk 11,33-36

16 Niemand aber, der ein Licht anzündet, bedeckt es mit einem Gefäß oder stellt es unter ein Bett, sondern er setzt es auf einen Leuchter, damit die, welche hereinkommen, das Licht sehen. 17 Denn nichts ist verborgen, das nicht offenbar werden wird, und nichts ist geheim, das nicht bekannt werden und an den Tag kommen wird. 18 So seht nun darauf, wie ihr hört! Denn wer da hat, dem wird gegeben; und wer nicht hat, von dem wird auch das genommen werden, was er zu haben meint.

Die wahren Verwandten Jesu Mt 12,46-50; Mk 3,31-35

19 Es kamen aber seine Mutter und seine Brüder zu ihm, und sie konnten wegen der Volksmenge nicht zu ihm gelangen. 20 Und man berichtete es ihm und sagte: Deine Mutter und deine Brüder stehen draußen und wollen dich sehen! 21 Er aber antwortete und sprach zu ihnen: Meine Mutter und meine Brüder sind die, welche das Wort Gottes hören und es tun!

Jesus stillt den Sturm Mt 8,23-27; Mk 4,35-41

22 Und es geschah an einem der Tage, daß er und seine Jünger in ein Schiff stiegen; und er sprach zu ihnen: Laßt uns ans andere Ufer des Sees fahren! Und sie fuhren ab. 23 Auf der Fahrt aber schlief er ein. Und es fiel ein Sturmwind auf den See, und [das Schiff] füllte sich, und sie waren in Gefahr. 24 Da traten sie hinzu, weckten ihn auf und sprachen: Meister, Meister, wir kommen um! Er aber stand auf und gebot dem Wind und den

Wasserwogen; und sie legten sich, und es wurde still. [25] Da
sprach er zu ihnen: Wo ist euer Glaube? Sie aber fürchteten und
verwunderten sich und sprachen zueinander: Wer ist doch dieser, daß er auch den Winden und dem Wasser befiehlt und sie
ihm gehorsam sind?

Heilung eines Besessenen Mt 8,28-34; Mk 5,1-20

26 Und sie fuhren in das Gebiet der Gadarener, das Galiläa ge-
genüberliegt. [27] Und als er ans Land gestiegen war, kam ihm
ein Besessener aus der Stadt entgegen, der seit langer Zeit Dämonen hatte und keine Kleider mehr trug und sich auch in keinem Haus aufhielt, sondern in den Gräbern. [28] Als er aber Jesus
sah, schrie er, warf sich vor ihm nieder und sprach mit lauter
Stimme: Was habe ich mit dir zu tun, Jesus, du Sohn Gottes, des
Höchsten? Ich bitte dich, quäle mich nicht! [29] Denn Er hatte
dem unreinen Geist geboten, von dem Menschen auszufahren;
denn der hatte ihn schon lange Zeit in seiner Gewalt, und man
hatte ihn mit Ketten gebunden und mit Fußfesseln verwahrt,
aber er zerriß die Fesseln und wurde von dem Dämon in die
Einöde getrieben.

30 Jesus aber fragte ihn und sprach: Wie heißt du? Er sprach:
Legion! Denn viele Dämonen waren in ihn gefahren. [31] Und er
bat ihn, er möge ihnen nicht befehlen, in den Abgrund zu
fahren. [32] Es war aber dort eine große Schweineherde an dem
Berg zur Weide, und sie baten ihn, daß er ihnen erlaube, in jene
zu fahren. Und er erlaubte es ihnen. [33] Da fuhren die Dämonen
von dem Menschen aus und fuhren in die Schweine, und
die Herde stürzte sich den Abhang hinunter in den See und er-
trank.

34 Als aber die Hirten sahen, was geschehen war, flohen sie
und gingen hin und verkündigten es in der Stadt und auf dem
Land. [35] Da gingen sie hinaus, um zu sehen, was geschehen
war, und kamen zu Jesus und fanden den Menschen, von dem
die Dämonen ausgefahren waren, bekleidet und vernünftig zu
den Füßen Jesu sitzen, und sie fürchteten sich. [36] Die aber, welche es gesehen hatten, erzählten ihnen, wie der Besessene gerettet worden war. [37] Da bat ihn die ganze Volksmenge aus der
umliegenden Gegend der Gadarener, von ihnen wegzugehen;
denn es hatte sie eine große Furcht ergriffen. Er aber stieg in
das Schiff und kehrte zurück.

38 Der Mann aber, von dem die Dämonen ausgefahren waren,
bat ihn, daß er bei ihm bleiben dürfe. Aber Jesus entließ ihn
und sprach: [39] Kehre zurück in dein Haus und erzähle, was

Gott dir Großes getan hat! Und er ging und verkündigte in der ganzen Stadt, was Jesus ihm Großes getan hatte.

Die Heilung einer blutflüssigen Frau. Die Auferweckung der Tochter des Jairus Mt 9,18-26; Mk 5,22-43

40 Als Jesus zurückkam, begab es sich aber, daß ihn die Volksmenge empfing; denn sie warteten alle auf ihn. 41 Und siehe, es kam ein Mann namens Jairus, der war ein Oberster der Synagoge; und er warf sich Jesus zu Füßen und bat ihn, in sein Haus zu kommen. 42 Denn er hatte eine einzige Tochter von etwa zwölf Jahren, und diese lag im Sterben. Als er aber hinging, bedrängte ihn die Volksmenge.

43 Und eine Frau, die seit zwölf Jahren den Blutfluß gehabt und all ihr Gut an die Ärzte gewandt hatte, aber von keinem geheilt werden konnte, 44 trat von hinten herzu und rührte den Saum seines Gewandes an; und auf der Stelle kam ihr Blutfluß zum Stehen.

45 Und Jesus fragte: Wer hat mich angerührt? Als es nun alle bestritten, sprachen Petrus und die mit ihm waren: Meister, die Volksmenge drückt und drängt dich, und du sprichst: Wer hat mich angerührt? 46 Jesus aber sprach: Es hat mich jemand angerührt; denn ich habe erkannt, wie eine Kraft von mir ausging! 47 Als nun die Frau sah, daß sie nicht unbemerkt geblieben war, kam sie zitternd, fiel vor ihm nieder und erzählte ihm vor dem ganzen Volk, aus welchem Grund sie ihn angerührt habe und wie sie auf der Stelle gesund geworden sei. 48 Er aber sprach zu ihr: Sei getrost, meine Tochter! Dein Glaube hat dich gerettet; geh hin in Frieden!

49 Während er noch redet, kommt jemand vom Synagogenvorsteher und spricht zu ihm: Deine Tochter ist gestorben; bemühe den Meister nicht! 50 Da es aber Jesus hörte, antwortete er ihm und sprach: Fürchte dich nicht; glaube nur, so wird sie gerettet werden!

51 Und als er in das Haus kam, ließ er niemand hineingehen als Petrus und Jakobus und Johannes sowie den Vater und die Mutter des Kindes. 52 Sie weinten aber alle und beklagten sie. Er aber sprach: Weint nicht! Sie ist nicht gestorben, sondern sie schläft. 53 Und sie lachten ihn aus, weil sie wußten, daß sie gestorben war. 54 Er aber trieb sie alle hinaus und ergriff ihre Hand und rief: Kind, steh auf! 55 Und ihr Geist kehrte wieder, und sie stand augenblicklich auf; und er befahl, ihr zu essen zu geben. 56 Und ihre Eltern gerieten außer sich; er aber gebot ihnen, niemand zu sagen, was geschehen war.

Die Aussendung der zwölf Apostel　Mk 6,7-13; Mt 10,1-16

9 Er rief aber seine zwölf Jünger zusammen und gab ihnen Kraft und Vollmacht über alle Dämonen und zur Heilung von Krankheiten; ²und er sandte sie aus, das Reich Gottes zu verkündigen und die Kranken zu heilen. ³Und er sprach zu ihnen: Nehmt nichts auf den Weg, weder Stäbe noch Tasche, weder Brot noch Geld; auch soll einer nicht zwei Hemden haben. ⁴Und wo immer ihr in ein Haus eintretet, da bleibt, und von da zieht weiter. ⁵Und wo man euch nicht aufnehmen wird, da geht fort aus jener Stadt und schüttelt auch den Staub von euren Füßen, zum Zeugnis gegen sie.
6 Und sie gingen aus und durchzogen die Dörfer, verkündigten das Evangelium und heilten überall.

Die Frage des Herodes　Mt 14,1-2; Mk 6,14-16

7 Aber der Vierfürst Herodes hörte alles, was durch ihn geschah; und er geriet in Verlegenheit, weil von etlichen gesagt wurde, Johannes sei aus den Toten auferstanden, ⁸von etlichen aber, Elia sei erschienen, und von anderen, einer der alten Propheten sei auferstanden. ⁹Und Herodes sprach: Johannes habe ich enthauptet; wer ist aber der, von welchem ich dies höre? Und er wünschte ihn zu sehen.

Die Speisung der Fünftausend　Mt 14,13-21; Mk 6,30-44; Joh 6,1-14

10 Und die Apostel kehrten zurück und erzählten ihm alles, was sie getan hatten. Und er nahm sie zu sich und zog sich zurück an einen einsamen Ort bei der Stadt, die Bethsaida heißt. ¹¹Als aber die Volksmenge es erfuhr, folgten sie ihm nach; und er nahm sie auf und redete zu ihnen vom Reich Gottes, und die, welche Heilung brauchten, machte er gesund.
12 Aber der Tag fing an, sich zu neigen; und die Zwölf traten herzu und sprachen zu ihm: Entlasse das Volk, damit sie in die Dörfer und die Höfe hingehen und einkehren und Speise finden; denn wir sind hier an einem einsamen Ort.
13 Er aber sprach zu ihnen: Gebt ihr ihnen zu essen! Sie sprachen: Wir haben nicht mehr als fünf Brote und zwei Fische; oder sollen wir hingehen und für diese ganze Menge Speise kaufen? ¹⁴Denn es waren etwa fünftausend Männer. Er sprach aber zu seinen Jüngern: Laßt sie sich gruppenweise setzen, je fünfzig und fünfzig. ¹⁵Und sie machten es so und ließen alle sich setzen.
16 Und er nahm die fünf Brote und die zwei Fische, blickte zum Himmel auf und segnete sie; und er brach sie und gab sie den

Jüngern, damit diese sie der Menge austeilten. [17] Und sie aßen und wurden alle satt; und es wurde aufgehoben, was ihnen von den Stücken übrigblieb, zwölf Körbe voll.

Das Bekenntnis des Petrus. Die erste Ankündigung von Jesu Tod und Auferstehung   Mt 16,13-21; Mk 8,27-31

18 Und es begab sich, als er für sich allein betete und die Jünger bei ihm waren, fragte er sie und sprach: Für wen halten mich die Leute? [19] Sie antworteten und sprachen: Für Johannes den Täufer; andere aber für Elia; und andere [sagen], einer der alten Propheten sei auferstanden. [20] Da sprach er zu ihnen: Ihr aber, für wen haltet ihr mich? Da antwortete Petrus und sprach: Für den Christus Gottes!

21 Er aber ermahnte sie ernstlich und gebot ihnen, dies niemand zu sagen, [22] indem er sprach: Der Sohn des Menschen muß viel leiden und verworfen werden von den Ältesten und Hohenpriestern und Schriftgelehrten und getötet werden und am dritten Tag auferstehen.

Über die Nachfolge   Mt 16,24-28; Mk 8,34-9,1

23 Er sprach aber zu allen: Wenn jemand mir nachkommen will, so verleugne er sich selbst und nehme sein Kreuz auf sich täglich und folge mir nach. [24] Denn wer seine Seele retten will, der wird sie verlieren; wer aber seine Seele verliert um meinetwillen, der wird sie retten. [25] Denn was hilft es einem Menschen, wenn er die ganze Welt gewinnt, aber sich selbst verliert oder schädigt? [26] Denn wer sich meiner und meiner Worte schämt, dessen wird sich auch der Sohn des Menschen schämen, wenn er kommen wird in seiner Herrlichkeit und der des Vaters und der heiligen Engel. [27] Ich sage euch aber in Wahrheit: Es sind etliche unter denen, die hier stehen, welche den Tod nicht schmecken werden, bis sie das Reich Gottes sehen.

Die Verklärung Jesu   Mt 17,1-9; Mk 9,2-9

28 Es geschah aber ungefähr acht Tage nach diesen Worten, daß er Petrus und Johannes und Jakobus zu sich nahm und auf den Berg stieg, um zu beten. [29] Und während er betete, wurde das Aussehen seines Angesichts anders und sein Gewand strahlend weiß. [30] Und siehe, zwei Männer redeten mit ihm, das waren Mose und Elia; [31] die erschienen in Herrlichkeit und redeten von seinem Ausgang, den er in Jerusalem erfüllen sollte.

32 Petrus aber und seine Gefährten waren vom Schlaf über-

mannt. Als sie aber erwachten, sahen sie seine Herrlichkeit und die zwei Männer, die bei ihm standen. ³³ Und es begab sich, als diese von ihm scheiden wollten, sprach Petrus zu Jesus: Meister, es ist gut, daß wir hier sind; so laß uns drei Hütten bauen, dir eine, Mose eine und Elia eine. Und er wußte nicht, was er sagte.

34 Während er aber dies redete, kam eine Wolke und überschattete sie. Sie fürchteten sich aber, als jene in die Wolke hineinkamen. ³⁵ Und eine Stimme kam aus der Wolke, die sprach: Dies ist mein geliebter Sohn; auf ihn sollt ihr hören! ³⁶ Und während die Stimme kam, fand es sich, daß Jesus allein war. Und sie schwiegen und sagten in jenen Tagen niemand etwas von dem, was sie gesehen hatten.

Heilung eines besessenen Knaben Mt 17,14-21; Mk 9,14-29

37 Es begab sich aber am folgenden Tag, als sie den Berg hinunterstiegen, daß ihm eine große Menge entgegenkam. ³⁸ Und siehe, ein Mann aus der Volksmenge rief und sprach: Meister, ich bitte dich, sieh doch meinen Sohn an, denn er ist mein einziger! ³⁹ Und siehe, ein Geist ergreift ihn, und plötzlich schreit er, und er zerrt ihn hin und her, daß er schäumt, und will kaum von ihm weichen, ohne ihn gänzlich aufzureiben. ⁴⁰ Und ich habe deine Jünger gebeten, ihn auszutreiben, aber sie konnten es nicht.

41 Da antwortete Jesus und sprach: O du ungläubiges und verkehrtes Geschlecht! Wie lange soll ich bei euch sein und euch ertragen? Bring deinen Sohn hierher! ⁴² Und noch während er auf ihn zukam, warf der Dämon ihn nieder und zerrte ihn. Aber Jesus bedrohte den unreinen Geist und machte den Knaben gesund und gab ihn seinem Vater wieder.

Die zweite Ankündigung von Jesu Leiden Mt 17,22-23; Mk 9,30-32

43 Es erstaunten aber alle über die große Macht Gottes. Als sich nun alle verwunderten über alles, was Jesus tat, sprach er zu seinen Jüngern: ⁴⁴ Laßt diese Worte in eure Ohren dringen: Der Sohn des Menschen wird in die Hände der Menschen ausgeliefert werden! ⁴⁵ Sie aber verstanden das Wort nicht, und es war vor ihnen verborgen, so daß sie es nicht begriffen; und sie fürchteten sich, ihn wegen dieses Wortes zu fragen.

Der Größte im Reich Gottes Mt 18,1-6; Mk 9,33-42

46 Es schlich sich aber der Gedanke bei ihnen ein, wer wohl der Größte unter ihnen sei. ⁴⁷ Da nun Jesus die Gedanken ihres Herzens sah, nahm er ein Kind, stellte es neben sich und

sprach zu ihnen: [48] Wer dieses Kind aufnimmt in meinem Namen, der nimmt mich auf; und wer mich aufnimmt, der nimmt den auf, der mich gesandt hat. Denn wer der Geringste ist unter euch allen, der wird groß sein!

49 Johannes aber antwortete und sprach: Meister, wir sahen jemand, der in deinem Namen die Dämonen austrieb, und wir wehrten es ihm, weil er [dir] nicht mit uns nachfolgt. [50] Und Jesus sprach: Wehrt ihm nicht! Denn wer nicht gegen uns ist, der ist für uns.

Jesus in Samarien

51 Es geschah aber, als sich die Tage seines Heimgangs erfüllten und er sein Angesicht nach Jerusalem richtete, um dorthin zu reisen, [52] da sandte er Boten vor sich her. Diese kamen auf ihrer Reise in ein Samariterdorf und wollten ihm die Herberge bereiten. [53] Aber man nahm ihn nicht auf, weil Jerusalem sein Reiseziel war.

54 Als aber das seine Jünger Jakobus und Johannes sahen, sagten sie: Herr, wenn du willst, so wollen wir sprechen, daß Feuer vom Himmel herabfallen und sie verzehren soll, wie es auch Elia getan hat! [55] Er aber wandte sich um und ermahnte sie ernstlich und sprach: Wißt ihr nicht, welches Geistes [Kinder] ihr seid? [56] Denn der Sohn des Menschen ist nicht gekommen, um die Seelen der Menschen zu verderben, sondern zu erretten! Und sie zogen in ein anderes Dorf.

Vom Preis der Nachfolge Mt 8,19-22

57 Es begab sich aber, als sie ihre Reise fortsetzten, sprach einer auf dem Weg zu ihm: Herr, ich will dir nachfolgen, wohin du auch gehst! [58] Und Jesus sprach zu ihm: Die Füchse haben Gruben, und die Vögel des Himmels haben Nester; aber der Sohn des Menschen hat nichts, wo er sein Haupt hinlegen kann.

59 Er sagte aber zu einem anderen: Folge mir nach! Der sprach: Herr, erlaube mir, zuvor hinzugehen und meinen Vater zu begraben! [60] Jesus aber sprach zu ihm: Laß die Toten ihre Toten begraben; du aber geh hin und verkündige das Reich Gottes!

61 Es sprach aber auch ein anderer: Herr, ich will dir nachfolgen; zuvor aber erlaube mir, von denen, die in meinem Hause sind, Abschied zu nehmen! [62] Jesus aber sprach zu ihm: Niemand, der seine Hand an den Pflug legt und zurückblickt, ist tauglich für das Reich Gottes!

Die Aussendung der siebzig Jünger

10 Danach aber bestimmte der Herr noch siebzig andere und sandte sie je zwei und zwei vor sich her in alle Städte und Orte, wohin er selbst kommen wollte. ²Er sprach nun zu ihnen: Die Ernte ist groß, aber es sind wenig Arbeiter. Darum bittet den Herrn der Ernte, daß er Arbeiter in seine Ernte sende! ³Geht hin! Siehe, ich sende euch wie Lämmer mitten unter die Wölfe. ⁴Tragt weder Beutel noch Tasche noch Schuhe und grüßt niemand auf dem Weg.

5 Wo ihr aber in ein Haus hineingeht, da sprecht zuerst: Friede diesem Haus! ⁶Und wenn dort ein Sohn des Friedens ist, so wird euer Friede auf ihm ruhen, wenn aber nicht, so wird er zu euch zurückkehren. ⁷In demselben Haus aber bleibt und eßt und trinkt, was sie haben; denn der Arbeiter ist seines Lohnes wert. Geht nicht aus einem Haus ins andere.

8 Und wo ihr in eine Stadt kommt und sie euch aufnehmen, da eßt, was euch vorgesetzt wird; ⁹und heilt die Kranken, die dort sind, und sagt zu ihnen: Das Reich Gottes ist nahe zu euch herbeigekommen!

10 Wo ihr aber in eine Stadt kommt und sie euch nicht aufnehmen, da geht auf ihre Gassen hinaus und sprecht: ¹¹Auch den Staub, der sich aus eurer Stadt an uns gehängt hat, streifen wir ab gegen euch; doch sollt ihr wissen, daß das Reich Gottes nahe zu euch herbeigekommen ist! ¹²Ich sage euch aber: Es wird Sodom an jenem Tag erträglicher gehen als dieser Stadt.

Das Wehe über die unbußfertigen Städte Mt 11,20-24

13 Wehe dir, Chorazin! Wehe dir, Bethsaida! Denn wenn in Tyrus und Sidon die Wundertaten geschehen wären, die bei euch geschehen sind, so hätten sie längst in Sack und Asche sitzend Buße getan. ¹⁴Doch es wird Tyrus und Sidon erträglicher gehen im Gericht als euch. ¹⁵Und du, Kapernaum, die du bis zum Himmel erhöht worden bist, du wirst bis zum Totenreich hinabgeworfen werden!

16 Wer euch hört, der hört mich, und wer euch verwirft, der verwirft mich; wer aber mich verwirft, der verwirft den, der mich gesandt hat.

Das große Vorrecht der Jünger

17 Die Siebzig aber kehrten mit Freuden zurück und sprachen: Herr, auch die Dämonen sind uns untertan in deinem Namen! ¹⁸Da sprach er zu ihnen: Ich sah den Satan wie einen Blitz vom Himmel fallen. ¹⁹Siehe, ich gebe euch die Vollmacht, auf

Schlangen und Skorpione zu treten, und über alle Gewalt des Feindes; und nichts wird euch in irgendeiner Weise schaden. [20] Doch nicht darüber freut euch, daß euch die Geister untertan sind; freut euch aber lieber darüber, daß eure Namen im Himmel geschrieben sind.

21 Zu derselben Stunde frohlockte Jesus im Geist und sprach: Ich preise dich, Vater, Herr des Himmels und der Erde, daß du dies den Weisen und Klugen verborgen und es den Unmündigen geoffenbart hast. Ja, Vater, denn so ist es wohlgefällig gewesen vor dir. [22] Und zu den Jüngern gewandt sagte er: Alles ist mir übergeben worden von meinem Vater; und niemand weiß, wer der Sohn ist, als nur der Vater; und wer der Vater ist, [weiß niemand] als nur der Sohn und wem der Sohn es offenbaren will.

23 Und er wandte sich zu seinen Jüngern besonders und sprach: Glückselig sind die Augen, die sehen, was ihr seht! [24] Denn ich sage euch, viele Propheten und Könige wünschten zu sehen, was ihr seht, und haben es nicht gesehen, und zu hören, was ihr hört, und haben es nicht gehört.

Das Gleichnis vom barmherzigen Samariter

25 Und siehe, ein Gesetzesgelehrter trat auf, versuchte ihn und sprach: Meister, was muß ich tun, um das ewige Leben zu erben? [26] Und er sprach zu ihm: Was steht im Gesetz geschrieben? Wie liest du? [27] Er aber antwortete und sprach: *Du sollst den Herrn, deinen Gott, lieben mit deinem ganzen Herzen und mit deiner ganzen Seele und mit deiner ganzen Kraft und mit deinem ganzen Denken, und deinen Nächsten wie dich selbst!* [28] Er sprach zu ihm: Du hast recht geantwortet; tue dies, so wirst du leben! [29] Er aber wollte sich selbst rechtfertigen und sprach zu Jesus: Und wer ist mein Nächster?

30 Da erwiderte Jesus und sprach: Es ging ein Mensch von Jerusalem nach Jericho hinab und fiel unter die Räuber; die zogen ihn aus und schlugen ihn und liefen davon und ließen ihn halbtot liegen. [31] Es traf sich aber, daß ein Priester dieselbe Straße hinabzog; und als er ihn sah, ging er auf der anderen Seite vorüber. [32] Ebenso kam auch ein Levit, der in der Gegend war, sah ihn und ging auf der anderen Seite vorüber. [33] Ein Samariter[a] aber kam auf seiner Reise in seine Nähe, und als er ihn sah, hatte er Erbarmen; [34] und er ging zu ihm hin, verband ihm die Wunden und goß Öl und Wein darauf, hob ihn auf sein eigenes Tier, führte ihn in eine Herberge und pflegte ihn. [35] Und

---

a. (10,33) d.h. ein Angehöriger eines Mischvolkes, das von den Juden verachtet wurde.

am anderen Tag, als er fortzog, gab er dem Wirt zwei Denare und sprach zu ihm: Verpflege ihn! Und was du mehr aufwendest, will ich dir bezahlen, wenn ich wiederkomme.
36 Welcher von diesen Dreien ist deiner Meinung nach nun der Nächste dessen gewesen, der unter die Räuber gefallen ist? 37 Er sprach: Der, welcher die Barmherzigkeit an ihm getan hat! Da sprach Jesus zu ihm: So geh du hin und handle ebenso!

Martha und Maria

38 Es begab sich aber, als sie weiterreisten, daß er in ein gewisses Dorf kam; und eine Frau namens Martha nahm ihn auf in ihr Haus. 39 Und diese hatte eine Schwester, welche Maria hieß; die setzte sich zu Jesu Füßen und hörte seinem Wort zu. 40 Martha aber machte sich viel zu schaffen mit der Bedienung. Und sie trat herzu und sprach: Herr, kümmerst du dich nicht darum, daß mich meine Schwester allein dienen läßt? Sage ihr doch, daß sie mir hilft! 41 Jesus aber antwortete und sprach zu ihr: Martha, Martha, du machst dir Sorge und Unruhe um vieles; 42 *eines* aber ist not. Maria aber hat das gute Teil erwählt; das soll nicht von ihr genommen werden!

Vom Beten Mt 6,9-13

11 Und es begab sich, daß er an einem Ort im Gebet war; und als er aufhörte, sprach einer seiner Jünger zu ihm: Herr, lehre uns beten, wie auch Johannes seine Jünger lehrte! 2 Da sprach er zu ihnen: Wenn ihr betet, so sprecht: Unser Vater, der du bist im Himmel, geheiligt werde dein Name! Dein Reich komme! Dein Wille geschehe wie im Himmel, so auch auf Erden. 3 Gib uns täglich unser nötiges Brot! 4 Und vergib uns unsere Sünden, denn auch wir vergeben jedem, der uns etwas schuldig ist! Und führe uns nicht in Versuchung, sondern erlöse uns von dem Bösen!

Ermutigung zum beharrlichen Gebet Mt 7,7-11; 15,22-28

5 Und er sprach zu ihnen: Wenn einer von euch einen Freund hätte und ginge zu ihm um Mitternacht und spräche zu ihm: Freund, leihe mir drei Brote; 6 denn mein Freund ist von der Reise zu mir gekommen, und ich habe nichts, was ich ihm vorsetzen kann! 7 und jener würde von innen antworten und sagen: Mache mir keine Mühe! Die Türe ist schon verschlossen, und meine Kinder sind bei mir in der Kammer; ich kann nicht aufstehen und dir etwas geben! 8 – ich sage euch: Wenn er auch nicht deswegen aufstehen und ihm geben wird, weil er sein

Freund ist, so wird er doch um seiner Unverschämtheit willen aufstehen und ihm geben, soviel er braucht.

9 Und ich sage euch: Bittet, so wird euch gegeben; sucht, so werdet ihr finden; klopft an, so wird euch aufgetan! [10] Denn jeder, der bittet, empfängt; und wer sucht, der findet; und wer anklopft, dem wird aufgetan.

11 Welcher Vater unter euch wird seinem Sohn einen Stein geben, wenn er ihn um Brot bittet? Oder wenn [er ihn] um einen Fisch [bittet], gibt er ihm statt des Fisches eine Schlange? [12] Oder auch wenn er um ein Ei bittet, wird er ihm einen Skorpion geben? [13] Wenn nun ihr, die ihr böse seid, euren Kindern gute Gaben zu geben versteht, wieviel mehr wird der Vater im Himmel den Heiligen Geist denen geben, die ihn bitten!

Jesu Macht über die bösen Geister Mt 9,32-34; 12,22-30

14 Und er trieb einen Dämon aus, und der war stumm. Es geschah aber, nachdem der Dämon ausgefahren war, redete der Stumme. Und die Volksmenge verwunderte sich. [15] Aber etliche von ihnen sprachen: Durch Beelzebul, den Obersten der Dämonen, treibt er die Dämonen aus! [16] Und andere versuchten ihn und verlangten von ihm ein Zeichen aus dem Himmel.

17 Er aber, da er ihre Gedanken kannte, sprach zu ihnen: Jedes Reich, das mit sich selbst uneins ist, wird verwüstet, und ein Haus, das gegen sich selbst ist, fällt. [18] Wenn aber auch der Satan mit sich selbst uneins ist, wie kann sein Reich bestehen? Ihr sagt ja, ich treibe die Dämonen durch Beelzebul aus. [19] Wenn ich aber die Dämonen durch Beelzebul austreibe, durch wen treiben eure Söhne sie aus? Darum werden sie eure Richter sein. [20] Wenn ich aber die Dämonen durch den Finger Gottes austreibe, so ist ja das Reich Gottes zu euch gekommen!

21 Wenn der Starke bewaffnet seinen Hof bewacht, so bleibt sein Besitztum in Frieden. [22] Wenn aber der, der stärker ist als er, über ihn kommt und ihn überwindet, so nimmt er ihm seine Waffenrüstung, auf die er sich verließ, und verteilt seine Beute.

23 Wer nicht mit mir ist, der ist gegen mich; und wer nicht mit mir sammelt, der zerstreut!

Die Rückkehr des unreinen Geistes Mt 12,43-45

24 Wenn der unreine Geist von dem Menschen ausgefahren ist, so durchzieht er wasserlose Gegenden und sucht Ruhe. Und da er sie nicht findet, spricht er: Ich will zurückkehren in mein Haus, aus dem ich weggegangen bin. [25] Und wenn er kommt, findet er es gesäubert und geschmückt. [26] Dann geht er hin

und nimmt sieben andere Geister mit sich, die bösartiger sind als er selbst, und sie ziehen ein und wohnen dort, und es wird der letzte Zustand dieses Menschen schlimmer als der erste.

27 Es begab sich aber, als er dies redete, erhob eine Frau aus der Volksmenge die Stimme und sprach zu ihm: Glückselig ist der Leib, der dich getragen hat, und die Brüste, die du gesogen hast! 28 Er aber sprach: Glückselig sind vielmehr die, die Gottes Wort hören und es bewahren!

Das Zeichen des Propheten Jona   Mt 12,38-42

29 Als aber die Volksmenge sich haufenweise herzudrängte, fing er an zu sagen: Dies ist ein böses Geschlecht! Es fordert ein Zeichen; aber es wird ihm kein Zeichen gegeben werden als das Zeichen des Propheten Jona. 30 Denn gleichwie Jona den Niniviten ein Zeichen war, so wird es auch der Sohn des Menschen diesem Geschlecht sein. 31 Die Königin des Südens wird im Gericht auftreten gegen die Männer dieses Geschlechts und sie verurteilen; denn sie kam vom Ende der Erde, um die Weisheit Salomos zu hören; und siehe, hier ist ein Größerer als Salomo! 32 Die Männer von Ninive werden im Gericht auftreten gegen dieses Geschlecht und werden es verurteilen; denn sie taten Buße auf die Verkündigung des Jona hin; und siehe, hier ist ein Größerer als Jona!

Die Leuchte des Leibes   Mt 5,15; 6,22-23; Mk 4,21-23; Lk 8,16-18

33 Niemand aber zündet ein Licht an und setzt es an einen verborgenen Ort, auch nicht unter den Scheffel, sondern auf den Leuchter, damit die Hereinkommenden den Schein sehen.

34 Das Auge ist des Leibes Leuchte. Wenn nun dein Auge lauter ist, so ist auch dein ganzer Leib licht; wenn es aber böse ist, so ist auch dein Leib finster. 35 So habe nun acht, daß das Licht in dir nicht Finsternis ist! 36 Wenn nun dein ganzer Leib licht ist, so daß er keinen finsteren Teil mehr hat, so wird er ganz hell sein, wie wenn das Licht mit seinem Strahl dich erleuchtet.

Strafrede gegen die Pharisäer und Schriftgelehrten   Mt 23,1-36

37 Und während er redete, bat ihn ein gewisser Pharisäer, bei ihm zu Mittag zu essen. Und er ging hinein und setzte sich zu Tisch. 38 Der Pharisäer aber verwunderte sich, als er sah, daß er sich vor dem Mittagsmahl nicht gewaschen hatte.

39 Da sprach der Herr zu ihm: Nun, ihr Pharisäer, ihr reinigt das Äußere des Bechers und der Schüssel, euer Inneres aber ist voll Raub und Bosheit. 40 Ihr Toren! Hat nicht der, welcher das Äu-

ßere schuf, auch das Innere gemacht? ⁴¹ Gebt nur von dem, was darin ist, Almosen, siehe, so ist euch alles rein! ⁴² Aber wehe euch Pharisäern, daß ihr die Minze und die Raute und alles Gemüse verzehntet und das Gericht und die Liebe Gottes umgeht! Dieses sollte man tun und jenes nicht lasscn. ⁴³ Wehe euch Pharisäern, daß ihr den ersten Sitz in den Synagogen und die Begrüßungen auf den Märkten liebt! ⁴⁴ Wehe euch, ihr Schriftgelehrten und Pharisäer, ihr Heuchler, daß ihr wie die verborgenen Gräber seid, über welche die Leute dahingehen, ohne es zu wissen!

45 Da antwortete einer der Gesetzesgelehrten und sprach zu ihm: Meister, mit diesen Worten schmähst du auch uns! ⁴⁶ Er aber sprach: Wehe auch euch Gesetzesgelehrten! Denn ihr ladet den Menschen unerträgliche Bürden auf, und ihr selbst rührt die Bürden nicht mit einem Finger an. ⁴⁷ Wehe euch, daß ihr die Grabmäler der Propheten baut! Eure Väter aber haben sie getötet. ⁴⁸ So bestätigt ihr also die Taten eurer Väter und habt Wohlgefallen daran; denn jene haben sie getötet, ihr aber baut ihre Grabmäler.

49 Darum hat auch die Weisheit Gottes gesprochen: Ich will Propheten und Apostel zu ihnen senden, und sie werden etliche von ihnen töten und verfolgen, ⁵⁰ damit von diesem Geschlecht das Blut aller Propheten gefordert werde, das seit Grundlegung der Welt vergossen worden ist, ⁵¹ vom Blut Abels an bis auf das Blut Sacharias, der zwischen dem Altar und dem Tempel umkam. Ja, ich sage euch, es wird gefordert werden von diesem Geschlecht! ⁵² Wehe euch Gesetzesgelehrten, denn ihr habt den Schlüssel der Erkenntnis weggenommen! Ihr selbst seid nicht hineingegangen, und die, welche hineingehen wollten, habt ihr daran gehindert!

53 Und als er dies zu ihnen sagte, fingen die Schriftgelehrten und Pharisäer an, ihm hart zuzusetzen und ihn über vieles auszufragen, ⁵⁴ wobei sie ihm auflauerten und versuchten, etwas aus seinem Mund zu erhaschen, damit sie ihn verklagen könnten.

Aufruf zum offenen Bekenntnis für Jesus Christus Mt 10,16-39

12 Als sich inzwischen die Volksmenge zu Zehntausenden gesammelt hatte, so daß sie aufeinander traten, begann er zu seinen Jüngern zu sprechen: Vor allem hütet euch vor dem Sauerteig der Pharisäer, welcher die Heuchelei ist! ² Nichts aber ist verdeckt, das nicht aufgedeckt werden wird, und nichts verborgen, das nicht bekannt werden wird. ³ Alles, was ihr im Finstern redet, wird man darum im Licht hören, und was ihr in den Kammern ins Ohr gesprochen habt, wird auf den Dächern verkündigt werden.

4 Ich sage aber euch, meinen Freunden: Fürchtet euch nicht vor denen, die den Leib töten und danach nichts weiteres tun können. 5 Ich will euch aber zeigen, wen ihr fürchten sollt: Fürchtet den, welcher, nachdem er getötet hat, auch Macht besitzt, in die Hölle zu werfen! Ja, ich sage euch, den fürchtet! 6 Verkauft man nicht fünf Sperlinge um zwei Groschen? Und nicht ein einziger von ihnen ist vor Gott vergessen. 7 Aber auch die Haare eures Hauptes sind alle gezählt. Darum fürchtet euch nicht! Ihr seid mehr wert als viele Sperlinge.

8 Ich sage euch aber: Jeder, der sich zu mir bekennen wird vor den Menschen, zu dem wird sich auch der Sohn des Menschen bekennen vor den Engeln Gottes; 9 wer mich aber verleugnet hat vor den Menschen, der wird verleugnet werden vor den Engeln Gottes.

10 Und jedem, der ein Wort reden wird gegen den Sohn des Menschen, dem wird vergeben werden; wer aber gegen den Heiligen Geist lästert, dem wird nicht vergeben werden.

11 Wenn sie euch aber vor die Synagogen und vor die Fürsten und Obrigkeiten führen, so sorgt nicht, wie oder womit ihr euch verteidigen oder was ihr sagen sollt; 12 denn der Heilige Geist wird euch in derselben Stunde lehren, was ihr sagen sollt.

Das Gleichnis vom reichen Narren

13 Es sprach aber einer aus der Volksmenge zu ihm: Meister, sage meinem Bruder, daß er das Erbe mit mir teilen soll! 14 Er aber sprach zu ihm: Mensch, wer hat mich zum Richter oder Erbteiler über euch gesetzt? 15 Er sagte aber zu ihnen: Habt acht und hütet euch vor der Habsucht! Denn niemandes Leben hängt von dem Überfluß ab, den er an Gütern hat.

16 Und er sagte ihnen ein Gleichnis und sprach: Das Feld eines reichen Mannes hatte viel Frucht getragen. 17 Und er überlegte bei sich selbst und sprach: Was soll ich tun, da ich keinen Platz habe, wo ich meine Früchte aufspeichern kann? 18 Und er sprach: Das will ich tun: Ich will meine Scheunen abbrechen und größere bauen und will darin alles, was mir gewachsen ist, und meine Güter aufspeichern 19 und will zu meiner Seele sagen: Seele, du hast einen großen Vorrat auf viele Jahre; habe nun Ruhe, iß, trink und sei guten Mutes! 20 Aber Gott sprach zu ihm: Du Narr! In dieser Nacht wird man deine Seele von dir fordern; und wem wird gehören, was du bereitet hast?

21 So geht es dem, der für sich selbst Schätze sammelt und nicht reich ist für Gott!

Von unnützen Sorgen Mt 6,19-34; 1Tim 6,6-10; Hebr 13,5

22 Und er sprach zu seinen Jüngern: Darum sage ich euch: Sorgt euch nicht um euer Leben, was ihr essen sollt, noch um den Leib, was ihr anziehen sollt. ²³ Das Leben ist mehr als die Speise und der Leib mehr als die Kleidung. ²⁴ Betrachtet die Raben! Sie säen nicht und ernten nicht, sie haben weder Speicher noch Scheunen, und Gott nährt sie doch. Wieviel mehr seid ihr wert als die Vögel!

25 Wer aber von euch kann durch sein Sorgen zu seiner Lebenslänge eine einzige Elle hinzusetzen? ²⁶ Wenn ihr nun nicht einmal das Geringste vermögt, was sorgt ihr euch um das übrige? ²⁷ Betrachtet die Lilien, wie sie wachsen! Sie mühen sich nicht und spinnen nicht; ich sage euch aber, daß selbst Salomo in all seiner Herrlichkeit nicht gekleidet gewesen ist wie eine von ihnen!

28 Wenn aber Gott das Gras auf dem Feld, das heute steht und morgen in den Ofen geworfen wird, so kleidet, wieviel mehr euch, ihr Kleingläubigen! ²⁹ Und ihr sollt auch nicht danach trachten, was ihr essen oder was ihr trinken sollt; und beunruhigt euch nicht! ³⁰ Denn nach all diesem trachten die Heiden der Welt; euer Vater aber weiß, daß ihr diese Dinge benötigt.

31 Trachtet vielmehr nach dem Reich Gottes, so wird euch dies alles hinzugefügt werden! ³² Fürchte dich nicht, du kleine Herde; denn es hat eurem Vater gefallen, euch das Reich zu geben. ³³ Verkauft eure Habe und gebt Almosen! Macht euch Beutel, die nicht veralten, einen Schatz, der nicht vergeht, im Himmel, wo kein Dieb hinkommt und keine Motte ihr Zerstörungswerk treibt. ³⁴ Denn wo euer Schatz ist, da wird auch euer Herz sein.

Ermahnung zur Wachsamkeit Mt 24,42-51; 25,1-30; Mk 13,33-37

35 Eure Lenden sollen umgürtet sein und eure Lichter brennend; ³⁶ und seid Menschen gleich, die ihren Herrn erwarten, wenn er von der Hochzeit aufbrechen wird, damit, wenn er kommt und anklopft, sie ihm sogleich auftun. ³⁷ Glückselig sind jene Knechte, welche der Herr, wenn er kommt, wachend finden wird! Wahrlich, ich sage euch: Er wird sich schürzen[a] und

a. (12,37) Das weite Gewand wurde bei der Arbeit mit einem Gürtel zusammengefaßt.

sie zu Tisch führen und hinzutreten und sie bedienen. [38] Und wenn er in der zweiten Nachtwache kommt oder in der dritten Nachtwache kommt und sie so findet, glückselig sind jene Knechte!

39 Das aber erkennt: Wenn der Hausherr wüßte, zu welcher Stunde der Dieb käme, so würde er wachen und nicht in sein Haus einbrechen lassen. [40] Darum seid auch ihr bereit! Denn der Sohn des Menschen kommt zu einer Stunde, da ihr es nicht meint.

41 Da sprach Petrus zu ihm: Herr, sagst du dieses Gleichnis für uns oder auch für alle? [42] Der Herr aber sprach: Wer ist wohl der treue und kluge Haushalter, den der Herr über seine Dienerschaft setzen wird, damit er ihnen zur rechten Zeit die verordnete Speise gibt? [43] Glückselig ist jener Knecht, den sein Herr, wenn er kommt, bei solchem Tun finden wird! [44] Wahrlich, ich sage euch: Er wird ihn über alle seine Güter setzen.

45 Wenn aber jener Knecht in seinem Herzen spricht: Mein Herr säumt zu kommen! und anfängt, die Knechte und die Mägde zu schlagen, auch zu essen und zu trinken und sich zu berauschen, [46] so wird der Herr jenes Knechtes an einem Tag kommen, da er es nicht erwartet, und zu einer Stunde, die er nicht kennt, und wird ihn entzweihauen und ihm sein Teil mit den Ungläubigen geben.

47 Der Knecht aber, der den Willen seines Herrn kannte und sich nicht bereithielt und auch nicht nach seinem Willen tat, wird viele Schläge erleiden müssen; [48] wer ihn aber nicht kannte und doch tat, was Schläge verdient, der wird wenig Schläge erleiden müssen. Denn wem viel gegeben ist, bei dem wird man viel suchen; und wem viel anvertraut ist, von dem wird man desto mehr fordern.

Das Bekenntnis zu Christus bringt Trennung Mt 10,34-36

49 Ich bin gekommen, Feuer auf die Erde zu bringen, und wie wünschte ich, es wäre schon entzündet! [50] Aber ich muß mich taufen lassen mit einer Taufe, und wie drängt es mich, bis sie vollbracht ist! [51] Meint ihr, daß ich gekommen sei, Frieden zu geben auf Erden? Nein, ich sage euch, sondern vielmehr Entzweiung! [52] Denn von nun an werden fünf in einem Haus entzweit sein, drei mit zweien und zwei mit dreien; [53] der Vater wird mit dem Sohn entzweit sein und der Sohn mit dem Vater, die Mutter mit der Tochter und die Tochter mit der Mutter, die Schwiegermutter mit ihrer Schwiegertochter und die Schwiegertochter mit ihrer Schwiegermutter.

Zeichen der Zeit. Ermahnung zu Versöhnlichkeit Mt 5,25-26

54 Er sprach aber auch zu der Volksmenge: Wenn ihr das Gewölk aufsteigen seht vom Westen her, so sagt ihr sofort: Es gibt Regen! Und es geschieht. 55 Und wenn der Südwind weht, so sagt ihr: Es wird heiß! Und es geschieht. 56 Ihr Heuchler, das Aussehen der Erde und des Himmels könnt ihr beurteilen; wie kommt es aber, daß ihr diese Zeit nicht beurteilt?

57 Und warum entscheidet ihr nicht von euch selbst aus, was recht ist? 58 Denn wenn du mit deinem Widersacher zur Obrigkeit gehst, so gib dir auf dem Weg Mühe, von ihm loszukommen, damit er dich nicht vor den Richter schleppt und der Richter dich dem Gerichtsdiener übergibt und der Gerichtsdiener dich ins Gefängnis wirft. 59 Ich sage dir: Du wirst von dort nicht herauskommen, bis du auch den letzten Groschen bezahlt hast!

Ermahnung zur Buße Joh 8,24; Röm 2,3-6

13 Es kamen aber zur selben Zeit etliche herbei, die ihm von den Galiläern berichteten, deren Blut Pilatus mit ihren Opfern vermischt hatte. 2 Und Jesus antwortete und sprach zu ihnen: Meint ihr, daß diese Galiläer mehr als alle anderen Galiläer Sünder gewesen sind, weil sie dies erlitten haben? 3 Nein, sage ich euch; sondern wenn ihr nicht Buße tut, werdet ihr alle auch so umkommen! 4 Oder jene achtzehn, auf die der Turm in Siloa fiel und sie erschlug, meint ihr, daß diese schuldiger gewesen sind als alle anderen Leute, die in Jerusalem wohnen? 5 Nein, sage ich euch; sondern wenn ihr nicht Buße tut, so werdet ihr alle auch so umkommen!

6 Und er sagte dieses Gleichnis: Es hatte jemand einen Feigenbaum, der war in seinem Weinberg gepflanzt; und er kam und suchte Frucht darauf und fand keine. 7 Da sprach er zu dem Weingärtner: Siehe, drei Jahre komme ich und suche Frucht an diesem Feigenbaum und finde keine. Haue ihn ab! Warum macht er das Land unnütz?

8 Er aber antwortet und spricht zu ihm: Herr, laß ihn noch dieses Jahr, bis ich um ihn gegraben und Dünger gelegt habe, 9 ob er vielleicht doch noch Frucht bringt – wenn nicht, so haue ihn danach ab!

Jesus heilt am Sabbat eine verkrümmte Frau

10 Er lehrte aber in einer der Synagogen am Sabbat. 11 Und siehe, da war eine Frau, die seit achtzehn Jahren einen Geist der Krankheit hatte, und sie war verkrümmt und konnte sich gar

nicht aufrichten. [12] Als nun Jesus sie sah, rief er sie zu sich und sprach zu ihr: Frau, du bist erlöst von deiner Krankheit! [13] Und er legte ihr die Hände auf, und sie wurde sogleich wieder gerade und pries Gott.

14 Da wurde der Synagogenvorsteher entrüstet, daß Jesus am Sabbat heilte, und er ergriff das Wort und sprach zu der Volksmenge: Es sind sechs Tage, an denen man arbeiten soll; an diesen kommt und laßt euch heilen, und nicht am Sabbattag!

15 Der Herr nun antwortete ihm und sprach: Du Heuchler, löst nicht jeder von euch am Sabbat seinen Ochsen oder Esel von der Krippe und führt ihn zur Tränke? [16] Diese aber, eine Tochter Abrahams, die der Satan, siehe, schon achtzehn Jahre gebunden hielt, sollte nicht von dieser Bindung gelöst werden am Sabbattag? [17] Und als er das sagte, wurden alle seine Widersacher beschämt; und die ganze Menge freute sich über all die herrlichen Taten, die durch ihn geschahen.

Die Gleichnisse vom Senfkorn und vom Sauerteig   Mt 13,31-33

18 Da sprach er: Wem ist das Reich Gottes gleich, und womit soll ich es vergleichen? [19] Es gleicht einem Senfkorn, das ein Mensch nahm und in seinen Garten warf. Und es wuchs und wurde zu einem großen Baum, und die Vögel des Himmels nisteten in seinen Zweigen.

20 Und wiederum sprach er: Womit soll ich das Reich Gottes vergleichen? [21] Es gleicht einem Sauerteig, den eine Frau nahm und heimlich in drei Scheffel Mehl hineinmischte, bis das Ganze durchsäuert war.

Die enge Pforte   Mt 7,13-14; 7,21-23; 8,11-12

22 Und er zog durch Städte und Dörfer und lehrte und setzte seine Reise nach Jerusalem fort. [23] Es sprach aber einer zu ihm: Herr, sind es wenige, die gerettet werden? Er aber sprach zu ihnen: [24] Ringt danach, durch die enge Pforte einzugehen! Denn viele, sage ich euch, werden einzugehen suchen und es nicht können. [25] Wenn einmal der Hausherr aufgestanden ist und die Türe verschlossen hat, dann werdet ihr anfangen, draußen zu stehen und an die Tür zu klopfen und zu sagen: Herr, Herr, tue uns auf! Dann wird er antworten und zu euch sagen: Ich weiß nicht, woher ihr seid! [26] Dann werdet ihr anfangen zu sagen: Wir haben vor dir gegessen und getrunken, und auf unseren Gassen hast du gelehrt! [27] Und er wird antworten: Ich sage euch: Ich weiß nicht, woher ihr seid; weicht alle von mir, ihr Übeltäter!

28 Da wird das Heulen und das Zähneknirschen sein, wenn ihr Abraham, Isaak und Jakob und alle Propheten im Reich Gottes sehen werdet, euch selbst aber hinausgestoßen! ²⁹ Und sie werden kommen von Osten und von Westen, von Norden und von Süden, und zu Tisch sitzen im Reich Gottes. ³⁰ Und siehe, es sind Letzte, die werden Erste sein; und es sind Erste, die werden Letzte sein.

Die Feindschaft des Herodes. Klage über Jerusalem

31 An demselben Tag traten etliche Pharisäer hinzu und sagten zu ihm: Gehe fort und reise ab von hier; denn Herodes will dich töten! ³² Und er sprach zu ihnen: Geht hin und sagt diesem Fuchs: Siehe, ich treibe Dämonen aus und vollbringe Heilungen heute und morgen, und am dritten Tag bin ich am Ziel. ³³ Doch muß ich heute und morgen und übermorgen reisen; denn es geht nicht an, daß ein Prophet außerhalb Jerusalems umkomme.

34 Jerusalem, Jerusalem, die du die Propheten tötest und steinigst, die zu dir gesandt sind; wie oft habe ich deine Kinder sammeln wollen wie eine Henne ihre Küken unter ihre Flügel, und ihr habt nicht gewollt! ³⁵ Siehe, euer Haus wird euch verwüstet gelassen werden! Und wahrlich, ich sage euch: Ihr werdet mich nicht mehr sehen, bis die Zeit kommt, da ihr sprechen werdet: Gelobt sei, der da kommt im Namen des Herrn!

Jesus heilt einen Wassersüchtigen am Sabbat   Mt 12,9-13; Lk 6,6-11

14 Und es begab sich, als er am Sabbat in das Haus eines Obersten der Pharisäer ging, um zu speisen, da beobachteten sie ihn. ² Und siehe, da war ein wassersüchtiger Mensch vor ihm. ³ Und Jesus ergriff das Wort und redete zu den Gesetzesgelehrten und Pharisäern, indem er sprach: Ist es erlaubt, am Sabbat zu heilen? ⁴ Sie aber schwiegen. Da rührte er ihn an, machte ihn gesund und entließ ihn.

5 Und er begann und sprach zu ihnen: Wer von euch, wenn ihm sein Esel oder Ochse in den Brunnen fällt, wird ihn nicht sogleich herausziehen am Tag des Sabbats? ⁶ Und sie konnten ihm nichts dagegen antworten.

Demut und wahre Wohltätigkeit   Mt 23,5-12

7 Er sagte aber zu den Gästen ein Gleichnis, da er bemerkte, wie sie sich die ersten Plätze aussuchten, und sprach zu ihnen: ⁸ Wenn du von jemand zur Hochzeit eingeladen bist, so setze dich nicht auf den obersten Platz, damit nicht etwa ein Vorneh-

merer als du von ihm eingeladen ist, [9] und nun der, der dich und ihn eingeladen hat, kommt und zu dir sagt: Mache diesem Platz! – und du dann beschämt den letzten Platz einnehmen mußt. [10] Sondern wenn du eingeladen bist, so geh hin und setze dich auf den letzten Platz, damit der, welcher dich eingeladen hat, wenn er kommt, zu dir spricht: Freund, rücke hinauf! Dann wirst du Ehre haben vor denen, die mit dir zu Tisch sitzen. [11] Denn jeder, der sich selbst erhöht, wird erniedrigt werden; und wer sich selbst erniedrigt, der wird erhöht werden.

12 Er sagte aber auch zu dem, der ihn eingeladen hatte: Wenn du ein Mittags- oder Abendmahl machst, so lade nicht deine Freunde, noch deine Brüder, noch deine Verwandten, noch reiche Nachbarn ein, damit nicht etwa auch sie dich wieder einladen und dir vergolten wird; [13] sondern wenn du ein Gastmahl machst, so lade Arme, Krüppel, Lahme, Blinde ein, [14] so wirst du glückselig sein; denn weil sie es dir nicht vergelten können, wird es dir vergolten werden in der Auferstehung der Gerechten.

Das Gleichnis vom großen Gastmahl   Mt 22,2-14

15 Als nun einer, der mit ihm zu Tisch saß, dies hörte, sprach er zu ihm: Glückselig ist, wer das Brot ißt im Reich Gottes! [16] Er aber sprach zu ihm: Ein Mensch machte ein großes Mahl und lud viele dazu ein. [17] Und er sandte seinen Knecht zur Stunde des Mahles, um den Geladenen zu sagen: Kommt, denn es ist schon alles bereit!

18 Und sie fingen alle einstimmig an, sich zu entschuldigen. Der erste sprach zu ihm: Ich habe einen Acker gekauft und muß unbedingt hinausgehen und ihn ansehen; ich bitte dich, entschuldige mich! [19] Und ein anderer sprach: Ich habe fünf Joch Ochsen gekauft und gehe hin, um sie zu erproben; ich bitte dich, entschuldige mich! [20] Wieder ein anderer sprach: Ich habe eine Frau geheiratet, darum kann ich nicht kommen!

21 Und jener Knecht kam wieder und berichtete das seinem Herrn. Da wurde der Hausherr zornig und sprach zu seinem Knecht: Geh schnell hinaus auf die Gassen und Plätze der Stadt und führe die Armen und Krüppel und Lahmen und Blinden herein! [22] Und der Knecht sprach: Herr, es ist geschehen, wie du befohlen hast; es ist aber noch Raum da! [23] Und der Herr sprach zu dem Knecht: Geh hinaus an die Landstraßen und Zäune und nötige sie hereinzukommen, damit mein Haus voll werde! [24] Denn ich sage euch, daß keiner jener Männer, die eingeladen waren, mein Mahl schmecken wird!

Bedingungen der Nachfolge Mt 10,37-39; 16,24-26

25 Es zog aber eine große Volksmenge mit ihm; und er wandte sich um und sprach zu ihnen: [26] Wenn jemand zu mir kommt und haßt[a] nicht seinen Vater und seine Mutter, seine Frau und Kinder, Brüder und Schwestern, dazu aber auch sein eigenes Leben, so kann er nicht mein Jünger sein. [27] Und wer nicht sein Kreuz trägt und mir nachkommt, der kann nicht mein Jünger sein.

28 Denn wer von euch, der einen Turm bauen will, setzt sich nicht zuvor hin und berechnet die Kosten, ob er genug hat zur gänzlichen Ausführung, [29] damit nicht etwa, wenn er den Grund gelegt hat und es nicht zu vollenden vermag, alle, die es sehen, über ihn zu spotten beginnen [30] und sagen: Dieser Mensch fing an zu bauen und konnte es nicht vollenden! 31 Oder welcher König, der ausziehen will, um mit einem anderen König Krieg zu führen, setzt sich nicht zuvor hin und berät, ob er imstande ist, mit zehntausend dem zu begegnen, der mit zwanzigtausend gegen ihn anrückt? [32] Wenn aber nicht, so sendet er, solange jener noch fern ist, eine Gesandtschaft und bittet um die Friedensbedingungen. [33] So kann auch keiner von euch mein Jünger sein, der nicht allem entsagt, was er hat.

34 Das Salz ist gut; wenn aber das Salz fade wird, womit soll es gewürzt werden? [35] Es ist weder für das Erdreich noch für den Dünger tauglich; man wirft es hinaus. Wer Ohren hat zu hören, der höre!

Das Gleichnis vom verlorenen Schaf Mt 18,11-14

15 Es pflegten sich ihm aber alle Zöllner und Sünder zu nahen, um ihn zu hören. [2] Und die Pharisäer und die Schriftgelehrten murrten und sprachen: Dieser nimmt Sünder an und ißt mit ihnen!

3 Er sagte aber zu ihnen dieses Gleichnis und sprach: [4] Welcher Mensch unter euch, der hundert Schafe hat und eines von ihnen verliert, läßt nicht die neunundneunzig in der Wildnis und geht dem verlorenen nach, bis er es findet? [5] Und wenn er es gefunden hat, nimmt er es auf seine Schulter mit Freuden; [6] und wenn er nach Hause kommt, ruft er die Freunde und Nachbarn zusammen und spricht zu ihnen: Freut euch mit mir; denn ich habe mein Schaf gefunden, das verloren war! [7] Ich sage euch, so wird auch Freude sein im Himmel über einen Sünder, der Buße tut, mehr als über neunundneunzig Gerechte, die der Buße nicht bedürfen.

a. (14,26) »Hassen« bedeutet hier zurückstellen um Jesu Christi willen.

Das Gleichnis von der verlorenen Drachme

8 Oder welche Frau, die zehn Drachmen hat, zundet nicht, wenn sie eine Drachme[a] verliert, ein Licht an und kehrt das Haus und sucht mit Fleiß, bis sie sie findet? 9 Und wenn sie sie gefunden hat, ruft sie die Freundinnen und die Nachbarinnen zusammen und spricht: Freut euch mit mir; denn ich habe die Drachme gefunden, die ich verloren hatte! 10 Ich sage euch, so ist auch Freude vor den Engeln Gottes über einen Sünder, der Buße tut.

Das Gleichnis vom verlorenen Sohn

11 Und er sprach: Ein Mensch hatte zwei Söhne. 12 Und der jüngere von ihnen sprach zum Vater: Gib mir, Vater, den Teil des Vermögens, der mir zufällt! Und er teilte ihnen das Gut. 13 Und nicht lange danach packte der jüngere Sohn alles zusammen und reiste in ein fernes Land, und dort verschleuderte er sein Vermögen mit ausschweifendem Leben.

14 Nachdem er aber alles aufgebraucht hatte, kam eine gewaltige Hungersnot über jenes Land, und auch er fing an, Mangel zu leiden. 15 Da ging er hin und hängte sich an einen Bürger jenes Landes; der schickte ihn auf seine Äcker, die Schweine zu hüten. 16 Und er begehrte, seinen Bauch zu füllen mit den Schoten[b], welche die Schweine fraßen; und niemand gab sie ihm.

17 Er kam aber zu sich selbst und sprach: Wie viele Tagelöhner meines Vaters haben Brot im Überfluß, ich aber verderbe vor Hunger! 18 Ich will mich aufmachen und zu meinem Vater gehen und zu ihm sagen: Vater, ich habe gesündigt gegen den Himmel und vor dir, 19 und ich bin nicht mehr wert, dein Sohn zu heißen; mache mich zu einem deiner Tagelöhner!

20 Und er machte sich auf und ging zu seinem Vater. Als er aber noch fern war, sah ihn sein Vater und hatte Erbarmen; und er lief, fiel ihm um den Hals und küßte ihn. 21 Der Sohn aber sprach zu ihm: Vater, ich habe gesündigt gegen den Himmel und vor dir, und ich bin nicht mehr wert, dein Sohn zu heißen!

22 Aber der Vater sprach zu seinen Knechten: Bringt das beste Festgewand her und zieht es ihm an, und gebt ihm einen Ring an seine Hand und Schuhe an die Füße; 23 und bringt das gemästete Kalb her und schlachtet es; und laßt uns essen und fröhlich sein! 24 Denn dieser mein Sohn war tot und ist wieder lebendig geworden; und er war verloren und ist wiedergefunden worden. Und sie fingen an, fröhlich zu sein.

---

a. (15,8) ein Silberstück, entspr. einem Denar; etwa der Tageslohn eines Arbeiters.
b. (15,16) d.h. Fruchthülsen des Johannisbrotbaumes.

25 Aber sein älterer Sohn war auf dem Feld; und als er heimkam und sich dem Haus näherte, hörte er Musik und Tanz. ²⁶ Und er rief einen der Knechte herbei und erkundigte sich, was das sei. ²⁷ Der sprach zu ihm: Dein Bruder ist gekommen, und dein Vater hat das gemästete Kalb geschlachtet, weil er ihn gesund wiedererhalten hat.

28 Da wurde er zornig und wollte nicht hineingehen. Sein Vater nun ging hinaus und redete ihm zu. ²⁹ Er aber antwortete und sprach zum Vater: Siehe, so viele Jahre diene ich dir und habe nie dein Gebot übertreten; und mir hast du nie einen Bock gegeben, damit ich mit meinen Freunden fröhlich sein kann. ³⁰ Nun aber, da dieser dein Sohn gekommen ist, der dein Gut mit Huren verschlungen hat, hast du ihm das gemästete Kalb geschlachtet!

31 Er aber sprach zu ihm: Mein Sohn, du bist allezeit bei mir, und alles, was mein ist, das ist dein. ³² Du solltest aber fröhlich sein und dich freuen; denn dieser dein Bruder war tot und ist wieder lebendig geworden, und er war verloren und ist wiedergefunden worden!

Das Gleichnis vom untreuen Haushalter

16 Er sagte aber auch zu seinen Jüngern: Es war ein reicher Mann, der hatte einen Haushalter; und dieser wurde bei ihm verklagt, daß er seine Güter verschleudere. ² Und er rief ihn zu sich und sprach zu ihm: Was höre ich da von dir? Lege Rechnung ab von deiner Verwaltung; denn du kannst künftig nicht mehr Haushalter sein!

3 Da sprach der Haushalter bei sich selbst: Was soll ich tun, da mein Herr mir die Verwaltung nimmt? Graben kann ich nicht; zu betteln schäme ich mich. ⁴ Ich weiß, was ich tun will, damit sie mich, wenn ich der Verwaltung enthoben bin, in ihre Häuser aufnehmen. ⁵ Und er rief einen jeden der Schuldner seines Herrn zu sich und sprach zu dem ersten: Wieviel bist du meinem Herrn schuldig? ⁶ Der aber sprach: Hundert Bat Öl. Und er sprach zu ihm: Nimm deinen Schuldschein, setze dich und schreibe schnell fünfzig! ⁷ Danach sprach er zu einem anderen: Du aber, wieviel bist du schuldig? Der aber sagte: Hundert Kor Weizen. Und er sprach zu ihm: Nimm deinen Schuldschein und schreibe achtzig.

8 Und der Herr lobte den ungerechten Haushalter, daß er klug gehandelt habe. Denn die Kinder dieser Weltzeit sind ihrem Geschlecht gegenüber klüger als die Kinder des Lichts. ⁹ Auch ich sage euch: Macht euch Freunde mit dem ungerechten

Mammon, damit, wenn ihr Mangel habt, sie euch aufnehmen in die ewigen Hütten.

Ermahnung zum treuen Dienen

10 Wer im Geringsten treu ist, der ist auch im Großen treu; und wer im Geringsten ungerecht ist, der ist auch im Großen ungerecht. [11] Wenn ihr nun mit dem ungerechten Mammon nicht treu wart, wer wird euch das Wahre anvertrauen? [12] Und wenn ihr mit dem fremden Gut nicht treu wart, wer wird euch das Eure geben?

13 Kein Knecht kann zwei Herren dienen; denn entweder wird er den einen hassen und den anderen lieben, oder er wird dem einen anhangen und den anderen verachten. Ihr könnt nicht Gott dienen und dem Mammon!

14 Das alles hörten aber auch die Pharisäer, die geldgierig waren, und sie verspotteten ihn. [15] Und er sprach zu ihnen: Ihr seid es, die sich selbst rechtfertigen vor den Menschen, aber Gott kennt eure Herzen; denn was bei den Menschen hoch angesehen ist, das ist ein Greuel vor Gott.

Das Gesetz und das Reich Gottes

16 Das Gesetz und die Propheten gehen bis auf Johannes; von da an wird das Reich Gottes verkündigt, und jedermann vergreift sich daran. [17] Es ist aber leichter, daß Himmel und Erde vergehen, als daß ein einziges Strichlein des Gesetzes falle.

Ehebruch und Ehescheidung   Mt 5,31-32; 19,3-9; Mk 10,2-12

18 Jeder, der sich von seiner Frau scheidet und eine andere heiratet, der bricht die Ehe, und jeder, der eine von ihrem Mann Geschiedene heiratet, der bricht die Ehe.

Der reiche Mann und der arme Lazarus

19 Es war aber ein reicher Mann, der kleidete sich in Purpur und kostbare Leinwand und lebte alle Tage herrlich und in Freuden. [20] Es war aber ein Armer namens Lazarus, der lag vor dessen Tür voller Geschwüre [21] und begehrte, sich zu sättigen von den Brosamen, die vom Tisch des Reichen fielen; und es kamen sogar Hunde und leckten seine Geschwüre.

22 Es geschah aber, daß der Arme starb und von den Engeln in Abrahams Schoß getragen wurde. Es starb aber auch der Reiche und wurde begraben. [23] Und als er im Totenreich seine Augen erhob, da er Qualen litt, sieht er den Abraham von ferne

und Lazarus in seinem Schoß. 24 Und er rief und sprach: Vater Abraham, erbarme dich über mich und sende Lazarus, daß er die Spitze seines Fingers ins Wasser tauche und meine Zunge kühle; denn ich leide Pein in dieser Flamme! 25 Abraham aber sprach: Sohn, bedenke, daß du dein Gutes empfangen hast in deinem Leben und Lazarus gleichermaßen das Böse; nun wird er getröstet, du aber wirst gepeinigt. 26 Und zu alledem ist zwischen uns und euch eine große Kluft befestigt, so daß die, welche von hier zu euch hinübersteigen wollen, es nicht können, noch die von dort zu uns herüberkommen können.

27 Da sprach er: So bitte ich dich, Vater, daß du ihn in das Haus meines Vaters sendest – 28 denn ich habe fünf Brüder –, daß er sie warnt, damit nicht auch sie an diesen Ort der Qual kommen! 29 Abraham spricht zu ihm: Sie haben Mose und die Propheten; auf diese sollen sie hören! 30 Er aber sprach: Nein, Vater Abraham, sondern wenn jemand von den Toten zu ihnen ginge, so würden sie Buße tun! 31 Er aber sprach zu ihm: Wenn sie auf Mose und die Propheten nicht hören, so würden sie sich auch nicht überzeugen lassen, wenn einer aus den Toten auferstände.

Anstöße zur Sünde – Vergebung – Die Kraft des Glaubens
Mt 18,6-9; 18,21-35; Mk 11,22-26

17 Er sprach aber zu den Jüngern: Es ist unvermeidlich, daß Anstöße zur Sünde kommen; wehe aber dem, durch welchen sie kommen! 2 Es wäre für ihn besser, wenn ein Mühlstein um seinen Hals gelegt und er ins Meer geworfen würde, als daß er einem dieser Kleinen einen Anstoß zur Sünde gibt.

3 Habt acht auf euch selbst! Wenn aber dein Bruder gegen dich sündigt, so weise ihn zurecht; und wenn es ihn reut, so vergib ihm. 4 Und wenn er siebenmal am Tag gegen dich sündigte und siebenmal am Tag wieder zu dir käme und spräche: Es reut mich!, so sollst du ihm vergeben.

5 Und die Apostel sprachen zum Herrn: Mehre uns den Glauben! 6 Der Herr aber sprach: Wenn ihr Glauben hättet wie ein Senfkorn, so würdet ihr zu diesem Maulbeerbaum sagen: Entwurzle dich und verpflanze dich ins Meer!, und er würde euch gehorchen.

Von der Pflichterfüllung im Dienst

7 Wer aber von euch wird zu seinem Knecht, der pflügt oder weidet, wenn er vom Feld heimkommt, sogleich sagen: Komm her und setz dich zu Tisch? 8 Wird er nicht vielmehr zu ihm sagen: Bereite mir das Abendbrot, schürze dich und diene mir,

bis ich gegessen und getrunken habe, und danach sollst du essen und trinken? ⁹ Dankt er wohl jenem Knecht, daß er getan hat, was ihm befohlen war? Ich meine nicht! ¹⁰ So sollt auch ihr, wenn ihr alles getan habt, was euch befohlen war, sprechen: Wir sind unnütze Knechte; wir haben getan, was wir zu tun schuldig waren!

Die Heilung der zehn Aussätzigen

11 Und es begab sich, als er nach Jerusalem reiste, daß er mitten durch Samaria und Galiläa zog. ¹² Und bei seiner Ankunft in einem Dorf begegneten ihm zehn aussätzige Männer, die von ferne stehen blieben. ¹³ Und sie erhoben ihre Stimme und sprachen: Jesus, Meister, erbarme dich über uns!
14 Und als er sie sah, sprach er zu ihnen: Geht hin und zeigt euch den Priestern! Und es geschah, während sie hingingen, wurden sie rein. ¹⁵ Einer aber von ihnen kehrte wieder um, als er sah, daß er geheilt worden war, und pries Gott mit lauter Stimme, ¹⁶ warf sich auf sein Angesicht zu Jesu Füßen und dankte ihm; und das war ein Samariter.
17 Da antwortete Jesus und sprach: Sind nicht zehn rein geworden? Wo sind aber die neun? ¹⁸ Hat sich sonst keiner gefunden, der umgekehrt wäre, um Gott die Ehre zu geben, als nur dieser Fremdling? ¹⁹ Und er sprach zu ihm: Steh auf und geh hin; dein Glaube hat dich gerettet!

Das Reich Gottes und die Wiederkunft des Menschensohnes
Mt 24,29-31; Mk 4,26-29; 13,24-27; Lk 21,25-28

20 Als er aber von den Pharisäern gefragt wurde, wann das Reich Gottes komme, antwortete er ihnen und sprach: Das Reich Gottes kommt nicht so, daß man es beobachten könnte. ²¹ Man wird nicht sagen: Siehe hier! oder: Siehe dort! Denn siehe, das Reich Gottes ist inwendig in euch.
22 Er sprach aber zu den Jüngern: Es werden Tage kommen, da ihr begehren werdet, einen einzigen der Tage des Menschensohnes zu sehen, und ihr werdet ihn nicht sehen. ²³ Und sie werden zu euch sagen: Siehe hier! oder: Siehe dort! Geht nicht hin und lauft ihnen nicht nach! ²⁴ Denn gleichwie der Blitz, der in einer Himmelsgegend erstrahlt, bis zur anderen leuchtet, so wird auch der Sohn des Menschen sein an seinem Tag. ²⁵ Zuvor aber muß er viel leiden und verworfen werden von diesem Geschlecht.
26 Und wie es in den Tagen Noahs zuging, so wird es auch sein in den Tagen des Menschensohnes: ²⁷ Sie aßen, sie tranken, sie

heirateten und ließen sich heiraten bis zu dem Tag, als Noah in die Arche ging; und die Sintflut kam und vernichtete alle. [28] Ebenso ging es auch in den Tagen Lots zu: Sie aßen, sie tranken, sie kauften und verkauften, sie pflanzten und bauten; [29] an dem Tag aber, als Lot aus Sodom wegging, regnete es Feuer und Schwefel vom Himmel und vertilgte alle. 30 Gerade so wird es sein an dem Tag, da der Sohn des Menschen geoffenbart wird. [31] Wer an jenem Tag auf dem Dach ist und sein Gerät im Haus hat, der steige nicht hinab, um dasselbe zu holen; ebenso, wer auf dem Feld ist, der kehre nicht wieder zurück. [32] Gedenkt an Lots Frau! [33] Wer seine Seele zu retten sucht, der wird sie verlieren, und wer sie verliert, der wird ihr zum Leben verhelfen. [34] Ich sage euch: In dieser Nacht werden zwei in einem Bett sein; der eine wird genommen und der andere zurückgelassen werden. [35] Zwei werden miteinander mahlen; eine wird genommen, und die andere wird zurückgelassen werden. [36] Zwei werden auf dem Feld sein; der eine wird genommen und der andere zurückgelassen werden. 37 Und sie antworteten und sprachen zu ihm: Wo, Herr? Und er sprach zu ihnen: Wo der Leichnam ist, da sammeln sich die Geier.

Das Gleichnis vom ungerechten Richter

18 Er sagte ihnen aber auch ein Gleichnis dafür, daß man allezeit beten und nicht nachlässig werden solle; [2] und er sprach: Es war ein Richter in einer Stadt, der Gott nicht fürchtete und sich vor keinem Menschen scheute. [3] Es war aber eine Witwe in jener Stadt; die kam zu ihm und sprach: Schaffe mir Recht gegenüber meinem Widersacher! [4] Und er wollte lange nicht; danach aber sprach er bei sich selbst: Wenn ich auch Gott nicht fürchte und mich vor keinem Menschen scheue, [5] so will ich dennoch, weil mir diese Witwe Mühe macht, ihr Recht schaffen, damit sie nicht unaufhörlich kommt und mich plagt. 6 Und der Herr sprach: Hört, was der ungerechte Richter sagt! [7] Gott aber, wird er nicht seinen Auserwählten Recht schaffen, die Tag und Nacht zu ihm rufen, wenn er auch lange zuwartet mit ihnen? [8] Ich sage euch: Er wird ihnen schnell Recht schaffen! Doch wenn der Sohn des Menschen kommt, wird er auch den Glauben finden auf Erden?

Das Gleichnis vom Pharisäer und vom Zöllner Jak 4,6-10

9 Er sagte aber auch zu etlichen, die auf sich selbst vertrauten, daß sie gerecht seien, und die übrigen verachteten, dieses

Gleichnis: [10] Es gingen zwei Menschen hinauf in den Tempel, um zu beten, der eine ein Pharisäer, der andere ein Zöllner. [11] Der Pharisäer stellte sich hin und betete bei sich selbst so: O Gott, ich danke dir, daß ich nicht bin wie die übrigen Menschen, Räuber, Ungerechte, Ehebrecher, oder auch wie dieser Zöllner. [12] Ich faste zweimal in der Woche und gebe den Zehnten von allem, was ich einnehme!

13 Und der Zöllner stand von ferne, wagte nicht einmal seine Augen zum Himmel zu erheben, sondern schlug an seine Brust und sprach: O Gott, sei mir Sünder gnädig!

14 Ich sage euch: Dieser ging gerechtfertigt in sein Haus hinab, im Gegensatz zu jenem. Denn wer sich selbst erhöht, der wird erniedrigt werden, und wer sich selbst erniedrigt, der wird erhöht werden.

Jesus segnet die Kinder Mt 19,13-15; Mk 10,13-16

15 Sie brachten aber auch kleine Kinder zu ihm, damit er sie anrühre. Als es aber die Jünger sahen, tadelten sie sie. [16] Aber Jesus rief sie zu sich und sprach: Laßt die Kinder zu mir kommen und wehrt ihnen nicht, denn solcher ist das Reich Gottes. [17] Wahrlich, ich sage euch: Wer das Reich Gottes nicht annimmt wie ein Kind, wird gar nicht hineinkommen!

Der reiche Oberste und das Erbe des ewigen Lebens Mt 19,16-30

18 Und es fragte ihn ein Oberster und sprach: Guter Meister, was muß ich tun, um das ewige Leben zu erben? [19] Da sprach Jesus zu ihm: Was nennst du mich gut? Niemand ist gut als Gott allein. [20] Du kennst die Gebote: Du sollst nicht ehebrechen! Du sollst nicht töten! Du sollst nicht stehlen! Du sollst nicht falsches Zeugnis reden! Du sollst deinen Vater und deine Mutter ehren!

21 Er aber sprach: Das alles habe ich gehalten von meiner Jugend an. [22] Als Jesus dies hörte, sprach er zu ihm: Eins fehlt dir noch: Verkaufe alles, was du hast, und verteile es an die Armen, so wirst du einen Schatz im Himmel haben, und komm, folge mir nach!

23 Als er aber dies hörte, wurde er ganz traurig; denn er war sehr reich. [24] Als aber Jesus ihn so sah, daß er ganz traurig geworden war, sprach er: Wie schwer werden die Reichen ins Reich Gottes hineinkommen! [25] Denn es ist leichter, daß ein Kamel durch ein Nadelöhr geht, als daß ein Reicher in das Reich Gottes kommt.

26 Da sprachen die, welche es hörten: Wer kann denn dann gerettet werden? 27 Er aber sprach: Was bei den Menschen unmöglich ist, das ist bei Gott möglich.

28 Da sprach Petrus: Siehe, wir haben alles verlassen und sind dir nachgefolgt! 29 Er aber sprach zu ihnen: Wahrlich, ich sage euch: Es ist niemand, der Haus oder Eltern oder Brüder oder Frau oder Kinder verlassen hat um des Reiches Gottes willen, 30 der es nicht vielfältig wieder empfinge in dieser Zeit und in der zukünftigen Weltzeit das ewige Leben!

Jesus sagt zum dritten Mal sein Leiden und seine Auferstehung voraus   Mt 20,17-19; Mk 10,32-34

31 Er nahm aber die Zwölf zu sich und sprach zu ihnen: Siehe, wir ziehen hinauf nach Jerusalem, und es wird alles erfüllt werden, was durch die Propheten über den Sohn des Menschen geschrieben ist; 32 denn er wird den Heiden ausgeliefert und verspottet und mißhandelt und angespuckt werden; 33 und sie werden ihn geißeln und töten, und am dritten Tag wird er wieder auferstehen. 34 Und sie verstanden nichts davon, und dieses Wort war ihnen zu geheimnisvoll, und sie begriffen das Gesagte nicht.

Heilung eines Blinden in Jericho   Mt 20,29-34; Mk 10,46-52

35 Es begab sich aber, als er sich Jericho näherte, saß ein Blinder am Weg und bettelte. 36 Und da er die Menge vorüberziehen hörte, erkundigte er sich, was das sei. 37 Da verkündeten sie ihm, daß Jesus von Nazareth vorübergehe. 38 Und er rief und sprach: Jesus, du Sohn Davids, erbarme dich über mich! 39 Und die vorangingen, geboten ihm, er solle schweigen; er aber rief noch viel mehr: Du Sohn Davids, erbarme dich über mich!

40 Da blieb Jesus stehen und befahl, daß er zu ihm gebracht werde. Und als er herangekommen war, fragte er ihn 41 und sprach: Was willst du, daß ich dir tun soll? Er sprach: Herr, daß ich sehend werde! 42 Und Jesus sprach zu ihm: Sei sehend! Dein Glaube hat dich gerettet. 43 Und sogleich wurde er sehend und folgte ihm nach und pries Gott; und alles Volk, das dies sah, lobte Gott.

Der Oberzöllner Zachäus

19 Und er ging hinein und zog durch Jericho. 2 Und siehe, da wär ein Mann, genannt Zachäus, ein Oberzöllner, und dieser war reich. 3 Und er begehrte, Jesus zu sehen, wer er sei,

und konnte es nicht wegen der Volksmenge; denn er war von kleiner Gestalt. ⁴Da lief er voraus und stieg auf einen Maulbeerbaum, um ihn zu sehen; denn dort sollte er vorbeikommen. ⁵Und als Jesus an den Ort kam, blickte er auf und sah ihn und sprach zu ihm: Zachäus, steige schnell herab; denn heute muß ich in deinem Haus einkehren! ⁶Und er stieg schnell herab und nahm ihn auf mit Freuden. ⁷Als sie es aber sahen, murrten sie alle und sprachen: Er ist bei einem sündigen Mann eingekehrt, um Herberge zu nehmen!

8 Zachäus aber trat hin und sprach zum Herrn: Siehe, Herr, die Hälfte meiner Güter gebe ich den Armen, und wenn ich jemand betrogen habe, so gebe ich es vierfältig zurück! ⁹Jesus sprach zu ihm: Heute ist diesem Haus Heil widerfahren, weil auch er ein Sohn Abrahams ist; ¹⁰denn der Sohn des Menschen ist gekommen, um zu suchen und zu retten, was verloren ist.

Das Gleichnis von den anvertrauten Pfunden   Mt 25,14-30

11 Als sie aber dies hörten, fuhr er fort und sagte ein Gleichnis, weil er nahe bei Jerusalem war und sie meinten, das Reich Gottes würde unverzüglich erscheinen. ¹²Er sprach nun: Ein Edelmann zog in ein fernes Land, um sich die Königswürde zu holen und dann wiederzukommen. ¹³Da rief er zehn seiner Knechte und gab ihnen zehn Pfunde und sprach zu ihnen: Handelt damit, bis ich wiederkomme! ¹⁴Seine Bürger aber haßten ihn und schickten ihm eine Gesandtschaft nach und ließen sagen: Wir wollen nicht, daß dieser über uns herrsche! 15 Und es geschah, als er wiederkam, nachdem er die Königswürde empfangen hatte, da ließ er die Knechte, denen er das Geld gegeben hatte, vor sich rufen, um zu erfahren, was jeder erhandelt habe. ¹⁶Da kam der erste und sprach: Herr, dein Pfund hat zehn Pfund dazugewonnen! ¹⁷Und er sprach zu ihm: Recht so, du guter Knecht! Weil du im Geringsten treu gewesen bist, sollst du Macht über zehn Städte haben! ¹⁸Und der zweite kam und sprach: Herr, dein Pfund hat fünf Pfund erworben! ¹⁹Er aber sprach auch zu diesem: So sollst auch du über fünf Städte gesetzt sein!

20 Und ein anderer kam und sprach: Herr, siehe, hier ist dein Pfund, das ich im Schweißtuch aufbewahrt habe! ²¹Denn ich fürchtete dich, weil du ein strenger Mann bist; du nimmst, was du nicht hingelegt, und erntest, was du nicht gesät hast. ²²Da sprach er zu ihm: Aus deinem Mund will ich dich richten, du böser Knecht! Wußtest du, daß ich ein strenger Mann bin, daß

ich nehme, was ich nicht hingelegt, und ernte, was ich nicht gesät habe? 23 Warum hast du dann mein Geld nicht auf der Bank
angelegt, so daß ich es bei meiner Ankunft mit Zinsen hätte
einziehen können? 24 Und zu den Umstehenden sprach er:
Nehmt ihm das Pfund weg und gebt es dem, der die zehn Pfunde hat! 25 Da sagten sie zu ihm: Herr, er hat schon zehn Pfunde!
26 Ich sage euch aber: Wer da hat, dem wird gegeben werden;
von dem aber, der nicht hat, von ihm wird auch das genommen
werden, was er hat. 27 Doch jene meine Feinde, die nicht wollten, daß ich König über sie werde – bringt sie her und erschlagt
sie vor mir!

Der Einzug des Messias Jesus in Jerusalem   Mt 21,1-11; Mk 11,1-11

28 Und nachdem er das gesagt hatte, zog er weiter und reiste
hinauf nach Jerusalem. 29 Und es geschah, als er in die Nähe
von Bethphage und Bethanien kam, zu dem Berg, welcher Ölberg heißt, da sandte er zwei seiner Jünger 30 und sprach: Geht
in das Dorf, das vor euch liegt; und wenn ihr hineinkommt,
werdet ihr ein Füllen angebunden finden, auf dem noch nie ein
Mensch gesessen hat; bindet es los und führt es her! 31 Und
wenn euch jemand fragt: Warum bindet ihr es los?, dann
sprecht so zu ihm: Der Herr braucht es!
32 Da gingen die Abgesandten hin und fanden es, wie er ihnen
gesagt hatte. 33 Als sie aber das Füllen losbanden, sprachen die
Herren desselben zu ihnen: Warum bindet ihr das Füllen los?
34 Sie aber sprachen: Der Herr braucht es! 35 Und sie brachten
es zu Jesus und warfen ihre Kleider auf das Füllen und setzten
Jesus darauf. 36 Als er aber weiterzog, breiteten sie ihre Kleider
aus auf dem Weg.
37 Und als er sich schon dem Abhang des Ölberges näherte,
fing die ganze Menge der Jünger freudig an, Gott zu loben mit
lauter Stimme wegen all der Wundertaten, die sie gesehen hatten, 38 und sie sprachen: Gepriesen sei der König, der da
kommt im Namen des Herrn! Friede im Himmel und Ehre in
der Höhe!
39 Und etliche der Pharisäer unter der Volksmenge sprachen
zu ihm: Meister, weise deine Jünger zurecht! 40 Und er antwortete und sprach zu ihnen: Ich sage euch: Wenn diese schweigen
sollten, dann würden die Steine schreien!

Jesus weint über Jerusalem   Mt 23,37-39; Lk 13,34-35

41 Und als er näher kam und die Stadt sah, weinte er über sie
42 und sprach: Wenn doch auch du erkannt hättest, wenigstens

noch an diesem deinem Tag, was zu deinem Frieden dient! Nun aber ist es vor deinen Augen verborgen. [43] Denn es werden Tage über dich kommen, da deine Feinde einen Wall gegen dich aufwerfen, dich ringsum einschließen und von allen Seiten bedrängen [44] und dich dem Erdboden gleich machen werden, auch deine Kinder in dir, und in dir keinen Stein auf dem anderen lassen werden, weil du die Zeit deiner Heimsuchung nicht erkannt hast!

Die zweite Tempelreinigung   Mt 21,12-13; Mk 11,15-18

45 Und er ging in den Tempel hinein und fing an, die Verkäufer und Käufer darin hinauszutreiben, [46] und sprach zu ihnen: Es steht geschrieben: *Mein Haus ist ein Bethaus.* Ihr aber habt eine Räuberhöhle daraus gemacht! [47] Und er lehrte täglich im Tempel; die Hohenpriester aber und die Schriftgelehrten und die Vornehmsten des Volkes suchten ihn umzubringen. [48] Und sie fanden nicht, was sie tun sollten; denn das ganze Volk hing an ihm und hörte auf ihn.

Die Frage nach der Vollmacht Jesu   Mt 21,23-27; Mk 11,27-33

20 Es geschah aber an einem jener Tage, als er das Volk im Tempel lehrte und das Evangelium verkündigte, da traten die Hohenpriester und die Schriftgelehrten samt den Ältesten herzu [2] und redeten mit ihm und sprachen: Sage uns, in welcher Vollmacht tust du dies? Und wer hat dir diese Vollmacht gegeben?

3 Er aber antwortete und sprach zu ihnen: Auch ich will euch *ein* Wort fragen! So sagt mir: [4] War die Taufe des Johannes vom Himmel oder von Menschen? [5] Da überlegten sie bei sich selbst und sprachen: Wenn wir sagen: Vom Himmel, so wird er fragen: Warum habt ihr ihm dann nicht geglaubt? [6] Wenn wir aber sagen: Von Menschen, so wird das ganze Volk uns steinigen; denn es ist überzeugt, daß Johannes ein Prophet war. [7] Und sie antworteten, sie wüßten nicht woher. [8] Und Jesus sprach zu ihnen: So sage ich euch auch nicht, in welcher Vollmacht ich dies tue.

Das Gleichnis von den Weingärtnern   Mt 21,33-46; Mk 12,1-12

9 Er fing aber an, dem Volk dieses Gleichnis zu sagen: Ein gewisser Mensch pflanzte einen Weinberg und verpachtete ihn an Weingärtner und hielt sich längere Zeit außer Landes auf. [10] Und als es Zeit war, sandte er einen Knecht zu den Weingärtnern, damit sie ihm [seinen Anteil] von der Frucht des Wein-

bergs gäben. Die Weingärtner aber schlugen ihn und schickten ihn mit leeren Händen fort. ¹¹ Und er fuhr fort und sandte einen anderen Knecht. Sie aber schlugen auch diesen und beschimpften ihn und jagten ihn leer davon. ¹² Und er fuhr fort und sandte einen dritten; aber auch diesen verwundeten sie und warfen ihn hinaus.

13 Da sprach der Herr des Weinbergs: Was soll ich tun? Ich will meinen Sohn senden, den geliebten; wenn sie den sehen, werden sie sich vielleicht scheuen. ¹⁴ Als aber die Weingärtner diesen sahen, sprachen sie untereinander: Das ist der Erbe! Kommt, laßt uns ihn töten, damit das Erbgut uns gehört! ¹⁵ Und sie stießen ihn zum Weinberg hinaus und töteten ihn. Was wird nun der Herr des Weinbergs mit ihnen tun? ¹⁶ Er wird kommen und diese Weingärtner umbringen und den Weinberg anderen geben. Als sie das hörten, sprachen sie: Das sei ferne!

17 Er aber blickte sie an und sprach: Was bedeutet denn das, was geschrieben steht: *Der Stein, den die Bauleute verworfen haben, der ist zum Eckstein geworden?* ¹⁸ Wer auf diesen Stein fällt, der wird zerschmettert werden; auf wen er aber fällt, den wird er zermalmen!

19 Da suchten die Hohenpriester und die Schriftgelehrten Hand an ihn zu legen in derselben Stunde; aber sie fürchteten das Volk; denn sie erkannten, daß er dieses Gleichnis im Blick auf sie gesagt hatte.

Die Frage nach der Steuer   Mt 22,15-22; Mk 12,13-17

20 Und sie lauerten ihm auf und sandten Aufpasser ab, die sich stellen sollten, als wären sie redlich, um ein Wort von ihm aufzufangen, um ihn der Obrigkeit und der Gewalt des Statthalters ausliefern zu können. ²¹ Und sie fragten ihn und sprachen: Meister, wir wissen, daß du richtig redest und lehrst und nicht die Person ansiehst, sondern den Weg Gottes der Wahrheit gemäß lehrst. ²² Ist es uns erlaubt, dem Kaiser die Steuer zu geben, oder nicht?

23 Da er aber ihre Arglist erkannte, sprach er zu ihnen: Was versucht ihr mich? ²⁴ Zeigt mir einen Denar! Wessen Bild und Aufschrift trägt er? Sie aber antworteten und sprachen: Des Kaisers. ²⁵ Er aber sagte ihnen: So gebt doch dem Kaiser, was des Kaisers ist, und Gott, was Gottes ist! ²⁶ Und sie konnten an dem Wort nichts beanstanden vor dem Volk und verwunderten sich über seine Antwort und schwiegen.

Die Frage nach der Auferstehung Mt 22,23-33; Mk 12,18-27

27 Da traten aber etliche der Sadduzäer herzu, die bestreiten, daß es eine Auferstehung gibt, und sie fragten ihn 28 und sprachen: Meister, Mose hat uns vorgeschrieben: Wenn jemandes Bruder eine Frau hat und kinderlos stirbt, so soll dessen Bruder die Frau nehmen und seinem Bruder Nachkommen erwecken.

29 Nun waren da sieben Brüder. Der erste nahm eine Frau und starb kinderlos. 30 Da nahm der zweite die Frau und starb auch kinderlos. 31 Und der dritte nahm sie, ebenso alle sieben, und sie hinterließen keine Kinder bei ihrem Tod. 32 Zuletzt, nach allen, starb auch die Frau. 33 Wessen Frau wird sie nun in der Auferstehung sein? Denn alle sieben haben sie zur Frau gehabt.

34 Und Jesus antwortete ihnen und sprach: Die Kinder dieser Weltzeit heiraten und lassen sich heiraten; 35 diejenigen aber, die gewürdigt werden, jene Weltzeit zu erlangen und die Auferstehung aus den Toten, die werden weder heiraten noch sich heiraten lassen, 36 und sie können auch nicht mehr sterben; denn sie sind den Engeln gleich und Söhne Gottes, da sie Söhne der Auferstehung sind. 37 Daß aber die Toten auferstehen, hat auch Mose angedeutet bei [der Stelle von] dem Busch, wo er den Herrn den Gott Abrahams und den Gott Isaaks und den Gott Jakobs nennt. 38 Er ist aber nicht ein Gott der Toten, sondern der Lebendigen; denn ihm leben alle.

39 Da antworteten etliche der Schriftgelehrten und sprachen: Meister, du hast gut geantwortet! 40 Und sie getrauten sich nicht mehr, ihn etwas zu fragen.

Wessen Sohn ist der Christus? – Warnung vor den Schriftgelehrten Mt 22,41-46; 23,1-36; Mk 12,35-40

41 Er aber sprach zu ihnen: Wie sagen sie, daß der Christus Davids Sohn sei? 42 Und doch sagt David selbst im Buch der Psalmen: *Der Herr sprach zu meinem Herrn: Setze dich zu meiner Rechten,* 43 *bis ich deine Feinde hinlege als Schemel deiner Füße!* 44 David nennt ihn also Herr; wie ist er denn sein Sohn?

45 Als aber das ganze Volk zuhörte, sprach er zu seinen Jüngern: 46 Hütet euch vor den Schriftgelehrten, die gern im Talar einhergehen und die Begrüßungen auf den Märkten und die ersten Sitze in den Synagogen und die obersten Plätze bei den Mahlzeiten lieben; 47 sie fressen die Häuser der Witwen und sprechen zum Schein lange Gebete; diese werden ein um so schwereres Gericht empfangen!

Das Scherflein der Witwe Mk 12,41-44

21 Als er aber aufblickte, sah er, wie die Reichen ihre Gaben in den Opferkasten legten. ² Er sah auch aber auch eine arme Witwe, die legte dort zwei Scherflein ein; ³ und er sprach: Wahrlich, ich sage euch: Diese arme Witwe hat mehr eingelegt als alle! ⁴ Denn diese alle haben von ihrem Überfluß zu den Opfergaben für Gott beigetragen; sie aber hat aus ihrer Armut heraus alles eingelegt, was sie zum Lebensunterhalt besaß.

Jesus sagt die Zerstörung des Tempels voraus Mt 24,1-2; Mk 13,1-2

5 Und als etliche von dem Tempel sagten, daß er mit schönen Steinen und Weihegeschenken geschmückt sei, sprach er: ⁶ Was ihr da seht – es werden Tage kommen, wo kein Stein auf dem anderen bleiben wird, der nicht abgebrochen wird! ⁷ Sie fragten ihn aber und sprachen: Meister, wann wird denn dies geschehen, und was wird das Zeichen sein, wann es geschehen soll?

Ankündigung von Verführung und Verfolgung Mt 24,4-14

8 Er sprach: Habt acht, daß ihr nicht verführt werdet! Denn viele werden unter meinem Namen kommen und sagen: Ich bin es! und: Die Zeit ist nahe! Lauft ihnen nun nicht nach! ⁹ Wenn ihr aber von Kriegen und Unruhen hören werdet, so erschreckt nicht; denn dies muß zuvor geschehen; aber das Ende kommt nicht so bald. ¹⁰ Dann sprach er zu ihnen: Ein Volk wird sich gegen das andere erheben und ein Königreich gegen das andere; ¹¹ und es wird hier und dort große Erdbeben geben, Hungersnöte und Seuchen; und Schrecknisse und große Zeichen vom Himmel werden sich einstellen.

12 Vor diesem allem aber werden sie Hand an euch legen und euch verfolgen und in Synagogen und Gefängnisse übergeben und vor Könige und Fürsten führen um meines Namens willen. ¹³ Das wird euch aber Gelegenheit zum Zeugnis geben. ¹⁴ So nehmt euch nun zu Herzen, daß ihr eure Verteidigung nicht vorher überlegen sollt; ¹⁵ denn ich will euch Weisheit und Fähigkeit zu reden geben, der alle eure Widersacher nicht werden widersprechen noch widerstehen können.

16 Ihr werdet aber auch von Eltern und Brüdern und Verwandten und Freunden ausgeliefert werden, und man wird etliche von euch töten, ¹⁷ und ihr werdet von allen gehaßt sein um meines Namens willen. ¹⁸ Und kein Haar von eurem Haupt wird verloren gehen. ¹⁹ Gewinnt eure Seelen durch euer Ausharren!

Die Ankündigung der Zerstörung Jerusalems

20 Wenn ihr aber Jerusalem von Kriegsheeren belagert seht, dann erkennt, daß seine Verwüstung nahe ist. 21 Dann fliehe auf die Berge, wer in Judäa ist; und wer in [Jerusalem] ist, der ziehe fort aus ihr; und wer auf dem Land ist, der gehe nicht hinein in sie. 22 Denn das sind Tage der Rache, damit alles erfüllt werde, was geschrieben steht. 23 Wehe aber den Schwangeren und den Stillenden in jenen Tagen, denn es wird große Not im Land sein und Zorn über dieses Volk! 24 Und sie werden fallen durch die Schärfe des Schwerts und gefangen weggeführt werden unter alle Heiden. Und Jerusalem wird zertreten werden von den Heiden, bis die Zeiten der Heiden erfüllt sind.

Das Kommen des Menschensohnes in Kraft und Herrlichkeit
Mt 24,29-31; Mk 13,24-27

25 Und es werden Zeichen geschehen an Sonne und Mond und Sternen, und auf Erden Angst der Völker vor Ratlosigkeit bei dem Tosen des Meeres und der Wogen, 26 da die Menschen in Ohnmacht sinken werden vor Furcht und Erwartung dessen, was über den Erdkreis kommen soll; denn die Kräfte des Himmels werden erschüttert werden. 27 Und dann werden sie den Sohn des Menschen kommen sehen in einer Wolke mit großer Kraft und Herrlichkeit.

28 Wenn aber dies anfängt zu geschehen, so richtet euch auf und erhebt eure Häupter, weil eure Erlösung naht. 29 Und er sagte ihnen ein Gleichnis: Seht den Feigenbaum und alle Bäume! 30 Wenn ihr sie schon ausschlagen seht, so erkennt ihr von selbst, daß der Sommer jetzt nahe ist. 31 So auch ihr: Wenn ihr seht, daß dies geschieht, so erkennt, daß das Reich Gottes nahe ist. 32 Wahrlich, ich sage euch: Dieses Geschlecht wird nicht vergehen, bis alles geschehen ist. 33 Himmel und Erde werden vergehen, aber meine Worte werden nicht vergehen.

Ermahnung zur Wachsamkeit Mt 24,36-51; Mk 13,32-37

34 Habt aber acht auf euch selbst, daß eure Herzen nicht beschwert werden durch Rausch und Trunkenheit und Sorgen des Lebens, und jener Tag unversehens über euch kommt! 35 Denn wie ein Fallstrick wird er über alle kommen, die auf dem ganzen Erdboden wohnen. 36 Darum wachet jederzeit und bittet, daß ihr gewürdigt werdet, diesem allem zu entfliehen, was geschehen soll, und zu stehen vor dem Sohn des Menschen!

37 Er war aber tagsüber im Tempel und lehrte, bei Nacht aber ging er hinaus und übernachtete an dem Berg, welcher Ölberg heißt. **38** Und alles Volk kam früh zu ihm in den Tempel, um ihn zu hören.

Das Leiden und Sterben Jesu Christi (Kapitel 22 u. 23)

Der Plan der Führer Israels und der Verrat des Judas Mt 26,1-5

22 Es nahte aber das Fest der ungesäuerten Brote, das man Passah nennt. **2** Und die Hohenpriester und Schriftgelehrten suchten, wie sie ihn umbringen könnten; denn sie fürchteten das Volk. **3** Es fuhr aber der Satan in Judas, der mit Beinamen Ischariot genannt wird, welcher aus der Zahl der Zwölf war. **4** Und er ging hin und besprach mit den Hohenpriestern und den Hauptleuten, wie er ihnen denselben ausliefern wollte. **5** Und sie freuten sich und kamen überein, ihm Geld zu geben. **6** Und er versprach es und suchte eine gute Gelegenheit, um ihn ohne Volksauflauf an sie auszuliefern.

Das letzte Passahmahl Mt 26,17-20; Mk 14,12-17; Joh 13,1-17

7 Es kam aber der Tag der ungesäuerten Brote, an dem man das Passah schlachten mußte. **8** Und er sandte Petrus und Johannes und sprach: Geht hin, bereitet uns das Passah, damit wir es essen! **9** Sie aber sprachen zu ihm: Wo willst du, daß wir es bereiten? **10** Und er sprach zu ihnen: Siehe, wenn ihr in die Stadt hineinkommt, so wird euch ein Mensch begegnen, der einen Wasserkrug trägt; dem folgt in das Haus, wo er hineingeht, **11** und sprecht zu dem Hausherrn: Der Meister läßt dir sagen: Wo ist das Gastzimmer, in dem ich mit meinen Jüngern das Passah essen kann? **12** Und jener wird euch einen großen, mit Polstern belegten Obersaal zeigen; dort bereitet es zu. **13** Sie gingen hin und fanden es, wie er ihnen gesagt hatte; und sie bereiteten das Passah.

14 Und als die Stunde kam, setzte er sich zu Tisch und die zwölf Apostel mit ihm. **15** Und er sprach zu ihnen: Mich hat herzlich verlangt, dieses Passah mit euch zu essen, ehe ich leide. **16** Denn ich sage euch: Ich werde künftig nicht mehr davon essen, bis es erfüllt sein wird im Reich Gottes. **17** Und er nahm den Kelch, dankte und sprach: Nehmt diesen und teilt ihn unter euch! **18** Denn ich sage euch: Ich werde nicht mehr von dem Gewächs des Weinstocks trinken, bis das Reich Gottes gekommen ist.

Die Einsetzung des Mahles des Herrn Mt 26,26-29; Mk 14,22-25

19 Und er nahm das Brot, dankte, brach es, gab es ihnen und sprach: Das ist mein Leib, der für euch gegeben wird; das tut zu meinem Gedächtnis! **20** Desgleichen auch den Kelch nach dem Mahl und sprach: Dieser Kelch ist der neue Bund in meinem Blut, das für euch vergossen wird.

Jesus sagt den Verrat voraus Mt 26,21-25; Mk 14,18-21; Joh 13,18-30

21 Doch siehe, die Hand dessen, der mich verrät, ist mit mir auf dem Tisch. **22** Und der Sohn des Menschen geht zwar dahin, wie es bestimmt ist; aber wehe dem Menschen, durch den er verraten wird! **23** Und sie fingen an, sich untereinander zu befragen, welcher von ihnen es wohl wäre, der dies tun würde.

Vom Herrschen und vom Dienen Mt 20,20-28; Mk 10,35-45

24 Es entstand aber auch ein Streit unter ihnen, wer von ihnen als der Größte zu gelten habe. **25** Er aber sagte zu ihnen: Die Könige der Völker herrschen über sie, und ihre Gewalthaber nennt man Wohltäter. **26** Ihr aber sollt nicht so sein; sondern der Größte unter euch soll sein wie der Jüngste, und der Führende wie der Dienende. **27** Denn wer ist größer: der, welcher zu Tisch sitzt, oder der Dienende? Ist es nicht der, welcher zu Tisch sitzt? Ich aber bin mitten unter euch wie der Dienende.

28 Ihr aber seid die, welche bei mir ausgeharrt haben in meinen Anfechtungen. **29** Und ich verordne euch, wie mir mein Vater das Reich verordnet hat, **30** daß ihr an meinem Tisch in meinem Reich essen und trinken und auf Thronen sitzen sollt, um die zwölf Stämme Israels zu richten.

Jesu Gebet für Petrus. Die Ankündigung der Verleugnung
Mt 26,31-35; Mk 14,29-31; Joh 13,36-38

31 Es sprach aber der Herr: Simon, Simon, siehe, der Satan hat euch begehrt, um euch zu sichten wie den Weizen; **32** ich aber habe für dich gebetet, daß dein Glaube nicht aufhöre; und wenn du dich dereinst bekehrst, so stärke deine Brüder!

33 Er aber sprach zu ihm: Herr, ich bin bereit, mit dir ins Gefängnis und in den Tod zu gehen! **34** Er aber sprach: Ich sage dir, Petrus: Der Hahn wird heute nicht krähen, ehe du dreimal geleugnet hast, daß du mich kennst!

35 Und er sprach zu ihnen: Als ich euch aussandte ohne Beutel und Tasche und Schuhe, hat euch etwas gemangelt? Sie spra-

chen: Nichts! [36] Nun sprach er zu ihnen: Aber jetzt, wer einen Beutel hat, der nehme ihn, ebenso auch die Tasche; und wer es nicht hat, der verkaufe sein Gewand und kaufe ein Schwert. [37] Denn ich sage euch: Auch dies muß noch an mir erfüllt werden, was geschrieben steht: *Und er ist unter die Gesetzlosen gerechnet worden.* Denn was von mir [geschrieben steht], das geht in Erfüllung! [38] Sie sprachen: Herr, siehe, hier sind zwei Schwerter! Er aber sprach zu ihnen: Es ist genug!

Gethsemane Mt 26,36-46; Mk 14,32-42

39 Und er ging hinaus und begab sich nach seiner Gewohnheit an den Ölberg. Es folgten ihm aber auch seine Jünger. [40] Und als er an den Ort gekommen war, sprach er zu ihnen: Betet, daß ihr nicht in Anfechtung geratet! [41] Und er riß sich von ihnen los, ungefähr einen Steinwurf weit, kniete nieder, betete [42] und sprach: Vater, wenn du willst, so nimm diesen Kelch von mir! Doch nicht mein, sondern dein Wille geschehe! [43] Da erschien ihm ein Engel vom Himmel und stärkte ihn. [44] Und er war in ringendem Kampf und betete inbrünstiger; sein Schweiß wurde aber wie Blutstropfen, die auf die Erde fielen.

45 Und als er vom Gebet aufstand und zu seinen Jüngern kam, fand er sie schlafend vor Traurigkeit. [46] Und er sprach zu ihnen: Was schlaft ihr? Steht auf und betet, damit ihr nicht in Anfechtung geratet!

Die Gefangennahme Jesu Mt 26,47-56; Mk 14,43-50; Joh 18,3-12

47 Während er aber noch redete, siehe, da kam eine Schar, und der, welcher Judas hieß, einer der Zwölf, ging vor ihnen her und näherte sich Jesus, um ihn zu küssen. [48] Jesus aber sprach zu ihm: Judas, verrätst du den Sohn des Menschen mit einem Kuß?

49 Als nun seine Begleiter sahen, was da geschehen sollte, sprachen sie zu ihm: Herr, sollen wir mit dem Schwert dreinschlagen? [50] Und einer von ihnen schlug den Knecht des Hohenpriesters und hieb ihm sein rechtes Ohr ab. [51] Da antwortete Jesus und sprach: Laßt es hierbei bewenden! Und er rührte sein Ohr an und heilte ihn.

52 Es sprach aber Jesus zu den Hohenpriestern und Hauptleuten des Tempels und den Ältesten, die an ihn herangetreten waren: Wie gegen einen Räuber seid ihr ausgezogen mit Schwertern und mit Stöcken! [53] Als ich täglich bei euch im Tempel war, habt ihr die Hände nicht gegen mich ausgestreckt. Aber dies ist eure Stunde und die Macht der Finsternis.

Die Verleugnung durch Petrus Mt 26,57-58; 26,69-75; Mk 14,53-54

54 Nachdem sie ihn nun festgenommen hatten, führten sie ihn ab und brachten ihn in das Haus des Hohenpriesters. Petrus aber folgte von ferne. 55 Da sie aber mitten im Hof ein Feuer angezündet hatten und beisammen saßen, setzte sich Petrus mitten unter sie.

56 Es sah ihn aber eine Magd beim Feuer sitzen, schaute ihn an und sprach: Auch dieser war mit ihm! 57 Er aber verleugnete ihn und sprach: Frau, ich kenne ihn nicht! 58 Und bald danach sah ihn ein anderer und sprach: Du bist auch einer von ihnen! Petrus aber sprach: Mensch, ich bin's nicht! 59 Und nach einer Weile von ungefähr einer Stunde bekräftigte es ein anderer und sprach: Wahrhaftig, der war auch mit ihm; denn er ist ein Galiläer! 60 Petrus aber sprach: Mensch, ich weiß nicht, was du sagst! Und sogleich, während er noch redete, krähte der Hahn. 61 Und der Herr wandte sich um und sah Petrus an. Da erinnerte sich Petrus an das Wort des Herrn, das er zu ihm gesprochen hatte: Ehe der Hahn kräht, wirst du mich dreimal verleugnen! 62 Und Petrus ging hinaus und weinte bitterlich.

Jesus vor dem Hohen Rat Mt 26,57-68; 27,1; Mk 14,53-65; 15,1

63 Die Männer aber, die Jesus festhielten, verspotteten und mißhandelten ihn; 64 und nachdem sie ihn verhüllt hatten, schlugen sie ihn ins Angesicht und fragten ihn und sprachen: Weissage uns, wer ist's, der dich geschlagen hat? 65 Und viele andere Lästerungen sprachen sie gegen ihn aus. 66 Und als es Tag geworden war, versammelten sich die Ältesten des Volkes, die Hohenpriester und Schriftgelehrten, und führten ihn vor ihren Hohen Rat; und sie sprachen: 67 Bist du der Christus? Sage es uns! Er aber sprach zu ihnen: Wenn ich es euch sagte, so würdet ihr es nicht glauben; 68 wenn ich aber auch fragte, so würdet ihr mir nicht antworten, noch mich loslassen. 69 Von nun an wird der Sohn des Menschen sitzen zur Rechten der Macht Gottes. 70 Da sprachen sie alle: Bist du also der Sohn Gottes? Er aber sprach zu ihnen: Ihr sagt, was ich bin! 71 Da sprachen sie: Was brauchen wir ein weiteres Zeugnis? Denn wir haben es selbst aus seinem Mund gehört!

Jesus vor Pilatus und Herodes Mt 27,2; 27,11-14; Mk 15,2-5

23 Und die ganze Versammlung stand auf, und sie führten ihn vor Pilatus. 2 Sie fingen aber an, ihn zu verklagen und sprachen: Wir haben gefunden, daß dieser das Volk verführt und ihm wehrt, dem Kaiser die Steuern zu zahlen. Er behaup-

tet, er sei Christus, der König. ³ Da fragte ihn Pilatus und sprach: Bist du der König der Juden? Er antwortete ihm und sprach: Du sagst es!

4 Da sprach Pilatus zu den Hohenpriestern und der Volksmenge: Ich finde keine Schuld an diesem Menschen! ⁵ Sie aber bestanden darauf und sprachen: Er wiegelt das Volk auf, indem er in ganz Judäa lehrt, angefangen in Galiläa bis hierher!

6 Als Pilatus von Galiläa hörte, fragte er, ob der Mensch ein Galiläer sei. ⁷ Und da er vernahm, daß er aus dem Herrschaftsgebiet des Herodes sei, sandte er ihn zu Herodes, der in diesen Tagen auch selbst in Jerusalem war.

8 Herodes aber freute sich sehr, als er Jesus sah; denn er hätte ihn schon längst gern gesehen, weil er viel von ihm gehört hatte, und er hoffte, ein Zeichen von ihm zu sehen. ⁹ Er legte ihm denn auch viele Fragen vor; aber er gab ihm keine Antwort. ¹⁰ Die Hohenpriester aber und die Schriftgelehrten standen da und verklagten ihn heftig. ¹¹ Und Herodes samt seinen Kriegsleuten verachtete und verspottete ihn, zog ihm ein weißes Gewand an und schickte ihn wieder zu Pilatus. ¹² An demselben Tag schlossen Pilatus und Herodes Freundschaft miteinander, denn zuvor waren sie einander feind gewesen.

Die Verurteilung Jesu durch die Volksmenge   Mt 27,15-26

13 Pilatus aber rief die Hohenpriester und die Obersten und das Volk zusammen ¹⁴ und sprach zu ihnen: Ihr habt diesen Menschen zu mir gebracht, als mache er das Volk abtrünnig; und siehe, als ich ihn vor euch verhörte, habe ich an diesem Menschen keine Schuld gefunden, deren ihr ihn anklagt, ¹⁵ aber auch Herodes nicht; denn ich habe euch zu ihm gesandt; und siehe, es ist nichts von ihm verübt worden, was des Todes würdig wäre. ¹⁶ Darum will ich ihn züchtigen und dann freilassen.

17 Er mußte ihnen aber anläßlich des Festes einen freigeben. ¹⁸ Da schrie aber die ganze Menge und sprach: Hinweg mit diesem, und gib uns Barabbas frei! ¹⁹ Der war wegen eines in der Stadt vorgefallenen Aufruhrs und Mordes ins Gefängnis geworfen worden. ²⁰ Nun redete ihnen Pilatus noch einmal zu, weil er Jesus freizulassen wünschte. ²¹ Sie aber riefen dagegen und sprachen: Kreuzige, kreuzige ihn!

22 Und zum drittenmal sprach er zu ihnen: Was hat dieser denn Böses getan? Ich habe keine des Todes würdige Schuld an ihm gefunden. Darum will ich ihn züchtigen und dann freilassen. ²³ Sie aber hielten an mit lautem Geschrei und forderten,

daß er gekreuzigt werde; und ihr und der Hohenpriester Geschrei nahm überhand. ²⁴ Da entschied Pilatus, daß ihre Forderung erfüllt werden sollte, ²⁵ und gab ihnen den frei, den sie begehrten, welcher eines Aufruhrs und Mordes wegen ins Gefängnis geworfen worden war; Jesus aber übergab er ihrem Willen.

Jesus auf dem Weg zur Kreuzigung Mt 27,31-32; Mk 15,20-22

26 Und als sie ihn hinführten, ergriffen sie einen gewissen Simon von Kyrene, der vom Feld kam, und legten ihm das Kreuz auf, damit er es Jesus nachtrage.
27 Es folgte ihm aber eine große Menge des Volkes, und dazu Frauen, die ihn auch beklagten und betrauerten. ²⁸ Da wandte sich Jesus zu ihnen und sprach: Ihr Töchter Jerusalems, weint nicht über mich; weint vielmehr über euch selbst und über eure Kinder! ²⁹ Denn siehe, es kommen Tage, da man sagen wird: Glückselig sind die Unfruchtbaren und die Leiber, die nicht geboren, und die Brüste, die nicht gestillt haben! ³⁰ Dann wird man anfangen, zu den Bergen zu sagen: Fallt über uns! und zu den Hügeln: Bedeckt uns! ³¹ Denn wenn man das am grünen Holz tut, was wird am dürren geschehen?
32 Es wurden aber auch zwei andere hingeführt, Übeltäter, um mit ihm hingerichtet zu werden.

Die Kreuzigung Jesu Mt 27,32-44; Mk 15,21-32; Joh 19,17-27

33 Und als sie an den Ort kamen, den man Schädelstätte nennt, kreuzigten sie dort ihn und die Übeltäter, den einen zur Rechten, den anderen zur Linken.
34 Jesus aber sprach: Vater, vergib ihnen, denn sie wissen nicht, was sie tun! Sie teilten aber sein Gewand und warfen das Los.
35 Und das Volk stand da und sah zu. Und es spotteten auch die Obersten mit ihnen und sprachen: Andere hat er gerettet; er rette nun sich selbst, wenn er der Christus ist, der Auserwählte Gottes! ³⁶ Aber auch die Kriegsknechte verspotteten ihn, indem sie herzutraten und ihm Essig brachten ³⁷ und sprachen: Bist du der König der Juden, so rette dich selbst! ³⁸ Es stand aber auch eine Inschrift über ihm in griechischer, lateinischer und hebräischer Schrift: Dieser ist der König der Juden.
39 Einer der gehängten Übeltäter aber lästerte ihn und sprach: Bist du der Christus, so rette dich selbst und uns! ⁴⁰ Der andere aber antwortete, tadelte ihn und sprach: Fürchtest auch du Gott nicht, da du doch in dem gleichen Gericht bist? ⁴¹ Und wir gerechterweise, denn wir empfangen, was unsere Taten wert

sind; dieser aber hat nichts Unrechtes getan! [42] Und er sprach zu Jesus: Herr, gedenke meiner, wenn du in deiner Königsherrschaft kommst! [43] Und Jesus sprach zu ihm: Wahrlich, ich sage dir: Heute wirst du mit mir im Paradies sein!

Der Tod Jesu Mt 27,45-56; Mk 15,33-41; Joh 19,28-37

44 Es war aber um die sechste Stunde, und eine Finsternis kam über das ganze Land bis zur neunten Stunde[a]. [45] Und die Sonne wurde verfinstert, und der Vorhang im Tempel riß mitten entzwei.

46 Und Jesus rief mit lauter Stimme und sprach: Vater, in deine Hände befehle ich meinen Geist! Und als er das gesagt hatte, verschied er.

47 Als aber der Hauptmann sah, was geschah, pries er Gott und sprach: Wahrlich, dieser Mensch war gerecht! [48] Und die ganzen Scharen, die herbeigekommen waren zu diesem Schauspiel – als sie sahen, was geschah, schlugen sie sich an die Brust und kehrten zurück. [49] Es standen aber alle, die ihn kannten, weit entfernt, auch die Frauen, die ihm von Galiläa her nachgefolgt waren; und sie sahen dies.

Die Grablegung Jesu Mt 27,57-61; Mk 15,42-47; Joh 19,38-42

50 Und siehe, ein Mann namens Joseph aus Arimathia, einer Stadt der Juden, der ein Ratsherr war, ein guter und gerechter Mann, [51] der ihrem Rat und Tun nicht zugestimmt hatte, der auch selbst auf das Reich Gottes wartete, [52] dieser ging zu Pilatus und bat um den Leib Jesu; [53] und er nahm ihn herab, wickelte ihn in Leinwand und legte ihn in ein in Felsen gehauenes Grab, worin noch niemand gelegen hatte. [54] Und es war Rüsttag, und der Sabbat brach an.

55 Es folgten aber auch die Frauen nach, die mit ihm aus Galiläa gekommen waren, und sahen sich das Grab an und wie sein Leib hineingelegt wurde. [56] Dann kehrten sie zurück und bereiteten wohlriechende Gewürze und Salben; am Sabbat aber ruhten sie nach dem Gesetz.

Die Auferstehung Jesu Christi Mt 28,1-10; Mk 16,1-11; Joh 20,1-10

24 Am ersten Tag der Woche aber kamen sie am frühen Morgen zum Grab und brachten die wohlriechenden Gewürze, die sie bereitet hatten und noch etliche mit ihnen. [2] Sie fanden aber den Stein von dem Grab weggewälzt. [3] Und als sie hineingingen, fanden sie den Leib des Herrn Jesus nicht. [4] Und

a. (23,44) d.h. von 12 Uhr mittags bis drei Uhr nachmittags.

es geschah, als sie deswegen ganz ratlos waren, siehe, da standen zwei Männer in strahlenden Gewändern bei ihnen.

5 Da sie nun erschraken und das Angesicht zur Erde neigten, sprachen diese zu ihnen: Was sucht ihr den Lebenden bei den Toten? 6 Er ist nicht hier, sondern er ist auferstanden! Denkt daran, wie er zu euch redete, als er noch in Galiläa war, 7 und sagte: Der Sohn des Menschen muß in die Hände sündiger Menschen ausgeliefert und gekreuzigt werden und am dritten Tag auferstehen.

8 Da erinnerten sie sich seiner Worte, 9 und sie kehrten vom Grab zurück und verkündigten das alles den Elfen und allen übrigen. 10 Es waren aber Maria Magdalena und Johanna und Maria, die Mutter des Jakobus, die dies den Aposteln sagten, sie und die übrigen mit ihnen. 11 Und ihre Worte kamen ihnen vor wie ein Märchen, und sie glaubten ihnen nicht. 12 Petrus aber stand auf und lief zum Grab, bückte sich und sah nur die leinenen Tücher daliegen; und er ging nach Hause, voll Staunen über das, was geschehen war.

Die Jünger von Emmaus   Mk 16,12-13

13 Und siehe, zwei von ihnen gingen an demselben Tag zu einem Dorf namens Emmaus, das von Jerusalem sechzig Stadien entfernt war. 14 Und sie redeten miteinander von allen diesen Geschehnissen. 15 Und es geschah, während sie miteinander redeten und sich besprachen, nahte sich Jesus selbst und ging mit ihnen. 16 Ihre Augen aber wurden gehalten, so daß sie ihn nicht erkannten.

17 Und er sprach zu ihnen: Was habt ihr unterwegs miteinander besprochen, und warum seid ihr so traurig? 18 Da antwortete der eine mit Namen Kleopas und sprach zu ihm: Bist du der einzige Fremdling in Jerusalem, der nicht erfahren hat, was dort geschehen ist in diesen Tagen? 19 Und er sprach zu ihnen: Was? Sie sprachen zu ihm: Das mit Jesus von Nazareth, der ein Prophet war, mächtig in Tat und Wort vor Gott und allem Volk; 20 wie ihn unsere Hohenpriester und Obersten ausgeliefert haben, daß er zum Tode verurteilt und gekreuzigt wurde. 21 Wir aber hofften, er sei der, welcher Israel erlösen sollte. Ja, bei alledem ist heute schon der dritte Tag, seit dies geschehen ist.

22 Zudem haben uns auch einige Frauen aus unserer Mitte in Verwirrung gebracht; sie waren am Morgen früh beim Grab, 23 fanden seinen Leib nicht, kamen und sagten, sie hätten sogar eine Erscheinung von Engeln gesehen, welche sagten, er lebe. 24 Und etliche der Unsrigen gingen hin zum Grab und fanden

es so, wie die Frauen gesagt hatten; ihn selbst aber haben sie nicht gesehen.

25 Und er sprach zu ihnen: O ihr Toren! Wie langsam ist euer Herz zu glauben an alles, was die Propheten geredet haben! ²⁶ Mußte nicht der Christus dies erleiden und in seine Herrlichkeit eingehen? ²⁷ Und er begann bei Mose und bei allen Propheten und legte ihnen in allen Schriften aus, was sich auf ihn bezieht.

28 Und sie näherten sich dem Dorf, wohin sie wanderten, und er stellte sich, als wollte er weitergehen. ²⁹ Und sie nötigten ihn und sprachen: Bleibe bei uns, denn es will Abend werden, und der Tag hat sich geneigt! Und er ging hinein, um bei ihnen zu bleiben.

30 Und es geschah, als er mit ihnen zu Tisch saß, nahm er das Brot, sprach den Segen, brach es und gab es ihnen. ³¹ Da wurden ihre Augen aufgetan, und sie erkannten ihn; und er verschwand vor ihnen. ³² Und sie sprachen zueinander: Brannte nicht unser Herz in uns, als er mit uns redete auf dem Weg, und als er uns die Schriften öffnete?

33 Und sie standen auf in derselben Stunde und kehrten nach Jerusalem zurück und fanden die Elf und ihre Gefährten versammelt, ³⁴ die sprachen: Der Herr ist wahrhaftig auferstanden und dem Simon erschienen! ³⁵ Und sie selbst erzählten, was auf dem Weg geschehen war, und wie er von ihnen am Brotbrechen erkannt worden war.

Jesus erscheint den Jüngern   Mt 28,16-20; Mk 16,14-18; Joh 20,19-29

36 Während sie aber davon redeten, trat Jesus selbst in ihre Mitte und spricht zu ihnen: Friede sei mit euch! ³⁷ Aber bestürzt und voll Furcht meinten sie, einen Geist zu sehen. ³⁸ Und er sprach zu ihnen: Was seid ihr so erschrocken, und warum steigen Zweifel auf in euren Herzen? ³⁹ Seht an meinen Händen und meinen Füßen, daß ich es bin! Rührt mich an und schaut, denn ein Geist hat nicht Fleisch und Knochen, wie ihr seht, daß ich habe. ⁴⁰ Und indem er das sagte, zeigte er ihnen die Hände und die Füße.

41 Da sie aber noch nicht glaubten vor Freude und sich verwunderten, sprach er zu ihnen: Habt ihr etwas zu essen hier? ⁴² Da reichten sie ihm ein Stück gebratenen Fisch und etwas Wabenhonig. ⁴³ Und er nahm es und aß vor ihnen.

Der Auftrag zur Verkündigung des Evangeliums   Apg 1,8

44 Er aber sagte ihnen: Das sind die Worte, die ich zu euch geredet habe, als ich noch bei euch war, daß alles erfüllt werden

müsse, was im Gesetz Moses und in den Propheten und den Psalmen von mir geschrieben steht. [45] Da öffnete er ihnen das Verständnis, damit sie die Schriften verstanden, [46] und sprach zu ihnen: So steht es geschrieben, und so mußte der Christus leiden und am dritten Tag aus den Toten auferstehen, [47] und in seinem Namen soll Buße und Vergebung der Sünden verkündigt werden unter allen Völkern, beginnend in Jerusalem. [48] Ihr aber seid Zeugen hiervon! [49] Und siehe, ich sende auf euch die Verheißung meines Vaters; ihr aber bleibt in der Stadt Jerusalem, bis ihr angetan werdet mit Kraft aus der Höhe!

Die Himmelfahrt Jesu Christi   Mk 16,19-20; Apg 1,9-12

50 Er führte sie aber hinaus bis in die Nähe von Bethanien und hob seine Hände auf und segnete sie. [51] Und es geschah, indem er sie segnete, schied er von ihnen und wurde aufgehoben in den Himmel. [52] Und sie warfen sich anbetend vor ihm nieder und kehrten nach Jerusalem zurück mit großer Freude [53] und waren allezeit im Tempel und priesen und lobten Gott. Amen.

DAS EVANGELIUM NACH JOHANNES

Das Johannes-Evangelium wurde von dem Apostel Johannes ca. 85-90 n. Chr. verfaßt. Es zeigt uns Jesus Christus als den Sohn Gottes, der die Liebe und Gnade und Herrlichkeit Gottes unter den Menschen offenbar macht. Jesus Christus allein kann geistlich toten Menschen ewiges, wahres Leben schenken und von Gott getrennte Sünder zu Kindern Gottes machen. Dieses Evangelium hat schon zahllosen Suchenden die Erkenntnis der göttlichen Wahrheit vermittelt und ihnen Jesus Christus als ihren Herrn und Erlöser geoffenbart.

Das Wort wurde Fleisch   1Joh 1,1-3; Kol 1,15-17; Hebr 1,1-12

1 Im Anfang war das Wort[a], und das Wort war bei Gott, und das Wort war Gott. ² Dieses war im Anfang bei Gott. ³ Alles ist durch dasselbe entstanden; und ohne dasselbe ist auch nicht eines entstanden, was entstanden ist. ⁴ In ihm war Leben, und das Leben war das Licht der Menschen. ⁵ Und das Licht leuchtet in der Finsternis, und die Finsternis hat es nicht begriffen.

6 Es war ein Mensch, von Gott gesandt, der hieß Johannes. ⁷ Dieser kam zum Zeugnis, um von dem Licht Zeugnis zu geben, damit alle durch ihn glaubten. ⁸ Nicht er war das Licht, sondern er sollte Zeugnis geben von dem Licht.

9 Das wahrhaftige Licht, welches jeden Menschen erleuchtet, sollte in die Welt kommen. ¹⁰ Er war in der Welt, und die Welt ist durch ihn geworden, aber die Welt erkannte ihn nicht. ¹¹ Er kam in sein Eigentum, und die Seinen nahmen ihn nicht auf. ¹² Allen denen aber, die ihn aufnahmen, gab er Vollmacht, Gottes Kinder zu werden, denen, die an seinen Namen glauben; ¹³ die nicht aus Geblüt, noch aus dem Willen des Fleisches, noch aus dem Willen des Mannes, sondern aus Gott geboren sind.

14 Und das Wort wurde Fleisch und wohnte unter uns; und wir sahen seine Herrlichkeit, eine Herrlichkeit als des Eingeborenen vom Vater, voller Gnade und Wahrheit.

Das Zeugnis Johannes des Täufers   Mt 3,1-12; Lk 3,15-18

15 Johannes legte Zeugnis ab von ihm, rief und sprach: Dieser war es, von dem ich sagte: Der nach mir kommt, ist vor mir gewesen, denn er war eher als ich. ¹⁶ Und aus seiner Fülle haben

a. (1,1) „Das Wort" ist ein Name des Herrn Jesus Christus; vgl. 1Joh 1,1; Offb 19,13.

wir alle empfangen Gnade um Gnade. [17] Denn das Gesetz wurde durch Mose gegeben; die Gnade und die Wahrheit ist durch Jesus Christus geworden. [18] Niemand hat Gott je gesehen; der eingeborene Sohn, der im Schoß des Vaters ist, der hat Aufschluß [über ihn] gegeben.

19 Und dies ist das Zeugnis des Johannes, als die Juden von Jerusalem Priester und Leviten sandten, um ihn zu fragen: Wer bist du? [20] Und er bekannte und leugnete nicht; sondern er bekannte: Ich bin nicht der Christus! [21] Und sie fragten ihn: Was denn? Bist du Elia? Und er sprach: Ich bin's nicht! Bist du der Prophet? Und er antwortete: Nein! [22] Nun sprachen sie zu ihm: Wer bist du denn? Damit wir denen Antwort geben, die uns gesandt haben: Was sagst du über dich selbst? [23] Er sprach: Ich bin *eine Stimme, die ruft in der Wüste: Ebnet den Weg des Herrn!,* wie der Prophet Jesaja gesagt hat. [24] Die Gesandten gehörten aber zu den Pharisäern. [25] Und sie fragten ihn und sprachen zu ihm: Warum taufst du denn, wenn du nicht der Christus bist, noch Elia, noch der Prophet?

26 Johannes antwortete ihnen und sprach: Ich taufe mit Wasser; aber mitten unter euch steht einer, den ihr nicht kennt; [27] dieser ist's, der nach mir kommt, der vor mir gewesen ist, für den ich nicht würdig bin, ihm den Schuhriemen zu lösen. [28] Dies geschah in Bethabara, jenseits des Jordan, wo Johannes taufte.

Das Lamm Gottes　1Joh 2,2; 1Pt 1,19; 1Kor 5,7

29 Am folgenden Tag sieht Johannes Jesus auf sich zukommen und spricht: Siehe, das Lamm Gottes, das die Sünde der Welt hinwegnimmt! [30] Das ist der, von dem ich sagte: Nach mir kommt ein Mann, der vor mir gewesen ist; denn er war eher als ich. [31] Und ich kannte ihn nicht; aber damit er Israel offenbar würde, darum bin ich gekommen, mit Wasser zu taufen.

32 Und Johannes bezeugte und sprach: Ich sah den Geist wie eine Taube vom Himmel herabsteigen und auf ihm bleiben. [33] Und ich kannte ihn nicht; aber der mich sandte, mit Wasser zu taufen, der sprach zu mir: Auf welchen du den Geist herabsteigen und auf ihm bleiben siehst, der ist's, der mit Heiligem Geist tauft. [34] Und ich habe es gesehen und bezeuge, daß dieser der Sohn Gottes ist.

35 Am folgenden Tag stand Johannes wiederum da und zwei seiner Jünger. [36] Und indem er auf Jesus blickte, der vorüberging, sprach er: Siehe, das Lamm Gottes!

Die ersten Jünger Joh 17,6; 6,44-45

37 Und die beiden Jünger hörten ihn reden und folgten Jesus nach. ³⁸ Als aber Jesus sich umwandte und sie nachfolgen sah, sprach er zu ihnen: Was sucht ihr? Sie sprachen zu ihm: Rabbi (das heißt übersetzt: Lehrer), wo wohnst du? ³⁹ Er spricht zu ihnen: Kommt und seht! Sie kamen und sahen, wo er wohnte, und blieben jenen Tag bei ihm. Es war aber um die zehnte Stunde.^a

40 Andreas, der Bruder des Simon Petrus, war einer von den beiden, die es von Johannes gehört hatten und ihm nachgefolgt waren. ⁴¹ Dieser findet zuerst seinen Bruder Simon und spricht zu ihm: Wir haben den Messias gefunden (das heißt übersetzt: den Gesalbten^b). ⁴² Und er führte ihn zu Jesus. Jesus aber sah ihn an und sprach: Du bist Simon, Jonas Sohn, du sollst Kephas heißen (das heißt übersetzt: Fels).

43 Am folgenden Tag wollte Jesus nach Galiläa reisen; da findet er Philippus und spricht zu ihm: Folge mir nach! ⁴⁴ Philippus aber war von Bethsaida, aus der Stadt des Andreas und Petrus. ⁴⁵ Philippus findet den Nathanael und spricht zu ihm: Wir haben den gefunden, von welchem Mose im Gesetz und die Propheten geschrieben haben, Jesus, den Sohn Josephs, von Nazareth. ⁴⁶ Und Nathanael sprach zu ihm: Kann aus Nazareth etwas Gutes kommen? Philippus spricht zu ihm: Komm und sieh! ⁴⁷ Jesus sah den Nathanael auf sich zukommen und spricht von ihm: Siehe, wahrhaftig ein Israelit, in dem keine Falschheit ist! ⁴⁸ Nathanael spricht zu ihm: Woher kennst du mich? Jesus antwortete und sprach zu ihm: Ehe dich Philippus rief, als du unter dem Feigenbaum warst, sah ich dich!

49 Nathanael antwortete und sprach zu ihm: Rabbi, du bist der Sohn Gottes, du bist der König von Israel! ⁵⁰ Jesus antwortete und sprach zu ihm: Du glaubst, weil ich dir sagte: Ich sah dich unter dem Feigenbaum? Du wirst Größeres sehen als das! ⁵¹ Und er spricht zu ihm: Wahrlich, wahrlich, ich sage euch: Künftig werdet ihr den Himmel offen sehen und die Engel Gottes auf- und niedersteigen auf den Sohn des Menschen!

Die Hochzeit von Kana Joh 5,36

2 Und am dritten Tag war eine Hochzeit in Kana in Galiläa, und die Mutter Jesu war dort. ² Aber auch Jesus wurde samt seinen Jüngern zur Hochzeit eingeladen. ³ Und als es an Wein

---

a. (1,39) d.h. ca. 10 Uhr vormittags nach der römischen Zeitrechnung.
b. (1,41) d.h. den Christus, den von Gott verheißenen Erlöser-König der Juden (vgl. Fn. zu Mt 1,16).

mangelte, spricht die Mutter Jesu zu ihm: Sie haben keinen Wein! [4] Jesus spricht zu ihr: Frau, was habe ich mit dir zu tun? Meine Stunde ist noch nicht gekommen! [5] Seine Mutter spricht zu den Dienern: Was er euch sagt, das tut!

6 Es waren aber dort sechs steinerne Wasserkrüge, nach der Reinigungssitte der Juden, von denen jeder zwei oder drei Eimer faßte. [7] Jesus spricht zu ihnen: Füllt die Krüge mit Wasser! Und sie füllten sie bis obenhin. [8] Und er spricht zu ihnen: Schöpft nun und bringt es dem Speisemeister! Und sie brachten es hin. [9] Als aber der Speisemeister das Wasser, das zu Wein geworden war, gekostet hatte (und er wußte nicht, woher es war; die Diener aber, die das Wasser geschöpft hatten, wußten es), ruft der Speisemeister den Bräutigam [10] und spricht zu ihm: Jedermann setzt zuerst den guten Wein vor, und wenn sie trunken geworden sind, dann den geringeren; du aber hast den guten Wein bis jetzt behalten!

11 Diesen Anfang der Zeichen machte Jesus in Kana in Galiläa und offenbarte seine Herrlichkeit, und seine Jünger glaubten an ihn. [12] Danach zog er hinab nach Kapernaum, er und seine Mutter und seine Brüder und seine Jünger, und sie blieben wenige Tage dort.

Die erste Tempelreinigung Mt 21,12-13; Mk 11,15-18; Lk 19,45-46

13 Und das Passah der Juden war nahe, und Jesus zog hinauf nach Jerusalem. [14] Und er fand im Tempel die Verkäufer von Rindern und Schafen und Tauben und die Wechsler, die dasaßen. [15] Und er machte eine Geißel aus Stricken und trieb sie alle zum Tempel hinaus, samt den Schafen und Rindern, und den Wechslern verschüttete er das Geld und stieß die Tische um [16] und sprach zu den Taubenverkäufern: Schafft das weg von hier! Macht nicht das Haus meines Vaters zu einem Kaufhaus! [17] Seine Jünger dachten aber daran, daß geschrieben steht: *Der Eifer um dein Haus hat mich verzehrt.*

18 Da antworteten die Juden und sprachen zu ihm: Was für ein Zeichen zeigst du uns, daß du dies tun darfst? [19] Jesus antwortete und sprach zu ihnen: Brecht diesen Tempel ab, und in drei Tagen will ich ihn aufrichten! [20] Da sprachen die Juden: In sechsundvierzig Jahren ist dieser Tempel erbaut worden, und du willst ihn in drei Tagen aufrichten? [21] Er aber redete von dem Tempel seines Leibes. [22] Als er nun aus den Toten auferstanden war, dachten seine Jünger daran, daß er ihnen dies gesagt hatte, und sie glaubten der Schrift und dem Wort, das Jesus gesprochen hatte.

23 Als er aber am Passahfest in Jerusalem war, glaubten viele an seinen Namen, weil sie seine Zeichen sahen, die er tat. 24 Jesus selbst aber vertraute sich ihnen nicht an, weil er alle kannte, 25 und weil er es nicht nötig hatte, daß jemand von dem Menschen Zeugnis gab; denn er wußte selbst, was im Menschen war.

Jesus und Nikodemus. Die Notwendigkeit der Wiedergeburt
Joh 1,12-13; 2Kor 5,17; Gal 6,15; 1Pt 1,3.23

3 Es war aber ein Mensch unter den Pharisäern namens Nikodemus, ein Oberster der Juden. 2 Der kam bei Nacht zu Jesus und sprach zu ihm: Rabbi, wir wissen, daß du ein Lehrer bist, der von Gott gekommen ist; denn niemand kann diese Zeichen tun, die du tust, es sei denn, daß Gott mit ihm ist. 3 Jesus antwortete und sprach zu ihm: Wahrlich, wahrlich, ich sage dir: Wenn jemand nicht von neuem geboren wird, so kann er das Reich Gottes nicht sehen! 4 Nikodemus spricht zu ihm: Wie kann ein Mensch geboren werden, wenn er alt ist? Er kann doch nicht zum zweitenmal in den Schoß seiner Mutter eingehen und geboren werden? 5 Jesus antwortete: Wahrlich, wahrlich, ich sage dir: Wenn jemand nicht aus Wasser und Geist geboren wird, so kann er nicht in das Reich Gottes eingehen! 6 Was aus dem Fleisch geboren ist, das ist Fleisch, und was aus dem Geist geboren ist, das ist Geist. 7 Wundere dich nicht, daß ich dir gesagt habe: Ihr müßt von neuem geboren werden! 8 Der Wind weht, wo er will, und du hörst sein Sausen; aber du weißt nicht, woher er kommt und wohin er geht. So ist ein jeder, der aus dem Geist geboren ist. 9 Nikodemus antwortete und sprach zu ihm: Wie kann das geschehen? 10 Jesus erwiderte und sprach zu ihm: Du bist der Lehrer Israels und verstehst das nicht? 11 Wahrlich, wahrlich, ich sage dir: Wir reden, was wir wissen, und wir bezeugen, was wir gesehen haben; und doch nehmt ihr unser Zeugnis nicht an. 12 Glaubt ihr nicht, wenn ich euch von irdischen Dingen sage, wie werdet ihr glauben, wenn ich euch von den himmlischen Dingen sagen werde? 13 Und niemand ist hinaufgestiegen in den Himmel, außer dem, der aus dem Himmel herabgestiegen ist, dem Sohn des Menschen, der im Himmel ist.

Der Sohn Gottes ist als Retter in die Welt gekommen 1Joh 4,9-10

14 Und wie Mose in der Wüste die Schlange erhöhte, so muß der Sohn des Menschen erhöht werden, 15 damit jeder, der an ihn glaubt, nicht verloren geht, sondern ewiges Leben hat.

16 Denn so sehr hat Gott die Welt geliebt, daß er seinen eingeborenen Sohn gab, damit jeder, der an ihn glaubt, nicht verloren geht, sondern ewiges Leben hat.

17 Denn Gott hat seinen Sohn nicht in die Welt gesandt, damit
er die Welt richte, sondern damit die Welt durch ihn gerettet
werde. **18** Wer an ihn glaubt, wird nicht gerichtet; wer aber
nicht glaubt, der ist schon gerichtet, weil er nicht an den Namen des eingeborenen Sohnes Gottes geglaubt hat.

19 Darin aber besteht das Gericht, daß das Licht in die Welt gekommen ist, und die Menschen liebten die Finsternis mehr als
das Licht; denn ihre Werke waren böse. **20** Denn wer Böses tut,
haßt das Licht und kommt nicht zum Licht, damit seine Werke
nicht aufgedeckt werden. **21** Wer aber die Wahrheit tut, der
kommt zum Licht, damit seine Werke offenbar werden, daß sie
in Gott getan sind.

Johannes der Täufer und sein Zeugnis von Christus

22 Danach kam Jesus mit seinen Jüngern in das Land Judäa,
und dort hielt er sich mit ihnen auf und taufte. **23** Aber auch
Johannes taufte in Änon, nahe bei Salim, weil viel Wasser dort
war. Und sie kamen dorthin und ließen sich taufen; **24** denn Johannes war noch nicht ins Gefängnis geworfen worden.

25 Es erhob sich nun eine Streitfrage zwischen den Jüngern des
Johannes und einigen Juden wegen der Reinigung. **26** Und sie
kamen zu Johannes und sprachen zu ihm: Rabbi, der, welcher
bei dir war jenseits des Jordan, für den du Zeugnis abgelegt
hast, siehe, der tauft, und jedermann kommt zu ihm!

27 Johannes antwortete und sprach: Ein Mensch kann nichts
empfangen, es sei ihm denn vom Himmel gegeben. **28** Ihr
selbst bezeugt mir, daß ich gesagt habe: Nicht ich bin der Christus, sondern ich bin vor ihm her gesandt. **29** Wer die Braut hat,
der ist der Bräutigam; der Freund des Bräutigams aber, der dasteht und ihn hört, ist hoch erfreut über die Stimme des Bräutigams. Diese meine Freude ist nun erfüllt. **30** Er muß wachsen,
ich aber muß abnehmen.

31 Der von oben kommt, ist über allen. Wer von der Erde ist,
der ist von der Erde und redet von der Erde; der aus dem Himmel kommt, ist über allen. **32** Und er bezeugt, was er gesehen
und gehört hat, und sein Zeugnis nimmt niemand an. **33** Wer
aber sein Zeugnis annimmt, der bestätigt, daß Gott wahrhaftig
ist. **34** Denn der, den Gott gesandt hat, redet die Worte Gottes;
denn Gott gibt den Geist nicht nach Maß.

35 Der Vater liebt den Sohn und hat alles in seine Hand gegeben. [36] Wer an den Sohn glaubt, der hat ewiges Leben; wer aber dem Sohn nicht glaubt, der wird das Leben nicht sehen, sondern der Zorn Gottes bleibt auf ihm.

Jesus und die Frau aus Samaria. Das Wasser des Lebens. Die wahren Anbeter Gottes   Joh 7,37-39; Offb 22,17

4 Als nun der Herr erfuhr, daß die Pharisäer gehört hatten, daß Jesus mehr Jünger mache und taufe als Johannes [2] – obwohl Jesus nicht selbst taufte, sondern seine Jünger –, [3] verließ er Judäa und zog wieder nach Galiläa. [4] Er mußte aber durch Samaria reisen. [5] Da kommt er in eine Stadt Samarias, genannt Sichar, nahe bei dem Feld, das Jakob seinem Sohn Joseph gab. [6] Es war aber dort Jakobs Brunnen. Da nun Jesus müde war von der Reise, setzte er sich so an den Brunnen; es war um die sechste Stunde.

7 Da kommt eine Frau aus Samaria, um Wasser zu schöpfen. Jesus spricht zu ihr: Gib mir zu trinken! [8] Denn seine Jünger waren in die Stadt gegangen, um Speise zu kaufen. [9] Nun spricht die samaritische Frau zu ihm: Wie erbittest du als ein Jude von mir etwas zu trinken, da ich doch eine samaritische Frau bin? (Denn die Juden haben keinen Umgang mit den Samaritern[a].)

10 Jesus antwortete und sprach zu ihr: Wenn du die Gabe Gottes erkennen würdest und wer der ist, der zu dir spricht: Gib mir zu trinken!, so würdest du ihn bitten, und er gäbe dir lebendiges Wasser. [11] Die Frau spricht zu ihm: Herr, du hast ja keinen Eimer, und der Brunnen ist tief; woher hast du denn das lebendige Wasser? [12] Bist du größer als unser Vater Jakob, der uns den Brunnen gegeben und selbst daraus getrunken hat, samt seinen Söhnen und seinem Vieh?

13 Jesus antwortete und sprach zu ihr: Jeden, der von diesem Wasser trinkt, wird wieder dürsten. [14] Wer aber von dem Wasser trinkt, das ich ihm geben werde, den wird in Ewigkeit nicht dürsten, sondern das Wasser, das ich ihm geben werde, wird in ihm zu einer Quelle von Wasser werden, das bis ins ewige Leben quillt.

15 Die Frau spricht zu ihm: Herr, gib mir dieses Wasser, damit ich nicht dürste und nicht hierher kommen muß, um zu schöpfen! [16] Jesus spricht zu ihr: Geh hin, rufe deinen Mann und komm her! [17] Die Frau antwortete und sprach: Ich habe keinen Mann! Jesus spricht zu ihr: Du hast recht gesagt: Ich habe keinen Mann!, [18] denn fünf Männer hast du gehabt, und

a. (4,9) Die Samariter waren ein von den Juden verachtetes Mischvolk.

der, den du jetzt hast, ist nicht dein Mann. Da hast du die Wahrheit gesprochen. ¹⁹ Die Frau spricht zu ihm: Herr, ich sehe, daß du ein Prophet bist! ²⁰ Unsere Väter haben auf diesem Berg angebetet,ᵃ und ihr sagt, in Jerusalem sei der Ort, wo man anbeten soll.

21 Jesus spricht zu ihr: Frau, glaube mir, es kommt die Stunde, wo ihr weder auf diesem Berg noch in Jerusalem den Vater anbeten werdet. ²² Ihr betet an, was ihr nicht kennt; wir beten an, was wir kennen, denn das Heil kommt von den Juden. ²³ Aber die Stunde kommt und ist schon da, wo die wahren Anbeter den Vater im Geist und in der Wahrheit anbeten werden; denn der Vater sucht solche Anbeter. ²⁴ Gott ist Geist, und die ihn anbeten, müssen ihn im Geist und in der Wahrheit anbeten.

25 Die Frau spricht zu ihm: Ich weiß, daß der Messias kommt, welcher Christus genannt wird; wenn dieser kommt, wird er uns alles verkündigen. ²⁶ Jesus spricht zu ihr: Ich bin's, der mit dir redet!

27 Unterdessen kamen seine Jünger und verwunderten sich, daß er mit einer Frau redete. Doch sagte keiner: Was fragst du? oder: Was redest du mit ihr? ²⁸ Nun ließ die Frau ihren Wasserkrug stehen und lief in die Stadt und sprach zu den Leuten: ²⁹ Kommt, seht einen Menschen, der mir alles gesagt hat, was ich getan habe! Ob dieser nicht der Christus ist? ³⁰ Da gingen sie aus der Stadt hinaus und kamen zu ihm.

Das weiße Erntefeld   Mt 9,37-38; 1Kor 3,5-9

31 Inzwischen aber baten ihn die Jünger und sprachen: Rabbi, iß! ³² Er aber sprach zu ihnen: Ich habe eine Speise zu essen, die ihr nicht kennt! ³³ Da sprachen die Jünger zueinander: Hat ihm denn jemand zu essen gebracht? ³⁴ Jesus spricht zu ihnen: Meine Speise ist die, daß ich den Willen dessen tue, der mich gesandt hat, und sein Werk vollbringe.

35 Sagt ihr nicht: Es sind noch vier Monate, dann kommt die Ernte? Siehe, ich sage euch: Hebt eure Augen auf und seht die Felder an; sie sind schon weiß zur Ernte. ³⁶ Und wer erntet, der empfängt Lohn und sammelt Frucht zum ewigen Leben, damit sich der Sämann und der Schnitter miteinander freuen. ³⁷ Denn hier ist der Spruch wahr: Der eine sät, der andere erntet. ³⁸ Ich habe euch ausgesandt zu ernten, woran ihr nicht gearbeitet habt; andere haben gearbeitet, und ihr seid in ihre Arbeit eingetreten.

---

a. (4,20) Den Samaritern galt der nahe bei Sichar gelegene Berg Garizim als heilige Stätte.

Der Glaube der Samariter Apg 8,12.14; Joh 20,30-31

39 Aus jener Stadt aber glaubten viele Samariter an ihn um des Wortes der Frau willen, die bezeugte: Er hat mir alles gesagt, was ich getan habe. 40 Als nun die Samariter zu ihm kamen, baten sie ihn, bei ihnen zu bleiben; und er blieb zwei Tage dort. 41 Und noch viel mehr Leute glaubten um seines Wortes willen.
42 Und zu der Frau sprachen sie: Nun glauben wir nicht mehr um deiner Rede willen; wir haben selbst gehört und erkannt, daß dieser wahrhaftig der Retter der Welt, der Christus ist!

Jesus heilt den Sohn eines königlichen Beamten Hebr 11,1.6

43 Nach den zwei Tagen aber zog er fort und ging nach Galiläa. 44 Jesus selbst bezeugte zwar, daß ein Prophet in seinem eigenen Vaterland nicht geachtet wird. 45 Als er aber nun nach Galiläa kam, nahmen ihn die Galiläer auf, weil sie alles gesehen hatten, was er während des Festes in Jerusalem getan hatte; denn auch sie waren zu dem Fest gekommen.
46 Jesus kam nun wieder nach Kana in Galiläa, wo er das Wasser zu Wein gemacht hatte. Und es war ein königlicher Beamter, dessen Sohn lag krank in Kapernaum. 47 Als dieser hörte, daß Jesus aus Judäa nach Galiläa gekommen sei, ging er zu ihm und bat ihn, er möchte herabkommen und seinen Sohn gesund machen; denn er lag im Sterben. 48 Da sprach Jesus zu ihm: Wenn ihr nicht Zeichen und Wunder seht, so glaubt ihr nicht! 49 Der königliche Beamte spricht zu ihm: Herr, komm herab, ehe mein Kind stirbt!
50 Jesus spricht zu ihm: Geh hin, dein Sohn lebt! Und der Mensch glaubte dem Wort, das Jesus zu ihm sprach, und ging hin. 51 Als er aber noch unterwegs war, kamen ihm seine Knechte entgegen und berichteten ihm und sprachen: Dein Sohn lebt! 52 Nun erkundigte er sich bei ihnen nach der Stunde, in welcher es mit ihm besser geworden war. Und sie sprachen zu ihm: Gestern um die siebte Stunde verließ ihn das Fieber. 53 Da erkannte der Vater, daß es eben in der Stunde geschehen war, in welcher Jesus zu ihm gesagt hatte: Dein Sohn lebt! Und er glaubte samt seinem ganzen Haus. 54 Dies ist das zweite Zeichen, das Jesus wiederum tat, als er aus Judäa nach Galiläa kam.

Jesus heilt am Sabbat einen Kranken beim Teich Bethesda

5 Danach war ein Fest der Juden, und Jesus zog hinauf nach Jerusalem. 2 Es ist aber in Jerusalem beim Schaftor ein Teich, der auf hebräisch Bethesda heißt und der fünf Säulen-

hallen hat. [3] In diesen lag eine große Menge von Kranken, Blinden, Lahmen, Abgezehrten, welche auf die Bewegung des Wassers warteten. [4] Denn ein Engel stieg zu gewissen Zeiten in den Teich hinab und bewegte das Wasser. Wer nun nach der Bewegung des Wassers zuerst hineinstieg, der wurde gesund, mit welcher Krankheit er auch geplagt war.

5 Es war aber ein Mensch dort, der achtunddreißig Jahre in der Krankheit zugebracht hatte. [6] Als Jesus diesen daliegen sah und erfuhr, daß er schon so lange Zeit [in diesem Zustand] war, spricht er zu ihm: Willst du gesund werden? [7] Der Kranke antwortete ihm: Herr, ich habe keinen Menschen, der mich in den Teich bringt, wenn das Wasser bewegt wird; während ich aber selbst gehe, steigt ein anderer vor mir hinab. [8] Jesus spricht zu ihm: Steh auf, nimm dein Bett und geh umher! [9] Und sogleich wurde der Mensch gesund, hob sein Bett auf und ging umher. Es war aber Sabbat an jenem Tag.

10 Nun sprachen die Juden zu dem Geheilten: Es ist Sabbat; es ist dir nicht erlaubt, das Bett zu tragen! [11] Er antwortete ihnen: Der mich gesund machte, der sprach zu mir: Nimm dein Bett und geh umher! [12] Da fragten sie ihn: Wer ist der Mensch, der zu dir gesagt hat: Nimm dein Bett und geh umher? [13] Aber der Geheilte wußte nicht, wer es war, denn Jesus war weggegangen, weil so viel Volk an dem Ort war.

14 Danach findet ihn Jesus im Tempel und spricht zu ihm: Sieh zu, du bist gesund geworden; sündige hinfort nicht mehr, damit dir nicht etwas Schlimmeres widerfährt! [15] Da ging der Mensch hin und verkündete den Juden, daß es Jesus war, der ihn gesund gemacht hatte. [16] Und deshalb verfolgten die Juden Jesus und suchten ihn zu töten, weil er dies am Sabbat getan hatte.

Jesus bezeugt von sich, daß er der Sohn Gottes ist   Joh 10,30-38

17 Jesus aber antwortete ihnen: Mein Vater wirkt bis jetzt, und ich wirke auch. [18] Darum suchten die Juden nun noch mehr, ihn zu töten, weil er nicht nur den Sabbat brach, sondern auch Gott seinen eigenen Vater nannte, womit er sich selbst Gott gleich machte.

19 Da antwortete Jesus und sprach zu ihnen: Wahrlich, wahrlich, ich sage euch: Der Sohn kann nichts von sich selbst aus tun, sondern nur, was er den Vater tun sieht; denn was dieser tut, das tut gleicherweise auch der Sohn. [20] Denn der Vater liebt den Sohn und zeigt ihm alles, was er selbst tut; und er wird ihm noch größere Werke zeigen als diese, so daß ihr euch ver-

wundern werdet. **21** Denn wie der Vater die Toten auferweckt und lebendig macht, so macht auch der Sohn lebendig, welche er will. **22** Denn der Vater richtet niemand, sondern alles Gericht hat er dem Sohn übergeben, **23** damit alle den Sohn ehren, wie sie den Vater ehren. Wer den Sohn nicht ehrt, der ehrt den Vater nicht, der ihn gesandt hat.

24 Wahrlich, wahrlich, ich sage euch: Wer mein Wort hört und dem glaubt, der mich gesandt hat, der hat ewiges Leben und kommt nicht ins Gericht, sondern er ist vom Tod zum Leben hindurchgedrungen. **25** Wahrlich, wahrlich, ich sage euch: Die Stunde kommt und ist schon da, wo die Toten die Stimme des Sohnes Gottes hören werden, und die sie hören, werden leben.

26 Denn wie der Vater das Leben in sich selbst hat, so hat er auch dem Sohn verliehen, das Leben in sich selbst zu haben. **27** Und er hat ihm Vollmacht gegeben, auch Gericht zu halten, weil er der Sohn des Menschen ist. **28** Verwundert euch nicht darüber! Denn es kommt die Stunde, in der alle, die in den Gräbern sind, seine Stimme hören werden, **29** und sie werden hervorgehen: die das Gute getan haben, zur Auferstehung des Lebens; die aber das Böse getan haben, zur Auferstehung des Gerichts. **30** Ich kann nichts von mir selbst aus tun. Wie ich höre, so richte ich; und mein Gericht ist gerecht, denn ich suche nicht meinen Willen, sondern den Willen des Vaters, der mich gesandt hat.

Der Vater legt Zeugnis ab von seinem Sohn   1Joh 5,6-13

31 Wenn ich von mir selbst Zeugnis ablege, so ist mein Zeugnis nicht glaubwürdig[a]. **32** Ein anderer ist es, der von mir Zeugnis ablegt; und ich weiß, daß das Zeugnis wahrhaftig ist, das er von mir bezeugt.

33 Ihr habt zu Johannes gesandt, und er hat der Wahrheit Zeugnis gegeben. **34** Ich aber nehme das Zeugnis nicht von einem Menschen an, sondern ich sage das, damit ihr gerettet werdet. **35** Jener war die brennende und scheinende Leuchte, ihr aber wolltet euch nur eine Stunde an ihrem Schein erfreuen.

36 Ich aber habe ein Zeugnis, welches größer ist als das des Johannes; denn die Werke, die mir der Vater gab, daß ich sie vollbringe, eben die Werke, die ich tue, geben Zeugnis von mir, daß der Vater mich gesandt hat. **37** Und der Vater, der mich gesandt hat, hat selbst von mir Zeugnis gegeben. Ihr habt weder seine

a. (5,31) Nach dem Gesetz war eine menschliche Aussage nur aus dem Mund von
zwei oder drei Zeugen gültig (vgl. 5Mo 19,15; 2Kor 13,1; 1Tim 5,19).

Stimme jemals gehört noch seine Gestalt gesehen; [38] und sein Wort habt ihr nicht bleibend in euch, weil ihr dem nicht glaubt, den er gesandt hat. [39] Ihr erforscht die Schriften, weil ihr meint, in ihnen das ewige Leben zu haben; und sie sind es, die von mir Zeugnis geben. [40] Und doch wollt ihr nicht zu mir kommen, um das Leben zu empfangen.

41 Ich nehme nicht Ehre von Menschen, [42] aber bei euch habe ich erkannt, daß ihr die Liebe Gottes nicht in euch habt. [43] Ich bin im Namen meines Vaters gekommen, und ihr nehmt mich nicht an. Wenn ein anderer in seinem eigenen Namen kommt, den werdet ihr annehmen. [44] Wie könnt ihr glauben, die ihr Ehre voneinander nehmt und die Ehre von dem alleinigen Gott nicht sucht?

45 Denkt nicht, daß ich euch bei dem Vater anklagen werde. Es ist einer, der euch anklagt: Mose, auf den ihr eure Hoffnung gesetzt habt. [46] Denn wenn ihr Mose glauben würdet, so würdet ihr auch mir glauben; denn von mir hat er geschrieben. [47] Wenn ihr aber seinen Schriften nicht glaubt, wie werdet ihr meinen Worten glauben?

Die Speisung der Fünftausend   Mt 14,13-21; Mk 6,30-44; Lk 9,10-17

6 Danach fuhr Jesus über den galiläischen See bei Tiberias. [2] Und es folgte ihm eine große Volksmenge nach, weil sie seine Zeichen sahen, die er an den Kranken tat. [3] Jesus aber ging auf den Berg und saß dort mit seinen Jüngern beisammen. [4] Es war aber das Passah nahe, das Fest der Juden.

5 Da nun Jesus die Augen erhob und sah, daß eine große Volksmenge zu ihm kam, spricht er zu Philippus: Wo kaufen wir Brot, damit diese essen können? [6] (Das sagte er aber, um ihn auf die Probe zu stellen, denn er selbst wußte wohl, was er tun wollte.) [7] Philippus antwortete ihm: Für zweihundert Denare Brot reicht nicht aus für sie, daß jeder von ihnen auch nur ein wenig bekommt! [8] Da spricht einer von seinen Jüngern, Andreas, der Bruder des Simon Petrus, zu ihm: [9] Es ist ein Knabe hier, der hat fünf Gerstenbrote und zwei Fische; doch was ist das für so viele? 10 Jesus aber sprach: Laßt die Leute sich setzen! Es war nämlich viel Gras an dem Ort. Da setzten sich die Männer; es waren etwa fünftausend. [11] Und Jesus nahm die Brote, sagte Dank und teilte sie den Jüngern aus, die Jünger aber denen, die sich gesetzt hatten; ebenso auch von den Fischen, soviel sie wollten. [12] Und als sie gesättigt waren, sprach er zu seinen Jüngern: Sammelt die übriggebliebenen Brocken, damit nichts umkommt! 13 Da sammelten sie und füllten zwölf Körbe mit Brok-

ken von den fünf Gerstenbroten, die denen übriggeblieben waren, welche gegessen hatten.

14 Als nun die Leute das Zeichen sahen, das Jesus getan hatte, sprachen sie: Das ist wahrhaftig der Prophet, der in die Welt kommen soll! 15 Da nun Jesus erkannte, daß sie kommen würden, um ihn mit Gewalt zum König zu machen, zog er sich wiederum auf den Berg zurück, er allein.

Jesus geht auf dem See   Mt 14,22-34; Mk 6,45-53

16 Als es aber Abend geworden war, gingen seine Jünger hinab an den See, 17 und sie stiegen in das Schiff und fuhren über den See nach Kapernaum. Und es war schon finster geworden, und Jesus war nicht zu ihnen gekommen. 18 Und der See ging hoch, da ein starker Wind wehte.

19 Als sie nun ungefähr fünfundzwanzig oder dreißig Stadien gerudert hatten, sahen sie Jesus auf dem See gehen und sich dem Schiff nähern; und sie fürchteten sich. 20 Er aber sprach zu ihnen: Ich bin's, fürchtet euch nicht! 21 Da wollten sie ihn in das Schiff nehmen, und sogleich war das Schiff am Land, wohin sie fuhren.

Das Volk sucht nach Äußerlichem, nicht nach dem wahren Heil
Joh 5,39

22 Am folgenden Tag, als die Volksmenge, die am jenseitigen Ufer des Sees stand, gesehen hatte, daß kein anderes Schiff dort war, als nur das eine, in welches seine Jünger gestiegen waren, und daß Jesus nicht mit seinen Jüngern in das Schiff gestiegen war, sondern daß seine Jünger allein abgefahren waren, 23 (es kamen aber andere Schiffe von Tiberias nahe an den Ort, wo sie das Brot gegessen hatten nach der Danksagung des Herrn) 24 – da also die Volksmenge sah, daß Jesus nicht dort war, auch nicht seine Jünger, stiegen auch sie in die Schiffe und kamen nach Kapernaum und suchten Jesus. 25 Und als sie ihn am anderen Ufer des Sees fanden, sprachen sie zu ihm: Rabbi, wann bist du hierher gekommen?

26 Jesus antwortete ihnen und sprach: Wahrlich, wahrlich, ich sage euch: Ihr sucht mich nicht deshalb, weil ihr Zeichen gesehen, sondern weil ihr von den Broten gegessen habt und satt geworden seid. 27 Wirkt nicht [für] die Speise, die vergänglich ist, sondern [für] die Speise, die ins ewige Leben bleibt, die der Sohn des Menschen euch geben wird; denn diesen hat Gott, der Vater, bestätigt! 28 Da sprachen sie zu ihm: Was sollen wir tun, um die Werke Gottes zu wirken?

29 Jesus antwortete und sprach zu ihnen: Das ist das Werk Gottes, daß ihr an den glaubt, den er gesandt hat. 30 Da sprachen sie zu ihm: Was tust du denn für ein Zeichen, damit wir sehen und dir glauben? Was wirkst du? 31 Unsere Väter haben das Manna gegessen in der Wüste, wie geschrieben steht: *Brot vom Himmel gab er ihnen zu essen.*

Jesus Christus – das Brot des Lebens

32 Da sprach Jesus zu ihnen: Wahrlich, wahrlich, ich sage euch: Nicht Mose hat euch das Brot vom Himmel gegeben, sondern mein Vater gibt euch das wahre Brot vom Himmel. 33 Denn das Brot Gottes ist derjenige, der vom Himmel herabkommt und der Welt Leben gibt.

34 Da sprachen sie zu ihm: Herr, gib uns allezeit dieses Brot! 35 Jesus aber sprach zu ihnen: Ich bin das Brot des Lebens. Wer zu mir kommt, den wird nicht hungern, und wer an mich glaubt, den wird niemals dürsten. 36 Aber ich habe es euch gesagt, daß ihr mich gesehen habt und doch nicht glaubt.

37 Alles, was mir der Vater gibt, wird zu mir kommen; und wer zu mir kommt, den werde ich nicht hinausstoßen. 38 Denn ich bin vom Himmel herabgekommen, nicht damit ich meinen Willen tue, sondern den Willen dessen, der mich gesandt hat. 39 Das ist aber der Wille des Vaters, der mich gesandt hat, daß ich nichts verliere von allem, was er mir gegeben hat, sondern daß ich es auferwecke am letzten Tag. 40 Das ist aber der Wille dessen, der mich gesandt hat, daß jeder, der den Sohn sieht und an ihn glaubt, ewiges Leben hat; und ich werde ihn auferwecken am letzten Tag.

41 Da murrten die Juden über ihn, weil er gesagt hatte: Ich bin das Brot, das vom Himmel herabgekommen ist, 42 und sie sprachen: Ist dieser nicht Jesus, der Sohn Josephs, dessen Vater und Mutter wir kennen? Wie spricht er denn: Ich bin vom Himmel herabgekommen?

43 Da antwortete Jesus und sprach zu ihnen: Murrt nicht untereinander! 44 Niemand kann zu mir kommen, es sei denn, daß ihn der Vater zieht, der mich gesandt hat; und ich werde ihn auferwecken am letzten Tag. 45 Es steht geschrieben in den Propheten: *Und sie werden alle von Gott gelehrt sein.* Jeder nun, der vom Vater gehört und gelernt hat, kommt zu mir. 46 Nicht, daß jemand den Vater gesehen hätte; nur der, welcher von Gott ist, der hat den Vater gesehen.

47 Wahrlich, wahrlich, ich sage euch: Wer an mich glaubt, der hat ewiges Leben. 48 Ich bin das Brot des Lebens. 49 Eure Väter

haben das Manna gegessen in der Wüste und sind gestorben; [50] dies ist das Brot, das vom Himmel herabkommt, damit, wer davon ißt, nicht stirbt. [51] Ich bin das lebendige Brot, das vom Himmel herabgekommen ist. Wenn jemand von diesem Brot ißt, so wird er leben in Ewigkeit. Das Brot aber, das ich geben werde, ist mein Fleisch, das ich geben werde für das Leben der Welt.

[52] Da stritten die Juden untereinander und sprachen: Wie kann dieser uns sein Fleisch zu essen geben? [53] Darum sprach Jesus zu ihnen: Wahrlich, wahrlich, ich sage euch: Wenn ihr nicht das Fleisch des Menschensohnes eßt und sein Blut trinkt, so habt ihr kein Leben in euch. [54] Wer mein Fleisch ißt und mein Blut trinkt, der hat ewiges Leben, und ich werde ihn auferwecken am letzten Tag. [55] Denn mein Fleisch ist wahrhaftig Speise, und mein Blut ist wahrhaftig Trank. [56] Wer mein Fleisch ißt und mein Blut trinkt, der bleibt in mir und ich in ihm.

[57] Wie mich der lebendige Vater gesandt hat und ich um des Vaters willen lebe, so wird auch der, welcher mich ißt, um meinetwillen leben. [58] Dies ist das Brot, das vom Himmel herabgekommen ist; nicht wie eure Väter das Manna gegessen haben und gestorben sind; wer dieses Brot ißt, der wird leben in Ewigkeit! [59] Dies sprach er, als er in der Synagoge von Kapernaum lehrte.

Jesu Worte erzeugen eine Scheidung unter den Jüngern
Hebr 4,12-13; 10,38-39; 1Pt 2,6-9

[60] Viele nun von seinen Jüngern, die das hörten, sprachen: Das ist eine harte Rede! Wer kann sie hören? [61] Da aber Jesus bei sich selbst erkannte, daß seine Jünger darüber murrten, sprach er zu ihnen: Ist euch das ein Ärgernis? [62] Wie nun, wenn ihr den Sohn des Menschen dorthin auffahren seht, wo er zuvor war? [63] Der Geist ist es, der lebendig macht, das Fleisch nützt gar nichts. Die Worte, die ich zu euch rede, sind Geist und sind Leben. [64] Aber es sind etliche unter euch, die nicht glauben. Denn Jesus wußte von Anfang an, wer die waren, die nicht glaubten, und wer ihn verraten würde. [65] Und er sprach: Darum habe ich euch gesagt: Niemand kann zu mir kommen, es sei ihm denn von meinem Vater gegeben! [66] Aus diesem Anlaß zogen sich viele seiner Jünger zurück und gingen nicht mehr mit ihm.

[67] Da sprach Jesus zu den Zwölfen: Wollt ihr nicht auch weggehen? [68] Da antwortete ihm Simon Petrus: Herr, zu wem sollen wir gehen? Du hast Worte ewigen Lebens; [69] und wir haben ge-

glaubt und erkannt, daß du der Christus bist, der Sohn des lebendigen Gottes! [70] Jesus antwortete ihnen: Habe ich nicht euch Zwölf erwählt? Und doch ist einer von euch ein Teufel! [71] Er redete aber von Judas, Simons Sohn, dem Ischariot, denn dieser sollte ihn verraten, er, der einer von den Zwölfen war.

Die ungläubigen Brüder Jesu   Joh 15,18-19

7 Und danach zog Jesus in Galiläa umher; denn er wollte nicht in Judäa umherziehen, weil die Juden ihn zu töten suchten. [2] Es war aber das Laubhüttenfest der Juden nahe. [3] Da sprachen seine Brüder zu ihm: Brich doch auf von hier und zieh nach Judäa, damit auch deine Jünger die Werke sehen können, die du tust! [4] Denn niemand tut etwas im Verborgenen und sucht doch öffentlich bekannt zu sein. Wenn du diese Dinge tust, so offenbare dich der Welt! [5] Denn auch seine Brüder glaubten nicht an ihn.

6 Da spricht Jesus zu ihnen: Meine Zeit ist noch nicht da; aber eure Zeit ist immer bereit. [7] Die Welt kann euch nicht hassen, mich aber haßt sie; denn ich bezeuge von ihr, daß ihre Werke böse sind. [8] Geht ihr hinauf zu diesem Fest; ich gehe noch nicht zu diesem Fest hinauf, denn meine Zeit ist noch nicht erfüllt. [9] Und als er dies zu ihnen gesagt hatte, blieb er in Galiläa.

Jesus lehrt am Laubhüttenfest. Der Unglaube der Juden
Joh 8,19-24

10 Nachdem aber seine Brüder hinaufgegangen waren, ging auch er hinauf zum Fest, nicht öffentlich, sondern wie im Verborgenen. [11] Da suchten ihn die Juden während des Festes und sprachen: Wo ist er? [12] Und es gab viel Gemurmel seinetwegen unter der Volksmenge. Etliche sagten: Er ist gut!, andere aber sprachen: Nein, sondern er verführt die Leute! [13] Doch redete niemand freimütig über ihn, aus Furcht vor den Juden.

14 Als aber das Fest schon zur Hälfte verflossen war, ging Jesus in den Tempel hinauf und lehrte. [15] Und die Juden verwunderten sich und sprachen: Woher kennt dieser die Schriften? Er hat doch nicht studiert!

16 Jesus antwortete ihnen und sprach: Meine Lehre ist nicht von mir, sondern von dem, der mich gesandt hat. [17] Wenn jemand seinen Willen tun will, wird er erkennen, ob diese Lehre von Gott ist, oder ob ich aus mir selbst rede.

18 Wer aus sich selbst redet, der sucht seine eigene Ehre; wer aber die Ehre dessen sucht, der ihn gesandt hat, der ist wahrhaftig, und keine Ungerechtigkeit ist in ihm. [19] Hat nicht Mose

euch das Gesetz gegeben? Und doch tut keiner von euch das Gesetz. Warum sucht ihr mich zu töten? **20** Die Menge antwortete und sprach: Du hast einen Dämon! Wer sucht dich zu töten?

21 Jesus antwortete und sprach zu ihnen: *Ein* Werk habe ich getan, und ihr alle verwundert euch. **22** Darum [sage ich euch:] Mose hat euch die Beschneidung gegeben (nicht daß sie von Mose kommt, sondern von den Vätern), und ihr beschneidet den Menschen am Sabbat. **23** Wenn ein Mensch am Sabbat die Beschneidung empfängt, damit das Gesetz Moses nicht übertreten wird, was zürnt ihr mir denn, daß ich den ganzen Menschen am Sabbat gesund gemacht habe? **24** Richtet nicht nach dem Schein, sondern fällt ein gerechtes Urteil!

Ist Jesus der Christus?   Mt 16,13-17

25 Da sprachen etliche von Jerusalem: Ist das nicht der, den sie zu töten suchen? **26** Und siehe, er redet öffentlich, und sie sagen ihm nichts. Haben etwa die Obersten wirklich erkannt, daß dieser in Wahrheit der Christus ist? **27** Doch von diesem wissen wir, woher er ist; wenn aber der Christus kommt, so wird niemand wissen, woher er ist.

28 Da rief Jesus, während er im Tempel lehrte, und sprach: Ja, ihr kennt mich und wißt, woher ich bin! Und doch bin ich nicht von mir selbst gekommen, sondern der ist wahrhaftig, der mich gesandt hat, den ihr nicht kennt. **29** Ich aber kenne ihn; denn von ihm bin ich, und er hat mich gesandt. **30** Da suchten sie ihn zu ergreifen; aber niemand legte Hand an ihn, denn seine Stunde war noch nicht gekommen.

31 Viele aber aus der Volksmenge glaubten an ihn und sprachen: Wenn der Christus kommt, wird er wohl mehr Zeichen tun als die, welche dieser getan hat? **32** Die Pharisäer hörten, daß die Menge diese Dinge über ihn murmelte; darum sandten die Pharisäer und Hohenpriester Diener ab, um ihn zu ergreifen.

33 Da sprach Jesus zu ihnen: Noch eine kleine Zeit bin ich bei euch, und dann gehe ich hin zu dem, der mich gesandt hat. **34** Ihr werdet mich suchen und nicht finden; und wo ich bin, dorthin könnt ihr nicht kommen. **35** Da sprachen die Juden untereinander: Wohin will er denn gehen, daß wir ihn nicht finden sollen? Will er etwa zu den unter den Griechen Zerstreuten gehen und die Griechen lehren? **36** Was ist das für ein Wort, das er sprach: Ihr werdet mich suchen und nicht finden, und wo ich bin, dorthin könnt ihr nicht kommen?

Ströme lebendigen Wassers Joh 4,10-14; Offb 22,17

37 Aber am letzten, dem großen Tag des Festes stand Jesus auf, rief und sprach: Wenn jemand dürstet, der komme zu mir und trinke! 38 Wer an mich glaubt, wie die Schrift gesagt hat, aus seinem Leib werden Ströme lebendigen Wassers fließen. 39 Das sagte er aber von dem Geist, den die empfangen sollten, welche an ihn glauben; denn der Heilige Geist war noch nicht da, weil Jesus noch nicht verherrlicht war.

Spaltung unter den Juden Lk 12,51

40 Viele nun aus der Volksmenge sagten, als sie das Wort hörten: Dieser ist wahrhaftig der Prophet. 41 Andere sprachen: Dieser ist der Christus! Andere aber sagten: Der Christus kommt doch nicht aus Galiläa? 42 Sagt nicht die Schrift, daß der Christus aus dem Samen Davids kommt und aus dem Dorf Bethlehem, wo David war? 43 Es entstand nun seinetwegen eine Spaltung unter der Volksmenge. 44 Und etliche von ihnen wollten ihn ergreifen, doch legte niemand Hand an ihn.

45 Nun kamen die Diener zu den Hohenpriestern und Pharisäern zurück, und diese sprachen zu ihnen: Warum habt ihr ihn nicht gebracht? 46 Die Diener antworteten: Nie hat ein Mensch so geredet wie dieser Mensch! 47 Da antworteten ihnen die Pharisäer: Seid auch ihr verführt worden? 48 Glaubt auch einer von den Obersten oder von den Pharisäern an ihn? 49 Aber dieser Pöbel, der das Gesetz nicht kennt, der ist unter dem Fluch!

50 Da spricht zu ihnen Nikodemus, der bei Nacht zu ihm gekommen war, und der einer der Ihren war: 51 Richtet auch unser Gesetz einen Menschen, es sei denn, man habe ihn zuvor selbst gehört und erkannt, was er tut? 52 Sie antworteten und sprachen zu ihm: Bist du auch aus Galiläa? Forsche nach und sieh: Kein Prophet ist aus Galiläa hervorgegangen! 53 Und so ging jeder in sein Haus.

Jesus und die Ehebrecherin Joh 3,17; Röm 2,1-3; 2,17-23

8 Jesus aber ging an den Ölberg. 2 Und früh am Morgen kam er wieder in den Tempel, und alles Volk kam zu ihm; und er setzte sich und lehrte sie.

3 Da brachten die Schriftgelehrten und Pharisäer eine Frau zu ihm, die beim Ehebruch ergriffen worden war, stellten sie in die Mitte 4 und sprachen zu ihm: Meister, diese Frau ist während der Tat beim Ehebruch ergriffen worden. 5 Im Gesetz aber hat uns Mose geboten, daß solche gesteinigt werden sollen. Was sagst nun du? 6 Das sagten sie aber, um ihn zu versuchen, da-

mit sie ihn anklagen könnten. Jesus aber bückte sich nieder und schrieb mit dem Finger auf die Erde.

7 Als sie nun fortfuhren, ihn zu fragen, richtete er sich auf und sprach zu ihnen: Wer unter euch ohne Sünde ist, der werfe den ersten Stein auf sie! 8 Und er bückte sich wiederum nieder und schrieb auf die Erde.

9 Als sie aber das hörten, gingen sie – von ihrem Gewissen überführt – einer nach dem anderen hinaus, angefangen von den Ältesten bis zu den Geringsten; und Jesus wurde allein gelassen, und die Frau, die in der Mitte stand. 10 Da richtete sich Jesus auf, und da er niemand sah als die Frau, sprach er zu ihr: Frau, wo sind jene, deine Ankläger? Hat dich niemand verurteilt? 11 Sie sprach: Niemand, Herr! Jesus sprach zu ihr: So verurteile ich dich auch nicht. Geh hin und sündige nicht mehr!

Jesus Christus – das Licht der Welt   Joh 1,4-5; 1,9-12; 5,36-37

12 Nun redete Jesus wieder zu ihnen und sprach: Ich bin das Licht der Welt. Wer mir nachfolgt, wird nicht in der Finsternis wandeln, sondern er wird das Licht des Lebens haben.

13 Da sprachen die Pharisäer zu ihm: Du legst von dir selbst Zeugnis ab; dein Zeugnis ist nicht wahrhaftig! 14 Jesus antwortete und sprach zu ihnen: Auch wenn ich von mir selbst Zeugnis ablege, so ist mein Zeugnis doch wahrhaftig, denn ich weiß, woher ich gekommen bin und wohin ich gehe; ihr aber wißt nicht, woher ich komme und wohin ich gehe.

15 Ihr richtet nach dem Fleisch; ich richte niemand. 16 Aber auch wenn ich richte, so ist mein Gericht wahrhaftig; denn ich bin nicht allein, sondern ich und der Vater, der mich gesandt hat. 17 Es steht aber auch in eurem Gesetz geschrieben, daß das Zeugnis zweier Menschen glaubwürdig ist. 18 Ich bin es, der ich von mir selbst Zeugnis gebe, und der Vater, der mich gesandt hat, gibt auch Zeugnis von mir.

19 Da sprachen sie zu ihm: Wo ist dein Vater? Jesus antwortete: Ihr kennt weder mich noch meinen Vater. Wenn ihr mich kennen würdet, so würdet ihr auch meinen Vater kennen. 20 Diese Worte redete Jesus bei dem Opferkasten, als er im Tempel lehrte; und niemand ergriff ihn, denn seine Stunde war noch nicht gekommen.

21 Nun sprach Jesus wiederum zu ihnen: Ich gehe fort, und ihr werdet mich suchen, und ihr werdet in eurer Sünde sterben. Wohin ich gehe, dorthin könnt ihr nicht kommen! 22 Da sagten die Juden: Will er sich etwa selbst töten, daß er spricht: Wohin ich gehe, dorthin könnt ihr nicht kommen?

23 Er aber sprach zu ihnen: Ihr seid von unten, ich bin von oben. Ihr seid von dieser Welt, ich bin nicht von dieser Welt. 24 Darum habe ich euch gesagt, daß ihr in euren Sünden sterben werdet; denn wenn ihr nicht glaubt, daß ich es bin, so werdet ihr in euren Sünden sterben.

25 Da sagten sie zu ihm: Wer bist du? Und Jesus sprach zu ihnen: Zuerst das, was ich euch eben sage! 26 Ich habe vieles über euch zu reden und zu richten; aber der, welcher mich gesandt hat, ist wahrhaftig, und was ich von ihm gehört habe, das rede ich zu der Welt. 27 Sie verstanden aber nicht, daß er vom Vater zu ihnen redete. 28 Darum sprach Jesus zu ihnen: Wenn ihr den Sohn des Menschen erhöht haben werdet, dann werdet ihr erkennen, daß ich es bin; und ich tue nichts von mir selbst aus, sondern wie mich mein Vater gelehrt hat, so rede ich. 29 Und der, welcher mich gesandt hat, ist mit mir; der Vater läßt mich nicht allein, denn ich tue allezeit, was ihm gefällt. 30 Als er dies sagte, glaubten viele an ihn.

Allein die göttliche Wahrheit macht frei. Die Ursache für den Widerstand gegen die Wahrheit   1Joh 1,5-10; 2Kor 4,3-4; Gal 3,7.29

31 Da sprach Jesus zu den Juden, die an ihn glaubten: Wenn ihr in meinem Worte bleibt, so seid ihr wahrhaftig meine Jünger, 32 und ihr werdet die Wahrheit erkennen, und die Wahrheit wird euch frei machen! 33 Sie antworteten ihm: Wir sind Abrahams Same[a] und sind nie jemandes Knechte gewesen; wie kannst du da sagen: Ihr sollt frei werden?

34 Jesus antwortete ihnen: Wahrlich, wahrlich, ich sage euch: Jeder, der die Sünde tut, ist ein Knecht der Sünde. 35 Der Knecht aber bleibt nicht ewig im Haus; der Sohn bleibt ewig. 36 Wenn euch nun der Sohn frei machen wird, so seid ihr wirklich frei. 37 Ich weiß, daß ihr Abrahams Same seid; aber ihr sucht mich zu töten, denn mein Wort findet keinen Raum in euch. 38 Ich rede, was ich bei meinem Vater gesehen habe; so tut auch ihr, was ihr bei eurem Vater gesehen habt.

39 Sie antworteten und sprachen zu ihm: Abraham ist unser Vater! Jesus spricht zu ihnen: Wenn ihr Abrahams Kinder wärt, so würdet ihr Abrahams Werke tun. 40 Nun aber sucht ihr mich zu töten, einen Menschen, der euch die Wahrheit gesagt hat, die ich von Gott gehört habe; das hat Abraham nicht getan. 41 Ihr tut die Werke eures Vaters! Da sprachen sie zu ihm: Wir sind nicht unehelich geboren; wir haben einen Vater: Gott!

---

a. (8,33) bildhaft für Nachkommen.

42 Da sprach Jesus zu ihnen: Wenn Gott euer Vater wäre, so würdet ihr mich lieben, denn ich bin von Gott ausgegangen und gekommen; denn nicht von mir selbst bin ich gekommen, sondern er hat mich gesandt. [43] Warum versteht ihr meine Rede nicht? Weil ihr mein Wort nicht hören könnt! [44] Ihr habt den Teufel zum Vater, und was euer Vater begehrt, wollt ihr tun! Der war ein Menschenmörder von Anfang an und steht nicht in der Wahrheit, denn Wahrheit ist nicht in ihm. Wenn er die Lüge redet, so redet er aus seinem Eigenen, denn er ist ein Lügner und der Vater derselben.

45 Weil aber ich die Wahrheit sage, glaubt ihr mir nicht. [46] Wer unter euch kann mich einer Sünde beschuldigen? Wenn ich aber die Wahrheit rede, warum glaubt ihr mir nicht? [47] Wer aus Gott ist, der hört die Worte Gottes; darum hört ihr nicht, weil ihr nicht aus Gott seid.

Entehrung und Ablehnung des Sohnes Gottes Röm 10,21; Apg 7,51

48 Da antworteten die Juden und sprachen zu ihm: Sagen wir nicht mit Recht, daß du ein Samariter bist und einen Dämon hast? [49] Jesus antwortete: Ich habe keinen Dämon, sondern ich ehre meinen Vater, und ihr entehrt mich. [50] Ich aber suche nicht meine Ehre; es ist Einer, der sie sucht und der richtet. [51] Wahrlich, wahrlich, ich sage euch: Wenn jemand mein Wort bewahrt, so wird er den Tod nicht sehen in Ewigkeit!

52 Da sprachen die Juden zu ihm: Jetzt erkennen wir, daß du einen Dämon hast! Abraham ist gestorben und die Propheten, und du sagst: Wenn jemand mein Wort bewahrt, so wird er den Tod nicht schmecken in Ewigkeit! [53] Bist du größer als unser Vater Abraham, der gestorben ist? Und die Propheten sind auch gestorben. Was machst du aus dir selbst?

54 Jesus antwortete: Wenn ich mich selbst ehre, so ist meine Ehre nichts; mein Vater ist es, der mich ehrt, von dem ihr sagt, er sei euer Gott. [55] Und doch habt ihr ihn nicht erkannt; ich aber kenne ihn. Und wenn ich sagen würde: Ich kenne ihn nicht!, so wäre ich ein Lügner, gleich wie ihr. Aber ich kenne ihn und halte sein Wort. [56] Abraham, euer Vater, frohlockte, daß er meinen Tag sehen sollte; und er sah ihn und freute sich. [57] Da sprachen die Juden zu ihm: Du bist noch nicht fünfzig Jahre alt und hast Abraham gesehen? [58] Jesus sprach zu ihnen: Wahrlich, wahrlich, ich sage euch: Ehe Abraham war, bin ich!

59 Da hoben sie Steine auf, um sie auf ihn zu werfen. Jesus aber verbarg sich und ging zum Tempel hinaus, mitten durch sie hindurch, und entkam so.

Die Heilung eines Blindgeborenen 2Kor 4,6

9 Und als er vorbeiging, sah er einen Menschen, der blind war von Geburt an. ²Und seine Jünger fragten ihn und sprachen: Rabbi, wer hat gesündigt, so daß er blind geboren ist, dieser oder seine Eltern? ³Jesus antwortete: Weder dieser hat gesündigt noch seine Eltern; sondern an ihm sollten die Werke Gottes offenbar werden!

4 Ich muß die Werke dessen wirken, der mich gesandt hat, solange es Tag ist; es kommt die Nacht, da niemand wirken kann. ⁵Solange ich in der Welt bin, bin ich das Licht der Welt. ⁶Als er dies gesagt hatte, spie er auf die Erde und machte einen Brei mit dem Speichel und strich den Brei auf die Augen des Blinden ⁷und sprach zu ihm: Geh hin, wasche dich im Teich Siloah (das heißt übersetzt: Gesandt)! Da ging er hin und wusch sich und kam sehend wieder.

8 Die Nachbarn nun, und die ihn zuvor als Blinden gesehen hatten, sprachen: Ist das nicht der, welcher dasaß und bettelte? ⁹Etliche sagten: Er ist's! – andere aber: Er sieht ihm ähnlich! Er selbst sagte: Ich bin's! ¹⁰Da sprachen sie zu ihm: Wie sind deine Augen aufgetan worden? ¹¹Er antwortete und sprach: Ein Mensch, der Jesus heißt, machte einen Brei und bestrich meine Augen und sprach zu mir: Geh hin zum Teich Siloah und wasche dich! Als ich aber hinging und mich wusch, wurde ich sehend. ¹²Da sprachen sie zu ihm: Wo ist er? Er spricht: Ich weiß es nicht!

Verhör des Geheilten durch die Pharisäer Mt 23,13; Joh 10,37-38

13 Da führten sie ihn, den Blindgewesenen, zu den Pharisäern. ¹⁴Es war aber Sabbat, als Jesus den Teig machte und ihm die Augen öffnete. ¹⁵Nun fragten ihn auch die Pharisäer wieder, wie er sehend geworden war. Und er sprach zu ihnen: Einen Brei hat er auf meine Augen gelegt, und ich wusch mich und bin nun sehend! ¹⁶Da sprachen etliche von den Pharisäern: Dieser Mensch ist nicht von Gott, weil er den Sabbat nicht hält! Andere sprachen: Wie kann ein sündiger Mensch solche Zeichen tun? Und es entstand eine Spaltung unter ihnen. ¹⁷Sie sprachen wiederum zu dem Blinden: Was sagst du von ihm, weil er dir die Augen aufgetan hat? Er sprach: Er ist ein Prophet!

18 Nun glaubten die Juden nicht von ihm, daß er blind gewesen und sehend geworden war, bis sie die Eltern des Sehendgewordenen gerufen hatten. ¹⁹Und sie fragten sie und sprachen: Ist das euer Sohn, von dem ihr sagt, daß er blind geboren ist? Wie-

so ist er denn jetzt sehend? [20] Seine Eltern antworteten ihnen und sprachen: Wir wissen, daß dieser unser Sohn ist und daß er blind geboren ist; [21] wieso er aber jetzt sieht, das wissen wir nicht; und wer ihm die Augen aufgetan hat, wissen wir auch nicht. Er ist alt genug; fragt ihn selbst! Er soll selbst für sich reden. [22] Das sagten seine Eltern deshalb, weil sie die Juden fürchteten; denn die Juden waren schon übereingekommen, daß, wenn einer ihn als den Christus anerkennen würde, dieser aus der Synagoge ausgestoßen werden sollte. [23] Darum sprachen seine Eltern: Er ist alt genug; fragt ihn selbst!

24 Da riefen sie zum zweitenmal den Menschen, der blind gewesen war, und sprachen zu ihm: Gib Gott die Ehre! Wir wissen, daß dieser Mensch ein Sünder ist. [25] Da antwortete jener und sprach: Ob er ein Sünder ist, weiß ich nicht. Eines weiß ich: daß ich blind war und jetzt sehend bin! [26] Sie sprachen aber wiederum zu ihm: Was hat er mit dir gemacht? Wie tat er dir die Augen auf? [27] Er antwortete ihnen: Ich habe es euch schon gesagt, und ihr habt nicht darauf gehört; was wollt ihr es noch einmal hören? Wollt auch ihr seine Jünger werden? [28] Sie beschimpften ihn nun und sprachen: Du bist sein Jünger! Wir aber sind Moses Jünger. [29] Wir wissen, daß Gott zu Mose geredet hat; von diesem aber wissen wir nicht, woher er ist.

30 Da antwortete der Mensch und sprach zu ihnen: Das ist doch verwunderlich, daß ihr nicht wißt, woher er ist, und er hat doch meine Augen aufgetan. [31] Wir wissen aber, daß Gott nicht auf Sünder hört; sondern wenn jemand gottesfürchtig ist und seinen Willen tut, den hört er. [32] Von Ewigkeit her hat man nicht gehört, daß jemand einem Blindgeborenen die Augen aufgetan hat. [33] Wenn dieser nicht von Gott wäre, so könnte er nichts tun! [34] Sie antworteten und sprachen zu ihm: Du bist ganz in Sünden geboren und willst uns lehren? Und sie stießen ihn hinaus.

Blinde sehen und Sehende werden blind Lk 10,21; 2Kor 4,3-6

35 Jesus hörte, daß sie ihn ausgestoßen hatten, und als er ihn fand, sprach er zu ihm: Glaubst du an den Sohn Gottes? [36] Er antwortete und sprach: Wer ist es, Herr, damit ich an ihn glaube? [37] Jesus aber sprach zu ihm: Du hast ihn gesehen, und der mit dir redet, der ist es! [38] Er aber sprach: Ich glaube, Herr! und fiel anbetend vor ihm nieder.

39 Und Jesus sprach: Ich bin zum Gericht in diese Welt gekommen, damit die, welche nicht sehen, sehend werden und die, welche sehen, blind werden.

40 Und dies hörten etliche der Pharisäer, die bei ihm waren, und sprachen zu ihm: Sind denn auch wir blind? ⁴¹ Jesus sprach zu ihnen: Wenn ihr blind wärt, so hättet ihr keine Sünde; nun sagt ihr aber: Wir sind sehend; deshalb bleibt eure Sünde.

Der gute Hirte 1Pt 2,24-25; 5,4

10 Wahrlich, wahrlich, ich sage euch: Wer nicht durch die Tür in den Schafstall hineingeht, sondern anderswo hineinsteigt, der ist ein Dieb und ein Räuber. ² Wer aber durch die Tür hineingeht, ist der Hirte der Schafe. ³ Diesem öffnet der Türhüter, und die Schafe hören auf seine Stimme, und er ruft seine eigenen Schafe beim Namen und führt sie heraus. ⁴ Und wenn er seine Schafe herausgelassen hat, geht er vor ihnen her; und die Schafe folgen ihm nach, denn sie kennen seine Stimme. ⁵ Einem Fremden aber folgen sie nicht nach, sondern fliehen vor ihm; denn sie kennen die Stimme der Fremden nicht. ⁶ Dieses Gleichnis sagte ihnen Jesus. Sie verstanden aber nicht, wovon er zu ihnen redete.

7 Da sprach Jesus wiederum zu ihnen: Wahrlich, wahrlich, ich sage euch: Ich bin die Tür der Schafe. ⁸ Alle, die vor mir kamen, sind Diebe und Räuber; aber die Schafe hörten nicht auf sie. ⁹ Ich bin die Tür. Wenn jemand durch mich eingeht, wird er gerettet werden und wird ein- und ausgehen und Weide finden. ¹⁰ Der Dieb kommt nur, um zu stehlen, zu töten und zu verderben; ich bin gekommen, damit sie Leben haben und es im Überfluß haben.

11 Ich bin der gute Hirte; der gute Hirte läßt sein Leben für die Schafe. ¹² Der Mietling aber, der nicht Hirte ist, dem die Schafe nicht gehören, sieht den Wolf kommen und verläßt die Schafe und flieht; und der Wolf raubt und zerstreut die Schafe. ¹³ Der Mietling aber flieht, weil er ein Mietling ist und sich nicht um die Schafe kümmert. ¹⁴ Ich bin der gute Hirte und kenne die Meinen und bin den Meinen bekannt, ¹⁵ gleichwie der Vater mich kennt und ich den Vater kenne. Und ich lasse mein Leben für die Schafe.

16 Und ich habe noch andere Schafe, die nicht aus diesem Stall sind; auch diese muß ich führen, und sie werden meine Stimme hören, und es wird *eine* Herde und *ein* Hirte werden. ¹⁷ Darum liebt mich der Vater, weil ich mein Leben lasse, damit ich es wieder nehme. ¹⁸ Niemand nimmt es von mir, sondern ich lasse es von mir aus. Ich habe Macht, es zu lassen, und habe Macht, es wieder zu nehmen. Diesen Auftrag habe ich von meinem Vater empfangen.

19 Da entstand wiederum eine Spaltung unter den Juden um dieser Worte willen; 20 und viele von ihnen sagten: Er hat einen Dämon und ist von Sinnen, weshalb hört ihr auf ihn? 21 Andere sagten: Das sind nicht die Worte eines Besessenen. Kann denn ein Dämon Blinden die Augen auftun?

22 Es fand aber in Jerusalem das Fest der Tempelweihe[a] statt; und es war Winter. 23 Und Jesus ging im Tempel in der Halle Salomos umher. 24 Da umringten ihn die Juden und sprachen zu ihm: Wie lange hältst du unsere Seele im Zweifel? Bist du der Christus, so sage es uns frei heraus!

25 Jesus antwortete ihnen: Ich habe es euch gesagt, und ihr glaubt nicht. Die Werke, die ich tue im Namen meines Vaters, diese geben Zeugnis von mir; 26 aber ihr glaubt nicht, denn ihr seid nicht von meinen Schafen, wie ich euch gesagt habe. 27 Meine Schafe hören meine Stimme, und ich kenne sie, und sie folgen mir nach; 28 und ich gebe ihnen ewiges Leben, und sie werden in Ewigkeit nicht verlorengehen, und niemand wird sie aus meiner Hand reißen. 29 Mein Vater, der sie mir gegeben hat, ist größer als alle, und niemand kann sie aus der Hand meines Vaters reißen. 30 Ich und der Vater sind eins.

Unglaube und Widerstand gegen den Sohn Gottes   Joh 8,51-59

31 Da hoben die Juden wiederum Steine auf, um ihn zu steinigen. 32 Jesus antwortete ihnen: Viele gute Werke habe ich euch gezeigt von meinem Vater; um welches dieser Werke willen wollt ihr mich steinigen? 33 Die Juden antworteten ihm und sprachen: Nicht wegen eines guten Werkes wollen wir dich steinigen, sondern wegen Gotteslästerung, und zwar weil du, der du ein Mensch bist, dich selbst zu Gott machst! 34 Jesus antwortete ihnen: Steht nicht in eurem Gesetz geschrieben: *Ich habe gesagt: Ihr seid Götter*? 35 Wenn es diejenigen Götter nennt, an die das Wort Gottes erging – und die Schrift kann doch nicht aufgehoben werden –, 36 wieso sagt ihr dann zu dem, den der Vater geheiligt und in die Welt gesandt hat: Du lästerst!, weil ich gesagt habe: Ich bin Gottes Sohn? 37 Wenn ich nicht die Werke meines Vaters tue, so glaubt mir nicht! 38 Tue ich sie aber, so glaubt, wenn ihr auch mir nicht glaubt, doch den Werken, damit ihr erkennt und glaubt, daß der Vater in mir ist und ich in ihm.

---

a. (10,22) hebr. *Chanukkah*; gefeiert im Nov. / Dez. zum Gedenken an die Wiedereinweihung des Tempels 165 v. Chr., nach der Entweihung durch Antiochus Epiphanes.

39 Da suchten sie ihn wiederum zu ergreifen; aber er entging ihren Händen. 40 Und er zog wieder jenseits des Jordan an den Ort, wo Johannes zuerst getauft hatte, und blieb dort. 41 Und viele kamen zu ihm und sprachen: Johannes hat zwar kein Zeichen getan; aber alles, was Johannes von diesem gesagt hat, ist wahr. 42 Und es glaubten dort viele an ihn.

Die Auferweckung des Lazarus   Joh 5,20-29; 1Kor 15,20-27.54

11 Es war aber einer krank, Lazarus von Bethanien aus dem Dorf der Maria und ihrer Schwester Martha, 2 nämlich der Maria, die den Herrn gesalbt und seine Füße mit ihren Haaren getrocknet hatte; deren Bruder Lazarus war krank. 3 Da sandten die Schwestern zu ihm und ließen ihm sagen: Herr, siehe, der, den du liebhast, ist krank!

4 Als Jesus es hörte, sprach er: Diese Krankheit ist nicht zum Tode, sondern zur Ehre Gottes, damit der Sohn Gottes dadurch verherrlicht wird! 5 Jesus aber liebte Martha und ihre Schwester und Lazarus. 6 Als er nun hörte, daß jener krank sei, blieb er noch zwei Tage an dem Ort, wo er war. 7 Dann erst spricht er zu den Jüngern: Laßt uns wieder nach Judäa ziehen! 8 Die Jünger sprechen zu ihm: Rabbi, eben noch wollten dich die Juden steinigen, und du begibst dich wieder dorthin?

9 Jesus antwortete: Hat der Tag nicht zwölf Stunden? Wenn jemand bei Tag wandelt, so stößt er nicht an, denn er sieht das Licht dieser Welt. 10 Wenn aber jemand bei Nacht wandelt, so stößt er an, weil das Licht nicht in ihm ist. 11 Dies sprach er, und danach sagte er zu ihnen: Unser Freund Lazarus ist eingeschlafen; aber ich gehe hin, um ihn aus dem Schlaf zu erwecken.

12 Da sprachen seine Jünger: Herr, wenn er eingeschlafen ist, so wird er genesen! 13 Jesus aber hatte von seinem Tod geredet; sie dagegen meinten, er rede vom natürlichen Schlaf. 14 Daraufhin nun sagte es ihnen Jesus frei heraus: Lazarus ist gestorben; 15 und ich bin froh um euretwillen, daß ich nicht dort gewesen bin, damit ihr glaubt. Doch laßt uns zu ihm gehen! 16 Da sprach Thomas, der Zwilling genannt wird, zu den Mitjüngern: Laßt uns auch hingehen, damit wir mit ihm sterben!

17 Als nun Jesus hinkam, fand er ihn schon vier Tage im Grab liegend. 18 Bethanien aber war nahe bei Jerusalem, ungefähr fünfzehn Stadien[a] weit; 19 und viele von den Juden waren zu denen um Martha und Maria hinzugekommen, um sie wegen ihres Bruders zu trösten. 20 Als Martha nun hörte, daß Jesus

a. (11,18) d.h. ca. 3 km.

komme, lief sie ihm entgegen; Maria aber blieb im Haus sitzen.
21 Da sprach Martha zu Jesus: Herr, wenn du hier gewesen
wärst, mein Bruder wäre nicht gestorben! 22 Doch auch jetzt
weiß ich: Was immer du von Gott erbitten wirst, das wird Gott
dir geben. 23 Jesus spricht zu ihr: Dein Bruder wird auferstehen! 24 Martha spricht zu ihm: Ich weiß, daß er auferstehen
wird in der Auferstehung am letzten Tag.

25 Jesus spricht zu ihr: Ich bin die Auferstehung und das Leben.
Wer an mich glaubt, wird leben, auch wenn er stirbt; 26 und jeder, der lebt und an mich glaubt, wird in Ewigkeit nicht sterben.
Glaubst du das? 27 Sie spricht zu ihm: Ja, Herr! Ich glaube, daß
du der Christus bist, der Sohn Gottes, der in die Welt kommen
soll.

28 Und als sie das gesagt hatte, ging sie fort und rief heimlich
ihre Schwester Maria und sprach: Der Meister ist da und ruft
dich! 29 Als diese es hörte, stand sie schnell auf und begab sich
zu ihm. 30 Jesus war aber noch nicht in das Dorf gekommen,
sondern befand sich an dem Ort, wo Martha ihm begegnet war.
31 Als nun die Juden, die bei ihr im Haus waren und sie tröste-
ten, sahen, daß Maria so schnell aufstand und hinausging, folgten sie ihr nach und sprachen: Sie geht zum Grab, um dort zu
weinen.

32 Als aber Maria dorthin kam, wo Jesus war, und ihn sah, fiel
sie zu seinen Füßen nieder und sprach zu ihm: Herr, wenn du
hier gewesen wärst, mein Bruder wäre nicht gestorben! 33 Als
nun Jesus sah, wie sie weinte, und wie die Juden, die mit ihr gekommen waren, weinten, seufzte er im Geist und wurde bewegt
34 und sprach: Wo habt ihr ihn hingelegt? Sie sprechen zu ihm:
Herr, komm und sieh! 35 Jesus weinte. 36 Da sagten die Juden:
Seht, wie hatte er ihn so lieb! 37 Etliche von ihnen aber sprachen: Konnte der, welcher dem Blinden die Augen aufgetan hat,
nicht bewirken, daß auch dieser nicht gestorben wäre?

38 Jesus nun, indem er wieder bei sich selbst seufzte, kam zum
Grab. Es war aber eine Höhle, und ein Stein lag darauf. 39 Jesus
spricht: Hebt den Stein weg! Martha, die Schwester des Verstorbenen, spricht zu ihm: Herr, er riecht schon, denn er ist schon
vier Tage hier! 40 Jesus spricht zu ihr: Habe ich dir nicht gesagt:
Wenn du glaubst, wirst du die Herrlichkeit Gottes sehen?

41 Da hoben sie den Stein weg, wo der Verstorbene lag. Jesus
aber hob die Augen empor und sprach: Vater, ich danke dir,
daß du mich erhört hast. 42 Ich aber weiß, daß du mich allezeit
erhörst; doch um der umstehenden Menge willen habe ich es
gesagt, damit sie glauben, daß du mich gesandt hast. 43 Und als

er dies gesagt hatte, rief er mit lauter Stimme: Lazarus, komm heraus! **44** Und der Verstorbene kam heraus, an Händen und Füßen mit Grabtüchern umwickelt und sein Angesicht mit einem Schweißtuch umhüllt. Jesus spricht zu ihnen: Bindet ihn los und laßt ihn gehen!

45 Viele nun von den Juden, die zu Maria gekommen waren und sahen, was Jesus getan hatte, glaubten an ihn. **46** Etliche aber von ihnen gingen zu den Pharisäern und sagten ihnen, was Jesus getan hatte.

Der Mordplan des Hohen Rates   Lk 16,31; Lk 20,13-15

47 Da versammelten die Hohenpriester und die Pharisäer den Hohen Rat und sprachen: Was sollen wir tun? Denn dieser Mensch tut viele Zeichen! **48** Wenn wir ihn so fortfahren lassen, so werden alle an ihn glauben; und dann kommen die Römer und nehmen uns das Land und das Volk weg!

49 Einer aber von ihnen, Kajaphas, der in jenem Jahr Hoherpriester war, sprach zu ihnen: **50** Ihr wißt nichts und bedenkt nicht, daß es für uns besser ist, daß *ein* Mensch für das Volk stirbt, als daß das ganze Volk verdirbt! **51** Dies redete er aber nicht aus sich selbst; sondern weil er in jenem Jahr Hoherpriester war, weissagte er; denn Jesus sollte für das Volk sterben, **52** und nicht für das Volk allein, sondern auch, um die zerstreuten Kinder Gottes in Eins zusammenzubringen.

53 Von jenem Tag an beratschlagten sie nun miteinander, um ihn zu töten. **54** Darum ging Jesus nicht mehr öffentlich unter den Juden umher, sondern zog von dort weg in die Gegend nahe bei der Wüste, in eine Stadt namens Ephraim, und hielt sich dort auf mit seinen Jüngern.

55 Es war aber das Passah der Juden nahe. Und viele aus dem ganzen Land gingen vor dem Passah nach Jerusalem hinauf, um sich zu reinigen. **56** Da suchten sie Jesus und sprachen zueinander, als sie im Tempel standen: Was meint ihr, kommt er nicht zu dem Fest? **57** Sowohl die Hohenpriester als auch die Pharisäer hatten aber einen Befehl gegeben, daß, wenn jemand wisse, wo er sei, er es anzeigen solle, damit sie ihn ergreifen könnten.

Maria salbt die Füße Jesu   Mt 26,6-13; Mk 14,3-9

12 Sechs Tage vor dem Passah kam Jesus dann nach Bethanien, wo Lazarus war, der Verstorbene, den er aus den Toten auferweckt hatte. **2** Sie machten ihm nun dort ein Gastmahl, und Martha diente. Lazarus aber war einer von denen, die mit ihm zu Tisch saßen. [3] Da nahm Maria ein Pfund echten, köstlichen Nardensalböls, salbte Jesus die Füße und trocknete seine Füße mit ihren Haaren; das Haus aber wurde erfüllt vom Geruch des Salböls.

4 Da spricht Judas, Simons Sohn, der Ischariot, einer seiner Jünger, der ihn danach verriet: [5] Warum hat man dieses Salböl nicht für dreihundert Denare verkauft und es den Armen gegeben? [6] Das sagte er aber nicht, weil er sich um die Armen kümmerte, sondern weil er ein Dieb war und den Beutel hatte und trug, was eingelegt wurde.

7 Da sprach Jesus: Laß sie! Dies hat sie für den Tag meines Begräbnisses aufbewahrt. [8] Denn die Armen habt ihr allezeit bei euch; mich aber habt ihr nicht allezeit. [9] Es erfuhr nun eine große Menge der Juden, daß er dort war; und sie kamen nicht allein um Jesu willen, sondern auch um Lazarus zu sehen, den er aus den Toten auferweckt hatte. [10] Da beschlossen die Hohenpriester, auch Lazarus zu töten, [11] denn seinetwegen gingen viele Juden hin und glaubten an Jesus.

Der Einzug des Messias Jesus in Jerusalem Mt 21,1-11; Mk 11,1-10

12 Als am folgenden Tag die vielen Leute, die zum Fest erschienen waren, hörten, daß Jesus nach Jerusalem komme, [13] nahmen sie Palmzweige und gingen hinaus, ihm entgegen, und riefen: Hosianna! Gepriesen sei, der da kommt im Namen des Herrn, der König von Israel! [14] Jesus aber hatte einen jungen Esel gefunden und setzte sich darauf, wie geschrieben steht: [15] *Fürchte dich nicht, Tochter Zion! Siehe, dein König kommt, sitzend auf dem Füllen einer Eselin.*

16 Dies verstanden aber seine Jünger anfangs nicht, doch als Jesus verherrlicht war, da erinnerten sie sich, daß dies von ihm geschrieben stand und daß sie ihm dies getan hatten. [17] Die Menge nun, die bei ihm war, als er Lazarus aus dem Grab gerufen und ihn aus den Toten auferweckt hatte, legte Zeugnis ab. [18] Darum ging ihm auch die Volksmenge entgegen, weil sie hörten, daß er dieses Zeichen getan hatte. [19] Da sprachen die Pharisäer zueinander: Ihr seht, daß ihr nichts ausrichtet. Siehe, alle Welt läuft ihm nach!

20 Es waren aber etliche Griechen unter denen, die hinaufkamen, um während des Festes anzubeten. [21] Diese gingen zu Philippus, der aus Bethsaida in Galiläa war, baten ihn und sprachen: Herr, wir möchten gerne Jesus sehen! [22] Philippus kommt und sagt es dem Andreas, und Andreas und Philippus sagen es wiederum Jesus.

Der Messias kündigt seinen Opfertod und seine Verherrlichung an Lk 9,21-25; Hebr 2,9-10

23 Jesus aber antwortete ihnen und sprach: Die Stunde ist gekommen, daß der Sohn des Menschen verherrlicht werde! [24] Wahrlich, wahrlich, ich sage euch: Wenn das Weizenkorn nicht in die Erde fällt und stirbt, so bleibt es allein; wenn es aber stirbt, so bringt es viel Frucht. [25] Wer seine Seele liebt, der wird sie verlieren; wer aber seine Seele in dieser Welt haßt, wird sie zum ewigen Leben bewahren. [26] Wenn jemand mir dienen will, so folge er mir nach; und wo ich bin, da soll auch mein Diener sein; und wenn jemand mir dient, so wird ihn mein Vater ehren. 27 Jetzt ist meine Seele erschüttert. Und was soll ich sagen? Vater, hilf mir aus dieser Stunde! Doch darum bin ich in diese Stunde gekommen. [28] Vater, verherrliche deinen Namen! Da kam eine Stimme vom Himmel: Ich habe ihn verherrlicht und will ihn wiederum verherrlichen! [29] Die Menge nun, die dabeistand und dies hörte, sagte, es habe gedonnert. Andere sagten: Ein Engel hat mit ihm geredet! [30] Jesus antwortete und sprach: Nicht um meinetwillen ist diese Stimme geschehen, sondern um euretwillen. [31] Jetzt ergeht ein Gericht über diese Welt. Nun wird der Fürst dieser Welt hinausgeworfen werden; [32] und ich, wenn ich von der Erde erhöht bin, werde alle zu mir ziehen. [33] Das sagte er aber, um anzudeuten, durch welchen Tod er sterben würde.

34 Die Menge antwortete ihm: Wir haben aus dem Gesetz gehört, daß der Christus in Ewigkeit bleibt; wie sagst du denn, der Sohn des Menschen müsse erhöht werden? Wer ist dieser Sohn des Menschen? [35] Da sprach Jesus zu ihnen: Noch eine kleine Zeit ist das Licht bei euch. Wandelt, solange ihr das Licht noch habt, damit euch die Finsternis nicht überfällt! Denn wer in der Finsternis wandelt, weiß nicht, wohin er geht. [36] Solange ihr das Licht habt, glaubt an das Licht, damit ihr Kinder des Lichtes werdet! Dies redete Jesus und ging hinweg und verbarg sich vor ihnen.

Das Volk verharrt im Unglauben Hebr 3,7-8

37 Obwohl er aber so viele Zeichen vor ihnen getan hatte, glaubten sie nicht an ihn; [38] damit das Wort des Propheten Jesaja erfüllt würde, das er gesprochen hat: *Herr, wer hat unserer Verkündigung geglaubt, und wem ist der Arm des Herrn geoffenbart worden?* [39] Darum konnten sie nicht glauben, denn Jesaja hat wiederum gesprochen: [40] *Er hat ihre Augen verblendet und ihr Herz verhärtet, damit sie nicht mit den Augen sehen, noch mit dem*

Herzen verstehen und sich bekehren und ich sie heile. [41] Dies sprach Jesaja, als er seine Herrlichkeit sah und von ihm redete.

42 Doch glaubten sogar von den Obersten viele an ihn, aber wegen der Pharisäer bekannten sie es nicht, damit sie nicht aus der Synagoge ausgestoßen würden. [43] Denn die Ehre der Menschen war ihnen lieber als die Ehre Gottes.

44 Jesus aber rief und sprach: Wer an mich glaubt, der glaubt nicht an mich, sondern an den, der mich gesandt hat. [45] Und wer mich sieht, der sieht den, der mich gesandt hat. [46] Ich bin als ein Licht in die Welt gekommen, damit jeder, der an mich glaubt, nicht in der Finsternis bleibt.

47 Und wenn jemand meine Worte hört und nicht glaubt, so richte ich ihn nicht; denn ich bin nicht gekommen, um die Welt zu richten, sondern damit ich die Welt rette. [48] Wer mich verwirft und meine Worte nicht annimmt, der hat schon seinen Richter: Das Wort, das ich geredet habe, das wird ihn richten am letzten Tag. [49] Denn ich habe nicht aus mir selbst geredet, sondern der Vater, der mich gesandt hat, er hat mir ein Gebot gegeben, was ich sagen und was ich reden soll. [50] Und ich weiß, daß sein Gebot ewiges Leben ist. Darum, was ich rede, das rede ich so, wie der Vater es mir gesagt hat.

Das letzte Passahmahl und die Fußwaschung   Mt 26,19-20

13 Vor dem Passafest aber, da Jesus wußte, daß seine Stunde gekommen war, aus dieser Welt zum Vater zu gehen: wie er die Seinen geliebt hatte, die in der Welt waren, so liebte er sie bis ans Ende.

2 Und während des Mahls, als schon der Teufel dem Judas, Simons Sohn, dem Ischariot, ins Herz gegeben hatte, ihn zu verraten, [3] da Jesus wußte, daß ihm der Vater alles in die Hände gegeben hatte und daß er von Gott ausgegangen war und zu Gott hinging, [4] stand er vom Mahl auf, legte sein Obergewand ab, nahm einen Schurz und umgürtete sich; [5] darauf goß er Wasser in das Becken und fing an, den Jüngern die Füße zu waschen und sie mit dem Schurz zu trocknen, mit dem er umgürtet war.

6 Da kommt er zu Simon Petrus, und dieser spricht zu ihm: Herr, *du* wäschst mir die Füße? [7] Jesus antwortete und sprach zu ihm: Was ich tue, verstehst du jetzt nicht, du wirst es aber danach erkennen. [8] Petrus spricht zu ihm: Auf keinen Fall sollst du mir die Füße waschen! Jesus antwortete ihm: Wenn ich dich nicht wasche, so hast du keine Gemeinschaft mit mir. [9] Simon Petrus spricht zu ihm: Herr, nicht nur meine Füße, sondern auch die Hände und das Haupt! [10] Jesus spricht zu ihm: Wer

gebadet ist, hat es nicht nötig, gewaschen zu werden, ausgenommen die Füße, sondern er ist ganz rein. Und ihr seid rein, aber nicht alle. [11] Denn er kannte seinen Verräter; darum sagte er: Ihr seid nicht alle rein.

12 Nachdem er nun ihre Füße gewaschen und sein Obergewand angezogen hatte, setzte er sich wieder zu Tisch und sprach zu ihnen: Versteht ihr, was ich euch getan habe? [13] Ihr nennt mich Meister und Herr und sagt es mit Recht; denn ich bin es auch. [14] Wenn nun ich, der Herr und Meister, euch die Füße gewaschen habe, so sollt auch ihr einander die Füße waschen; [15] denn ein Vorbild habe ich euch gegeben, damit auch ihr so handelt, wie ich an euch gehandelt habe. [16] Wahrlich, wahrlich, ich sage euch: Der Knecht ist nicht größer als sein Herr, noch der Gesandte größer als der ihn gesandt hat. [17] Wenn ihr dies wißt, glückselig seid ihr, wenn ihr es tut.

Jesus und der Verräter   Mt 26,21-25; Mk 14,18-21; Lk 22,21-23

18 Ich rede nicht von euch allen; ich weiß, welche ich erwählt habe. Doch muß die Schrift erfüllt werden: *Der mit mir das Brot ißt, hat seine Ferse gegen mich erhoben.* [19] Jetzt sage ich es euch, ehe es geschieht, damit ihr glaubt, wenn es geschehen ist, daß ich es bin.

20 Wahrlich, wahrlich, ich sage euch: Wer den aufnimmt, den ich senden werde, der nimmt mich auf; wer aber mich aufnimmt, der nimmt den auf, der mich gesandt hat.

21 Als Jesus dies gesagt hatte, wurde er im Geist erschüttert, bezeugte und sprach: Wahrlich, wahrlich, ich sage euch: Einer unter euch wird mich verraten! [22] Da sahen die Jünger einander an und wußten nicht, von wem er redete. [23] Einer seiner Jünger aber, den Jesus liebte, hatte bei Tisch seinen Platz an der Seite Jesu. [24] Diesem winkt nun Simon Petrus, daß er forschen solle, wer es sei, von dem er rede. [25] Da lehnt sich jener an die Brust Jesu und spricht zu ihm: Herr, wer ist's? [26] Jesus antwortete: Der ist's, dem ich den eingetauchten Bissen geben werde. Und er taucht den Bissen ein und gibt ihn dem Judas, Simons Sohn, dem Ischariot.

27 Und nach dem Bissen, da fuhr der Satan in ihn. Da spricht Jesus zu ihm: Was du tun willst, das tue bald! [28] Es verstand aber keiner von denen, die zu Tisch saßen, wozu er ihm dies sagte. [29] Denn etliche meinten, weil Judas den Beutel hatte, sage Jesus zu ihm: Kaufe, was wir zum Fest benötigen!, oder er solle den Armen etwas geben. [30] Als nun jener den Bissen genommen hatte, ging er sogleich hinaus. Es war aber Nacht.

Die Verherrlichung Jesu und das neue Gebot   Joh 15,12-14.17

31 Als er nun hinausgegangen war, sprach Jesus: Jetzt ist der Sohn des Menschen verherrlicht, und Gott ist verherrlicht durch ihn! ³² Wenn Gott verherrlicht ist durch ihn, so wird Gott auch ihn verherrlichen durch sich selbst, und er wird ihn sogleich verherrlichen.

33 Kinder, nur noch eine kleine Weile bin ich bei euch. Ihr werdet mich suchen, und wie ich zu den Juden sagte: Wohin ich gehe, dorthin könnt ihr nicht kommen!, so sage ich es jetzt auch zu euch.

34 Ein neues Gebot gebe ich euch, daß ihr einander lieben sollt, damit, wie ich euch geliebt habe, auch ihr einander liebt. ³⁵ Daran wird jedermann erkennen, daß ihr meine Jünger seid, wenn ihr Liebe untereinander habt.

Die Ankündigung der Verleugnung durch Petrus   Mt 26,31-35

36 Simon Petrus spricht zu ihm: Herr, wohin gehst du? Jesus antwortete ihm: Wohin ich gehe, dorthin kannst du mir jetzt nicht folgen; du wirst mir aber später folgen. ³⁷ Petrus spricht zu ihm: Herr, warum kann ich dir jetzt nicht folgen? Mein Leben will ich für dich lassen! ³⁸ Jesus antwortete ihm: Dein Leben willst du für mich lassen? Wahrlich, wahrlich, ich sage dir: Der Hahn wird nicht krähen, bis du mich dreimal verleugnet hast!

Jesus Christus, der einzige Weg zum Vater   Hebr 11,10.16; 1 Tim 2,5

14 Euer Herz erschrecke nicht! Glaubt an Gott und glaubt an mich! ² Im Haus meines Vaters sind viele Wohnungen; wenn nicht, so hätte ich es euch gesagt. Ich gehe hin, um euch eine Stätte zu bereiten. ³ Und wenn ich hingehe und euch eine Stätte bereite, so komme ich wieder und werde euch zu mir nehmen, damit auch ihr seid, wo ich bin. ⁴ Wohin ich aber gehe, wißt ihr, und ihr kennt den Weg.

5 Thomas spricht zu ihm: Herr, wir wissen nicht, wohin du gehst, und wie können wir den Weg wissen? ⁶ Jesus spricht zu ihm: Ich bin der Weg und die Wahrheit und das Leben; niemand kommt zum Vater als nur durch mich! ⁷ Wenn ihr mich erkannt hättet, so hättet ihr auch meinen Vater erkannt; und von nun an erkennt ihr ihn und habt ihn gesehen.

8 Philippus spricht zu ihm: Herr, zeige uns den Vater, so genügt es uns! ⁹ Jesus spricht zu ihm: So lange Zeit bin ich bei euch, und du hast mich noch nicht erkannt, Philippus? Wer mich gesehen hat, der hat den Vater gesehen. Wie kannst du da sagen: Zeige uns den Vater? ¹⁰ Glaubst du nicht, daß ich im Vater bin

und der Vater in mir ist? Die Worte, die ich zu euch rede, rede ich nicht aus mir selbst, sondern der Vater, der in mir wohnt, der tut die Werke. [11] Glaubt mir, daß ich im Vater bin und der Vater in mir ist; wenn nicht, so glaubt mir doch um der Werke willen! 12 Wahrlich, wahrlich, ich sage euch: Wer an mich glaubt, der wird die Werke auch tun, die ich tue, und wird größere als diese tun, weil ich zu meinem Vater gehe; [13] und alles, was ihr bitten werdet in meinem Namen, das will ich tun, damit der Vater verherrlicht wird in dem Sohn. [14] Wenn ihr etwas bitten werdet in meinem Namen, so werde ich es tun.

Die Verheißung des Heiligen Geistes. Gehorsam und Liebe Joh 16,5

15 Liebt ihr mich, so haltet meine Gebote! [16] Und ich will den Vater bitten, und er wird euch einen anderen Tröster geben, daß er bei euch bleibt in Ewigkeit, [17] den Geist der Wahrheit, den die Welt nicht empfangen kann, denn sie beachtet ihn nicht und erkennt ihn nicht; ihr aber erkennt ihn, denn er bleibt bei euch und wird in euch sein.
18 Ich lasse euch nicht als Waisen zurück; ich komme zu euch. [19] Noch eine kleine Weile, und die Welt sieht mich nicht mehr; ihr aber seht mich; weil ich lebe, sollt auch ihr leben! [20] An jenem Tag werdet ihr erkennen, daß ich in meinem Vater bin und ihr in mir und ich in euch. [21] Wer meine Gebote festhält und sie befolgt, der ist es, der mich liebt; wer aber mich liebt, der wird von meinem Vater geliebt werden, und ich werde ihn lieben und mich ihm offenbaren.
22 Da spricht Judas – nicht der Ischariot – zu ihm: Herr, wie kommt es, daß du dich uns offenbaren willst und nicht der Welt? [23] Jesus antwortete und sprach zu ihm: Wenn jemand mich liebt, so wird er mein Wort befolgen, und mein Vater wird ihn lieben, und wir werden zu ihm kommen und Wohnung bei ihm machen. [24] Wer mich nicht liebt, befolgt meine Worte nicht; und doch ist das Wort, das ihr hört, nicht mein, sondern des Vaters, der mich gesandt hat. [25] Dies habe ich zu euch gesprochen, während ich noch bei euch bin; [26] der Tröster aber, der Heilige Geist, den der Vater senden wird in meinem Namen, der wird euch alles lehren und euch an alles erinnern, was ich euch gesagt habe.

Der Friede Jesu Christi Joh 16,33; Phil 4,6-7

27 Frieden hinterlasse ich euch; meinen Frieden gebe ich euch. Nicht wie die Welt gibt, gebe ich euch; euer Herz erschrecke nicht und verzage nicht!

28 Ihr habt gehört, daß ich euch sagte: Ich gehe hin, und ich komme zu euch! Wenn ihr mich lieb hättet, so würdet ihr euch freuen, daß ich gesagt habe: Ich gehe zum Vater; denn mein Vater ist größer als ich. [29] Und nun habe ich es euch gesagt, ehe es geschieht, damit ihr glaubt, wenn es geschieht. [30] Ich werde nicht mehr viel mit euch reden; denn es kommt der Fürst dieser Welt, und in mir hat er nichts. [31] Damit aber die Welt erkennt, daß ich den Vater liebe und so tue, wie mir der Vater befohlen hat: Steht auf und laßt uns von hier fortgehen!

Der Weinstock und die Reben   Gal 5,22; Eph 3,17-19; Kol 2,6-7

15 Ich bin der wahre Weinstock, und mein Vater ist der Weingärtner. [2] Jede Rebe an mir, die keine Frucht bringt, nimmt er weg; jede aber, die Frucht bringt, reinigt er, damit sie mehr Frucht bringt. [3] Ihr seid schon rein um des Wortes willen, das ich zu euch geredet habe. [4] Bleibt in mir, und ich [bleibe] in euch! Gleichwie die Rebe nicht von sich selbst Frucht bringen kann, wenn sie nicht am Weinstock bleibt, so auch ihr nicht, wenn ihr nicht in mir bleibt.

5 Ich bin der Weinstock, ihr seid die Reben. Wer in mir bleibt und ich in ihm, der bringt viel Frucht; denn getrennt von mir könnt ihr nichts tun. [6] Wenn jemand nicht in mir bleibt, so wird er weggeworfen wie die Rebe und verdorrt; und solche sammelt man und wirft sie ins Feuer, und sie brennen.

7 Wenn ihr in mir bleibt und meine Worte in euch bleiben, so werdet ihr bitten, was ihr wollt, und es wird euch zuteil werden. [8] Dadurch wird mein Vater verherrlicht, daß ihr viel Frucht bringt und meine Jünger werdet.

9 Gleichwie mich der Vater liebt, so liebe ich euch; bleibt in meiner Liebe! [10] Wenn ihr meine Gebote haltet, so bleibt ihr in meiner Liebe, gleichwie ich die Gebote meines Vaters gehalten habe und in seiner Liebe geblieben bin. [11] Dies habe ich zu euch geredet, damit meine Freude in euch bleibe und eure Freude völlig werde.

Das Gebot der Liebe   Joh 13,34-35; 1Joh 3,16-18; 4,7-12

12 Das ist mein Gebot, daß ihr einander liebt, gleichwie ich euch geliebt habe. [13] Größere Liebe hat niemand als die, daß einer sein Leben läßt für seine Freunde. [14] Ihr seid meine Freunde, wenn ihr alles tut, was ich euch gebiete. [15] Ich nenne euch nicht mehr Knechte, denn der Knecht weiß nicht, was sein Herr tut; euch aber habe ich Freunde genannt, weil ich euch alles kundgetan habe, was ich von meinem Vater gehört

habe. [16] Nicht ihr habt mich erwählt, sondern ich habe euch erwählt und euch gesetzt, daß ihr hingeht und Frucht bringt und eure Frucht bleibt, damit der Vater euch gibt, was auch immer ihr ihn bitten werdet in meinem Namen. [17] Das gebiete ich euch, daß ihr einander liebt.

Der Haß der Welt gegen die Jünger. Ankündigung von Verfolgungen Mt 10,22-33; 2Tim 3,12

18 Wenn euch die Welt haßt, so wißt, daß sie mich vor euch gehaßt hat. [19] Wenn ihr von der Welt wärt, so hätte die Welt das Ihre lieb; weil ihr aber nicht von der Welt seid, sondern ich euch aus der Welt heraus erwählt habe, darum haßt euch die Welt.

20 Gedenkt an das Wort, das ich zu euch gesagt habe: Der Knecht ist nicht größer als sein Herr. Haben sie mich verfolgt, so werden sie auch euch verfolgen; haben sie mein Wort befolgt, so werden sie auch das eure befolgen. [21] Aber das alles werden sie euch tun um meines Namens willen; denn sie kennen den nicht, der mich gesandt hat.

22 Wenn ich nicht gekommen wäre und zu ihnen geredet hätte, so hätten sie keine Sünde; nun aber haben sie keinen Vorwand für ihre Sünde. [23] Wer mich haßt, der haßt auch meinen Vater. [24] Wenn ich nicht die Werke unter ihnen getan hätte, die kein anderer getan hat, so hätten sie keine Sünde; nun aber haben sie es gesehen und hassen doch sowohl mich als auch meinen Vater; [25] doch [dies geschieht,] damit das Wort erfüllt wird, das in ihrem Gesetz geschrieben steht: *Sie hassen mich ohne Ursache.*

26 Wenn aber der Tröster kommen wird, den ich euch vom Vater senden werde, der Geist der Wahrheit, der vom Vater ausgeht, so wird der von mir Zeugnis geben; [27] und auch ihr werdet Zeugnis geben, weil ihr von Anfang an bei mir gewesen seid.

16 Dies habe ich zu euch geredet, damit ihr keinen Anstoß nehmt. [2] Sie werden euch aus der Synagoge ausschließen; es kommt sogar die Stunde, wo jeder, der euch tötet, meinen wird, Gott einen Dienst zu erweisen. [3] Und dies werden sie euch tun, weil sie weder den Vater noch mich kennen. [4] Ich aber habe euch dies gesagt, damit ihr daran denkt, wenn die Stunde kommt, daß ich es euch gesagt habe. Dies aber habe ich euch nicht von Anfang an gesagt, weil ich bei euch war.

Das Wirken des Heiligen Geistes Joh 14,16-17.26; 15,26; 1Kor 2,7-16

5 Nun aber gehe ich hin zu dem, der mich gesandt hat, und niemand unter euch fragt mich: Wohin gehst du?, [6] sondern weil ich euch dies gesagt habe, ist euer Herz voll Traurigkeit. [7] Aber ich sage euch die Wahrheit: Es ist gut für euch, daß ich hingehe; denn wenn ich nicht hingehe, so kommt der Tröster nicht zu euch. Wenn ich aber hingegangen bin, will ich ihn zu euch senden.

8 Und wenn jener kommt, wird er die Welt überführen von Sünde und von Gerechtigkeit und vom Gericht; [9] von Sünde, weil sie nicht an mich glauben; [10] von Gerechtigkeit aber, weil ich zu meinem Vater gehe und ihr mich hinfort nicht mehr seht; [11] vom Gericht, weil der Fürst dieser Welt gerichtet ist.

12 Noch vieles hätte ich euch zu sagen; aber ihr könnt es jetzt nicht ertragen. [13] Wenn aber jener kommt, der Geist der Wahrheit, wird er euch in die ganze Wahrheit leiten; denn er wird nicht aus sich selbst reden, sondern was er hören wird, das wird er reden, und was zukünftig ist, wird er euch verkündigen. [14] Er wird mich verherrlichen; denn von dem Meinen wird er nehmen und euch verkündigen. [15] Alles, was der Vater hat, ist mein; darum habe ich gesagt, daß er von dem Meinen nehmen und euch verkündigen wird.

Künftige Trauer und Freude der Jünger Joh 14,18-19; 14,27-29

16 Noch eine kurze Zeit, und ihr werdet mich nicht sehen, und wiederum eine kurze Zeit, und ihr werdet mich sehen; denn ich gehe zum Vater. [17] Da sprachen etliche seiner Jünger zueinander: Was bedeutet das, daß er sagt: Noch eine kurze Zeit, und ihr werdet mich nicht sehen, und wiederum eine kurze Zeit, und ihr werdet mich sehen, und: Ich gehe zum Vater? [18] Deshalb sagten sie: Was bedeutet das, daß er sagt: Noch eine kurze Zeit? Wir wissen nicht, was er redet!

19 Da erkannte Jesus, daß sie ihn fragen wollten, und sprach zu ihnen: Ihr befragt einander darüber, daß ich gesagt habe: Noch eine kurze Zeit, und ihr werdet mich nicht sehen, und wiederum eine kurze Zeit, und ihr werdet mich sehen? [20] Wahrlich, wahrlich, ich sage euch: Ihr werdet weinen und wehklagen, aber die Welt wird sich freuen; und ihr werdet trauern, doch eure Traurigkeit soll in Freude verwandelt werden. [21] Wenn eine Frau gebiert, so hat sie Traurigkeit, weil ihre Stunde gekommen ist; wenn sie aber das Kind geboren hat, denkt sie nicht mehr an die Drangsal, um der Freude willen, daß ein Mensch in die Welt geboren ist.

22 So habt auch ihr nun Traurigkeit; ich werde euch aber wiedersehen, und dann wird euer Herz sich freuen, und niemand soll eure Freude von euch nehmen. 23 Und an jenem Tag werdet ihr mich nichts fragen. Wahrlich, wahrlich, ich sage euch: Was auch immer ihr den Vater bitten werdet in meinem Namen, er wird es euch geben! 24 Bis jetzt habt ihr nichts in meinem Namen gebeten; bittet, so werdet ihr empfangen, damit eure Freude völlig wird!

25 Dies habe ich euch in Gleichnissen gesagt; es kommt aber die Stunde, da ich nicht mehr in Gleichnissen zu euch reden, sondern euch offen vom Vater Kunde geben werde. 26 An jenem Tag werdet ihr in meinem Namen bitten, und ich sage euch nicht, daß ich den Vater für euch bitten will; 27 denn er selbst, der Vater, hat euch lieb, weil ihr mich liebt und glaubt, daß ich von Gott ausgegangen bin. 28 Ich bin vom Vater ausgegangen und in die Welt gekommen; wiederum verlasse ich die Welt und gehe zum Vater.

29 Da sagen seine Jünger zu ihm: Siehe, jetzt redest du offen und gebrauchst kein Gleichnis! 30 Jetzt wissen wir, daß du alles weißt und es nicht nötig hast, daß dich jemand fragt; darum glauben wir, daß du von Gott ausgegangen bist! 31 Jesus antwortete ihnen: Jetzt glaubt ihr? 32 Siehe, es kommt die Stunde, und sie ist schon da, wo ihr euch zerstreuen werdet, ein jeder in das Seine, und mich allein laßt; aber ich bin nicht allein, denn der Vater ist bei mir.

33 Dies habe ich zu euch geredet, damit ihr in mir Frieden habt. In der Welt habt ihr Drangsal; aber seid getrost, ich habe die Welt überwunden!

Das Gebet Jesu Christi für seine Jünger   Röm 8,34; Hebr 7,24-28

17 Dies redete Jesus und hob seine Augen zum Himmel empor und sprach: Vater, die Stunde ist gekommen; verherrliche deinen Sohn, damit auch dein Sohn dich verherrliche 2 – gleichwie du ihm Vollmacht gegeben hast über alles Fleisch, damit er allen ewiges Leben gebe, die du ihm gegeben hast. 3 Das ist aber das ewige Leben, daß sie dich, den allein wahren Gott, und den du gesandt hast, Jesus Christus, erkennen. 4 Ich habe dich verherrlicht auf Erden; ich habe das Werk vollendet, das du mir gegeben hast, damit ich es tun soll. 5 Und nun verherrliche du mich, Vater, bei dir selbst mit der Herrlichkeit, die ich bei dir hatte, ehe die Welt war.

6 Ich habe deinen Namen den Menschen geoffenbart, die du mir aus der Welt gegeben hast; sie waren dein, und du hast sie

mir gegeben, und sie haben dein Wort bewahrt. [7] Nun erkennen sie, daß alles, was du mir gegeben hast, von dir kommt; [8] denn die Worte, die du mir gegeben hast, habe ich ihnen gegeben, und sie haben sie angenommen und haben wahrhaft erkannt, daß ich von dir ausgegangen bin, und glauben, daß du mich gesandt hast.

9 Ich bitte für sie; nicht für die Welt bitte ich, sondern für die, welche du mir gegeben hast, weil sie dein sind. [10] Und alles, was mein ist, das ist dein, und was dein ist, das ist mein; und ich bin in ihnen verherrlicht. [11] Und ich bin nicht mehr in der Welt; diese aber sind in der Welt, und ich komme zu dir. Heiliger Vater, bewahre sie in deinem Namen, die du mir gegeben hast, damit sie eins seien, gleichwie wir!

12 Als ich bei ihnen in der Welt war, bewahrte ich sie in deinem Namen; die du mir gegeben hast, habe ich behütet, und keiner von ihnen ist verlorengegangen als nur der Sohn des Verderbens, damit die Schrift erfüllt würde. [13] Nun aber komme ich zu dir und rede dies in der Welt, damit sie meine Freude völlig in sich haben. [14] Ich habe ihnen dein Wort gegeben, und die Welt haßt sie; denn sie sind nicht von der Welt, gleichwie auch ich nicht von der Welt bin. [15] Ich bitte nicht, daß du sie aus der Welt nimmst, sondern daß du sie bewahrst vor dem Bösen.

16 Sie sind nicht von der Welt, gleichwie auch ich nicht von der Welt bin. [17] Heilige sie in deiner Wahrheit! Dein Wort ist Wahrheit. [18] Gleichwie du mich in die Welt gesandt hast, so sende auch ich sie in die Welt. [19] Und ich heilige mich selbst für sie, damit auch sie geheiligt seien in Wahrheit.

20 Ich bitte aber nicht für diese allein, sondern auch für die, welche durch ihr Wort an mich glauben werden, [21] auf daß sie alle eins seien, gleichwie du, Vater, in mir und ich in dir; auf daß auch sie in uns eins seien, damit die Welt glaube, daß du mich gesandt hast. [22] Und ich habe die Herrlichkeit, die du mir gegeben hast, ihnen gegeben, auf daß sie eins seien, gleichwie wir eins sind, [23] ich in ihnen und du in mir, damit sie zu vollendeter Einheit gelangen, und damit die Welt erkenne, daß du mich gesandt hast und sie liebst, gleichwie du mich liebst.

24 Vater, ich will, daß, wo ich bin, auch die bei mir seien, die du mir gegeben hast, damit sie meine Herrlichkeit sehen, die du mir gegeben hast; denn du hast mich geliebt vor Grundlegung der Welt.

25 Gerechter Vater, die Welt erkennt dich nicht; ich aber erkenne dich, und diese erkennen, daß du mich gesandt hast. [26] Und ich habe ihnen deinen Namen kundgetan und werde ihn kund-

tun, damit die Liebe, mit der du mich liebst, in ihnen sei und
ich in ihnen.

Das Leiden und Sterben Jesu Christi (Kapitel 18 u. 19)

18 Als Jesus dies gesprochen hatte, ging er mit seinen Jüngern hinaus über den Winterbach Kidron; dort war ein Garten, in den Jesus und seine Jünger eintraten.

Die Gefangennahme Jesu Mt 26,47-56; Mk 14,43-50; Lk 22,47-53

2 Aber auch Judas, der ihn verriet, kannte den Ort; denn Jesus versammelte sich oft dort mit seinen Jüngern. ³ Nachdem nun Judas die Truppe und von den Obersten und Pharisäern Diener bekommen hatte, kam er dorthin mit Fackeln und Lampen und mit Waffen. ⁴ Da ging Jesus, der alles wußte, was über ihn kommen sollte, hinaus und sprach zu ihnen: Wen sucht ihr? ⁵ Sie antworteten ihm: Jesus, den Nazarener! Jesus spricht zu ihnen: Ich bin's! Es stand aber auch Judas bei ihnen, der ihn verriet.
⁶ Als er nun zu ihnen sprach: Ich bin's!, wichen sie alle zurück und fielen zu Boden.
7 Nun fragte er sie wiederum: Wen sucht ihr? Sie aber sprachen: Jesus, den Nazarener! ⁸ Jesus antwortete: Ich habe euch gesagt, daß ich es bin. Wenn ihr nun mich sucht, so laßt diese gehen!
⁹ – damit das Wort erfüllt würde, das er gesagt hatte: Ich habe keinen verloren von denen, die du mir gegeben hast.
10 Da nun Simon Petrus ein Schwert hatte, zog er es und schlug nach dem Knecht des Hohenpriesters und hieb ihm das rechte Ohr ab; der Name des Knechtes aber war Malchus. ¹¹ Da sprach Jesus zu Petrus: Stecke dein Schwert in die Scheide! Soll ich den Kelch nicht trinken, den mir der Vater gegeben hat?

Jesus vor Hannas und Kajaphas. Die Verleugnung des Petrus
Mt 26,57-75; Mk 14,53-72; Lk 22,54-71

12 Die Truppe nun und ihr Befehlshaber und die Diener der Juden ergriffen Jesus und banden ihn, ¹³ und sie führten ihn zuerst ab zu Hannas; denn er war der Schwiegervater des Kajaphas, welcher in jenem Jahr Hoherpriester war. ¹⁴ Das war der Kajaphas, der den Juden geraten hatte, es sei besser, daß *ein* Mensch für das Volk umgebracht würde.
15 Simon Petrus aber folgte Jesus nach, und der andere Jünger. Dieser Jünger war mit dem Hohenpriester bekannt und ging mit Jesus hinein in den Hof des Hohenpriesters. ¹⁶ Petrus aber stand draußen vor der Tür. Da ging der andere Jünger hinaus, der mit dem Hohenpriester bekannt war, und redete mit der

Türhüterin und führte Petrus hinein. **17** Da spricht die Magd, die die Tür hütete, zu Petrus: Bist nicht auch du einer von den Jüngern dieses Menschen? Petrus spricht: Ich bin's nicht! **18** Es standen aber die Knechte und Diener um ein Kohlenfeuer, das sie gemacht hatten – denn es war kalt –, und wärmten sich; Petrus aber stand bei ihnen und wärmte sich.

19 Der Hohepriester nun befragte Jesus über seine Jünger und über seine Lehre. **20** Jesus antwortete ihm: Ich habe öffentlich zu der Welt geredet; ich habe stets in der Synagoge und im Tempel gelehrt, wo die Juden immer zusammenkommen, und im Verborgenen habe ich nichts geredet. **21** Was fragst du mich? Frage die, welche gehört haben, was ich zu ihnen geredet habe! Siehe, diese wissen, was ich gesagt habe.

22 Als er aber dies sagte, schlug einer der Diener, die dabeistanden, Jesus ins Gesicht und sprach: Antwortest du so dem Hohenpriester? **23** Jesus erwiderte ihm: Habe ich unrecht geredet, so beweise, was daran unrecht war; habe ich aber recht geredet, was schlägst du mich? **24** Hannas hatte ihn nämlich gebunden zum Hohenpriester Kajaphas gesandt.

25 Simon Petrus aber stand da und wärmte sich. Sie sprachen zu ihm: Bist nicht auch du einer seiner Jünger? Er leugnete und sprach: Ich bin's nicht! **26** Da sagte einer von den Knechten des Hohenpriesters, ein Verwandter dessen, dem Petrus das Ohr abgehauen hatte: Sah ich dich nicht im Garten bei ihm? **27** Da leugnete Petrus nochmals, und sogleich krähte der Hahn.

Jesus vor Pilatus Mt 27,1-2; 27,11-23; Mk 15,1-14; Lk 23,1-23

28 Sie führten nun Jesus von Kajaphas in das Prätorium. Es war aber noch früh. Und sie selbst betraten das Prätorium nicht, damit sie nicht unrein würden, sondern das Passah essen könnten.[a] **29** Da ging Pilatus zu ihnen hinaus und fragte: Was für eine Anklage erhebt ihr gegen diesen Menschen? **30** Sie antworteten und sprachen zu ihm: Wäre er kein Übeltäter, so hätten wir ihn dir nicht ausgeliefert! **31** Da sprach Pilatus zu ihnen: So nehmt ihr ihn und richtet ihn nach eurem Gesetz! Die Juden nun sprachen zu ihm: Wir dürfen niemand töten! **32** – damit Jesu Wort erfüllt würde, das er sagte, als er andeutete, durch welchen Tod er sterben sollte.

33 Nun ging Pilatus wieder ins Prätorium hinein und rief Jesus und fragte ihn: Bist du der König der Juden? **34** Jesus antwortete

---

a. (18,28) Das Betreten eines heidnischen Hauses machte nach jüdischem Brauch unrein, d.h. schloß sie von der Teilnahme an den Opfern des Passah-Festtages aus.

ihm: Redest du das von dir selbst aus, oder haben es dir andere von mir gesagt? ³⁵ Pilatus antwortete: Bin ich denn ein Jude? Dein Volk und die Hohenpriester haben dich mir ausgeliefert! Was hast du getan?

36 Jesus antwortete: Mein Reich ist nicht von dieser Welt; wäre mein Reich von dieser Welt, so hätten meine Diener gekämpft, damit ich den Juden nicht ausgeliefert würde; nun aber ist mein Reich nicht von hier. ³⁷ Da sprach Pilatus zu ihm: So bist du also ein König? Jesus antwortete: Du sagst es; ich bin ein König. Ich bin dazu geboren und dazu in die Welt gekommen, daß ich der Wahrheit Zeugnis gebe; jeder, der aus der Wahrheit ist, hört meine Stimme.

38 Pilatus spricht zu ihm: Was ist Wahrheit? Und nachdem er das gesagt hatte, ging er wieder hinaus zu den Juden und spricht zu ihnen: Ich finde keine Schuld an ihm! ³⁹ Ihr habt aber eine Gewohnheit, daß ich euch am Passahfest einen freigebe; wollt ihr nun, daß ich euch den König der Juden freigebe? ⁴⁰ Da schrieen sie wieder alle und sprachen: Nicht diesen, sondern Barabbas! Barabbas aber war ein Mörder.

Geißelung, Verspottung und Verurteilung Mt 27,26-31

19 Darauf nahm Pilatus Jesus und ließ ihn geißeln. ² Und die Kriegsknechte flochten eine Krone aus Dornen, setzten sie ihm auf das Haupt und legten ihm einen Purpurmantel um ³ und sprachen: Sei gegrüßt, du König der Juden! und schlugen ihn ins Gesicht.

4 Da ging Pilatus wieder hinaus und sprach zu ihnen: Seht, ich führe ihn zu euch heraus, damit ihr erkennt, daß ich keine Schuld an ihm finde! ⁵ Nun kam Jesus heraus und trug die Dornenkrone und den Purpurmantel. Und er spricht zu ihnen: Seht, welch ein Mensch!

6 Als ihn nun die Hohenpriester und die Diener sahen, schrieen sie und sprachen: Kreuzige, kreuzige ihn! Pilatus spricht zu ihnen: Nehmt ihr ihn hin und kreuzigt ihn! Denn ich finde keine Schuld an ihm. ⁷ Die Juden antworteten ihm: Wir haben ein Gesetz, und nach unserem Gesetz muß er sterben, weil er sich selbst zu Gottes Sohn gemacht hat!

8 Als Pilatus dieses Wort hörte, fürchtete er sich noch mehr, ⁹ und er ging wieder in das Prätorium hinein und sprach zu Jesus: Woher bist du? Aber Jesus gab ihm keine Antwort. ¹⁰ Da spricht Pilatus zu ihm: Redest du nicht mit mir? Weißt du nicht, daß ich Macht habe, dich zu kreuzigen, und Macht habe, dich freizulassen? ¹¹ Jesus antwortete: Du hättest gar keine Macht

über mich, wenn sie dir nicht von oben her gegeben wäre; darum hat der, welcher mich dir ausgeliefert hat, größere Schuld!

12 Von da an suchte Pilatus ihn freizugeben. Aber die Juden schrieen und sprachen: Wenn du diesen freiläßt, so bist du kein Freund des Kaisers; denn wer sich selbst zum König macht, der stellt sich gegen den Kaiser! 13 Als nun Pilatus dieses Wort hörte, führte er Jesus hinaus und setzte sich auf den Richterstuhl, an der Stätte, die Steinpflaster genannt wird, auf hebräisch aber Gabbatha 14 Es war aber Rüsttag für das Passah, und zwar um die sechste Stunde.[a] Und er sprach zu den Juden: Seht, das ist euer König! 15 Sie aber schrieen: Fort, fort mit ihm! Kreuzige ihn! Pilatus spricht zu ihnen: Euren König soll ich kreuzigen? Die Hohenpriester antworteten: Wir haben keinen König als nur den Kaiser! 16 Da übergab er ihnen Jesus, damit er gekreuzigt werde. Sie nahmen aber Jesus und führten ihn weg.

Die Kreuzigung Jesu Christi   Mt 27,32-50; Mk 15,21-37; Lk 23,26-46

17 Und er trug sein Kreuz selbst und ging hinaus zur sogenannten Schädelstätte, die auf hebräisch Golgatha heißt. 18 Dort kreuzigten sie ihn, und mit ihm zwei andere zu beiden Seiten, Jesus aber in der Mitte.

19 Pilatus aber schrieb eine Überschrift und heftete sie an das Kreuz; und es stand geschrieben: Jesus, der Nazarener, der König der Juden. 20 Diese Überschrift lasen viele Juden; denn der Ort, wo Jesus gekreuzigt wurde, war nahe bei der Stadt, und es war in hebräischer, griechischer und lateinischer Sprache geschrieben. 21 Da sprachen die Hohenpriester der Juden zu Pilatus: Schreibe nicht: Der König der Juden, sondern daß jener gesagt hat: Ich bin König der Juden. 22 Pilatus antwortete: Was ich geschrieben habe, das habe ich geschrieben!

23 Als nun die Kriegsknechte Jesus gekreuzigt hatten, nahmen sie seine Kleider und machten vier Teile, für jeden Kriegsknecht einen Teil, und dazu das Untergewand. Das Untergewand aber war ohne Naht, von oben bis unten in einem Stück gewoben. 24 Da sprachen sie zueinander: Laßt uns das nicht zertrennen, sondern darum losen, wem es gehören soll! – damit die Schrift erfüllt würde, die spricht: *Sie haben meine Kleider unter sich geteilt und über mein Gewand das Los geworfen.* Dies nun taten die Kriegsknechte.

25 Es standen aber bei dem Kreuz Jesu seine Mutter und die Schwester seiner Mutter, Maria, die Frau des Klopas, und Maria

a. (19,14) d.h. 6 Uhr morgens nach römischer Zeitrechnung.

Magdalena. 26 Als nun Jesus seine Mutter sah und den Jünger dabei stehen, den er lieb hatte, spricht er zu seiner Mutter: Frau, siehe, dein Sohn! 27 Darauf spricht er zu dem Jünger: Siehe, deine Mutter! Und von der Stunde an nahm sie der Jünger zu sich.

28 Nach diesem, da Jesus wußte, daß schon alles vollbracht war, spricht er, damit die Schrift erfüllt würde: Mich dürstet! 29 Es stand nun ein Gefäß voll Essig da; sie aber tränkten einen Schwamm mit Essig, legten ihn um einen Ysop und hielten es ihm an den Mund. 30 Als nun Jesus den Essig genommen hatte, sprach er: Es ist vollbracht! Und er neigte das Haupt und übergab den Geist.

Die Geschehnisse nach Jesu Tod   Mt 27,51-56; Mk 15,39-41

31 Weil es Rüsttag war – jener Sabbat war nämlich ein hoher Festtag –, baten die Juden nun Pilatus, damit die Leichname nicht während des Sabbats am Kreuz blieben, daß ihnen die Beine zerschlagen und sie herabgenommen würden. 32 Da kamen die Kriegsknechte und brachen dem ersten die Beine, ebenso dem anderen, der mit ihm gekreuzigt worden war. 33 Als sie aber zu Jesus kamen und sahen, daß er schon gestorben war, zerschlugen sie ihm die Beine nicht, 34 sondern einer der Kriegsknechte durchbohrte seine Seite mit einem Speer, und sogleich floß Blut und Wasser heraus.

35 Und der das gesehen hat, der hat es bezeugt, und sein Zeugnis ist wahr, und er weiß, daß er die Wahrheit sagt, damit ihr glaubt. 36 Denn dies ist geschehen, damit die Schrift erfüllt würde: *Kein Knochen soll ihm zerbrochen werden.* 37 Und wiederum sagt eine andere Schrift: *Sie werden den ansehen, welchen sie durchstochen haben.*

Die Grablegung Jesu   Mt 27,57-61; Mk 15,42-47; Lk 23,50-56

38 Danach bat Joseph von Arimathia – der ein Jünger Jesu war, jedoch heimlich, aus Furcht vor den Juden –, den Pilatus, daß er den Leib Jesu abnehmen dürfe. Und Pilatus erlaubte es. Da kam er und nahm den Leib Jesu herab. 39 Es kam aber auch Nikodemus, der zuvor bei Nacht zu Jesus gekommen war, und brachte eine Mischung von Myrrhe und Aloe, etwa hundert Pfund. 40 Sie nahmen nun den Leib Jesu und banden ihn samt den wohlriechenden Gewürzen in leinene Tücher, wie die Juden zu begraben pflegen. 41 Es war aber ein Garten an dem Ort, wo Jesus gekreuzigt worden war, und in dem Garten ein neues Grab, in das noch niemand gelegt worden war. 42 Dorthin nun legten sie Jesus, wegen des Rüsttages der Juden, weil das Grab nahe war.

Die Auferstehung Jesu Christi Mt 28,1-10; Mk 16,1-8; Lk 24,1-12

20 Und am ersten Tag der Woche kommt Maria Magdalena früh, als es noch finster war, zum Grab und sieht, daß der Stein von dem Grab hinweggenommen war. ² Da läuft sie und kommt zu Simon Petrus und zu dem anderen Jünger, den Jesus lieb hatte, und spricht zu ihnen: Sie haben den Herrn aus dem Grab genommen, und wir wissen nicht, wo sie ihn hingelegt haben!

3 Nun gingen Petrus und der andere Jünger hinaus und begaben sich zu dem Grab. ⁴ Die beiden liefen aber miteinander, und der andere Jünger lief voraus, schneller als Petrus, und kam zuerst zum Grab, ⁵ beugte sich hinein und sah die leinenen Tücher daliegen, ging jedoch nicht hinein. ⁶ Da kommt Simon Petrus, der ihm folgte, und geht in das Grab hinein und sieht die Tücher daliegen ⁷ und das Schweißtuch, das um sein Haupt gebunden war, nicht bei den Tüchern liegen, sondern für sich zusammengewickelt an einem besonderen Ort. ⁸ Darauf ging auch der andere Jünger hinein, der zuerst zum Grab gekommen war, und sah und glaubte. ⁹ Denn sie verstanden die Schrift noch nicht, daß er aus den Toten auferstehen müsse. ¹⁰ Nun gingen die Jünger wieder heim.

Jesus erscheint der Maria Magdalena Mk 16,9-11

11 Maria aber stand draußen vor dem Grab und weinte. Wie sie nun weinte, beugte sie sich in das Grab ¹² und sieht zwei Engel in weißen Kleidern sitzen, den einen beim Haupt, den anderen zu den Füßen, wo der Leib Jesu gelegen hatte. ¹³ Und diese sprechen zu ihr: Frau, was weinst du? Sie spricht zu ihnen: Sie haben meinen Herrn weggenommen, und ich weiß nicht, wo sie ihn hingelegt haben! ¹⁴ Und als sie das gesagt hatte, wandte sie sich um und sah Jesus dastehen und wußte nicht, daß es Jesus war. ¹⁵ Jesus spricht zu ihr: Frau, was weinst du? Wen suchst du? Sie meint, es sei der Gärtner, und spricht zu ihm: Herr, wenn du ihn weggetragen hast, so sage mir, wo du ihn hingelegt hast, und ich will ihn holen!

16 Jesus spricht zu ihr: Maria! Da wendet sie sich um und spricht zu ihm: Rabbuni! (das heißt: Meister). ¹⁷ Jesus spricht zu ihr: Rühre mich nicht an, denn ich bin noch nicht aufgefahren zu meinem Vater. Geh aber zu meinen Brüdern und sage ihnen: Ich fahre auf zu meinem Vater und eurem Vater, zu meinem Gott und eurem Gott. ¹⁸ Da kommt Maria Magdalena und verkündet den Jüngern, daß sie den Herrn gesehen und daß er dies zu ihr gesprochen habe.

Jesus erscheint den Jüngern   Mk 16,14-18; Lk 24,33-49

19 Als es nun an jenem Tag, dem ersten der Woche, Abend geworden war und die Türen verschlossen waren an dem Ort, wo sich die Jünger versammelt hatten, aus Furcht vor den Juden, da kam Jesus und trat in ihre Mitte und spricht zu ihnen: Friede sei mit euch! [20] Und als er das gesagt hatte, zeigte er ihnen seine Hände und seine Seite. Da wurden die Jünger froh, als sie den Herrn sahen.

21 Da sprach Jesus wiederum zu ihnen: Friede sei mit euch! Gleichwie mich der Vater gesandt hat, so sende ich euch. [22] Und nachdem er das gesagt hatte, hauchte er sie an und sprach zu ihnen: Empfangt Heiligen Geist! [23] Welchen ihr die Sünden vergebt, denen sind sie vergeben; welchen ihr sie behaltet, denen sind sie behalten.

24 Thomas aber, einer von den Zwölfen, der Zwilling genannt wird, war nicht bei ihnen, als Jesus kam. [25] Da sagten ihm die anderen Jünger: Wir haben den Herrn gesehen! Er aber sprach zu ihnen: Wenn ich nicht an seinen Händen das Nägelmal sehe und lege meinen Finger in das Nägelmal und lege meine Hand in seine Seite, so glaube ich es nicht!

26 Und nach acht Tagen waren seine Jünger wiederum drinnen und Thomas bei ihnen. Da kommt Jesus, als die Türen verschlossen waren, und tritt in ihre Mitte und spricht: Friede sei mit euch! [27] Dann spricht er zu Thomas: Reiche deinen Finger her und sieh meine Hände, und reiche deine Hand her und lege sie in meine Seite, und sei nicht ungläubig, sondern gläubig! [28] Und Thomas antwortete und sprach zu ihm: Mein Herr und mein Gott! [29] Jesus spricht zu ihm: Thomas, du glaubst, weil du mich gesehen hast; glückselig sind, die nicht sehen und doch glauben!

Die Zielsetzung des Johannes-Evangeliums   1Joh 5,12-13

30 Noch viele andere Zeichen tat Jesus nun vor seinen Jüngern, die in diesem Buch nicht geschrieben sind. [31] Diese aber sind geschrieben, damit ihr glaubt, daß Jesus der Christus, der Sohn Gottes ist, und damit ihr durch den Glauben Leben habt in seinem Namen.

Jesus offenbart sich am See von Tiberias

21 Danach offenbarte sich Jesus den Jüngern wiederum am See von Tiberias[a]. Er offenbarte sich aber so: [2] Es waren beisammen Simon Petrus und Thomas, der Zwilling genannt

a. (21,1) d.h. dem See Genezareth.

wird, und Nathanael von Kana in Galiläa und die Söhne des Zebedäus und zwei andere von seinen Jüngern. ³Simon Petrus
spricht zu ihnen: Ich gehe fischen! Sie sprechen zu ihm: So
kommen wir auch mit dir. Da gingen sie hinaus und stiegen sogleich in das Schiff; und in jener Nacht fingen sie nichts.

4 Als es aber schon Morgen wurde, stand Jesus am Ufer; doch
wußten die Jünger nicht, daß es Jesus war. ⁵Da spricht Jesus zu
ihnen: Kinder, habt ihr nichts zu essen? Sie antworteten ihm:
Nein! ⁶Er aber sprach zu ihnen: Werft das Netz auf der rechten
Seite des Schiffes aus, so werdet ihr finden! Da warfen sie es aus
und konnten es nicht mehr einziehen wegen der Menge der Fische.

7 Da spricht der Jünger, den Jesus lieb hatte, zu Simon Petrus:
Es ist der Herr! Als nun Simon Petrus hörte, daß es der Herr sei,
gürtete er das Obergewand um sich, denn er war nur im Untergewand, und warf sich in den See. ⁸Die anderen Jünger aber
kamen mit dem Schiff (denn sie waren nicht fern vom Land,
sondern etwa zweihundert Ellen weit) und zogen das Netz mit
den Fischen nach.

9 Wie sie nun ans Land gestiegen waren, sahen sie ein Kohlenfeuer am Boden und einen Fisch darauf liegen und Brot.
¹⁰Jesus spricht zu ihnen: Bringt her von den Fischen, die ihr
jetzt gefangen habt! ¹¹Simon Petrus stieg hinein und zog das
Netz auf das Land, voll großer Fische, hundertdreiundfünfzig;
und obwohl es so viele waren, zerriß doch das Netz nicht.
¹²Jesus spricht zu ihnen: Kommt zum Frühstück! Aber keiner
der Jünger wagte ihn zu fragen: Wer bist du? Denn sie wußten,
daß es der Herr war. ¹³Da kommt Jesus und nimmt das Brot
und gibt es ihnen, und ebenso den Fisch.

14 Das war schon das dritte Mal, daß sich Jesus seinen Jüngern
offenbarte, nachdem er aus den Toten auferstanden war.

Der Herr redet mit seinem Diener Petrus 1Pt 5,1-4; 1Joh 4,16-19

15 Als sie nun gefrühstückt hatten, spricht Jesus zu Simon
Petrus: Simon, [Sohn des] Jonas, liebst du mich mehr als diese?
Er spricht zu ihm: Ja, Herr, du weißt, daß ich dich lieb habe! Er
spricht zu ihm: Weide meine Lämmer! ¹⁶Wiederum spricht er,
zum zweiten Mal: Simon, [Sohn des] Jonas, liebst du mich?
Er antwortete ihm: Ja, Herr, du weißt, daß ich dich lieb habe. Er
spricht zu ihm: Hüte meine Schafe! ¹⁷Und das dritte Mal fragt
er ihn: Simon, [Sohn des] Jonas, hast du mich lieb? Da wurde
Petrus traurig, daß er ihn das dritte Mal fragte: Hast du mich
lieb?, und er sprach zu ihm: Herr, du weißt alle Dinge; du weißt,

daß ich dich lieb habe. Jesus spricht zu ihm: Weide meine Schafe!

18 Wahrlich, wahrlich, ich sage dir: Als du jünger warst, gürtetest du dich selbst und gingst, wohin du wolltest; wenn du aber alt geworden bist, wirst du deine Hände ausstrecken, und ein anderer wird dich gürten und führen, wohin du nicht willst. ¹⁹ Dies aber sagte er, um anzudeuten, durch welchen Tod er Gott verherrlichen werde. Und nachdem er das gesagt hatte, spricht er zu ihm: Folge mir nach!

20 Petrus aber wandte sich um und sah den Jünger folgen, den Jesus liebte, der sich auch beim Abendmahl an seine Brust gelehnt und gefragt hatte: Herr, wer ist's, der dich verrät? ²¹ Als Petrus diesen sah, spricht er zu Jesus: Herr, was soll aber dieser? ²² Jesus spricht zu ihm: Wenn ich will, daß er bleibe, bis ich komme, was geht es dich an? Folge du mir nach! ²³ Daher kam nun dieses Wort auf unter den Brüdern: Dieser Jünger stirbt nicht; und doch hat Jesus nicht zu ihm gesagt, er sterbe nicht, sondern: Wenn ich will, daß er bleibe, bis ich komme, was geht es dich an?

Schlußwort 1Joh 1,1-4; Joh 20,30

24 Das ist der Jünger, der von diesen Dingen Zeugnis ablegt und dies geschrieben hat; und wir wissen, daß sein Zeugnis wahr ist.

25 Es sind aber noch viele andere Dinge, die Jesus getan hat; und wenn sie eines nach dem anderen beschrieben würden, so glaube ich, die Welt würde die Bücher gar nicht fassen, die zu schreiben wären. Amen.

DIE APOSTELGESCHICHTE

Die Apostelgeschichte wurde als eine Fortsetzung des Lukas-Evangeliums ca. 60-64 n. Chr. von dem nichtjüdischen Arzt Lukas verfaßt. Lukas war Mitarbeiter der Apostel Paulus und Petrus und Augenzeuge einiger darin geschilderter Geschehnisse. Sie berichtet von der Ausbreitung des Evangeliums, der Heilsbotschaft von Jesus Christus, durch die Apostel (Gesandten) Jesu Christi und ihre Mitarbeiter. Zuerst wird diese Botschaft unter Juden verkündet, später auch unter den nichtjüdischen Völkern. Immer wieder wird deutlich, daß der in den Himmel aufgestiegene Herr Jesus Christus selbst durch seinen Heiligen Geist die Ausbreitung des Evangeliums leitet und bewirkt - bis zum heutigen Tag.

Einleitung Lk 1,1-4

1 Den ersten Bericht habe ich verfaßt, o Theophilus, über alles, was Jesus anfing zu tun und zu lehren, ² bis zu dem Tag, da er [in den Himmel] aufgenommen wurde, nachdem er den Aposteln, die er erwählt hatte, durch den Heiligen Geist Befehl gegeben hatte. ³ Ihnen erwies er sich auch nach seinem Leiden als lebendig durch viele sichere Kennzeichen, indem er ihnen während vierzig Tagen erschien und über das Reich Gottes redete.

Die Ankündigung des verheißenen Heiligen Geistes Lk 24,44-49

4 Und als er mit ihnen zusammen war, gebot er ihnen, nicht von Jerusalem zu weichen, sondern die Verheißung des Vaters abzuwarten, die ihr [– so sprach er –] von mir vernommen habt, ⁵ denn Johannes hat mit Wasser getauft, ihr aber sollt mit Heiligem Geist getauft werden nicht lange nach diesen Tagen.
6 Da fragten ihn die, welche zusammengekommen waren, und sprachen: Herr, stellst du in dieser Zeit für Israel die Königsherrschaft wieder her? ⁷ Er sprach zu ihnen: Es ist nicht eure Sache, die Zeiten oder Zeitpunkte zu kennen, die der Vater in seiner eigenen Vollmacht festgesetzt hat; ⁸ sondern ihr werdet Kraft empfangen, wenn der Heilige Geist auf euch gekommen ist, und werdet meine Zeugen sein in Jerusalem und in ganz Judäa und Samaria und bis an das Ende der Erde!

Die Himmelfahrt Jesu Christi Mk 16,19; Lk 24,50-52

9 Und als er dies gesagt hatte, wurde er vor ihren Augen emporgehoben, und eine Wolke nahm ihn auf vor ihren Augen

weg. [10] Und als sie unverwandt zum Himmel blickten, während er dahinfuhr, siehe, da standen zwei Männer in weißer Kleidung bei ihnen, die sprachen: [11] Ihr Männer von Galiläa, was steht ihr hier und seht zum Himmel? Dieser Jesus, der von euch weg in den Himmel aufgenommen worden ist, wird in derselben Weise wiederkommen, wie ihr ihn habt in den Himmel auffahren sehen.

Die Apostel in Jerusalem   Lk 24,49-53; 11,13

12 Da kehrten sie nach Jerusalem zurück von dem Berg, welcher Ölberg heißt, der nahe bei Jerusalem liegt, einen Sabbatweg entfernt. [13] Und als sie hineinkamen, gingen sie hinauf in das Obergemach, wo sie sich aufzuhalten pflegten, nämlich Petrus und Jakobus und Johannes und Andreas, Philippus und Thomas, Bartholomäus und Matthäus, Jakobus, der Sohn des Alphäus, und Simon der Zelot und Judas, der Sohn des Jakobus. [14] Diese alle blieben beständig und einmütig im Gebet und Flehen, zusammen mit den Frauen und Maria, der Mutter Jesu, und mit seinen Brüdern.

Matthias wird durchs Los als zwölfter Apostel bestimmt

15 Und in diesen Tagen stand Petrus mitten unter den Jüngern auf und sprach (es waren aber etwa hundertzwanzig Personen beisammen): [16] Ihr Männer und Brüder, es mußte dieses Schriftwort erfüllt werden, das der Heilige Geist durch den Mund Davids vorausgesagt hat über Judas, welcher denen, die Jesus gefangennahmen, zum Wegweiser wurde. [17] Denn er war zu uns gezählt und hatte das Los dieses Dienstes empfangen. [18] Dieser erwarb einen Acker aus dem Lohn der Ungerechtigkeit, und er stürzte kopfüber hinab, barst mitten entzwei, und alle seine Eingeweide traten heraus. [19] Und das ist allen bekannt geworden, die in Jerusalem wohnen, so daß jener Acker in ihrer eigenen Sprache Akeldama genannt worden ist, das heißt: Blutacker. [20] Denn es steht geschrieben im Buch der Psalmen: *Seine Behausung soll öde werden, und niemand soll darin wohnen,* und: *Sein Amt empfange ein anderer.*

21 So muß nun von den Männern, die mit uns gegangen sind die ganze Zeit über, in welcher der Herr Jesus unter uns ein- und ausging, [22] von der Taufe des Johannes an bis zu dem Tag, da er von uns hinweg aufgenommen wurde – einer von diesen muß mit uns Zeuge seiner Auferstehung werden.

23 Und sie stellten zwei dar: Joseph, genannt Barsabas, mit dem Beinamen Justus, und Matthias. [24] Und sie beteten und

sprachen: Herr, du Kenner aller Herzen, zeige an, welchen von diesen beiden du erwählt hast, **25** das Los dieses Dienstes und Apostelamtes zu empfangen, von dem Judas abgewichen ist, um hinzugehen an seinen eigenen Ort. **26** Und sie warfen das Los über sie, und das Los fiel auf Matthias, und er wurde zu den elf Aposteln hinzugezählt.

Die Ausgießung des Heiligen Geistes Mt 3,11; Joh 7,37

2 Und als der Tag der Pfingsten[a] sich erfüllte, waren sie alle einmütig beisammen. **2** Und es entstand plötzlich vom Himmel her ein Brausen wie von einem daherfahrenden gewaltigen Wind und erfüllte das ganze Haus, in dem sie saßen. **3** Und es erschienen ihnen Zungen wie von Feuer, die sich zerteilten und sich auf jeden von ihnen setzten. **4** Und sie wurden alle vom Heiligen Geist erfüllt und fingen an, in anderen Sprachen zu reden, wie der Geist es ihnen auszusprechen gab.

5 Es wohnten aber in Jerusalem Juden, gottesfürchtige Männer aus allen Völkern unter dem Himmel. **6** Als nun dieses Getöse entstand, kam die Menge zusammen und wurde bestürzt; denn jeder hörte sie in seiner eigenen Sprache reden. **7** Sie entsetzten sich aber alle, verwunderten sich und sprachen zueinander: Siehe, sind diese, die da reden, nicht alle Galiläer? **8** Wieso hören wir sie dann jeder in unserer eigenen Sprache, in der wir geboren sind? **9** Parther und Meder und Elamiter und wir Bewohner von Mesopotamien, Judäa und Kappadocien, Pontus und Asien; **10** Phrygien und Pamphylien, Ägypten und von den Gegenden Lybiens bei Kyrene, und die hier weilenden Römer, **11** Juden und Proselyten[b], Kreter und Araber – wir hören sie in unseren Sprachen die großen Taten Gottes verkünden!

12 Und sie entsetzten sich alle und gerieten in Verlegenheit und sprachen einer zum anderen: Was soll das wohl sein? **13** Andere aber spotteten und sprachen: Sie sind voll süßen Weines!

Die Rede des Apostels Petrus

14 Da trat Petrus zusammen mit den Elf auf, erhob seine Stimme und sprach zu ihnen: Ihr Männer von Judäa und ihr alle, die ihr in Jerusalem wohnt, das sei euch kundgetan, und nun hört aufmerksam auf meine Worte! **15** Denn diese sind nicht berauscht, wie ihr meint; es ist ja erst die dritte Stunde des Ta-

---

a. (2,1) „Pfingsten" = das jüdische „Wochenfest" aus 3 Mo 23,15-21.
b. (2,11) d.h. zum Judentum übergetretene ehemalige Heiden.

ges;[a] [16] sondern dies ist es, was durch den Propheten Joel gesagt worden ist:

[17] *Und es wird geschehen in den letzten Tagen, spricht Gott, da werde ich ausgießen von meinem Geist auf alles Fleisch; und eure Söhne und eure Töchter werden weissagen, und eure Jünglinge werden Gesichte[b] sehen, und eure Ältesten werden Träume haben;* [18] *ja, auch über meine Knechte und über meine Mägde werde ich in jenen Tagen von meinem Geist ausgießen, und sie werden weissagen.*

[19] *Und ich will Wunder tun oben am Himmel und Zeichen unten auf Erden, Blut und Feuer und Rauchdampf;* [20] *die Sonne wird sich in Finsternis verwandeln und der Mond in Blut, ehe der große und herrliche Tag des Herrn kommt.* [21] *Und es soll geschehen: Jeder, der den Namen des Herrn anrufen wird, wird errettet werden.*

[22] Ihr Männer von Israel, hört diese Worte: Jesus von Nazareth, einen Mann, der von Gott euch gegenüber beglaubigt wurde durch Kräfte und Wunder und Zeichen, die Gott durch ihn in eurer Mitte tat, wie ihr auch selbst wißt; [23] diesen, der nach Gottes festgesetztem Ratschluß und Vorsehung dahingegeben worden war, habt ihr genommen und durch die Hände der Gesetzlosen ans Kreuz geheftet und getötet.

[24] Ihn hat Gott auferweckt, indem er die Wehen des Todes auflöste, weil es ja unmöglich war, daß Er von ihm festgehalten würde. [25] David nämlich sagt von ihm: *Ich sah den Herrn allezeit vor mir, denn er ist zu meiner Rechten, daß ich nicht wanke.* [26] *Darum freute sich mein Herz, und meine Zunge frohlockte, überdies wird auch mein Fleisch auf Hoffnung ruhen;* [27] *denn du wirst meine Seele nicht dem Totenreich preisgeben und nicht zulassen, daß dein Heiliger die Verwesung sehe.* [28] *Du hast mir kundgetan die Wege des Lebens; du wirst mich mit Freude erfüllen vor deinem Angesicht!*

[29] Ihr Männer und Brüder, es sei mir erlaubt, freimütig zu euch zu reden von dem Patriarchen David: Er ist gestorben und begraben, und sein Grab ist unter uns bis zu diesem Tag. [30] Da er nun ein Prophet war und wußte, daß Gott ihm mit einem Eid verheißen hatte, daß er aus der Frucht seiner Lenden, dem Fleisch nach, den Christus erwecken werde, damit er auf seinem Thron sitze, [31] hat er vorausschauend von der Auferstehung des Christus geredet, daß seine Seele nicht im Totenreich

---

a. (2,15) d.h. nach jüdischer Zeitrechnung 9 Uhr vormittags.

b. (2,17) d.h. eine Schau geistgewirkter, bildhafter Erscheinungen (siehe z.B. Apg 10,10-20; 16,9); eine Form der prophetischen Offenbarung.

gelassen worden ist und auch sein Fleisch die Verwesung nicht gesehen hat.

32 Diesen Jesus hat Gott auferweckt; dafür sind wir alle Zeugen. [33] Nachdem er nun zur Rechten Gottes erhöht worden ist und die Verheißung des Heiligen Geistes vom Vater empfangen hat, hat er dies ausgegossen, was ihr jetzt seht und hört. [34] Denn nicht David ist in den Himmel aufgefahren, sondern er sagt selbst: *Der Herr sprach zu meinem Herrn: Setze dich zu meiner Rechten,* [35] *bis ich deine Feinde hinlege als Schemel deiner Füße.*

36 So soll nun das ganze Haus Israel mit Gewißheit erkennen, daß Gott Ihn sowohl zum Herrn als auch zum Christus gemacht hat, eben diesen Jesus, den ihr gekreuzigt habt.

Die Entstehung der Gemeinde   Joh 16,8; Apg 4,32-37

37 Als sie aber das hörten, drang es ihnen durchs Herz, und sie sprachen zu Petrus und den übrigen Aposteln: Was sollen wir tun, ihr Männer und Brüder?

38 Da sprach Petrus zu ihnen: Tut Buße, und jeder von euch lasse sich taufen auf den Namen Jesu Christi zur Vergebung der Sünden; so werdet ihr die Gabe des Heiligen Geistes empfangen. [39] Denn euch gilt die Verheißung und euren Kindern und allen, die ferne sind, so viele der Herr, unser Gott, herzurufen wird.

40 Und noch mit vielen anderen Worten gab er Zeugnis und ermahnte und sprach: Laßt euch retten aus diesem verkehrten Geschlecht! [41] Diejenigen, die nun bereitwillig sein Wort annahmen, ließen sich taufen, und es wurden an jenem Tag etwa dreitausend Seelen hinzugetan.

42 Und sie blieben beständig in der Lehre der Apostel und in der Gemeinschaft und im Brotbrechen und in den Gebeten.

43 Es kam aber Furcht über alle Seelen, und viele Wunder und Zeichen geschahen durch die Apostel. [44] Und alle Gläubigen waren beisammen und hatten alle Dinge gemeinsam; [45] sie verkauften die Güter und Besitztümer und verteilten sie unter alle, je nachdem einer bedürftig war. [46] Und jeden Tag waren sie beständig und einmütig im Tempel und brachen das Brot in den Häusern, nahmen die Speise mit Frohlocken und in Einfalt des Herzens, [47] lobten Gott und waren angesehen bei dem ganzen Volk. Der Herr aber tat täglich die zur Gemeinde hinzu, die gerettet wurden.

Die Heilung eines Gelähmten Apg 4,9-22; Hebr 2,3-4

3 Petrus und Johannes gingen aber mitelnander in den Tempel hinauf um die neunte Stunde[a], da man zu beten pflegte. ²Und es wurde ein Mann herbeigebracht, der lahm war von Mutterleib an, den man täglich an die Pforte des Tempels hinsetzte, die man »die Schöne« nennt, damit er ein Almosen erbitte von denen, die in den Tempel hineingingen. ³Als dieser Petrus und Johannes sah, die in den Tempel hineingehen wollten, bat er sie um ein Almosen. ⁴Und Petrus blickte ihn zusammen mit Johannes an und sprach: Sieh uns an! ⁵Er aber achtete auf sie in der Erwartung, etwas von ihnen zu empfangen.

6 Da sprach Petrus: Silber und Gold habe ich nicht; was ich aber habe, das gebe ich dir: Im Namen Jesu Christi von Nazareth, steh auf und geh umher! ⁷Und er ergriff ihn bei der rechten Hand und richtete ihn auf; da wurden sogleich seine Füße und seine Knöchel fest, ⁸und er sprang auf und konnte stehen, lief umher und trat mit ihnen in den Tempel, ging umher und sprang und lobte Gott.

9 Und alles Volk sah, wie er umherging und Gott lobte. ¹⁰Und sie erkannten auch, daß er derjenige war, der um des Almosens willen an der Schönen Pforte des Tempels gesessen hatte; und sie wurden mit Verwunderung und Erstaunen erfüllt über das, was ihm geschehen war. ¹¹Da sich aber der geheilte Lahme zu Petrus und Johannes hielt, lief alles Volk voll Erstaunen bei ihnen zusammen in der sogenannten Halle Salomos.

Petrus verkündigt dem Volk Jesus als den Messias Apg 4,8-12

12 Als Petrus das sah, wandte er sich an das Volk: Ihr Männer von Israel, weshalb verwundert ihr euch darüber, oder weshalb blickt ihr auf uns, als hätten wir durch eigene Kraft oder Frömmigkeit bewirkt, daß dieser umhergeht? ¹³Der Gott Abrahams und Isaaks und Jakobs, der Gott unserer Väter, hat seinen Sohn Jesus verherrlicht; ihn habt ihr ausgeliefert und verleugnet vor Pilatus, als dieser ihn freisprechen wollte.

14 Ihr habt den Heiligen und Gerechten verleugnet und verlangt, daß euch ein Mörder geschenkt werde, ¹⁵den Fürsten des Lebens aber habt ihr getötet! Ihn hat Gott aus den Toten auferweckt; dafür sind wir Zeugen. ¹⁶Und auf den Glauben an seinen Namen hin hat sein Name diesen hier stark gemacht, den ihr seht und kennt; ja, der durch Ihn [gewirkte] Glaube hat ihm diese volle Gesundheit gegeben vor euch allen.

a. (3,1) d.h. nach jüdischer Zeitrechnung 15 Uhr.

17 Und nun, ihr Brüder, ich weiß, daß ihr in Unwissenheit gehandelt habt, wie auch eure Obersten; [18] Gott aber hat das,
was er durch den Mund aller seiner Propheten zuvor verkündigte, daß nämlich der Christus leiden müsse, auf diese Weise
erfüllt.

19 So tut nun Buße und bekehrt euch, daß eure Sünden ausgetilgt werden, damit Zeiten der Erquickung vom Angesicht des
Herrn kommen [20] und er den sende, der euch zuvor verkündigt wurde, Jesus Christus, [21] den der Himmel aufnehmen
muß bis zu den Zeiten der Wiederherstellung alles dessen, wovon Gott durch den Mund aller seiner heiligen Propheten von
alters her geredet hat.

22 Denn Mose hat zu den Vätern gesagt: *Einen Propheten wie
mich wird euch der Herr, euer Gott erwecken aus euren Brüdern;
auf ihn sollt ihr hören in allem, was er zu euch reden wird.*
[23] Und es wird geschehen: Jede Seele, die nicht auf diesen Propheten hören wird, soll vertilgt werden aus dem Volk.

24 Und alle Propheten, von Samuel an und den folgenden, so
viele geredet haben, sie haben auch diese Tage im voraus ange-
kündigt. [25] Ihr seid Söhne der Propheten und des Bundes, den
Gott mit unseren Vätern schloß, als er zu Abraham sprach:
*Und durch deinen Samen sollen gesegnet werden alle Geschlech-
ter der Erde.* [26] Gott hat, als er seinen Sohn Jesus auftreten ließ,
ihn zuerst zu euch gesandt, um euch zu segnen, indem ein jeder von euch sich von seiner Bosheit bekehrt.

Petrus und Johannes vor dem Hohen Rat   Mt 10,17-20; 10,26-33

4 Während sie aber zum Volk redeten, kamen die Priester
und der Hauptmann des Tempels und die Sadduzäer auf
sie zu. [2] Sie waren aufgebracht darüber, daß sie das Volk lehrten und in Jesus die Auferstehung aus den Toten verkündigten.
[3] Und sie legten Hand an sie und brachten sie ins Gefängnis bis
zum folgenden Morgen, denn es war schon Abend.

4 Aber viele von denen, die das Wort gehört hatten, wurden gläubig, und die Zahl der Männer stieg auf etwa fünftausend.

5 Es geschah aber am folgenden Morgen, daß sich ihre Obersten und Ältesten und Schriftgelehrten in Jerusalem versammelten, [6] auch Hannas, der Hohepriester, und Kajaphas und
Johannes und Alexander und alle, die aus hohepriesterlichem
Geschlecht waren. [7] Und sie stellten sie in ihre Mitte und fragten sie: Durch welche Kraft oder in welchem Namen habt ihr
das getan?

8 Da sprach Petrus, vom Heiligen Geist erfüllt, zu ihnen: Ihr Obersten des Volkes und ihr Ältesten von Israel, [9] wenn wir heute wegen der Wohltat an einem kranken Menschen verhört werden, durch wen er geheilt worden ist, [10] so sei euch allen und dem ganzen Volk Israel kundgetan, daß durch den Namen Jesu Christi, des Nazareners, den ihr gekreuzigt habt, den Gott auferweckt hat aus den Toten, daß dieser durch *Ihn* gesund vor euch steht. [11] Das ist der Stein, der von euch, den Bauleuten, verworfen wurde, der zum Eckstein geworden ist.

12 Und es ist in keinem anderen das Heil; denn es ist kein anderer Name unter dem Himmel den Menschen gegeben, in dem wir gerettet werden sollen!

13 Als sie aber die Freimütigkeit von Petrus und Johannes sahen und erfuhren, daß sie ungelehrte Leute und Laien seien, verwunderten sie sich und erkannten, daß sie mit Jesus gewesen waren. [14] Da sie aber den Menschen bei ihnen stehen sahen, der geheilt worden war, konnten sie nichts dagegen sagen.

15 Da befahlen sie ihnen, aus dem Hohen Rat hinauszugehen, und beratschlagten miteinander und sprachen: [16] Was wollen wir diesen Menschen tun? Denn daß ein offenkundiges Zeichen durch sie geschehen ist, das ist allen Bewohnern von Jerusalem bekannt, und wir können es nicht leugnen. [17] Aber damit es sich nicht weiter unter dem Volk verbreitet, wollen wir ihnen ernstlich drohen, damit sie künftig zu keinem Menschen mehr in diesem Namen reden.

18 Und sie ließen sie rufen und geboten ihnen, überhaupt nicht mehr in dem Namen Jesu zu reden noch zu lehren. [19] Aber Petrus und Johannes antworteten ihnen und sprachen: Entscheidet ihr selbst, ob es vor Gott recht ist, euch mehr zu gehorchen als Gott! [20] Denn es ist uns unmöglich, nicht von dem zu reden, was wir gesehen und gehört haben.

21 Sie aber drohten ihnen noch weiter und ließen sie frei, weil sie wegen des Volkes keinen Weg fanden, sie zu bestrafen; denn alle priesen Gott über dem, was geschehen war. [22] Der Mensch, an dem dieses Zeichen der Heilung geschehen war, war nämlich über vierzig Jahre alt.

Das Gebet der Gemeinde   Mt 18,19-20; Eph 6,18-20; Kol 4,2-4

23 Als sie aber freigelassen waren, kamen sie zu den Ihren und verkündeten alles, was die Hohenpriester und die Ältesten zu ihnen gesagt hatten. [24] Und als sie es hörten, erhoben sie einmütig ihre Stimme zu Gott und sprachen: Herr, du bist der

Gott, der den Himmel und die Erde und das Meer gemacht hat und alles, was darinnen ist. [25] Du hast durch den Mund deines Knechtes David gesagt: *Warum toben die Heiden und nehmen sich die Völker vor, was vergeblich ist?* [26] *Die Könige der Erde treten auf, und die Fürsten versammeln sich miteinander gegen den Herrn und gegen seinen Gesalbten.*

27 Ja, wahrhaftig, gegen deinen heiligen Sohn Jesus, den du gesalbt hast, haben sich Herodes und Pontius Pilatus versammelt zusammen mit den Heiden und dem Volk Israel, [28] um zu tun, was deine Hand und dein Ratschluß zuvor bestimmt hatte, daß es geschehen sollte. [29] Und nun, Herr, sieh ihre Drohungen an und verleihe deinen Knechten, dein Wort mit aller Freimütigkeit zu reden; [30] indem du deine Hand ausstreckst zur Heilung, und daß Zeichen und Wunder geschehen durch den Namen deines heiligen Sohnes Jesus!

31 Und als sie gebetet hatten, erbebte die Stätte, wo sie versammelt waren, und sie wurden alle mit Heiligem Geist erfüllt und redeten das Wort Gottes mit Freimütigkeit.

Gemeinschaft und Freigebigkeit der Gläubigen Apg 2,44-47

32 Und die Menge der Gläubigen war ein Herz und eine Seele; und auch nicht einer sagte, daß etwas von seinen Gütern sein eigen sei, sondern alle Dinge waren ihnen gemeinsam. [33] Und mit großer Kraft legten die Apostel Zeugnis ab von der Auferstehung des Herrn Jesus, und große Gnade war auf ihnen allen. [34] Es litt auch niemand unter ihnen Mangel; denn die, welche Besitzer von Äckern oder Häusern waren, verkauften sie und brachten den Erlös des Verkauften [35] und legten ihn den Aposteln zu Füßen; und man teilte jedem aus, so wie jemand bedürftig war.

36 Joses aber, der von den Aposteln den Beinamen Barnabas erhalten hatte (das heißt übersetzt: Sohn des Trostes), ein Levit, aus Cypern gebürtig, [37] besaß einen Acker und verkaufte ihn, brachte das Geld und legte es den Aposteln zu Füßen.

Der Betrug von Ananias und Saphira 1Tim 6,9-10

5 Ein Mann aber mit Namen Ananias verkaufte ein Grundstück zusammen mit seiner Frau Saphira, [2] und schaffte etwas von dem Erlös für sich beiseite mit Wissen seiner Frau; und er brachte einen Teil davon und legte ihn den Aposteln zu Füßen. [3] Petrus aber sprach: Ananias, warum hat der Satan dein Herz erfüllt, so daß du den Heiligen Geist belogen hast und von dem Erlös des Gutes etwas für dich auf die Seite ge-

schafft hast? ⁴ Hättest du es nicht als dein Eigentum behalten können? Und als du es verkauft hattest, war es nicht in deiner Gewalt? Warum hast du denn in deinem Herzen diese Tat beschlossen? Du hast nicht Menschen belogen, sondern Gott! ⁵ Als aber Ananias diese Worte hörte, fiel er nieder und verschied. Und es kam große Furcht über alle, die dies hörten. ⁶ Und die Jünglinge standen auf, hüllten ihn ein, trugen ihn hinaus und begruben ihn.

7 Und es begab sich, daß nach ungefähr drei Stunden auch seine Frau hereinkam, ohne zu wissen, was geschehen war. ⁸ Da richtete Petrus das Wort an sie: Sage mir, habt ihr das Gut um so und so viel verkauft? Sie sprach: Ja, um so viel! ⁹ Petrus aber sprach zu ihr: Warum seid ihr übereingekommen, den Geist des Herrn zu versuchen? Siehe, die Füße derer, die deinen Mann begraben haben, sind vor der Tür, und sie werden auch dich hinaustragen! ¹⁰ Da fiel sie sogleich zu seinen Füßen nieder und verschied; und als die Jünglinge hereinkamen, fanden sie sie tot und trugen sie hinaus und begruben sie bei ihrem Mann. ¹¹ Und es kam große Furcht über die ganze Gemeinde und über alle, die dies hörten.

Zeichen und Wunder geschehen durch die Apostel Hebr 2,3-4

12 Durch die Hände der Apostel aber geschahen viele Zeichen und Wunder unter dem Volk; und sie waren alle einmütig beisammen in der Halle Salomos. ¹³ Von den übrigen aber wagte keiner sich ihnen anzuschließen; doch das Volk schätzte sie hoch; ¹⁴ und immer mehr wurden hinzugetan, die an den Herrn glaubten, eine Menge von Männern und Frauen, ¹⁵ so daß man die Kranken auf die Gassen hinaustrug und sie auf Betten und Bahren legte, damit, wenn Petrus käme, auch nur sein Schatten auf einen von ihnen fiele. ¹⁶ Es kamen aber auch viele aus den umliegenden Städten in Jerusalem zusammen und brachten Kranke und von unreinen Geistern Geplagte, die alle geheilt wurden.

Die Festnahme der Apostel und ihre wunderbare Befreiung

17 Es erhob sich aber der Hohepriester und sein ganzer Anhang, nämlich die Richtung der Sadduzäer; sie waren voll Eifersucht ¹⁸ und legten ihre Hände an die Apostel und brachten sie in öffentlichen Gewahrsam. ¹⁹ Aber ein Engel des Herrn öffnete in der Nacht die Türen des Gefängnisses, führte sie heraus und sprach: ²⁰ Geht hin, tretet auf und redet im Tempel zum Volk alle Worte dieses Lebens!

21 Als sie das hörten, gingen sie frühmorgens in den Tempel und lehrten. Es kam aber der Hohepriester und sein Anhang, und sie riefen den Hohen Rat und alle Ältesten der Kinder Israels zusammen und sandten in das Gefängnis, um sie herbringen zu lassen. ²² Als aber die Diener hinkamen, fanden sie jene nicht im Gefängnis. Da kehrten sie zurück, meldeten es und sprachen: ²³ Das Gefängnis fanden wir zwar mit aller Sorgfalt verschlossen und die Wächter außen vor den Türen stehen; als wir aber öffneten, fanden wir niemand darin! ²⁴ Als aber der [Hohe]priester und der Tempelhauptmann und die [ehemaligen] Hohenpriester diese Worte hörten, gerieten sie ihretwegen in Verlegenheit, was daraus werden sollte. ²⁵ Da kam jemand und meldete ihnen und sprach: Siehe, die Männer, die ihr ins Gefängnis gebracht habt, stehen im Tempel und lehren das Volk!

Erneutes Zeugnis vor dem Hohen Rat   Apg 4,5-12; 4,18-20

26 Da ging der Hauptmann mit den Dienern hin und führte sie herbei, nicht mit Gewalt; denn sie fürchteten, das Volk könnte sie steinigen. ²⁷ Und sie brachten sie und stellten sie vor den Hohen Rat; und der Hohepriester fragte sie ²⁸ und sprach: Haben wir euch nicht streng verboten, in diesem Namen zu lehren? Und siehe, ihr habt Jerusalem erfüllt mit eurer Lehre und wollt das Blut dieses Menschen auf uns bringen!
29 Aber Petrus und die Apostel antworteten und sprachen: Man muß Gott mehr gehorchen als den Menschen! ³⁰ Der Gott unserer Väter hat Jesus auferweckt, den ihr umgebracht habt, indem ihr ihn ans Holz gehängt habt. ³¹ Diesen hat Gott zum Fürsten und Retter zu seiner Rechten erhöht, um Israel Buße und Vergebung der Sünden zu gewähren. ³² Und wir sind seine Zeugen, was diese Tatsachen betrifft, und auch der Heilige Geist, welchen Gott denen gegeben hat, die ihm gehorchen.

Gamaliels Rat

33 Als sie aber das hörten, wurden sie tief getroffen und wollten sie umbringen. ³⁴ Es stand aber im Hohen Rat ein Pharisäer namens Gamaliel auf, ein beim ganzen Volk angesehener Gesetzeslehrer, und befahl, die Apostel für kurze Zeit nach draußen zu bringen; ³⁵ dann sprach er zu ihnen: Ihr Männer von Israel, nehmt euch in acht, was ihr mit diesen Menschen tun wollt! ³⁶ Denn vor diesen Tagen trat Theudas auf und gab vor, er wäre etwas; ihm hing eine Anzahl Männer an, etwa vierhundert: Er wurde erschlagen, und alle, die ihm folgten, zer-

streuten sich und wurden zunichte. [37] Nach diesem trat Judas der Galiläer auf in den Tagen der Volkszählung und brachtc unter seiner Führung viele aus dem Volk zum Abfall: Auch er kam um, und alle, die ihm folgten, wurden zerstreut.

38 Und jetzt sage ich euch: Laßt von diesen Menschen ab und laßt sie gewähren! Denn wenn dieses Vorhaben oder dieses Werk von Menschen ist, so wird es zunichte werden; [39] ist es aber von Gott, so könnt ihr es nicht vernichten. Daß ihr nicht etwa als solche erfunden werdet, die sogar gegen Gott streiten! [40] Und sie fügten sich ihm und riefen die Apostel herbei und gaben ihnen Schläge und verboten ihnen, in dem Namen Jesu zu reden, und entließen sie.

41 Sie aber gingen voll Freude vom Hohen Rat hinweg, weil sie gewürdigt worden waren, Schmach zu leiden um seines Namens willen; [42] und sie hörten nicht auf, jeden Tag im Tempel und in den Häusern zu lehren und das Evangelium von Jesus, dem Christus zu verkündigen.

Die Einsetzung der Diakone   1Tim 3,8-13

6 In jenen Tagen aber, als die Zahl der Jünger wuchs, entstand ein Murren der Hellenisten[a] gegen die Hebräer, weil ihre Witwen bei der täglichen Hilfeleistung übersehen wurden. 2 Da beriefen die Zwölf die Menge der Jünger zusammen und sprachen: Es ist nicht gut, daß wir das Wort Gottes verlassen, um bei den Tischen zu dienen. [3] Darum, ihr Brüder, seht euch nach sieben Männern aus eurer Mitte um, von gutem Zeugnis, voll Heiligen Geistes und Weisheit; die wollen wir für diesen Dienst einsetzen, [4] wir aber wollen beständig im Gebet und im Dienst des Wortes bleiben.

5 Und das Wort gefiel der ganzen Menge, und sie erwählten Stephanus, einen Mann voll Glaubens und Heiligen Geistes, und Philippus und Prochorus und Nikanor und Timon und Parmenas und Nikolaus, einen Proselyten aus Antiochia. [6] Diese stellten sie vor die Apostel, und sie beteten und legten ihnen die Hände auf.

7 Und das Wort Gottes breitete sich aus, und die Zahl der Jünger mehrte sich sehr in Jerusalem; auch eine große Zahl von Priestern wurde dem Glauben gehorsam.

Die falsche Anklage gegen Stephanus   Lk 21,14-15; Joh 15,18-21

8 Stephanus aber, voll Glaubens und Kraft, tat Wunder und

---

a. (6,1) Als »Hellenisten« wurden die Griechisch sprechenden und von der griechischen Kultur beeinflußten Juden bezeichnet.

große Zeichen unter dem Volk. ⁹ Aber etliche aus der sogenannten Synagoge der Libertiner und Kyrenäer und Alexandri-
ner und derer von Cilicien und Asien standen auf und stritten
mit Stephanus. ¹⁰ Und sie konnten der Weisheit und dem
Geist, in dem er redete, nicht widerstehen. ¹¹ Da stifteten sie
Männer an, die sagten: Wir haben ihn Lästerworte reden hören
gegen Mose und Gott!
12 Und sie wiegelten das Volk und die Ältesten und die Schriftgelehrten auf und überfielen ihn, rissen ihn fort und führten
ihn vor den Hohen Rat. ¹³ Und sie stellten falsche Zeugen, die
sagten: Dieser Mensch hört nicht auf, Lästerworte zu reden gegen diese heilige Stätte und das Gesetz! ¹⁴ Denn wir haben ihn
sagen hören: Jesus von Nazareth wird diese Stätte zerstören
und die Gebräuche ändern, die uns Mose überliefert hat!
¹⁵ Und als alle, die im Hohen Rat saßen, ihn anblickten, sahen
sie sein Angesicht wie das Angesicht eines Engels.

Das Zeugnis des Stephanus vor dem Hohen Rat

7 Da sprach der Hohepriester: Verhält sich denn dies so?
2 Er aber sprach: Ihr Männer, Brüder und Väter, hört! Der
Gott der Herrlichkeit erschien unserem Vater Abraham, als er
in Mesopotamien war, bevor er in Haran wohnte, und sprach
zu ihm: ³ *Geh aus deinem Land und aus deiner Verwandtschaft
und zieh in ein Land, das ich dir zeigen werde!*
4 Da ging er aus dem Land der Chaldäer und wohnte in Haran.
Und von dort, nach dem Tod seines Vaters, führte er ihn herüber in dieses Land, das ihr jetzt bewohnt. ⁵ Und er gab ihm
kein Erbteil darin, auch nicht einen Fußbreit, und verhieß, es
ihm und seinem Samen nach ihm zum Eigentum zu geben,
obwohl er kein Kind hatte.
6 Gott sprach aber so: *Sein Same wird ein Fremdling sein in einem fremden Land, und man wird ihn knechten und übel behandeln vierhundert Jahre lang. ⁷ Und das Volk, dem sie als
Knechte dienen sollen, will ich richten,* sprach Gott; *und danach
werden sie ausziehen und mir dienen an diesem Ort.* ⁸ Und er
gab ihm den Bund der Beschneidung. Und so zeugte er den
Isaak und beschnitt ihn am achten Tag, und Isaak den Jakob,
und Jakob die zwölf Patriarchen.
9 Und die Patriarchen waren neidisch auf Joseph und verkauften ihn nach Ägypten. Doch Gott war mit ihm ¹⁰ und rettete
ihn aus allen seinen Drangsalen und gab ihm Gnade und Weisheit vor dem Pharao, dem König von Ägypten; der setzte ihn
zum Fürsten über Ägypten und sein ganzes Haus.

11 Es kam aber eine Hungersnot über das ganze Land Ägypten und Kanaan und große Drangsal, und unsere Väter fanden keine Speise. 12 Als aber Jakob hörte, daß Korn in Ägypten zu haben sei, sandte er unsere Väter zum ersten Mal aus. 13 Und beim zweiten Mal gab sich Joseph seinen Brüdern zu erkennen, und die Abstammung Josephs wurde dem Pharao bekannt. 14 Da sandte Joseph hin und berief seinen Vater Jakob zu sich und seine ganze Verwandtschaft von fünfundsiebzig Seelen. 15 Jakob aber zog nach Ägypten hinab und starb, er und unsere Väter. 16 Und sie wurden herübergebracht nach Sichem und in das Grab gelegt, das Abraham um eine Summe Geld von den Söhnen Hemors, des Vaters Sichems, gekauft hatte.

17 Als aber die Zeit der Verheißung nahte, welche Gott dem Abraham mit einem Eid zugesagt hatte, wuchs das Volk und mehrte sich in Ägypten, 18 bis ein anderer König aufkam, der Joseph nicht kannte. 19 Dieser handelte arglistig gegen unser Geschlecht und zwang unsere Väter, ihre Kinder auszusetzen, damit sie nicht am Leben blieben.

20 In dieser Zeit wurde Mose geboren; der war Gott angenehm; und er wurde drei Monate lang im Haus seines Vaters ernährt. 21 Als er aber ausgesetzt wurde, nahm ihn die Tochter des Pharao zu sich und erzog ihn als ihren Sohn. 22 Und Mose wurde in aller Weisheit der Ägypter unterrichtet und war mächtig in Worten und in Werken.

23 Als er aber vierzig Jahre alt geworden war, stieg der Gedanke in ihm auf, nach seinen Brüdern, den Söhnen Israels, zu sehen. 24 Und als er einen Unrecht leiden sah, wehrte er es ab und schaffte dem Unterdrückten Recht, indem er den Ägypter erschlug. 25 Er meinte aber, seine Brüder würden es verstehen, daß Gott ihnen durch seine Hand Rettung gebe; aber sie verstanden es nicht.

26 Und am folgenden Tag erschien er bei ihnen, als sie miteinander stritten, und ermahnte sie zum Frieden und sprach: Ihr Männer, ihr seid Brüder; warum tut ihr einander Unrecht? 27 Der aber, welcher seinem Nächsten Unrecht tat, stieß ihn weg und sprach: Wer hat dich zum Obersten und Richter über uns gesetzt? 28 Willst du mich etwa töten, wie du gestern den Ägypter getötet hast? 29 Da floh Mose auf dieses Wort hin und wurde ein Fremdling im Land Midian, wo er zwei Söhne zeugte. 30 Und als vierzig Jahre erfüllt waren, erschien ihm in der Wüste des Berges Sinai der Engel des Herrn in der Feuerflamme eines Busches. 31 Als Mose das sah, verwunderte er sich über die Er-

scheinung. Als er aber hinzutrat, um sie zu betrachten, erging die Stimme des Herrn an ihn: *32 Ich bin der Gott deiner Väter, der Gott Abrahams und der Gott Isaaks und der Gott Jakobs!* Mose aber zitterte und wagte nicht hinzuschauen. *33 Da sprach der Herr zu ihm: Löse die Schuhe von deinen Füßen; denn der Ort, wo du stehst, ist heiliges Land! 34 Ich habe die Mißhandlung meines Volkes, das in Ägypten ist, wohl gesehen und habe ihr Seufzen gehört und bin herabgekommen, um sie herauszuführen. Und nun komm, ich will dich nach Ägypten senden!*

35 Diesen Mose, den sie verwarfen, indem sie sprachen: Wer hat dich zum Obersten und Richter eingesetzt? – diesen sandte Gott als Obersten und Erlöser durch die Hand des Engels, der ihm im Busch erschienen war. *36* Dieser führte sie heraus, indem er Wunder und Zeichen tat im Land Ägypten und am Roten Meer und in der Wüste, vierzig Jahre lang.

37 Das ist der Mose, der zu den Söhnen Israels gesagt hat: *Einen Propheten wie mich wird euch der Herr, euer Gott aus euren Brüdern erwecken; auf ihn sollt ihr hören! 38* Das ist der, welcher in der Gemeinde in der Wüste war zwischen dem Engel, der auf dem Berg Sinai zu ihm redete, und unseren Vätern, der lebendige Aussprüche empfing, um sie uns zu geben; *39* dem unsere Väter nicht gehorsam sein wollten; sondern sie stießen ihn von sich und wandten sich mit ihren Herzen nach Ägypten, *40* indem sie zu Aaron sprachen: Mache uns Götter, die vor uns herziehen sollen; denn wir wissen nicht, was diesem Mose geschehen ist, der uns aus Ägypten geführt hat!

41 Und sie machten ein Kalb in jenen Tagen und brachten dem Götzen ein Opfer und freuten sich an den Werken ihrer Hände. *42* Da wandte sich Gott ab und gab sie dahin, so daß sie dem Heer des Himmels dienten, wie im Buch der Propheten geschrieben steht: *Habt ihr mir etwa Brandopfer und Schlachtopfer dargebracht, die vierzig Jahre in der Wüste, Haus Israel? 43 Ihr habt das Zelt des Moloch[a] und das Sternbild eures Gottes Remphan umhergetragen, die Bilder, die ihr gemacht habt, um sie anzubeten. Und ich werde euch wegführen über Babylon hinaus.*

44 Das Zelt des Zeugnisses[b] war in der Mitte unserer Väter in der Wüste, so wie der, welcher mit Mose redete, es zu machen befahl nach dem Vorbild, das er gesehen hatte. *45* Dieses brachten auch unsere Väter, wie sie es empfangen hatten, mit Josua [in das Land], als sie es von den Heiden in Besitz nah-

a. (7,43) ein heidnischer Götze, dem u.a. Kinder geopfert wurden.
b. (7,44) Bezeichnung für das Zelt der Zusammenkunft, die Stiftshütte.

men, die Gott vor dem Angesicht unserer Väter vertrieb, bis auf die Tage Davids. [46] Der fand Gnade vor Gott und bat, ob er für den Gott Jakobs eine Wohnung finden dürfe. [47] Salomo aber erbaute ihm ein Haus.

48 Doch der Höchste wohnt nicht in Tempeln, die von Händen gemacht sind, wie der Prophet spricht: [49] *Der Himmel ist mein Thron und die Erde der Schemel meiner Füße. Was für ein Haus wollt ihr mir bauen, spricht der Herr, oder welches ist die Stätte meiner Ruhe?* [50] *Hat nicht meine Hand das alles gemacht?* –

51 Ihr Halsstarrigen und Unbeschnittenen an Herz und Ohren! Ihr widerstrebt allezeit dem Heiligen Geist; wie eure Väter, so auch ihr! [52] Welchen Propheten haben eure Väter nicht verfolgt? Und sie haben die getötet, die vorher Kunde gaben von dem Kommen des Gerechten, dessen Verräter und Mörder ihr nun geworden seid [53] – ihr, die ihr das Gesetz auf Anordnung von Engeln empfangen und es nicht gehalten habt!

Die Steinigung des Stephanus   Mt 23,34-36

54 Als sie aber das hörten, schnitt es ihnen ins Herz, und sie knirschten mit den Zähnen über ihn. [55] Er aber, voll Heiligen Geistes, blickte zum Himmel empor und sah die Herrlichkeit Gottes, und Jesus zur Rechten Gottes stehen; [56] und er sprach: Siehe, ich sehe den Himmel offen und den Sohn des Menschen zur Rechten Gottes stehen!

57 Sie aber schrieen mit lauter Stimme, hielten sich die Ohren zu und stürmten einmütig auf ihn los; [58] und als sie ihn zur Stadt hinausgestoßen hatten, steinigten sie ihn. Und die Zeugen legten ihre Kleider zu den Füßen eines Jünglings nieder, der Saulus hieß. [59] Und sie steinigten den Stephanus, der [den Herrn] anrief und sprach: Herr Jesus, nimm meinen Geist auf! [60] Und er kniete nieder und rief mit lauter Stimme: Herr, rechne ihnen diese Sünde nicht zu! Und nachdem er das gesagt hatte, entschlief er.

Verfolgung in Jerusalem. Zerstreuung der Jünger   Apg 11,19-21

8 Saulus aber hatte seiner Hinrichtung zugestimmt. Und an jenem Tag erhob sich eine große Verfolgung gegen die Gemeinde in Jerusalem, und alle zerstreuten sich in die Gebiete von Judäa und Samaria, ausgenommen die Apostel. [2] Und gottesfürchtige Männer begruben den Stephanus und veranstalteten eine große Trauer um ihn. [3] Saulus aber verwüstete die Gemeinde, drang in die Häuser ein, schleppte Männer und Frauen fort und brachte sie ins Gefängnis.

4 Diejenigen nun, die zerstreut worden waren, zogen umher und verkündigten das Wort des Evangeliums.

Philippus in Samarien. Simon der Zauberer   Apg 1,8

5 Und Philippus kam hinab in eine Stadt von Samaria und verkündigte ihnen den Christus. [6] Und die Volksmenge achtete einmütig auf das, was Philippus sagte, als sie zuhörten und die Zeichen sahen, die er tat. [7] Denn aus vielen, die unreine Geister hatten, fuhren diese mit großem Geschrei aus; es wurden aber auch viele Gichtbrüchige und Lahme geheilt. [8] Und es herrschte große Freude in jener Stadt.

9 Aber ein Mann namens Simon hatte zuvor in der Stadt Zauberei getrieben und das Volk von Samaria in seinen Bann gezogen, indem er sich für etwas Großes ausgab. [10] Ihm hingen alle an, klein und groß, indem sie sprachen: Dieser ist die große Kraft Gottes. [11] Sie hingen ihm aber an, weil er sie so lange Zeit durch seine Zaubereien in seinen Bann gezogen hatte.

12 Als sie aber dem Philippus glaubten, der das Evangelium vom Reich Gottes und vom Namen Jesu Christi verkündigte, ließen sich Männer und Frauen taufen. [13] Simon aber glaubte auch und hielt sich, nachdem er getauft war, beständig zu Philippus; und als er sah, daß große Wunder und Zeichen geschahen, geriet er außer sich.

Petrus und Johannes in Samarien

14 Als aber die Apostel in Jerusalem hörten, daß Samaria das Wort Gottes angenommen hatte, sandten sie Petrus und Johannes zu ihnen. [15] Diese kamen hinab und beteten für sie, daß sie den Heiligen Geist empfingen; [16] denn er war noch auf keinen von ihnen gefallen, sondern sie waren nur getauft auf den Namen des Herrn Jesus. [17] Da legten sie ihnen die Hände auf, und sie empfingen den Heiligen Geist.

18 Als aber Simon sah, daß durch die Handauflegung der Apostel der Heilige Geist gegeben wurde, brachte er ihnen Geld [19] und sprach: Gebt auch mir diese Vollmacht, damit jeder, dem ich die Hände auflege, den Heiligen Geist empfängt!

20 Petrus aber sprach zu ihm: Dein Geld fahre mit dir ins Verderben, weil du meinst, die Gabe Gottes mit Geld erwerben zu können! [21] Du hast weder Anteil noch Erbe an diesem Wort; denn dein Herz ist nicht aufrichtig vor Gott! [22] So tue nun Buße über diese deine Bosheit und bitte Gott, ob dir die Tücke deines Herzens vielleicht vergeben werden mag; [23] denn ich sehe, daß du in bitterer Galle steckst und in Fesseln der Unge-

rechtigkeit. 24 Da antwortete Simon und sprach: Betet ihr für mich zum Herrn, daß nichts von dem, was ihr gesagt habt, über mich komme!

25 Sie nun, nachdem sie das Wort des Herrn bezeugt und gelehrt hatten, kehrten nach Jerusalem zurück und verkündigten dabei das Evangelium in vielen Dörfern der Samariter.

Philippus und der Kämmerer aus Äthiopien

26 Ein Engel des Herrn aber redete zu Philippus und sprach: Steh auf und wandere nach Süden auf der Straße, die von Jerusalem nach Gaza hinabführt; diese ist einsam. 27 Und er stand auf und machte sich auf den Weg. Und siehe, ein Äthiopier, ein Kämmerer und Gewaltiger der Kandake, der Königin der Äthiopier, welcher über ihren ganzen Schatz gesetzt war, der war gekommen, um in Jerusalem anzubeten; 28 und nun kehrte er zurück und saß auf seinem Wagen und las den Propheten Jesaja.

29 Da sprach der Geist zu Philippus: Tritt hinzu und halte dich zu diesem Wagen! 30 Da lief Philippus hinzu und hörte ihn den Propheten Jesaja lesen; und er sprach: Verstehst du auch, was du liest? 31 Er aber sprach: Wie kann ich denn, wenn niemand mich anleitet? Und er bat Philippus, aufzusteigen und sich zu ihm zu setzen.

32 Die Schriftstelle aber, die er las, war diese: *Wie ein Schaf wurde er zur Schlachtung geführt, und wie ein Lamm vor seinem Scherer stumm ist, so tut er seinen Mund nicht auf.* 33 *In seiner Erniedrigung wurde sein Gericht aufgehoben. Wer will aber sein Geschlecht beschreiben? Denn sein Leben wird von der Erde weggenommen!*

34 Da wandte sich der Kämmerer an Philippus und sprach: Ich bitte dich, von wem sagt der Prophet dies? Von sich selbst oder von einem anderen? 35 Da tat Philippus seinen Mund auf und begann mit dieser Schriftstelle und verkündigte ihm das Evangelium von Jesus.

36 Als sie aber auf dem Weg weiterzogen, kamen sie zu einem Wasser, und der Kämmerer sprach: Siehe, hier ist Wasser! Was hindert mich, getauft zu werden? 37 Da sprach Philippus: Wenn du von ganzem Herzen glaubst, so ist es erlaubt! Er antwortete und sprach: Ich glaube, daß Jesus Christus der Sohn Gottes ist! 38 Und er ließ den Wagen anhalten, und sie stiegen beide in das Wasser hinab, Philippus und der Kämmerer, und er taufte ihn.

39 Als sie aber aus dem Wasser heraufgestiegen waren, entrückte der Geist des Herrn den Philippus, und der Kämmerer

sah ihn nicht mehr; denn er zog voll Freude seines Weges.
[40] Philippus aber wurde in Asdot gefunden, und er zog umher und verkündigte das Evangelium in allen Städten, bis er nach Cäsarea kam.

Die Bekehrung des Saulus   Apg 22,3-16; 26,9-20; Gal 1,11-16; 1Tim 1,12-16

9 Saulus aber, der noch Drohung und Mord schnaubte gegen die Jünger des Herrn, ging zum Hohenpriester [2] und erbat sich von ihm Briefe nach Damaskus an die Synagogen, in der Absicht, wenn er etliche Anhänger des Weges fände, Männer und Frauen, sie gebunden nach Jerusalem zu führen.

3 Als er aber hinzog, begab es sich, daß er sich der Stadt Damaskus näherte; und plötzlich umstrahlte ihn ein Licht vom Himmel. [4] Und er fiel auf die Erde und hörte eine Stimme, die zu ihm sprach: Saul, Saul, warum verfolgst du mich? [5] Er aber sagte: Wer bist du, Herr? Der Herr aber sprach: Ich bin Jesus, den du verfolgst. Es wird dir schwer werden, gegen den Stachel auszuschlagen! [6] Da sprach er mit Zittern und Schrecken: Herr, was willst du, daß ich tun soll? Und der Herr antwortete ihm: Steh auf und geh in die Stadt hinein, so wird man dir sagen, was du tun sollst!

7 Die Männer aber, die mit ihm reisten, standen sprachlos da, denn sie hörten zwar die Stimme, sahen aber niemand. [8] Da stand Saulus von der Erde auf; doch obgleich seine Augen geöffnet waren, sah er niemand. Sie leiteten ihn aber an der Hand und führten ihn nach Damaskus. [9] Und er konnte drei Tage lang nicht sehen und aß nicht und trank nicht.

10 Es war aber in Damaskus ein Jünger namens Ananias. Zu diesem sprach der Herr in einem Gesicht: Ananias! Er sprach: Hier bin ich, Herr! [11] Der Herr sprach zu ihm: Steh auf und geh in die Gasse, die man »die Gerade« nennt, und frage im Haus des Judas nach einem Mann namens Saulus von Tarsus. Denn siehe, er betet; [12] und er hat in einem Gesicht einen Mann namens Ananias gesehen, der hereinkam und ihm die Hand auflegte, damit er wieder sehend werde.

13 Da antwortete Ananias: Herr, ich habe von vielen gehört von diesem Mann, wieviel Böses er deinen Heiligen in Jerusalem zugefügt hat. [14] Und hier hat er Vollmacht von den Hohenpriestern, alle, die deinen Namen anrufen, gefangenzunehmen!

15 Aber der Herr sprach zu ihm: Geh hin, denn dieser ist mir ein auserwähltes Werkzeug, um meinen Namen vor Heiden

und Könige und vor die Kinder Israels zu tragen! [16] Denn ich werde ihm zeigen, wieviel er leiden muß um meines Namens willen.

17 Da ging Ananias hin und trat in das Haus; und er legte ihm die Hände auf und sprach: Bruder Saul, der Herr hat mich gesandt, Jesus, der dir erschienen ist auf der Straße, die du herkamst, damit du wieder sehend werdest und erfüllt werdest mit dem Heiligen Geist! [18] Und sogleich fiel es wie Schuppen von seinen Augen, und er konnte augenblicklich wieder sehen und stand auf und ließ sich taufen; [19] und er nahm Speise zu sich und kam zu Kräften.

Saulus in Damaskus und Jerusalem

Und Saulus war etliche Tage bei den Jüngern in Damaskus. [20] Und sogleich verkündigte er in den Synagogen den Christus, daß dieser der Sohn Gottes ist. [21] Aber alle, die ihn hörten, staunten und sprachen: Ist das nicht der, welcher in Jerusalem die verfolgte, die diesen Namen anrufen, und der dazu hierher gekommen war, um sie gebunden zu den Hohenpriestern zu führen? [22] Saulus aber wurde noch mehr gestärkt und beunruhigte die Juden, die in Damaskus wohnten, indem er bewies, daß dieser der Christus ist.

23 Als aber viele Tage vergangen waren, beschlossen die Juden miteinander, ihn umzubringen. [24] Doch ihr Anschlag wurde dem Saulus bekannt. Und sie bewachten die Tore Tag und Nacht, um ihn umzubringen. [25] Da nahmen ihn die Jünger bei Nacht und ließen ihn in einem Korb über die Mauer hinab.

26 Als nun Saulus nach Jerusalem kam, versuchte er, sich den Jüngern anzuschließen; aber sie fürchteten ihn alle, weil sie nicht glaubten, daß er ein Jünger sei. [27] Barnabas aber nahm ihn auf, führte ihn zu den Aposteln und erzählte ihnen, wie er auf dem Weg den Herrn gesehen und daß dieser zu ihm geredet habe, und wie er in Damaskus freimütig in dem Namen Jesu verkündigt habe.

28 Und er ging in Jerusalem mit ihnen aus und ein und verkündigte freimütig im Namen des Herrn Jesus. [29] Er redete und stritt auch mit den Hellenisten; sie aber machten sich daran, ihn umzubringen. [30] Als das aber die Brüder erfuhren, brachten sie ihn nach Cäsarea und schickten ihn nach Tarsus.

31 So hatten nun die Gemeinden Frieden in ganz Judäa und Galiläa und Samaria und wurden auferbaut und wandelten in der Furcht des Herrn und wuchsen durch den Beistand des Heiligen Geistes.

Petrus in Lydda

32 Es begab sich aber, daß Petrus, als er alle besuchte, auch zu
den Heiligen hinabkam, die in Lydda wohnten. **33** Er fand aber
dort einen Mann mit Namen Aeneas, der seit acht Jahren im
Bett lag, weil er gelähmt war. **34** Und Petrus sprach zu ihm:
Aeneas, Jesus der Christus macht dich gesund; steh auf und
mache dir dein Bett selbst! Und sogleich stand er auf. **35** Und
alle, die in Lydda und Saron wohnten, sahen ihn; und sie be-
kehrten sich zu dem Herrn.

Die Auferweckung der Tabitha

36 In Joppe aber war eine Jüngerin namens Tabitha, was übersetzt »Gazelle« heißt; diese war reich an guten Werken und
Wohltätigkeit, die sie übte. **37** Und es geschah in jenen Tagen,
daß sie krank wurde und starb; und man wusch sie und legte
sie ins Obergemach. **38** Weil aber Lydda nahe bei Joppe liegt
und die Jünger gehört hatten, daß Petrus dort war, sandten sie
zwei Männer zu ihm und baten ihn, nicht zu zögern und zu ihnen zu kommen.
39 Da stand Petrus auf und ging mit ihnen. Und als er angekommen war, führten sie ihn in das Obergemach, und es traten alle Witwen zu ihm, weinten und zeigten ihm die Hemden
und Kleider, die Tabitha gemacht hatte, als sie noch bei ihnen
war.
40 Da ließ Petrus alle hinausgehen, kniete nieder und betete;
dann wandte er sich zu dem Leichnam und sprach: Tabitha,
steh auf! Sie aber öffnete ihre Augen, und als sie den Petrus
sah, setzte sie sich auf. **41** Und er reichte ihr die Hand und richtete sie auf. Und er rief die Heiligen und die Witwen und stellte
sie ihnen lebend vor. **42** Es wurde aber in ganz Joppe bekannt,
und viele wurden gläubig an den Herrn. **43** Und es begab sich,
daß er viele Tage in Joppe bei einem gewissen Simon, einem
Gerber, blieb.

Das Heil für die Heiden - Gott wirkt an Kornelius   Röm 9,30-33

10 In Cäsarea lebte aber ein Mann namens Kornelius, ein
Hauptmann der Schar, die man »die italische« nennt;
2 der war fromm und gottesfürchtig mit seinem ganzen Haus
und gab dem Volk viele Almosen und betete ohne Unterlaß zu
Gott.
3 Der sah um die neunte Stunde des Tages in einem Gesicht
deutlich einen Engel Gottes zu ihm hereinkommen, der zu ihm
sprach: Kornelius! **4** Er aber blickte ihn an, erschrak und

sprach: Was ist's, Herr? Er sprach zu ihm: Deine Gebete und deine Almosen sind hinaufgekommen vor Gott, so daß er ihrer gedacht hat! ⁵ Und nun sende Männer nach Joppe und laß Simon holen mit dem Beinamen Petrus. ⁶ Dieser ist zu Gast bei einem Gerber Simon, dessen Haus am Meer liegt; der wird dir sagen, was du tun sollst.

7 Als nun der Engel, der mit Kornelius redete, hinweggegangen war, rief er zwei seiner Hausknechte und einen gottesfürchtigen Kriegsknecht von denen, die stets um ihn waren, ⁸ und erzählte ihnen alles und sandte sie nach Joppe.

Das Heil für die Heiden - Gott redet zu Petrus Eph 2,11-14

9 Am folgenden Tag aber, als jene auf dem Weg waren und sich der Stadt näherten, stieg Petrus auf das Dach, um zu beten, etwa um die sechste Stunde[a]. ¹⁰ Da wurde er sehr hungrig und wollte essen. Während jene ihm aber etwas zubereiteten, kam eine Verzückung über ihn.

11 Und er sah den Himmel geöffnet und ein Gefäß zu ihm herabkommen, wie ein großes, leinenes Tuch, das an vier Enden gebunden war und auf die Erde niedergelassen wurde; ¹² darin waren all die vierfüßigen Tiere der Erde und die Raubtiere und die kriechenden Tiere und die Vögel des Himmels. ¹³ Und eine Stimme sprach zu ihm: Steh auf, Petrus, schlachte und iß!

14 Petrus aber sprach: Keineswegs, Herr! denn ich habe noch nie etwas Gemeines oder Unreines gegessen! ¹⁵ Und eine Stimme [sprach] wiederum, zum zweitenmal, zu ihm: Was Gott gereinigt hat, das halte du nicht für gemein! ¹⁶ Dies geschah dreimal, und dann wurde das Gefäß wieder in den Himmel hinaufgezogen.

17 Als aber Petrus bei sich selbst ganz ungewiß war, was das Gesicht bedeuten solle, das er gesehen hatte, siehe, da standen die von Kornelius abgesandten Männer, die das Haus Simons erfragt hatten, am Toreingang, ¹⁸ und sie riefen und erkundigten sich, ob Simon mit dem Beinamen Petrus hier zu Gast sei.

19 Während nun Petrus über das Gesicht nachdachte, sprach der Geist zu ihm: Siehe, drei Männer suchen dich! ²⁰ Darum steh auf, steige hinab und ziehe ohne Bedenken mit ihnen, denn ich habe sie gesandt! ²¹ Da stieg Petrus zu den Männern hinab, die von Kornelius zu ihm gesandt worden waren, und sprach: Siehe, ich bin der, den ihr sucht. Was ist der Grund für euer Kommen?

---

a. (10,9) d.h. nach jüdischer Zeitrechnung um 12 Uhr mittags.

22 Sie aber sprachen: Kornelius, der Hauptmann, ein gerechter und gottesfürchtiger Mann, der ein gutes Zeugnis hat bei dem ganzen Volk der Juden, hat von einem heiligen Engel die Weisung erhalten, dich in sein Haus holen zu lassen, um Worte von dir zu hören. 23 Da rief er sie herein und beherbergte sie. Am folgenden Tag aber stand Petrus auf und zog mit ihnen, und etliche Brüder von Joppe gingen mit ihm.

Die Bekehrung des Kornelius Lk 24,47; Apg 1,8; Eph 2,11-19; 3,6

24 Und am anderen Tag kamen sie nach Cäsarea. Kornelius aber wartete auf sie und hatte seine Verwandten und seine vertrauten Freunde zusammengerufen. 25 Als nun Petrus gerade hineinkam, ging ihm Kornelius entgegen und fiel ihm zu Füßen und huldigte ihm. 26 Petrus aber richtete ihn auf und sprach: Steh auf! Auch ich bin ein Mensch.
27 Und während er sich mit ihm unterredete, ging er hinein und fand viele versammelt. 28 Und er sprach zu ihnen: Ihr wißt, daß es einem jüdischen Mann nicht erlaubt ist, mit einem Angehörigen eines anderen Volkes zu verkehren oder sich ihm zu nahen; doch mir hat Gott gezeigt, daß ich keinen Menschen gemein oder unrein nennen soll. 29 Darum bin ich auch ohne Widerrede gekommen, als ich hergerufen wurde. Und nun frage ich: Aus welchem Grund habt ihr mich gerufen?
30 Und Kornelius sprach: Vor vier Tagen fastete ich bis zu dieser Stunde, und ich betete um die neunte Stunde in meinem Haus. Und siehe, da stand ein Mann in glänzender Kleidung vor mir 31 und sprach: Kornelius, dein Gebet ist erhört, und deiner Almosen ist vor Gott gedacht worden! 32 Darum sende nach Joppe und laß Simon mit dem Beinamen Petrus holen; dieser ist zu Gast im Hause Simons, eines Gerbers, am Meer; der wird zu dir reden, wenn er kommt. 33 Da sandte ich auf der Stelle zu dir, und du hast wohl daran getan zu kommen. So sind wir nun alle gegenwärtig vor dem Angesicht Gottes, um alles zu hören, was dir von Gott aufgetragen ist!
34 Da tat Petrus den Mund auf und sprach: Nun erfahre ich in Wahrheit, daß Gott die Person nicht ansieht, 35 sondern daß in jedem Volk derjenige ihm angenehm ist, der ihn fürchtet und Gerechtigkeit übt! 36 Das Wort, das er den Kindern Israels gesandt hat, indem er Frieden verkünden ließ durch Jesus Christus – welcher Herr über alle ist –, 37 ihr kennt es; das Zeugnis, das sich durch ganz Judäa verbreitet hat und in Galiläa anfing nach der Taufe, die Johannes verkündigte: 38 wie Gott Jesus von Nazareth mit Heiligem Geist und Kraft gesalbt hat, und

wie dieser umherzog und Gutes tat und alle heilte, die vom
Teufel überwältigt waren; denn Gott war mit ihm.

39 Und wir sind Zeugen alles dessen, was er im Land der Juden
und in Jerusalem getan hat. Ihn haben sie getötet, indem sie
ihn ans Holz[a] hängten. [40] Diesen hat Gott auferweckt am dritten Tag und hat ihn offenbar werden lassen, [41] nicht dem
ganzen Volk, sondern uns, den von Gott vorher erwählten Zeugen, die wir mit ihm gegessen und getrunken haben nach seiner Auferstehung aus den Toten. [42] Und er hat uns geboten,
dem Volk zu verkündigen und zu bezeugen, daß Er der von
Gott bestimmte Richter der Lebendigen und der Toten ist.
[43] Von diesem legen alle Propheten Zeugnis ab, daß jeder, der
an ihn glaubt, durch seinen Namen Vergebung der Sünden
empfängt.

44 Während Petrus noch diese Worte redete, fiel der Heilige
Geist auf alle, die dem Wort zuhörten. [45] Und alle Gläubigen
aus der Beschneidung[b], die mit Petrus gekommen waren, gerieten außer sich vor Staunen, daß die Gabe des Heiligen Geistes auch über die Heiden ausgegossen wurde. [46] Denn sie
hörten sie in Sprachen reden und Gott hoch preisen. Da ergriff
Petrus das Wort: [47] Kann auch jemand diesen das Wasser ver-
wehren, daß sie nicht getauft werden sollten, die den Heiligen
Geist empfangen haben gleichwie wir? [48] Und er befahl, daß
sie getauft würden im Namen des Herrn. Da baten sie ihn, etliche Tage zu bleiben.

Petrus rechtfertigt sein Verhalten vor jüdischen Gläubigen

11 Und die Apostel und die Brüder, die in Judäa waren, hörten, daß auch die Heiden das Wort Gottes angenommen
hatten. [2] Und als Petrus nach Jerusalem hinaufkam, machten
die aus der Beschneidung ihm Vorwürfe [3] und sprachen: Zu
unbeschnittenen Männern bist du hineingegangen und hast
mit ihnen gegessen!

4 Da begann Petrus und erzählte ihnen alles der Reihe nach
und sprach: [5] Ich war in der Stadt Joppe und betete; da sah ich
in einer Verzückung ein Gesicht: ein Gefäß kam herab, wie ein
großes, leinenes Tuch, das an vier Enden vom Himmel herab-
gelassen wurde, und es kam bis zu mir. [6] Als ich nun hinein-
blickte und es betrachtete, sah ich die vierfüßigen Tiere der
Erde und die Raubtiere und die kriechenden Tiere und die Vö-

---

a. (10,39) d.h. ans Kreuz; eine besonders schändliche Strafe für Schwerverbrecher
   (vgl. Gal 3,13).
b. (10,45) d.h. aus dem Judentum.

gel des Himmels. [7] Und ich hörte eine Stimme, die zu mir sprach: Steh auf, Petrus, schlachte und iß!

8 Ich aber sprach: Keineswegs, Herr! denn nie ist etwas Gemeines oder Unreines in meinen Mund gekommen. [9] Aber eine Stimme vom Himmel antwortete mir zum zweitenmal: Was Gott gereinigt hat, das halte du nicht für gemein! [10] Dies geschah aber dreimal; und alles wurde wieder in den Himmel hinaufgezogen.

11 Und siehe, in dem Augenblick standen vor dem Haus, in dem ich war, drei Männer, die aus Cäsarea zu mir gesandt worden waren. [12] Und der Geist sprach zu mir, ich solle mit ihnen ziehen ohne Bedenken. Es kamen aber auch diese sechs Brüder mit mir, und wir gingen in das Haus des Mannes hinein. [13] Und er berichtete uns, wie er den Engel in seinem Haus stehen sah, der zu ihm sagte: Sende Männer nach Joppe und laß Simon mit dem Beinamen Petrus holen; [14] der wird Worte zu dir reden, durch die du gerettet werden wirst, du und dein ganzes Haus.

15 Als ich aber zu reden anfing, fiel der Heilige Geist auf sie, gleichwie auf uns am Anfang. [16] Da gedachte ich an das Wort des Herrn, wie er sagte: Johannes hat mit Wasser getauft, ihr aber sollt mit Heiligem Geist getauft werden. [17] Wenn nun Gott ihnen die gleiche Gabe verliehen hat wie auch uns, nachdem sie an den Herrn Jesus Christus gläubig geworden sind, wer war ich denn, daß ich Gott hätte wehren können?

18 Als sie aber das hörten, beruhigten sie sich und priesen Gott und sprachen: So hat denn Gott auch den Heiden die Buße zum Leben gegeben!

Antiochia, die erste Gemeinde aus Juden und Heiden. Barnabas und Saulus Apg 8,1-4; Röm 10,12; Kol 3,11

19 Die nun, welche sich zerstreut hatten seit der Drangsal, die sich wegen Stephanus erhoben hatte, zogen bis nach Phönizien und Cypern und Antiochia und redeten das Wort zu niemand als nur zu Juden. [20] Unter ihnen gab es aber einige, Männer aus Zypern und Kyrene, die, als sie nach Antiochia kamen, zu den Griechischsprechenden redeten und ihnen den Herrn Jesus verkündigten. [21] Und die Hand des Herrn war mit ihnen, und eine große Zahl wurde gläubig und bekehrte sich zum Herrn.

22 Es kam aber die Kunde von ihnen zu den Ohren der Gemeinde in Jerusalem, und sie sandten Barnabas, daß er hingehe nach Antiochia. [23] Und als er ankam und die Gnade Gottes

sah, freute er sich und ermahnte alle, mit festem Herzen bei dem Herrn zu bleiben; ²⁴ denn er war ein guter Mann und voll Heiligen Geistes und Glaubens; und es wurde dem Herrn eine beträchtliche Menge hinzugetan.

25 Und Barnabas zog aus nach Tarsus, um Saulus aufzusuchen, ²⁶ und als er ihn gefunden hatte, brachte er ihn nach Antiochia. Es begab sich aber, daß sie ein ganzes Jahr zusammen in der Gemeinde blieben und eine beträchtliche Menge lehrten; und in Antiochia wurden die Jünger zuerst Christen genannt.

Hilfeleistung für die Gläubigen in Judäa

27 In diesen Tagen aber kamen Propheten von Jerusalem herab nach Antiochia. ²⁸ Und einer von ihnen, mit Namen Agabus, trat auf und zeigte durch den Geist eine große Hungersnot an, die über den ganzen Erdkreis kommen sollte; diese trat dann auch ein unter dem Kaiser Claudius. ²⁹ Da beschlossen die Jünger, daß jeder von ihnen gemäß seinem Vermögen den Brüdern, die in Judäa wohnten, eine Hilfeleistung senden solle; ³⁰ das taten sie auch und sandten sie an die Ältesten durch die Hand von Barnabas und Saulus.

Gefangenschaft und Befreiung des Petrus

12 Um jene Zeit aber legte der König Herodes[a] Hand an etliche von der Gemeinde, um sie zu mißhandeln. ² Und er tötete Jakobus, den Bruder des Johannes, mit dem Schwert. ³ Und als er sah, daß das den Juden gefiel, fuhr er fort und nahm auch Petrus gefangen. Es waren aber die Tage der ungesäuerten Brote.[b] ⁴ Und als er ihn festgenommen hatte, warf er ihn ins Gefängnis und übergab ihn vier Abteilungen von je vier Kriegsknechten zur Bewachung, in der Absicht, ihn nach dem Passah dem Volk vorzuführen. ⁵ So wurde Petrus nun im Gefängnis bewacht; von der Gemeinde aber wurde unablässig für ihn zu Gott gebetet.

6 Als nun Herodes ihn vorführen wollte, schlief Petrus in jener Nacht zwischen zwei Kriegsknechten, mit zwei Ketten gebunden; und Wächter vor der Tür bewachten das Gefängnis.

7 Und siehe, ein Engel des Herrn trat hinzu, und ein Licht erglänzte in dem Raum. Er weckte aber Petrus durch einen Schlag an die Seite und sprach: Steh schnell auf! Und die Ket-

---

a. (12,1) Herodes Agrippa I., Enkel Herodes des Gr.
b. (12,3) d.h. die sieben Tage nach dem Passah, an denen die Israeliten nur ungesäuertes Brot essen durften.

ten fielen ihm von den Händen. ⁸Und der Engel sprach zu ihm: Umgürte dich und zieh deine Schuhe an! Und er tat es. Und [jener] spricht zu ihm: Wirf deinen Mantel um und folge mir!

9 Und er ging hinaus und folgte ihm und wußte nicht, daß es Wirklichkeit war, was durch den Engel geschah, sondern er meinte ein Gesicht zu sehen. ¹⁰Als sie aber durch die erste und die zweite Wache hindurchgegangen waren, kamen sie zu dem eisernen Tor, das zur Stadt führt, und dieses tat sich ihnen von selbst auf. Und sie traten hinaus und gingen eine Gasse weit, und mit einem Mal verließ ihn der Engel.

11 Da kam Petrus zu sich und sprach: Nun weiß ich wahrhaftig, daß der Herr seinen Engel gesandt und mich errettet hat aus der Hand des Herodes und von allem, was das jüdische Volk erhoffte. ¹²Und er besann sich und ging zum Haus der Maria, der Mutter des Johannes mit dem Beinamen Markus, wo viele versammelt waren und beteten.

13 Als nun Petrus an die Haustür klopfte, kam eine Magd namens Rhode herbei, um zu horchen. ¹⁴Und als sie die Stimme des Petrus erkannte, tat sie vor Freude die Türe nicht auf, sondern lief hinein und meldete, Petrus stehe vor der Tür. ¹⁵Sie aber sprachen zu ihr: Du bist nicht bei Sinnen! Aber sie bestand darauf, daß es so sei. Da sprachen sie: Es ist sein Engel!

16 Petrus aber fuhr fort zu klopfen; und als sie öffneten, sahen sie ihn und erstaunten sehr. ¹⁷Er gab ihnen aber mit der Hand ein Zeichen, daß sie schweigen sollten, und erzählte ihnen, wie der Herr ihn aus dem Gefängnis geführt hatte. Er sprach aber: Meldet dies dem Jakobus und den Brüdern! Und er ging hinaus und zog an einen anderen Ort.

18 Als es nun Tag geworden war, entstand eine nicht geringe Bestürzung unter den Kriegsknechten, was wohl aus Petrus geworden sei. ¹⁹Als aber Herodes nach ihm verlangte und ihn nicht fand, verhörte er die Wachen und ließ sie abführen. Und er ging aus Judäa nach Cäsarea hinab und hielt sich dort auf.

Das Gericht Gottes über Herodes Agrippa

20 Herodes war aber erzürnt über die Bewohner von Tyrus und Sidon. Da kamen sie einmütig zu ihm, gewannen Blastus, den Kämmerer des Königs, und baten um Frieden, weil ihr Land von dem des Königs ernährt wurde. ²¹Aber an einem bestimmten Tag zog Herodes ein königliches Gewand an und setzte sich auf den Richterstuhl und hielt eine Rede an sie.

²²Das Volk aber rief ihm zu: Das ist die Stimme eines Gottes und nicht eines Menschen! ²³Sogleich aber schlug ihn ein Engel des Herrn, weil er Gott nicht die Ehre gab; und er verschied, von Würmern zerfressen.

Die erste Missionsreise: Aussendung von Barnabas und Saulus

24 Das Wort Gottes aber wuchs und mehrte sich.

25 Und Barnabas und Saulus kehrten von Jerusalem zurück, nachdem sie die Hilfeleistung ausgerichtet hatten, und nahmen auch Johannes mit dem Beinamen Markus mit sich.

13 Und in Antiochia waren in der dortigen Gemeinde einige Propheten und Lehrer, nämlich Barnabas und Simeon, genannt Niger, und Lucius von Kyrene und Manahen, der mit dem Vierfürsten Herodes erzogen worden war, und Saulus. ²Als sie nun dem Herrn dienten und fasteten, sprach der Heilige Geist: Sondert mir Barnabas und Saulus aus zu dem Werk, zu dem ich sie berufen habe! ³Da fasteten und beteten sie, legten ihnen die Hände auf und ließen sie ziehen.

Barnabas und Saulus auf Zypern

4 Diese nun, ausgesandt vom Heiligen Geist, zogen hinab nach Seleucia und fuhren von dort mit dem Schiff nach Cypern. ⁵Und als sie in Salamis angekommen waren, verkündigten sie das Wort Gottes in den Synagogen der Juden. Sie hatten aber auch Johannes als Diener.

6 Und als sie die Insel bis nach Paphos durchzogen hatten, trafen sie einen Zauberer und falschen Propheten an, einen Juden namens Bar-Jesus, ⁷der sich bei dem Statthalter Sergius Paulus aufhielt, einem verständigen Mann. Dieser ließ Barnabas und Saulus holen und wünschte das Wort Gottes zu hören. ⁸Doch Elymas, der Zauberer (denn so wird sein Name übersetzt) leistete ihnen Widerstand und suchte den Statthalter vom Glauben abzuhalten.

9 Saulus aber, der auch Paulus heißt, voll Heiligen Geistes, blickte ihn fest an ¹⁰und sprach: O du Sohn des Teufels, voll von aller List und aller Bosheit, du Feind aller Gerechtigkeit, wirst du nicht aufhören, die geraden Wege des Herrn zu verkehren? ¹¹Und nun siehe, die Hand des Herrn kommt über dich, und du wirst eine Zeitlang blind sein und die Sonne nicht sehen! Augenblicklich aber fiel Dunkel und Finsternis auf ihn, und er tappte umher und suchte Leute, die ihn führen könnten. ¹²Als nun der Statthalter sah, was geschehen war, wurde er gläubig, betroffen von der Lehre des Herrn.

13 Paulus und seine Gefährten aber fuhren von Paphos ab und kamen nach Perge in Pamphylien; Johannes trennte sich jedoch von ihnen und kehrte nach Jerusalem zurück.

Die Verkündigung des Paulus vor den Juden von Antiochia in Pisidien Apg 2,22-36; 7,1-50; 10,36-43

14 Sie aber zogen von Perge weiter und kamen nach Antiochia in Pisidien und gingen am Sabbattag in die Synagoge und setzten sich. [15] Und nach der Vorlesung des Gesetzes und der Propheten ließen die Obersten der Synagoge ihnen sagen: Ihr Männer und Brüder, wenn ihr ein Wort der Ermahnung an das Volk habt, so redet!

16 Da stand Paulus auf und gab ein Zeichen mit der Hand und sprach: Ihr israelitischen Männer, und die ihr Gott fürchtet, hört zu! [17] Der Gott dieses Volkes Israel erwählte unsere Väter und erhöhte das Volk, als sie Fremdlinge waren im Land Ägypten, und mit erhobenem Arm führte er sie von dort heraus. [18] Und er trug sie etwa vierzig Jahre lang in der Wüste [19] und vertilgte sieben Völker im Land Kanaan und teilte unter sie deren Land nach dem Los. [20] Und danach, während etwa vierhundertfünfzig Jahren, gab er ihnen Richter bis zu Samuel, dem Propheten.

21 Und von da an begehrten sie einen König, und Gott gab ihnen Saul, den Sohn des Kis, einen Mann aus dem Stamm Benjamin, vierzig Jahre lang. [22] Und nachdem er ihn abgesetzt hatte, erweckte er ihnen David zum König, von dem er auch Zeugnis gab und sprach: *Ich habe David gefunden, den Sohn des Isai, einen Mann nach meinem Herzen, der allen meinen Willen tun wird.*

23 Von dessen Samen hat nun Gott nach der Verheißung für Israel Jesus als Retter erweckt, [24] nachdem Johannes vor seinem Auftreten dem ganzen Volk Israel eine Taufe der Buße verkündigt hatte. [25] Als aber Johannes seinen Lauf vollendete, sprach er: Der, für den ihr mich haltet, bin ich nicht; doch siehe, es kommt einer nach mir, für den ich nicht gut genug bin, die Schuhe von seinen Füßen zu lösen!

26 Ihr Männer und Brüder, Söhne des Geschlechtes Abrahams, und die unter euch, die Gott fürchten, zu euch ist dieses Wort des Heils gesandt. [27] Denn die, welche in Jerusalem wohnen, und ihre Obersten haben diesen nicht erkannt und haben die Stimmen der Propheten, die an jedem Sabbat gelesen werden, durch ihren Urteilsspruch erfüllt. [28] Und obgleich sie keine Todesschuld fanden, verlangten sie doch von Pilatus, daß er hin-

gerichtet werde. [29] Und nachdem sie alles vollendet hatten, was von ihm geschrieben steht, nahmen sie ihn vom Holz herab und legten ihn in ein Grab.

30 Gott aber hat ihn aus den Toten auferweckt. [31] Und er ist mehrere Tage hindurch denen erschienen, die mit ihm aus Galiläa nach Jerusalem hinaufgezogen waren, welche seine Zeugen sind vor dem Volk.

32 Und wir verkündigen euch das Evangelium, daß Gott die den Vätern zuteil gewordene Verheißung [33] erfüllt hat an uns, ihren Kindern, indem er Jesus auferweckte, wie auch im zweiten Psalm geschrieben steht: *Du bist mein Sohn, heute habe ich dich gezeugt.*

34 Daß er ihn aber aus den Toten auferweckte, so daß er nicht mehr zur Verwesung zurückkehren sollte, hat er so ausgesprochen: *Ich will euch die zuverlässigen, heiligen Gnadengüter Davids geben.* [35] Darum spricht er auch an einer anderen Stelle: *Du wirst nicht zulassen, daß dein Heiliger die Verwesung sieht.*

36 Denn David ist entschlafen, nachdem er seinem Geschlecht nach dem Willen Gottes gedient hat; und er ist zu seinen Vätern versammelt worden und hat die Verwesung gesehen. [37] Der aber, den Gott auferweckte, hat die Verwesung nicht gesehen.

38 So sei euch nun kund, ihr Männer und Brüder, daß euch durch diesen Vergebung der Sünden verkündigt wird; [39] und von allem, wovon ihr durch das Gesetz Moses nicht gerechtfertigt werden konntet, wird durch diesen jeder gerechtfertigt, der glaubt. [40] So seht nun zu, daß nicht über euch komme, was in den Propheten gesagt ist: [41] *Seht, ihr Verächter, und verwundert euch und werdet zunichte, denn ich tue ein Werk in euren Tagen, ein Werk, das ihr nicht glauben werdet, wenn es euch jemand erzählt!*

Die Juden widerstehen dem Evangelium - die Heiden nehmen es an   Röm 15,8-13; 15,16-21; 1Th 2,14-16

42 Als aber die Juden aus der Synagoge gegangen waren, baten die Heiden darum, daß ihnen diese Worte [auch] am nächsten Sabbat verkündigt würden. [43] Nachdem aber die Synagogenversammlung sich aufgelöst hatte, folgten viele Juden und gottesfürchtige Proselyten dem Paulus und Barnabas nach, die zu ihnen redeten und sie ermahnten, bei der Gnade Gottes zu bleiben.

44 Am folgenden Sabbat aber versammelte sich fast die ganze Stadt, um das Wort Gottes zu hören. [45] Als die Juden jedoch die Volksmenge sahen, wurden sie voll Eifersucht und widersetzten sich dem, was Paulus sagte, indem sie widersprachen und lä-

sterten. **46** Da sagten Paulus und Barnabas freimütig: Euch mußte das Wort Gottes zuerst verkündigt werden; da ihr es aber von euch stoßt und euch selbst des ewigen Lebens nicht würdig achtet, siehe, so wenden wir uns zu den Heiden. **47** Denn so hat uns der Herr geboten: *Ich habe dich zum Licht der Heiden gesetzt, daß du zum Heil seist bis an das Ende der Erde!*

48 Als die Heiden das hörten, wurden sie froh und priesen das Wort des Herrn, und es wurden alle die gläubig, die zum ewigen Leben bestimmt waren. **49** Das Wort des Herrn aber wurde durch das ganze Land getragen.

50 Aber die Juden reizten die gottesfürchtigen Frauen und die Angesehenen und die Vornehmsten der Stadt auf, und sie erregten eine Verfolgung gegen Paulus und Barnabas und vertrieben sie aus ihrem Gebiet. **51** Da schüttelten diese den Staub von ihren Füßen gegen sie und gingen nach Ikonium. **52** Die Jünger aber wurden voll Freude und Heiligen Geistes.

Segen und Kämpfe in Ikonium 2Tim 3,10-12

14 Und es geschah in Ikonium, daß sie miteinander in die Synagoge der Juden gingen und derart redeten, daß eine große Menge von Juden und Griechen gläubig wurde. **2** Die ungläubig gebliebenen Juden jedoch erregten und erbitterten die Gemüter der Heiden gegen die Brüder. **3** Doch blieben sie längere Zeit dort und lehrten freimütig im Vertrauen auf den Herrn, der dem Wort seiner Gnade Zeugnis gab und Zeichen und Wunder durch ihre Hände geschehen ließ.

4 Aber die Volksmenge der Stadt teilte sich, und die einen hielten es mit den Juden, die anderen mit den Aposteln. **5** Als sich aber ein Ansturm der Heiden und Juden samt ihren Obersten erhob, um sie zu mißhandeln und zu steinigen, **6** da bemerkten sie es und entflohen in die Städte Lykaoniens, Lystra und Derbe, und in die umliegende Gegend, **7** und sie verkündigten dort das Evangelium.

Die Heilung eines Lahmen in Lystra

8 Und in Lystra saß ein Mann mit gebrechlichen Füßen, der von Geburt an gelähmt war und niemals hatte gehen können. **9** Dieser hörte den Paulus reden; und als der ihn anblickte und sah, daß er Glauben hatte, geheilt zu werden, **10** sprach er mit lauter Stimme: Steh aufrecht auf deine Füße! Und er sprang auf und ging umher.

11 Als aber die Volksmenge sah, was Paulus getan hatte, erhoben sie ihre Stimme und sprachen auf lykaonisch: Die Götter

sind Menschen gleichgeworden und zu uns herabgekommen! [12] Und sie nannten den Barnabas Zeus, den Paulus aber Hermes, weil er das Wort führte. [13] Und der Priester des Zeus, der vor ihrer Stadt seine Stätte hatte, brachte Stiere und Kränze an die Tore und wollte samt dem Volk opfern.

14 Als aber die Apostel Barnabas und Paulus das hörten, zerrissen sie ihre Kleider, und sie eilten zu der Volksmenge, riefen [15] und sprachen: Ihr Männer, was tut ihr da? Auch wir sind Menschen, von gleicher Beschaffenheit wie ihr, und verkündigen euch das Evangelium, daß ihr euch von diesen nichtigen [Götzen] bekehren sollt zu dem lebendigen Gott, der den Himmel und die Erde gemacht hat, das Meer und alles, was darin ist! [16] Er ließ in den vergangenen Geschlechtern alle Heiden ihre eigenen Wege gehen; [17] und doch hat er sich selbst nicht unbezeugt gelassen; er hat uns viel Gutes getan, uns vom Himmel Regen und fruchtbare Zeiten gegeben und unsere Herzen erfüllt mit Speise und Freude. [18] Obgleich sie dies sagten, konnten sie die Menge kaum davon abbringen, ihnen zu opfern.

Paulus wird in Lystra gesteinigt. Rückreise nach Antiochia 2Kor 6,3

19 Es kamen aber aus Antiochia und Ikonium Juden herbei; die überredeten die Volksmenge und steinigten Paulus und schleiften ihn vor die Stadt hinaus in der Meinung, er sei gestorben. [20] Doch als ihn die Jünger umringten, stand er auf und ging in die Stadt. Und am folgenden Tag zog er mit Barnabas fort nach Derbe. [21] Und nachdem sie in dieser Stadt das Evangelium verkündigt und eine schöne Zahl Jünger gewonnen hatten, kehrten sie wieder nach Lystra und Ikonium und Antiochia zurück, [22] stärkten die Seelen der Jünger und ermahnten sie, unbeirrt im Glauben zu bleiben, und [sagten ihnen,] daß wir durch viele Drangsale in das Reich Gottes eingehen müssen.

23 Nachdem sie ihnen aber in jeder Gemeinde Älteste bestimmt hatten, übergaben sie diese unter Gebet und Fasten dem Herrn, an den sie gläubig geworden waren. [24] Und sie durchzogen Pisidien und kamen nach Pamphylien. [25] Und nachdem sie in Perge das Wort verkündigt hatten, zogen sie hinab nach Attalia.

26 Und von dort segelten sie nach Antiochia, von wo aus sie der Gnade Gottes übergeben worden waren zu dem Werk, das sie [nun] vollbracht hatten. [27] Als sie aber angekommen waren und die Gemeinde versammelt hatten, erzählten sie, wie viel

Gott mit ihnen getan hatte, und daß er den Heiden die Tür des Glaubens aufgetan hatte. **28** Sie verbrachten aber dort eine nicht geringe Zeit mit den Jüngern.

Die Beratung in Jerusalem über das Verhältnis zu den Heiden-christen Gal 1,6-7; 2,1-9; 2,15-21; 5,1

15 Und aus Judäa kamen einige herab und lehrten die Brüder: Wenn ihr euch nicht nach dem Gebrauch Moses beschneiden laßt, so könnt ihr nicht gerettet werden! **2** Da nun Zwiespalt aufkam und Paulus und Barnabas eine nicht geringe Auseinandersetzung mit ihnen hatten, bestimmten sie, daß Paulus und Barnabas und einige andere von ihnen wegen dieser Streitfrage zu den Aposteln und Ältesten nach Jerusalem hinaufziehen sollten.

3 So durchzogen sie nun als Abgeordnete der Gemeinde Phönizien und Samarien, indem sie von der Bekehrung der Heiden erzählten und allen Brüdern große Freude bereiteten. **4** Als sie aber nach Jerusalem kamen, wurden sie von der Gemeinde, den Aposteln und den Ältesten empfangen und berichteten alles, was Gott mit ihnen gewirkt hatte.

5 Aber einige von der Richtung der Pharisäer, die gläubig geworden waren, standen auf und sprachen: Man muß sie beschneiden und ihnen gebieten, das Gesetz Moses zu halten! **6** Da kamen die Apostel und die Ältesten zusammen, um diese Sache zu untersuchen.

7 Als nun viel Streit aufkam, stand Petrus auf und sprach zu ihnen: Ihr Männer und Brüder, ihr wißt, daß Gott lange vor diesen Tagen mitten unter uns die Heiden erwählt hat, daß sie durch meinen Mund das Wort des Evangeliums hören und zum Glauben kommen sollten. **8** Und Gott, der die Herzen kennt, legte für sie Zeugnis ab, indem er ihnen den Heiligen Geist gab gleichwie uns; **9** und er machte keinen Unterschied zwischen uns und ihnen, nachdem er ihre Herzen durch den Glauben gereinigt hatte.

10 Weshalb versucht ihr denn jetzt Gott, indem ihr ein Joch auf den Nacken der Jünger legt, das weder unsere Väter noch wir zu tragen vermochten? **11** Vielmehr glauben wir, daß wir durch die Gnade des Herrn Jesus Christus gerettet werden, auf gleiche Weise wie jene. **12** Da schwieg die ganze Menge und hörte Barnabas und Paulus zu, die erzählten, wieviele Zeichen und Wunder Gott durch sie unter den Heiden getan hatte.

13 Nachdem sie aber zu reden aufgehört hatten, ergriff Jakobus das Wort und sagte: Ihr Männer und Brüder, hört mir zu!

[14] Simon hat erzählt, wie Gott zum ersten Mal sein Augenmerk darauf richtete, aus den Heiden ein Volk für seinen Namen zu nehmen. [15] Und damit stimmen die Worte der Propheten überein, wie geschrieben steht: [16] *Nach diesem will ich zurückkehren und die zerfallene Hütte Davids wieder aufbauen, und ihre Trümmer will ich wieder bauen und sie wieder aufrichten,* [17] *damit die Übriggebliebenen der Menschen den Herrn suchen, und alle Völker, über die mein Name angerufen worden ist, spricht der Herr, der alle diese Dinge tut.* [18] Gott sind alle seine Werke von Ewigkeit her bekannt. [19] Darum urteile ich, daß man denjenigen aus den Heiden, die sich zu Gott bekehren, keine Lasten auflegen soll, [20] sondern ihnen nur schreiben soll, sich von der Verunreinigung durch die Götzen, von der Unzucht, vom Erstickten[a] und vom Blut zu enthalten. [21] Denn Mose hat von alten Zeiten her in jeder Stadt solche, die ihn verkündigen, da er in den Synagogen an jedem Sabbat vorgelesen wird.

Das Schreiben an die Gemeinden   Kol 1,26-27; Gal 5,1-12

[22] Daraufhin beschlossen die Apostel und die Ältesten zusammen mit der ganzen Gemeinde, Männer aus ihrer Mitte zu erwählen und mit Paulus und Barnabas nach Antiochia zu senden, nämlich Judas mit dem Beinamen Barsabas und Silas, führende Männer unter den Brüdern. [23] Und sie sandten durch ihre Hand folgendes Schreiben: Die Apostel und die Ältesten und die Brüder entbieten den Brüdern in Antiochia und in Syrien und Cilicien, die aus den Heiden sind, ihren Gruß! [24] Da wir gehört haben, daß etliche, die von uns ausgegangen sind, euch durch Reden verwirrt und eure Seelen unsicher gemacht haben, indem sie sagen, man müsse sich beschneiden lassen und das Gesetz halten, ohne daß wir sie dazu beauftragt hätten, [25] so haben wir, die wir einmütig versammelt waren, beschlossen, Männer zu erwählen und zu euch zu senden mit unseren geliebten Barnabas und Paulus, [26] Männern, die ihre Seelen hingegeben haben für den Namen unseres Herrn Jesus Christus. [27] Wir haben deshalb Judas und Silas gesandt, die euch mündlich dasselbe verkündigen sollen. [28] Es hat nämlich dem Heiligen Geist und uns gefallen, euch keine weitere Last aufzulegen, außer diesen notwendigen Dingen, [29] daß ihr euch enthaltet von Götzenopfern und von Blut und vom Er-

---

a. (15,20) d.h. vom Fleisch erwürgter Tiere, die ohne Ausfließenlassen des Blutes getötet worden waren.

stickten und von Unzucht; wenn ihr euch davor bewahrt, so tut ihr recht. Lebt wohl!

30 So wurden sie nun verabschiedet und gingen nach Antiochia, und sie versammelten die Menge und übergaben das Schreiben. 31 Und als sie es gelesen hatten, freuten sie sich über den Trost. 32 Und Judas und Silas, die selbst auch Propheten waren, ermahnten die Brüder mit vielen Worten und stärkten sie. 33 Und nachdem sie einige Zeit dort zugebracht hatten, wurden sie von den Brüdern mit Frieden zu den Aposteln zurückgesandt. 34 Silas aber beschloß, dort zu bleiben.

35 Paulus und Barnabas hielten sich aber in Antiochia auf und lehrten und verkündigten zusammen mit noch vielen anderen das Wort des Herrn.

Trennung von Paulus und Barnabas. Aufbruch von Paulus zur zweiten Missionsreise

36 Nach etlichen Tagen aber sprach Paulus zu Barnabas: Laß uns wieder umkehren und in all den Städten, in denen wir das Wort des Herrn verkündigt haben, nach unseren Brüdern sehen, wie es um sie steht! 37 Barnabas aber wollte den Johannes, der Markus genannt wird, mitnehmen. 38 Paulus jedoch hielt es für richtig, daß der, welcher in Pamphylien von ihnen weggegangen und nicht mit ihnen zu dem Werk gekommen war, nicht mitgenommen werden sollte.

39 Deshalb entstand eine heftige Auseinandersetzung, so daß sie sich voneinander trennten; und Barnabas nahm Markus zu sich und fuhr mit dem Schiff nach Cypern. 40 Paulus aber wählte sich Silas und zog aus, von den Brüdern der Gnade Gottes anbefohlen. 41 Und er durchzog Syrien und Cilicien und stärkte die Gemeinden.

Paulus nimmt Timotheus als Mitarbeiter mit

16 Er kam aber nach Derbe und Lystra. Und siehe, dort war ein Jünger namens Timotheus, der Sohn einer gläubigen jüdischen Frau, aber eines griechischen Vaters; 2 der hatte ein gutes Zeugnis von den Brüdern in Lystra und Ikonium. 3 Diesen wollte Paulus mit sich ziehen lassen. Und er nahm ihn und ließ ihn beschneiden um der Juden willen, die in jener Gegend waren; denn sie wußten alle, daß sein Vater ein Grieche war. 4 Als sie aber die Städte durchzogen, übergaben sie ihnen zur Befolgung die von den Aposteln und den Ältesten in Jerusalem gefaßten Beschlüsse. 5 Da wurden die Gemeinden im Glauben gestärkt und nahmen an Zahl täglich zu.

Der göttliche Ruf nach Mazedonien

6 Als sie aber Phrygien und das Gebiet Galatiens durchzogen, wurde ihnen vom Heiligen Geist gewehrt, das Wort in [der Provinz] Asia zu verkündigen. [7] Und sie kamen nach Mysien und versuchten nach Bithynien zu reisen; und der Geist ließ es ihnen nicht zu. [8] Da reisten sie an Mysien vorbei und kamen hinab nach Troas.

9 Und in der Nacht erschien dem Paulus ein Gesicht: Ein mazedonischer Mann stand vor ihm, bat ihn und sprach: Komm herüber nach Mazedonien und hilf uns! [10] Als er aber dieses Gesicht gesehen hatte, waren wir sogleich bestrebt, nach Mazedonien zu ziehen, indem wir daraus schlossen, daß uns der Herr berufen hatte, ihnen das Evangelium zu verkündigen.

Die Verkündigung des Evangeliums in Philippi. Lydia, die Purpurhändlerin

11 So fuhren wir denn von Troas ab und kamen geradewegs nach Samothrace und am folgenden Tag nach Neapolis [12] und von dort nach Philippi, welches die bedeutendste Stadt jenes Teils von Mazedonien ist, eine [römische] Kolonie. Wir hielten uns aber in dieser Stadt etliche Tage auf.

13 Und am Sabbattag gingen wir vor die Stadt hinaus, an den Fluß, wo man zu beten pflegte; und wir setzten uns und redeten zu den Frauen, die zusammengekommen waren. [14] Und eine gottesfürchtige Frau namens Lydia, eine Purpurhändlerin aus der Stadt Thyatira, hörte zu; und der Herr tat ihr das Herz auf, so daß sie aufmerksam achtgab auf das, was von Paulus geredet wurde. [15] Als sie aber getauft worden war und auch ihr Haus, bat sie und sprach: Wenn ihr davon überzeugt seid, daß ich an den Herrn gläubig bin, so kommt in mein Haus und bleibt dort! Und sie nötigte uns.

Die Magd mit dem Wahrsagegeist

16 Es geschah aber, als wir zum Gebet gingen, daß uns eine Magd begegnete, die einen Wahrsagegeist hatte und ihren Herren durch Wahrsagen großen Gewinn verschaffte. [17] Diese folgte Paulus und uns nach, schrie und sprach: Diese Männer sind Diener des höchsten Gottes, die uns den Weg des Heils verkündigen! [18] Und dies tat sie viele Tage. Paulus aber wurde unwillig, wandte sich um und sprach zu dem Geist: Ich gebiete dir in dem Namen Jesu Christi, von ihr auszufahren! Und er fuhr aus zu derselben Stunde.

19 Als aber ihre Herren sahen, daß die Hoffnung auf ihren Gewinn entschwunden war, ergriffen sie Paulus und Silas und schleppten sie auf den Markt vor die Obersten der Stadt, 20 führten sie zu den Hauptleuten und sprachen: Diese Männer, die Juden sind, bringen unsere Stadt in Unruhe 21 und verkündigen Gebräuche, welche anzunehmen oder auszuüben uns nicht erlaubt ist, da wir Römer sind! 22 Und die Volksmenge stand ebenfalls gegen sie auf; und die Hauptleute rissen ihnen die Kleider ab und befahlen, sie mit Ruten zu schlagen.

Paulus und Silas im Gefängnis. Die Bekehrung des Kerkermeisters Phil 1,12; 2Tim 2,3.10; 2Kor 4,8-10

23 Und nachdem sie ihnen viele Schläge gegeben hatten, warfen sie sie ins Gefängnis und geboten dem Kerkermeister, sie sicher zu verwahren. 24 Dieser warf sie auf solchen Befehl hin ins innere Gefängnis und schloß ihre Füße in den Block.
25 Um Mitternacht aber beteten Paulus und Silas und lobten Gott mit Gesang, und die Gefangenen hörten sie. 26 Da entstand plötzlich ein großes Erdbeben, so daß die Grundfesten des Gefängnisses erschüttert wurden, und sogleich öffneten sich alle Türen, und die Fesseln aller wurden gelöst.
27 Da erwachte der Kerkermeister aus dem Schlaf, und als er die Türen des Gefängnisses geöffnet sah, zog er sein Schwert und wollte sich töten, weil er meinte, die Gefangenen seien entflohen. 28 Aber Paulus rief mit lauter Stimme und sprach: Tue dir kein Leid an; denn wir sind alle hier! 29 Da forderte er ein Licht, sprang hinein und fiel zitternd vor Paulus und Silas nieder.
30 Und er führte sie heraus und sprach: Ihr Herren, was muß ich tun, daß ich gerettet werde? 31 Sie aber sprachen: Glaube an den Herrn Jesus Christus, so wirst du gerettet werden, du und dein Haus! 32 Und sie sagten ihm das Wort des Herrn und allen, die in seinem Haus waren. 33 Und er nahm sie zu sich in jener Stunde der Nacht und wusch ihnen die Striemen ab und ließ sich auf der Stelle taufen, er und all die Seinen. 34 Und er führte sie in sein Haus, deckte den Tisch und freute sich, daß er mit seinem ganzen Haus an Gott gläubig geworden war.

Die Freilassung von Paulus und Silas 2Tim 3,11

35 Als es aber Tag wurde, sandten die Hauptleute die Gerichtsdiener mit dem Befehl: Laß jene Leute frei! 36 Da verkündete der Kerkermeister dem Paulus diese Worte: Die Hauptleute haben die Anweisung gesandt, daß man euch freilassen soll. So

geht nun hinaus und zieht hin in Frieden! ³⁷ Paulus aber sprach zu ihnen: Sie haben uns, die wir Römer sind, ohne Urteil öffentlich geschlagen und ins Gefängnis geworfen, und jetzt schicken sie uns heimlich fort? Nicht so; sondern sie mögen selbst kommen und uns hinausführen!

38 Da verkündigten die Gerichtsdiener diese Worte den Hauptleuten; und diese fürchteten sich, als sie hörten, daß sie Römer seien. ³⁹ Und sie kamen und redeten ihnen zu und führten sie hinaus und baten sie, die Stadt zu verlassen. ⁴⁰ Da verließen sie das Gefängnis und begaben sich zu Lydia; und als sie die Brüder sahen, ermahnten sie sie und zogen fort.

Paulus und Silas in Thessalonich 1Th 1; 2,1-16

17 Sie reisten aber durch Amphipolis und Apollonia und kamen nach Thessalonich, wo eine Synagoge der Juden war. ² Paulus aber ging nach seiner Gewohnheit zu ihnen hinein und redete an drei Sabbaten mit ihnen aufgrund der Schriften, ³ indem er erläuterte und darlegte, daß der Christus leiden und aus den Toten auferstehen mußte, und [sprach:] Dieser Jesus, den ich euch verkündige, ist der Christus! ⁴ Und etliche von ihnen wurden überzeugt und schlossen sich Paulus und Silas an, auch eine große Menge der gottesfürchtigen Griechen sowie nicht wenige der vornehmsten Frauen.

5 Aber die ungläubigen Juden wurden voll Neid und gewannen etliche boshafte Leute vom Straßenpöbel, erregten einen Auflauf und brachten die Stadt in Aufruhr; und sie drangen auf das Haus Jasons ein und suchten sie, um sie vor die Volksmenge zu führen. ⁶ Als sie sie aber nicht fanden, schleppten sie den Jason und etliche Brüder vor die Obersten der Stadt und schrieen: Diese Leute, welche in der ganzen Welt Unruhe stiften, sind jetzt auch hier; ⁷ Jason hat sie aufgenommen! Und doch handeln sie alle gegen die Verordnungen des Kaisers, indem sie sagen, ein anderer sei König, nämlich Jesus! ⁸ Sie brachten aber die Menge und die Stadtobersten, welche dies hörten, in Aufregung, ⁹ so daß sie Jason und die übrigen nur gegen Bürgschaft freiließen.

Die Aufnahme des Evangeliums in Beröa

10 Die Brüder aber schickten sogleich während der Nacht Paulus und Silas nach Beröa, wo sie sich nach ihrer Ankunft in die Synagoge der Juden begaben. ¹¹ Diese aber waren edler gesinnt als die in Thessalonich und nahmen das Wort mit aller Bereitwilligkeit auf; und sie forschten täglich in der Schrift, ob

es sich so verhalte. [12] Es wurden deshalb viele von ihnen gläubig, auch nicht wenige der angesehenen griechischen Frauen und Männer.

13 Als aber die Juden von Thessalonich erfuhren, daß auch in Beröa das Wort Gottes von Paulus verkündigt wurde, kamen sie auch dorthin und stachelten die Volksmenge auf. [14] Daraufhin sandten die Brüder den Paulus sogleich fort, damit er bis zum Meer hin ziehe; Silas und Timotheus aber blieben dort zurück. [15] Die nun, welche den Paulus geleiteten, brachten ihn bis nach Athen; und nachdem sie den Auftrag an Silas und Timotheus empfangen hatten, daß sie so schnell wie möglich zu ihm kommen sollten, zogen sie fort.

Paulus in Athen   1Kor 1,17-28

16 Während aber Paulus in Athen auf sie wartete, ergrimmte sein Geist in ihm, da er die Stadt so voller Götzenbilder sah. [17] Er hatte nun in der Synagoge Unterredungen mit den Juden und den Gottesfürchtigen, und auch täglich auf dem Markt mit denen, die gerade dazukamen.

18 Aber etliche der epikureischen und der stoischen Philosophen maßen sich mit ihm; und manche sprachen: Was will dieser Schwätzer wohl sagen? Andere aber: Er scheint ein Verkündiger fremder Götter zu sein! – denn er verkündigte ihnen das Evangelium von Jesus und der Auferstehung.

19 Und sie ergriffen ihn und führten ihn zum Areopag und sprachen: Können wir erfahren, was das für eine neue Lehre ist, die von dir vorgetragen wird? [20] Denn du bringst etwas Fremdartiges vor unsere Ohren; deshalb wollen wir erfahren, was diese Dinge bedeuten sollen! [21] Alle Athener nämlich und auch die dort lebenden Fremden vertrieben sich mit nichts anderem so gerne die Zeit, als damit, etwas Neues zu sagen und zu hören.

Die Verkündigung des Paulus auf dem Areopag   Röm 1,18-25

22 Da stellte sich Paulus in die Mitte des Areopags und sprach: Ihr Männer von Athen, ich sehe, daß ihr in allem sehr auf die Verehrung von Gottheiten bedacht seid! [23] Denn als ich umherging und eure Heiligtümer besichtigte, fand ich auch einen Altar, auf dem geschrieben stand: »Dem unbekannten Gott.« Nun verkündige ich euch den, welchen ihr verehrt, ohne ihn zu kennen.

24 Der Gott, der die Welt gemacht hat und alles, was darin ist, er, der der Herr des Himmels und der Erde ist, wohnt nicht in

von Händen gemachten Tempeln; [25] er läßt sich auch nicht von Menschenhänden bedienen, als ob er etwas bedürfte, da er doch selbst allen Leben und Odem gibt an allen Orten.

26 Und er hat aus *einem* Blut jedes Volk der Menschheit gemacht, daß sie auf dem ganzen Erdboden wohnen sollen, und hat im voraus verordnete Zeiten und die Grenzen ihres Wohnens bestimmt, [27] damit sie den Herrn suchen sollten, ob sie ihn wohl umhertastend wahrnehmen und finden möchten; und doch ist er ja jedem einzelnen von uns nicht ferne; [28] denn »in ihm leben, weben und sind wir«, wie auch einige von euren Dichtern gesagt haben: »Denn auch wir sind seines Geschlechts.«

29 Da wir nun göttlichen Geschlechts sind, dürfen wir nicht meinen, die Gottheit sei dem Gold oder Silber oder Stein gleich, einem Gebilde menschlicher Kunst und Erfindung.

30 Nun hat zwar Gott über die Zeiten der Unwissenheit hinweggesehen, jetzt aber gebietet er allen Menschen überall, Buße zu tun, [31] weil er einen Tag festgesetzt hat, an dem er den Erdkreis in Gerechtigkeit richten wird durch einen Mann, den er dazu bestimmt hat und den er für alle beglaubigte, indem er ihn aus den Toten auferweckt hat.

32 Als sie aber von Auferstehung der Toten hörten, spotteten die einen, die anderen aber sprachen: Wir wollen dich darüber nochmals hören! [33] Und so ging Paulus aus ihrer Mitte hinweg. [34] Einige Männer aber schlossen sich ihm an und wurden gläubig, unter ihnen auch Dionysius, der Areopagit, und eine Frau namens Damaris und andere mit ihnen.

Paulus in Korinth

18 Danach aber verließ Paulus Athen und kam nach Korinth. [2] Und dort fand er einen Juden namens Aquila, aus Pontus gebürtig, der vor kurzem mit seiner Frau Priscilla aus Italien gekommen war, weil Claudius befohlen hatte, daß alle Juden Rom verlassen sollten; zu diesen ging er, [3] und weil er das gleiche Handwerk hatte, blieb er bei ihnen und arbeitete; sie waren nämlich von Beruf Zeltmacher. [4] Er hatte aber jeden Sabbat Unterredungen in der Synagoge und überzeugte Juden und Griechen.

5 Als aber Silas und Timotheus aus Mazedonien ankamen, wurde Paulus durch den Geist gedrängt, den Juden zu bezeugen, daß Jesus der Christus ist. [6] Als sie aber widerstrebten und lästerten, schüttelte er die Kleider aus und sprach zu ihnen:

Euer Blut komme über euer Haupt! Ich bin rein davon; von nun an gehe ich zu den Heiden!

7 Und er ging fort und begab sich in das Haus eines gottesfürchtigen Mannes mit Namen Justus, dessen Haus an die Synagoge stieß. 8 Krispus aber, der Synagogenvorsteher, wurde an den Herrn gläubig samt seinem ganzen Haus; auch viele Korinther, die zuhörten, wurden gläubig und ließen sich taufen.

9 Und der Herr sprach in der Nacht durch ein Gesicht zu Paulus: Fürchte dich nicht, sondern rede und schweige nicht! 10 Denn ich bin mit dir, und niemand soll sich unterstehen, dir zu schaden; denn ich habe ein großes Volk in dieser Stadt! 11 Und er blieb ein Jahr und sechs Monate dort und lehrte unter ihnen das Wort Gottes.

12 Als aber Gallion Statthalter von Achaja war, traten die Juden einmütig gegen Paulus auf und führten ihn vor den Richterstuhl 13 und sprachen: Dieser überredet die Leute zu einem gesetzwidrigen Gottesdienst!

14 Als aber Paulus den Mund öffnen wollte, sprach Gallion zu den Juden: Wenn es sich nun um ein Verbrechen oder um eine böse Schändlichkeit handeln würde, ihr Juden, so hätte ich euch vernünftigerweise zugelassen; 15 wenn es aber eine Streitfrage über eine Lehre und über Namen und über euer Gesetz ist, so seht ihr selbst danach, denn darüber will ich nicht Richter sein! 16 Und er wies sie vom Richterstuhl hinweg. 17 Da ergriffen alle Griechen Sosthenes, den Synagogenvorsteher, und schlugen ihn vor dem Richterstuhl; und Gallion kümmerte sich nicht weiter darum.

Die Rückreise nach Antiochia

18 Nachdem aber Paulus noch viele Tage dort verblieben war, nahm er von den Brüdern Abschied und segelte nach Syrien, und mit ihm Priscilla und Aquila, nachdem er sich in Kenchreä das Haupt hatte scheren lassen; denn er hatte ein Gelübde. 19 Und er gelangte nach Ephesus und ließ jene dort zurück; er selbst aber ging in die Synagoge und hatte Gespräche mit den Juden. 20 Als sie ihn aber baten, längere Zeit bei ihnen zu bleiben, willigte er nicht ein, 21 sondern nahm Abschied von ihnen, indem er sprach: Ich muß unter allen Umständen das bevorstehende Fest in Jerusalem feiern; ich werde aber wieder zu euch zurückkehren, so Gott will! Und er segelte von Ephesus ab; 22 und als er in Cäsarea gelandet war, zog er hinauf und grüßte die Gemeinde und ging dann hinab nach Antiochia.

Die dritte Missionsreise. Apollos in Ephesus 1Kor 3,4-8

23 Und nachdem er einige Zeit dort zugebracht hatte, zog er weiter und durchreiste nacheinander das Gebiet von Galatien und Phrygien und stärkte alle Jünger. 24 Aber ein Jude mit Namen Apollos, aus Alexandria gebürtig, kam nach Ephesus, ein beredter Mann, der mächtig war in den Schriften. 25 Dieser war unterwiesen im Weg des Herrn und feurig im Geist; er redete und lehrte genau über das, was den Herrn betrifft, kannte aber nur die Taufe des Johannes. 26 Und er fing an, öffentlich in der Synagoge aufzutreten. Als nun Aquila und Priscilla ihn hörten, nahmen sie ihn zu sich und legten ihm den Weg Gottes noch genauer aus. 27 Als er aber nach Achaja hinübergehen wollte, ermunterten ihn die Brüder und schrieben an die Jünger, daß sie ihn aufnehmen sollten. Und als er dort ankam, war er eine große Hilfe für die, welche durch die Gnade gläubig geworden waren. 28 Denn er widerlegte die Juden öffentlich mit großer Kraft, indem er durch die Schriften bewies, daß Jesus der Christus ist.

Paulus in Ephesus. Die Jünger des Johannes 1Kor 16,8-9

19 Es begab sich aber während Apollos in Korinth war, daß Paulus, nachdem er die höhergelegenen Gebiete durchzogen hatte, nach Ephesus kam. Und als er einige Jünger fand, 2 sprach er zu ihnen: Habt ihr den Heiligen Geist empfangen, als ihr gläubig wurdet? Sie aber antworteten ihm: Wir haben nicht einmal gehört, daß der Heilige Geist da ist! 3 Und er sprach zu ihnen: Worauf seid ihr denn getauft worden? Sie aber erwiderten: Auf die Taufe des Johannes. 4 Da sprach Paulus: Johannes hat mit einer Taufe der Buße getauft und dem Volk gesagt, daß sie an den glauben sollten, der nach ihm kommt, das heißt an den Christus Jesus. 5 Als sie das hörten, ließen sie sich taufen auf den Namen des Herrn Jesus. 6 Und als Paulus ihnen die Hände auflegte, kam der Heilige Geist auf sie, und sie redeten in Sprachen und weissagten. 7 Es waren aber im ganzen etwa zwölf Männer.

Die Verkündigung des Evangeliums und begleitende Zeichen und Wunder Hebr 2,3-4; Röm 15,16-19; 2Kor 12,12

8 Und er ging in die Synagoge und trat öffentlich auf, indem er drei Monate lang Gespräche führte und sie von den Dingen des Reiches Gottes zu überzeugen suchte. 9 Da aber etliche sich verstockten und sich nicht überzeugen ließen, sondern

den Weg vor der Menge verleumdeten, trennte er sich von ihnen und sonderte die Jünger ab und hielt täglich Gespräche in der Schule eines gewissen Tyrannus. [10] Das geschah zwei Jahre lang, so daß alle, die in [der Provinz] Asia wohnten, das Wort des Herrn Jesus hörten, sowohl Juden als auch Griechen.

11 Und Gott wirkte ungewöhnliche Wunder durch Paulus, [12] so daß sogar Schweißtücher oder Gürtel von seinem Leib zu den Kranken gebracht wurden und die Krankheiten von ihnen wichen und die bösen Geister von ihnen ausfuhren.

13 Es versuchten aber etliche von den herumziehenden jüdischen Beschwörern, über denen, die böse Geister hatten, den Namen des Herrn Jesus zu nennen, indem sie sagten: Wir beschwören euch bei dem Jesus, den Paulus verkündigt! [14] Es waren aber sieben Söhne eines jüdischen Hohenpriesters Skevas, die dies taten. [15] Aber der böse Geist antwortete und sprach: Jesus kenne ich, und von Paulus weiß ich; wer aber seid ihr? [16] Und der Mensch, in dem der böse Geist war, sprang auf sie los, und er überwältigte sie und zeigte ihnen dermaßen seine Kraft, daß sie entblößt und verwundet aus jenem Haus flohen.

17 Das aber wurde allen bekannt, die in Ephesus wohnten, sowohl Juden als auch Griechen. Und Furcht fiel auf sie alle, und der Name des Herrn Jesus wurde hoch gepriesen. [18] Und viele von denen, die gläubig geworden waren, kamen und bekannten und erzählten ihre Taten. [19] Viele aber von denen, die Zauberkünste getrieben hatten, trugen die Bücher zusammen und verbrannten sie öffentlich; und sie berechneten ihren Wert und kamen auf fünfzigtausend Silberlinge.

20 So wuchs das Wort des Herrn mächtig und erwies sich als kräftig.

21 Nachdem aber diese Dinge ausgerichtet waren, nahm sich Paulus im Geist vor, zuerst durch Mazedonien und Achaja zu ziehen und dann nach Jerusalem zu reisen, indem er sprach: Wenn ich dort gewesen bin, muß ich auch Rom sehen! [22] Und er sandte zwei seiner Gehilfen, Timotheus und Erastus, nach Mazedonien und hielt sich noch eine Zeitlang in [der Provinz] Asia auf.

Der Aufruhr in Ephesus

23 Aber um jene Zeit entstand ein nicht unbedeutender Aufruhr um des Weges willen. [24] Denn ein gewisser Mann namens Demetrius, ein Silberschmied, verfertigte silberne Tempel der

Diana[a] und verschaffte den Künstlern beträchtlichen Gewinn. 25 Diese versammelte er samt den Arbeitern desselben Faches und sprach: Ihr Männer, ihr wißt, daß von diesem Gewerbe unser Wohlstand kommt. [26] Und ihr seht und hört, daß dieser Paulus nicht allein in Ephesus, sondern fast in ganz Asia eine große Menge überredet und umgestimmt hat, indem er sagt, daß es keine Götter gebe, die mit Händen gemacht werden. [27] Aber es besteht nicht nur die Gefahr, daß dieses unser Geschäft in Verruf kommt, sondern auch, daß der Tempel der großen Göttin Diana für nichts geachtet und zuletzt auch ihre Majestät gestürzt wird, die doch ganz Asia und der Erdkreis verehrt! [28] Als sie das hörten, wurden sie voll Zorn und schrieen: Groß ist die Diana der Epheser!

29 Und die ganze Stadt kam in Verwirrung, und sie stürmten einmütig ins Theater und rissen die Mazedonier Gajus und Aristarchus, die Reisegefährten des Paulus, mit sich. [30] Als aber Paulus unter das Volk gehen wollte, ließen es ihm die Jünger nicht zu. [31] Auch etliche der Asiarchen, die ihm wohlgesonnen waren, sandten zu ihm und baten ihn, sich nicht ins Theater zu begeben.

32 Hier schrie nun alles durcheinander; denn die Versammlung war in der größten Verwirrung, und die Mehrzahl wußte nicht, aus welchem Grund sie zusammengekommen waren. [33] Da zogen sie aus der Volksmenge den Alexander hervor, da die Juden ihn vorschoben. Und Alexander gab mit der Hand ein Zeichen und wollte sich vor dem Volk verantworten. [34] Als sie aber vernahmen, daß er ein Jude sei, schrieen sie alle wie aus einem Munde etwa zwei Stunden lang: Groß ist die Diana der Epheser!

35 Da beruhigte der Stadtschreiber die Menge und sprach: Ihr Männer von Ephesus, wo ist denn ein Mensch, der nicht wüßte, daß die Stadt Ephesus die Tempelpflegerin der großen Göttin Diana und des vom Himmel gefallenen Bildes ist? [36] Da nun dies unwidersprechlich ist, so solltet ihr euch ruhig verhalten und nichts Übereiltes tun. [37] Denn ihr habt diese Männer hergeführt, die weder Tempelräuber sind, noch eure Göttin gelästert haben.

38 Wenn aber Demetrius und die Künstler, die mit ihm sind, gegen jemand eine Klage haben, so werden Gerichtstage gehalten, und es sind Statthalter da; sie mögen einander verklagen! [39] Habt ihr aber ein Begehren wegen anderer Angelegen-

---

a. (19,24) Diana (Artemis) war eine heidnische Göttin der Jagd, die in Ephesus auch als Fruchtbarkeitsgöttin verehrt wurde.

heiten, so wird es in der gesetzlichen Versammlung[a] erledigt werden. [40] Denn wir stehen in Gefahr, daß wir wegen des heutigen Tages des Aufruhrs angeklagt werden, weil kein Grund vorliegt, womit wir diese Zusammenrottung entschuldigen könnten! [41] Und als er das gesagt hatte, entließ er die Versammlung.

Paulus in Mazedonien und Griechenland   1Kor 16,1-7; 2Kor 7,5

20 Nachdem sich aber der Tumult gelegt hatte, rief Paulus die Jünger zu sich, und als er Abschied von ihnen genommen hatte, zog er fort, um nach Mazedonien zu reisen. [2] Und nachdem er jene Gebiete durchzogen und sie mit vielen Worten ermahnt hatte, kam er nach Griechenland. [3] Und er brachte dort drei Monate zu; und da ihm die Juden nachstellten, als er nach Syrien abfahren wollte, entschloß er sich, über Mazedonien zurückzukehren.

4 Es begleiteten ihn aber bis nach [der Provinz] Asia Sopater von Beröa, von den Thessalonichern Aristarchus und Sekundus, und Gajus von Derbe und Timotheus, aus Asia aber Tychikus und Trophimus. [5] Diese gingen voraus und warteten auf uns in Troas.

In Troas. Die Auferweckung des Eutychus   Apg 9,36-42

6 Wir aber fuhren nach den Tagen der ungesäuerten Brote von Philippi ab und kamen in fünf Tagen zu ihnen nach Troas, wo wir uns sieben Tage aufhielten.

7 Am ersten Tag der Woche aber, als die Jünger versammelt waren, um das Brot zu brechen, unterredete sich Paulus mit ihnen, da er am folgenden Tag abreisen wollte, und er dehnte die Rede bis Mitternacht aus. [8] Es waren aber zahlreiche Lampen in dem Obersaal, wo sie versammelt waren. [9] Und ein Jüngling namens Eutychus saß am Fenster; der sank in einen tiefen Schlaf; während Paulus weiterredete, fiel er, vom Schlaf überwältigt, vom dritten Stock hinab und wurde tot aufgehoben.

10 Da ging Paulus hinab und warf sich über ihn, umfaßte ihn und sprach: Macht keinen Lärm; denn seine Seele ist in ihm! [11] Und er ging wieder hinauf und brach Brot, aß und unterredete sich noch lange mit ihnen, bis der Tag anbrach, und zog dann fort. [12] Sie brachten aber den Knaben lebendig herbei und waren nicht wenig getröstet.

---

a. (19,39) gr. *ekklesia,* hier die Volksversammlung.

Weiterreise nach Milet

13 Wir aber gingen voraus zum Schiff und fuhren nach Assus, um dort Paulus an Bord zu nehmen; denn so hatte er es angeordnet, weil er zu Fuß reisen wollte. [14] Als er aber in Assus mit uns zusammentraf, nahmen wir ihn an Bord und kamen nach Mitylene. [15] Und von dort segelten wir ab und kamen am folgenden Tag auf die Höhe von Chios; tags darauf aber fuhren wir nach Samos, und nach einem Aufenthalt in Trogyllium gelangten wir am nächsten Tag nach Milet. [16] Paulus hatte nämlich beschlossen, an Ephesus vorbeizusegeln, damit er in [der Provinz] Asia nicht zu viel Zeit zubringen müßte; denn er beeilte sich, um möglichst am Tag der Pfingsten in Jerusalem zu sein.

Die Abschiedsrede des Paulus an die Ältesten von Ephesus
1Th 2,1-12; 1Pt 5,1-4; Mt 7,15-20; 2Pt 2,1-3

17 Von Milet aber sandte er nach Ephesus und ließ die Ältesten der Gemeinde herüberrufen. [18] Und als sie zu ihm gekommen waren, sprach er zu ihnen: Ihr wißt, wie ich mich vom ersten Tag an, als ich Asia betrat, die ganze Zeit unter euch verhalten habe, [19] daß ich dem Herrn diente mit aller Demut, unter vielen Tränen und Anfechtungen, die mir widerfuhren durch die Nachstellungen der Juden; [20] und wie ich nichts verschwiegen habe von dem, was nützlich ist, sondern es euch verkündigt und euch gelehrt habe, öffentlich und in den Häusern, [21] indem ich Juden und Griechen die Buße zu Gott und den Glauben an unseren Herrn Jesus Christus bezeugt habe.

22 Und siehe, jetzt reise ich gebunden im Geist nach Jerusalem, ohne zu wissen, was mir dort begegnen wird, [23] außer daß der Heilige Geist von Stadt zu Stadt Zeugnis gibt und sagt, daß Fesseln und Drangsale auf mich warten. [24] Aber auf das alles nehme ich keine Rücksicht; mein Leben ist mir auch selbst nicht teuer, wenn es gilt, meinen Lauf mit Freuden zu vollenden und den Dienst, den ich von dem Herrn Jesus empfangen habe, nämlich das Evangelium der Gnade Gottes zu bezeugen.

25 Und nun siehe, ich weiß, daß ihr mein Angesicht nicht mehr sehen werdet, ihr alle, bei denen ich umhergezogen bin und das Reich Gottes verkündigt habe. [26] Darum bezeuge ich euch am heutigen Tag, daß ich rein bin von aller Blut. [27] Denn ich habe nichts verschwiegen, sondern habe euch den ganzen Ratschluß Gottes verkündigt.

28 So habt nun acht auf euch selbst und auf die ganze Herde, in welcher der Heilige Geist euch zu Aufsehern gesetzt hat, um

die Gemeinde Gottes zu hüten, die er durch sein eigenes Blut erworben hat! **29** Denn das weiß ich, daß nach meinem Abschied räuberische Wölfe zu euch hineinkommen werden, die die Herde nicht schonen; **30** und aus eurer eigenen Mitte werden Männer aufstehen, die verkehrte Dinge reden, um die Jünger wegzuziehen in ihre Gefolgschaft.

31 Darum wachet und denkt daran, daß ich drei Jahre lang Tag und Nacht nicht aufgehört habe, jeden einzelnen unter Tränen zu ermahnen. **32** Und nun, Brüder, übergebe ich euch Gott und dem Wort seiner Gnade, das die Kraft hat, aufzuerbauen und euch ein Erbteil zu geben unter allen Geheiligten.

33 Silber oder Gold oder Kleidung habe ich von niemand begehrt; **34** ihr wißt ja selbst, daß diese Hände für meine Bedürfnisse und für diejenigen meiner Gefährten gesorgt haben. **35** In allem habe ich euch gezeigt, daß man so arbeiten und sich der Schwachen annehmen muß, eingedenk der Worte des Herrn Jesus, der selbst gesagt hat: Geben ist glückseliger als Nehmen!

36 Und nachdem er dies gesagt hatte, kniete er nieder und betete mit ihnen allen. **37** Da weinten alle sehr, fielen Paulus um den Hals und küßten ihn, **38** am meisten betrübt über das Wort, das er gesagt hatte, daß sie sein Angesicht nicht mehr sehen würden. Und sie geleiteten ihn zum Schiff.

Weiterreise nach Tyrus

21 Als wir uns von ihnen losgerissen hatten und schließlich abgefahren waren, kamen wir geradewegs nach Kos und am folgenden Tag nach Rhodos und von da nach Patara. **2** Und als wir ein Schiff fanden, das nach Phönizien fuhr, stiegen wir ein und fuhren ab.

3 Als wir aber Cypern erblickten, ließen wir es links liegen, fuhren nach Syrien und gelangten nach Tyrus; denn dort sollte das Schiff die Fracht ausladen. **4** Und als wir die Jünger gefunden hatten, blieben wir sieben Tage dort. Und sie sagten dem Paulus durch den Geist, er solle nicht nach Jerusalem hinaufziehen.

5 Als wir schließlich diese Tage vollendet hatten, brachen wir auf und zogen fort, wobei sie uns alle mit Frau und Kind bis vor die Stadt hinaus begleiteten; und wir knieten am Meeresstrand nieder und beteten. **6** Und nachdem wir voneinander Abschied genommen hatten, stiegen wir in das Schiff; sie aber kehrten wieder nach Hause zurück.

Paulus in Ptolemais und Cäsarea Apg 20,22-24

7 Und wir beendigten die Fahrt, die wir in Tyrus begonnen hatten, und kamen nach Ptolemais und begrüßten die Brüder und blieben einen Tag bei ihnen. [8] Am folgenden Tag aber zogen wir, die wir Paulus begleiteten, fort und kamen nach Cäsarea; und wir gingen in das Haus des Evangelisten Philippus, der einer von den Sieben war, und blieben bei ihm. [9] Dieser hatte vier Töchter, Jungfrauen, die weissagten.

10 Als wir uns aber mehrere Tage dort aufhielten, kam aus Judäa ein Prophet namens Agabus herab. [11] Der kam zu uns, nahm den Gürtel des Paulus und band sich die Hände und die Füße und sprach: Das sagt der Heilige Geist: Den Mann, dem dieser Gürtel gehört, werden die Juden in Jerusalem so binden und in die Hände der Heiden ausliefern!

12 Als wir aber dies hörten, baten sowohl wir als auch die Einheimischen, daß er nicht nach Jerusalem hinaufziehen solle. [13] Aber Paulus antwortete: Was macht ihr, daß ihr weint und mir das Herz brecht? Ich bin bereit, nicht nur mich binden zu lassen, sondern auch zu sterben in Jerusalem für den Namen des Herrn Jesus! [14] Und da er sich nicht überreden ließ, beruhigten wir uns und sprachen: Der Wille des Herrn geschehe!

15 Nach diesen Tagen aber machten wir uns reisefertig und zogen hinauf nach Jerusalem. [16] Es gingen aber auch etliche Jünger aus Cäsarea mit uns, die brachten uns zu einem gewissen Mnason aus Cypern, einem alten Jünger, bei dem wir als Gäste wohnen sollten.

Paulus in Jerusalem 1Kor 9,19-23

17 Und als wir in Jerusalem angekommen waren, nahmen uns die Brüder mit Freuden auf. [18] Am folgenden Tag aber ging Paulus mit uns zu Jakobus, und alle Ältesten fanden sich ein. [19] Und nachdem er sie begrüßt hatte, erzählte er alles bis ins einzelne, was Gott unter den Heiden durch seinen Dienst getan hatte.

20 Sie aber priesen den Herrn, als sie dies hörten; und sie sprachen zu ihm: Bruder, du siehst, welch große Zahl von Juden gläubig geworden ist, und alle sind Eiferer für das Gesetz. [21] Es ist ihnen aber über dich berichtet worden, du würdest alle Juden, die unter den Heiden sind, den Abfall von Mose lehren und sagen, sie sollten ihre Kinder nicht beschneiden und nicht nach den Gebräuchen wandeln. [22] Was ist nun zu tun? Auf jeden Fall muß die Menge zusammenkommen; denn sie werden hören, daß du gekommen bist.

23 So tue nun das, was wir dir sagen: Wir haben vier Männer, die ein Gelübde auf sich haben; [24] diese nimm zu dir, laß dich reinigen mit ihnen und trage die Kosten für sie, daß sie das Haupt scheren lassen; so können alle erkennen, daß nichts ist an dem, was über dich berichtet worden ist, sondern daß auch du ordentlich wandelst und das Gesetz hältst.

25 Was aber die gläubig gewordenen Heiden betrifft, so haben wir [ja] geschrieben und angeordnet, daß sie von alledem nichts zu befolgen haben, sondern sich nur hüten sollen vor dem Götzenopfer und dem Blut und vor Ersticktem und Unzucht.

26 Da nahm Paulus die Männer zu sich und ging am folgenden Tag, nachdem er sich hatte reinigen lassen, mit ihnen in den Tempel und kündigte die Erfüllung der Tage der Reinigung an, bis für einen jeden von ihnen das Opfer dargebracht werden sollte.

Paulus wird im Tempel gefangengenommen Apg 20,23; 1Th 2,15

27 Als aber die sieben Tage zu Ende gingen, brachten die Juden aus [der Provinz] Asia, die ihn im Tempel sahen, die ganze Volksmenge in Aufruhr und legten Hand an ihn [28] und schrieen: Ihr israelitischen Männer, kommt zu Hilfe! Das ist der Mensch, der überall jedermann lehrt gegen das Volk und das Gesetz und diese Stätte. Dazu hat er auch noch Griechen in den Tempel geführt und diese heilige Stätte entweiht! [29] Sie hatten nämlich vorher in der Stadt den Epheser Trophimus mit ihm gesehen und meinten, Paulus habe ihn in den Tempel geführt.

30 Da kam die ganze Stadt in Bewegung, und es entstand ein Volksauflauf; und sie ergriffen den Paulus und schleppten ihn zum Tempel hinaus, und sogleich wurden die Türen verschlossen. [31] Als sie ihn aber zu töten suchten, kam die Meldung hinauf zu dem Befehlshaber der Schar[a], daß ganz Jerusalem in Aufruhr sei. [32] Der nahm sogleich Soldaten und Hauptleute mit sich und eilte zu ihnen hinab. Als sie aber den Befehlshaber und die Soldaten sahen, hörten sie auf, den Paulus zu schlagen.

33 Da kam der Befehlshaber herzu und verhaftete ihn und ließ ihn mit zwei Ketten fesseln und erkundigte sich, wer er denn sei und was er getan habe. [34] In der Menge aber schrieen die einen dies, die anderen das; und da er wegen des Tumultes nichts Gewisses erfahren konnte, befahl er, ihn in die Kaserne zu führen. [35] Als er aber an die Stufen kam, mußte er von den Soldaten getragen werden wegen der Gewalttätigkeit der

a. (21,31) d.h. der römischen Truppe oder Kohorte, die in Jerusalem stationiert war.

Volksmenge.   ³⁶ Denn die Masse des Volkes folgte nach und schrie: Hinweg mit ihm¹

37 Und als Paulus in die Kaserne geführt werden sollte, sprach er zu dem Befehlshaber: Darf ich etwas zu dir sagen? Er aber sprach: Du verstehst Griechisch? ³⁸ Bist du also nicht der Ägypter, der vor diesen Tagen einen Aufruhr erregte und die viertausend Mann Meuchelmörder in die Wüste hinausführte? ³⁹ Aber Paulus sprach: Ich bin ein jüdischer Mann aus Tarsus, Bürger einer nicht unberühmten Stadt in Cilicien. Ich bitte dich, erlaube mir, zum Volk zu reden! ⁴⁰ Und als er ihm die Erlaubnis gab, stellte sich Paulus auf die Stufen und gab dem Volk ein Zeichen mit der Hand. Und als es ganz still geworden war, redete er sie in hebräischer Sprache an und sagte:

Die Rede des Paulus an das jüdische Volk Apg 9,1-30; 26,9-21

22 Ihr Männer, Brüder und Väter, hört jetzt meine Verteidigung vor euch an! ² Als sie aber hörten, daß er in hebräischer Sprache zu ihnen redete, wurden sie noch ruhiger; und er sprach:

3 Ich bin ein jüdischer Mann, geboren in Tarsus in Cilicien, aber erzogen in dieser Stadt, zu den Füßen Gamaliels, unterwiesen in der gewissenhaften Einhaltung des Gesetzes der Väter, und ich war ein Eiferer für Gott, wie ihr alle es heute seid.

4 Ich verfolgte diesen Weg bis auf den Tod, indem ich Männer und Frauen band und ins Gefängnis überlieferte, ⁵ wie mir auch der Hohepriester und die ganze Ältestenschaft Zeugnis gibt. Von ihnen empfing ich sogar Briefe an die Brüder und zog nach Damaskus, um auch die, welche dort waren, gebunden nach Jerusalem zu führen, damit sie bestraft würden.

6 Es geschah mir aber, als ich auf meiner Reise in die Nähe von Damaskus kam, daß mich am Mittag plötzlich vom Himmel her ein helles Licht umstrahlte. ⁷ Und ich fiel zu Boden und hörte eine Stimme, die zu mir sprach: Saul! Saul! was verfolgst du mich? ⁸ Ich aber antwortete: Wer bist du, Herr? Und er sprach zu mir: Ich bin Jesus, der Nazarener, den du verfolgst!

9 Meine Begleiter aber sahen zwar das Licht und wurden voll Furcht, aber die Stimme dessen, der mit mir redete, hörten sie nicht. ¹⁰ Und ich sprach: Was soll ich tun, Herr? Der Herr sprach zu mir: Steh auf und geh nach Damaskus! Dort wird man dir alles sagen, was dir zu tun bestimmt ist. ¹¹ Da ich aber wegen des Glanzes jenes Lichtes nicht sehen konnte, wurde ich von meinen Begleitern an der Hand geführt und kam nach Damaskus.

12 Aber ein gewisser Ananias, ein gottesfürchtiger Mann nach dem Gesetz, der von allen Juden, die dort wohnen, ein gutes Zeugnis hat, 13 der kam zu mir, trat herzu und sprach zu mir: Bruder Saul, werde wieder sehend! Und zur selben Stunde konnte ich ihn sehen. 14 Er aber sprach: Der Gott unserer Väter hat dich vorherbestimmt, seinen Willen zu erkennen und den Gerechten zu sehen und die Stimme aus seinem Mund zu hören; 15 denn du sollst bei allen Menschen ein Zeuge für ihn sein von dem, was du gesehen und gehört hast. 16 Und nun, was zögerst du? Steh auf, laß dich taufen und laß deine Sünden abwaschen, indem du den Namen des Herrn anrufst!

17 Es geschah mir aber, als ich nach Jerusalem zurückgekehrt war und im Tempel betete, daß ich in eine Verzückung geriet 18 und Ihn sah, der zu mir sprach: Eile und geh schnell aus Jerusalem fort, denn sie werden dein Zeugnis von mir nicht annehmen! 19 Und ich sprach: Herr, sie wissen selbst, daß ich die, welche an dich glaubten, ins Gefängnis werfen und in den Synagogen schlagen ließ, 20 und daß auch ich dabeistand, als das Blut deines Zeugen Stephanus vergossen wurde, und seiner Hinrichtung zustimmte und die Kleider derer verwahrte, die ihn töteten. 21 Und er sprach zu mir: Geh hin, denn ich will dich in die Ferne zu den Heiden senden!

22 Sie hörten ihm aber zu bis zu diesem Wort; und dann erhoben sie ihre Stimme und sprachen: Hinweg mit einem solchen von der Erde! Denn es darf nicht sein, daß er am Leben bleibt!

Paulus vor dem römischen Befehlshaber

23 Als sie aber schrieen und die Kleider von sich warfen und Staub in die Luft schleuderten, 24 ließ der Befehlshaber ihn in die Kaserne führen und befahl, ihn unter Geißelhieben zu verhören, um zu erfahren, aus welchem Grund sie derart über ihn schrieen. 25 Als man ihn aber mit den Riemen festband, sprach Paulus zu dem Hauptmann, der dabeistand: Ist es euch erlaubt, einen Römer zu geißeln, und dazu noch ohne Urteil? 26 Als der Hauptmann das hörte, ging er hin und meldete es dem Befehlshaber und sprach: Hab acht, was du tun willst, denn dieser Mensch ist ein Römer!

27 Da kam der Befehlshaber herzu und sprach zu ihm: Sage mir, bist du ein Römer? Er antwortete: Ja! 28 Und der Befehlshaber erwiderte: Ich habe dieses Bürgerrecht für eine große Summe erworben. Paulus aber sprach: Ich aber bin sogar darin

geboren! ²⁹ Sogleich ließen die, welche ihn gewaltsam verhören wollten, von ihm ab, und auch der Befehlshaber fürchtete sich, nachdem er erfahren hatte, daß er ein Römer war, und weil er ihn hatte fesseln lassen.

30 Da er aber mit Gewißheit erfahren wollte, weshalb er von den Juden angeklagt wurde, ließ er ihm am folgenden Tag die Fesseln abnehmen und befahl den Hohenpriestern samt ihrem ganzen Hohen Rat, zu kommen; und er führte Paulus hinab und stellte ihn vor sie.

Paulus vor dem Hohen Rat

23 Da sah Paulus den Hohen Rat eindringlich an und sprach: Ihr Männer und Brüder, ich habe mein Leben mit allem guten Gewissen vor Gott geführt bis auf diesen Tag.

2 Aber der Hohepriester Ananias befahl den Umstehenden, ihn auf den Mund zu schlagen. ³ Da sprach Paulus zu ihm: Gott wird dich schlagen, du getünchte Wand! Du sitzt da, um mich zu richten nach dem Gesetz, und befiehlst, mich zu schlagen gegen das Gesetz? ⁴ Die Umstehenden aber sprachen: Schmähst du den Hohenpriester Gottes? ⁵ Da sprach Paulus: Ich wußte nicht, ihr Brüder, daß er Hoherpriester ist, denn es steht geschrieben: *Über einen Obersten deines Volkes sollst du nichts Böses reden.*

6 Da aber Paulus wußte, daß der eine Teil aus Sadduzäern, der andere aus Pharisäern bestand, rief er in die Ratsversammlung hinein: Ihr Männer und Brüder, ich bin ein Pharisäer und der Sohn eines Pharisäers; wegen der Hoffnung und der Auferstehung der Toten werde ich gerichtet!

7 Als er aber dies sagte, entstand ein Streit zwischen den Pharisäern und den Sadduzäern, und die Versammlung spaltete sich. ⁸ Die Sadduzäer sagen nämlich, es gebe keine Auferstehung, auch weder Engel noch Geist; die Pharisäer aber bekennen sich zu beidem.

9 Es entstand aber ein großes Geschrei, und die Schriftgelehrten von der Partei der Pharisäer standen auf, stritten heftig und sprachen: Wir finden nichts Böses an diesem Menschen; wenn aber ein Geist zu ihm geredet hat oder ein Engel, so wollen wir nicht gegen Gott streiten! ¹⁰ Da aber ein großer Aufruhr entstand, befürchtete der Befehlshaber, Paulus könnte von ihnen zerrissen werden, und er befahl der Truppe, herabzukommen und ihn rasch aus ihrer Mitte herauszuführen und in die Kaserne zu bringen.

11 Aber in der folgenden Nacht trat der Herr zu ihm und sprach: Sei getrost, Paulus! Denn wie du in Jerusalem von mir Zeugnis abgelegt hast, so sollst du auch in Rom Zeugnis ablegen.

Der geplante Mordanschlag der Juden

12 Als es aber Tag geworden war, rotteten sich etliche Juden zusammen und verschworen sich, weder zu essen noch zu trinken, bis sie Paulus umgebracht hätten. 13 Es waren aber mehr als vierzig, die diese Verschwörung gemacht hatten. 14 Diese gingen zu den Hohenpriestern und Ältesten und sprachen: Wir haben uns mit einem Fluch verschworen, nichts zu genießen, bis wir Paulus umgebracht haben. 15 So werdet nun ihr samt dem Hohen Rat bei dem Befehlshaber vorstellig [mit der Bitte], daß er ihn morgen zu euch hinabführen soll, [indem ihr so tut,] als ob ihr seine Sache genauer untersuchen wolltet; wir aber sind bereit, ihn vor seiner Ankunft umzubringen!

16 Als aber der Sohn der Schwester des Paulus von diesem Anschlag hörte, kam er, ging in die Kaserne hinein und berichtete es dem Paulus. 17 Da rief Paulus einen der Hauptleute zu sich und sprach: Führe diesen Jüngling zu dem Befehlshaber, denn er hat ihm etwas zu berichten! 18 Der nahm ihn und führte ihn zu dem Befehlshaber und sprach: Der Gefangene Paulus rief mich zu sich und bat mich, diesen Jüngling zu dir zu führen, der dir etwas zu sagen habe. 19 Da nahm ihn der Befehlshaber bei der Hand, ging mit ihm beiseite und fragte ihn: Was hast du mir zu berichten?

20 Und er sprach: Die Juden sind übereingekommen, dich zu bitten, daß du morgen Paulus in den Hohen Rat hinabführen läßt, als ob sie seine Sache noch genauer untersuchen wollten. 21 Laß dich aber nicht von ihnen bereden, denn mehr als vierzig Männer von ihnen stellen ihm nach; die haben sich verschworen, weder zu essen noch zu trinken, bis sie ihn umgebracht haben, und jetzt sind sie bereit und warten auf deine Zusage. 22 Nun entließ der Befehlshaber den Jüngling und gebot ihm: Sage niemand, daß du mir dies angezeigt hast!

Paulus wird nach Cäsarea gebracht

23 Und er ließ zwei Hauptleute zu sich rufen und sprach: Haltet zweihundert Soldaten bereit, daß sie nach Cäsarea ziehen, dazu siebzig Reiter und zweihundert Lanzenträger, von der dritten Stunde der Nacht an; 24 auch soll man Tiere bereitstellen, damit sie den Paulus daraufsetzen und ihn sicher zu dem

Statthalter Felix bringen! 25 Und er schrieb einen Brief, der folgenden Inhalt hatte:

26 Claudius Lysias schickt dem hochedlen Statthalter Felix einen Gruß! 27 Dieser Mann wurde von den Juden ergriffen, und er sollte von ihnen umgebracht werden; da griff ich mit der Truppe ein und befreite ihn, weil ich erfuhr, daß er ein Römer ist. 28 Da ich aber den Grund ihrer Anklage gegen ihn ermitteln wollte, führte ich ihn in ihren Hohen Rat hinab. 29 Da fand ich, daß er wegen Streitfragen ihres Gesetzes angeklagt wurde, daß aber keine Anklage gegen ihn vorlag, die Tod oder Gefangenschaft verdiente. 30 Da mir aber angezeigt wurde, daß von seiten der Juden ein Anschlag gegen diesen Mann geplant ist, so habe ich ihn sogleich zu dir geschickt und auch den Klägern befohlen, vor dir zu sagen, was gegen ihn vorliegt. Lebe wohl!

31 Die Kriegsknechte nun nahmen den Paulus, wie ihnen befohlen war, und führten ihn während der Nacht nach Antipatris. 32 Am folgenden Tag aber ließen sie die Reiter mit ihm ziehen und kehrten wieder in die Kaserne zurück. 33 Jene aber übergaben bei ihrer Ankunft in Cäsarea dem Statthalter den Brief und führten ihm auch den Paulus vor. 34 Nachdem aber der Statthalter den Brief gelesen hatte und auf die Frage, aus welcher Provinz er sei, erfahren hatte, daß er aus Cilicien stammte, 35 sprach er: Ich will dich verhören, wenn deine Ankläger auch eingetroffen sind. Und er befahl, ihn im Prätorium des Herodes zu bewachen.

Paulus wird vor dem Statthalter Felix angeklagt

24 Nach fünf Tagen aber kam der Hohepriester Ananias mit den Ältesten und einem Redner, einem gewissen Tertullus, hinab; und sie erschienen vor dem Statthalter gegen Paulus. 2 Als dieser aber gerufen worden war, begann Tertullus mit der Anklagerede und sprach:

3 Daß wir viel Frieden durch dich genießen und daß diesem Volk durch deine Fürsorge bessere Zustände geschaffen worden sind, das erkennen wir allezeit und überall an, hochedler Felix, mit aller Dankbarkeit! 4 Damit ich dich aber nicht allzusehr bemühe, bitte ich dich, uns in Kürze nach deiner Freundlichkeit anzuhören.

5 Wir haben nämlich diesen Mann als eine Pest befunden, als einen, der Aufruhr stiftet unter allen Juden in der ganzen Welt, als einen Anführer der Sekte der Nazarener. 6 Er versuchte sogar, den Tempel zu entheiligen; doch wir ergriffen ihn und

wollten ihn nach unserem Gesetz richten. [7] Aber Lysias, der
Befehlshaber, kam dazu und entriß ihn mit großer Gewalt unseren Händen; [8] und er befahl, daß seine Ankläger zu dir kommen sollten. Von ihm kannst du selbst, wenn du ihn verhörst,
alles erfahren, dessen wir ihn anklagen. [9] Und auch die Juden
stimmten dem bei und behaupteten, es verhielte sich so.

Die Verteidigungsrede des Paulus

10 Paulus aber gab, nachdem ihn der Statthalter durch ein Zeichen zum Reden aufgefordert hatte, folgende Antwort: Da ich
weiß, daß du seit vielen Jahren Richter bist über dieses Volk, so
verteidige ich meine Sache desto zuversichtlicher, [11] weil du
erfahren kannst, daß es nicht länger als zwölf Tage her ist, seit
ich hinaufzog, um in Jerusalem anzubeten.
12 Und sie fanden mich weder im Tempel, daß ich mich mit jemand gestritten oder einen Volksauflauf erregt hätte, noch in
den Synagogen, noch in der Stadt. [13] Sie können mir auch das
nicht nachweisen, dessen sie mich jetzt anklagen.
14 Das bekenne ich dir aber, daß ich nach dem Weg, den sie
eine Sekte nennen, dem Gott der Väter auf diese Weise diene,
daß ich an alles glaube, was im Gesetz und in den Propheten
geschrieben steht; [15] und ich habe die Hoffnung zu Gott, auf
die auch sie selbst warten, daß es eine künftige Auferstehung
der Toten geben wird, sowohl der Gerechten als der Ungerechten. [16] Daher übe ich mich auch darin, allezeit ein unverletztes
Gewissen zu haben gegenüber Gott und den Menschen.
17 Ich bin aber nach vielen Jahren gekommen, um Almosen für
mein Volk zu bringen und Opfer. [18] Dabei fanden mich aber etliche Juden aus [der Provinz] Asia, als ich mich im Tempel reinigen ließ, ohne daß ein Volksauflauf oder Tumult entstanden
wäre; [19] die sollten vor dir erscheinen und Anklage erheben,
wenn sie etwas gegen mich hätten. [20] Oder diese selbst mögen
sagen, ob sie irgendein Unrecht an mir gefunden haben, als ich
vor dem Hohen Rat stand; [21] außer um jenes einzigen Wortes
willen, das ich rief, als ich unter ihnen stand: Wegen der Auferstehung der Toten werde ich heute von euch gerichtet!
22 Als Felix dies hörte, verwies er sie auf eine spätere Zeit, da er
den Weg genauer kannte, und sprach: Wenn Lysias, der Befehlshaber, herabkommt, will ich eure Sache untersuchen.
[23] Und er befahl dem Hauptmann, Paulus in Gewahrsam zu
halten und ihm Erleichterung zu gewähren und auch keinem
der Seinen zu verbieten, ihm Dienste zu leisten oder zu ihm zu
kommen.

Das Gespräch des Apostels mit Felix und Drusilla. Haft in Cäsarea

24 Nach etlichen Tagen aber kam Felix mit seiner Frau Drusilla, die eine Jüdin war, und ließ den Paulus holen und hörte ihn über den Glauben an Christus.

25 Als er aber von Gerechtigkeit und Enthaltsamkeit und dem zukünftigen Gericht redete, wurde Felix voll Furcht, und er antwortete: Für diesmal kannst du gehen; wenn ich aber gelegene Zeit finde, will ich dich wieder rufen lassen! 26 Zugleich hoffte er aber auch, daß ihm von Paulus Geld gegeben würde, damit er ihn freiließe. Darum ließ er ihn auch öfters kommen und besprach sich mit ihm.

27 Als aber zwei Jahre verflossen waren, bekam Felix den Porcius Festus zum Nachfolger, und da sich Felix die Juden zu Dank verpflichten wollte, ließ er den Paulus gebunden zurück.

Paulus vor Festus

25 Als nun Festus in der Provinz angekommen war, zog er nach drei Tagen von Cäsarea hinauf nach Jerusalem. 2 Da wurden der Hohepriester und die Vornehmsten der Juden bei ihm vorstellig gegen Paulus und redeten ihm zu, 3 und sie baten es sich als eine Gunst gegen ihn aus, daß er ihn nach Jerusalem holen ließe; dabei planten sie einen Anschlag, um ihn unterwegs umzubringen.

4 Festus jedoch antwortete, Paulus werde in Cäsarea in Verwahrung gehalten, er selbst aber werde in Kürze wieder abreisen. 5 So laßt nun, sprach er, eure Bevollmächtigten mit hinabziehen; und wenn eine Schuld an diesem Mann ist, sollen sie ihn anklagen!

6 Nachdem er aber mehr als zehn Tage bei ihnen gewesen war, zog er nach Cäsarea hinab, und am folgenden Tag setzte er sich auf den Richterstuhl und ließ Paulus vorführen. 7 Und als dieser erschien, stellten sich die Juden, die von Jerusalem herabgekommen waren, ringsherum auf und brachten viele und schwere Anklagen gegen Paulus vor, die sie nicht beweisen konnten, 8 während er sich so verteidigte: Weder gegen das Gesetz der Juden, noch gegen den Tempel, noch gegen den Kaiser habe ich etwas verbrochen!

Paulus beruft sich auf den Kaiser

9 Festus aber, der sich die Juden zu Dank verpflichten wollte, antwortete dem Paulus und sprach: Willst du nach Jerusalem hinaufziehen und dich dort hierüber von mir richten lassen? 10 Aber Paulus sprach: Ich stehe vor dem Richterstuhl des Kai-

sers, dort muß ich gerichtet werden! Den Juden habe ich kein Unrecht getan, wie du selbst am besten weißt. [11] Wenn ich aber im Unrecht bin und etwas begangen habe, was des Todes würdig ist, so weigere ich mich nicht zu sterben. Wenn aber ihre Anklagen nichtig sind, so kann mich niemand ihnen preisgeben. Ich berufe mich auf den Kaiser! [12] Da besprach sich Festus mit seinem Rat und antwortete: Du hast dich auf den Kaiser berufen; zum Kaiser sollst du gehen!

Statthalter Festus und König Agrippa besprechen sich

13 Als aber etliche Tage vergangen waren, kam der König Agrippa[a] mit Bernice nach Cäsarea, um Festus zu begrüßen. [14] Und als sie sich mehrere Tage dort aufgehalten hatten, legte Festus dem König die Sache des Paulus vor und sprach: Es ist ein Mann von Felix gefangen zurückgelassen worden; [15] seinetwegen wurden, als ich in Jerusalem war, die Hohenpriester und Ältesten der Juden vorstellig und verlangten seine Verurteilung.

16 Ich antwortete ihnen, es sei nicht der Brauch der Römer, einen Menschen dem Tod preiszugeben, ehe der Angeklagte die Kläger vor Augen habe und Gelegenheit erhalte, sich der Klage wegen zu verteidigen. [17] Als sie nun hier zusammengekommen waren, setzte ich mich ohne irgendeinen Aufschub am folgenden Tag auf den Richterstuhl und ließ den Mann vorführen. 18 Als nun die Kläger auftraten, brachten sie über ihn gar keine Klage wegen Dingen vor, die ich vermutet hatte; [19] sondern sie hielten ihm einige Streitfragen vor, die ihre besondere Religion betrafen und einen verstorbenen Jesus, von dem Paulus behauptete, er lebe.

20 Da ich aber nicht wußte, wie ich über solche Fragen ein Verhör anstellen sollte, fragte ich, ob er nach Jerusalem ziehen und sich dort hierüber richten lassen wolle. [21] Da sich aber Paulus darauf berief, daß er bis zur Entscheidung des Kaisers in Gewahrsam bleiben wollte, befahl ich, ihn in Haft zu behalten, bis ich ihn zum Kaiser sende.

22 Agrippa aber sprach zu Festus: Ich möchte den Menschen auch gerne hören! Und er sprach: Morgen sollst du ihn hören!

23 Am folgenden Tag nun kamen Agrippa und Bernice mit großem Prunk und gingen mit den Obersten und den angesehensten Männern der Stadt in den Gerichtssaal, und dann wurde Paulus auf Befehl des Festus gebracht.

---

a.   (25,13) Herodes Agrippa II., Sohn von Herodes Agrippa I. (vgl. Apg 12,1).

24 Und Festus sprach: König Agrippa und ihr Männer, die ihr mit uns anwesend seid! Da seht ihr den, um dessentwillen mich die ganze Menge der Juden anging in Jerusalem und hier, indem sie laut schrieen, er dürfe nicht länger leben. [25] Weil ich aber erkannte, daß er nichts getan hat, was des Todes würdig wäre, und auch er selbst sich auf den Kaiser berufen hat, so habe ich beschlossen, ihn abzusenden.

26 Ich weiß jedoch dem Herrn nichts Gewisses über ihn zu schreiben. Darum habe ich ihn euch vorgeführt, und besonders dir, König Agrippa, damit ich nach erfolgter Untersuchung etwas zu schreiben weiß. [27] Denn es scheint mir unvernünftig, einen Gefangenen abzusenden, ohne die gegen ihn erhobenen Klagen anzugeben.

Paulus verantwortet sich vor dem König Agrippa Mt 10,18-20

26 Agrippa aber sprach zu Paulus: Es ist dir erlaubt, für dich zu reden! Da streckte Paulus die Hand aus und verteidigte sich so:

2 Ich schätze mich glücklich, König Agrippa, mich heute vor dir verantworten zu dürfen wegen aller Anklagen, die die Juden gegen mich erheben, [3] da du ja alle Gebräuche und Streitfragen der Juden genau kennst. Darum bitte ich dich, mich geduldig anzuhören.

4 Mein Lebenswandel von Jugend auf, den ich von Anfang an unter meinem Volk in Jerusalem führte, ist allen Juden bekannt; [5] da sie wissen, wenn sie es bezeugen wollen, daß ich früher nach der strengsten Richtung unserer Religion gelebt habe, als ein Pharisäer.

6 Und jetzt stehe ich vor Gericht wegen der Hoffnung auf die Verheißung, die von Gott an die Väter ergangen ist, [7] zu welcher unsere zwölf Stämme durch Tag und Nacht anhaltenden Gottesdienst zu gelangen hoffen. Wegen dieser Hoffnung werde ich, König Agrippa, von den Juden angeklagt! [8] Warum wird es bei euch für unglaublich gehalten, daß Gott Tote auferweckt?

9 Ich habe zwar auch gemeint, ich müßte gegen den Namen Jesus von Nazareth viel Feindseliges verüben, [10] was ich auch in Jerusalem tat; und viele der Heiligen ließ ich ins Gefängnis schließen, wozu ich von den Hohenpriestern die Vollmacht empfangen hatte, und wenn sie getötet werden sollten, gab ich die Stimme dazu. [11] Und in allen Synagogen zwang ich sie oft durch Strafen zur Lästerung, und über die Maßen wütend gegen sie, verfolgte ich sie sogar bis in die auswärtigen Städte.

12 Als ich dabei mit Vollmacht und Erlaubnis von den Hohenpriestern auch nach Damaskus reiste, 13 sah ich mitten am Tag auf dem Weg, o König, vom Himmel her ein Licht, heller als der Glanz der Sonne, das mich und meine Reisegefährten umleuchtete. 14 Als wir aber alle zur Erde fielen, hörte ich eine Stimme zu mir reden und in hebräischer Sprache sagen: Saul, Saul! was verfolgst du mich? Es wird dir schwer werden, gegen den Stachel auszuschlagen!

15 Ich aber sprach: Wer bist du, Herr? Er aber sprach: Ich bin Jesus, den du verfolgst! 16 Aber steh auf und stelle dich auf deine Füße! Denn dazu bin ich dir erschienen, um dich zum Diener und Zeugen zu bestimmen für das, was du gesehen hast und für das, worin ich mich dir noch offenbaren werde; 17 und ich will dich erretten von dem Volk und den Heiden, unter die ich dich jetzt sende, 18 um ihnen die Augen zu öffnen, damit sie sich bekehren von der Finsternis zum Licht und von der Herrschaft des Satans zu Gott, damit sie Vergebung der Sünden empfangen und ein Erbteil unter den Geheiligten durch den Glauben an mich!

19 Daher, König Agrippa, bin ich der himmlischen Erscheinung nicht ungehorsam gewesen, 20 sondern ich verkündigte zuerst denen in Damaskus und in Jerusalem und dann im ganzen Gebiet von Judäa und auch den Heiden, sie sollten Buße tun und sich zu Gott bekehren, indem sie Werke tun, die der Buße würdig sind. 21 Deswegen ergriffen mich die Juden im Tempel und suchten mich umzubringen.

22 Aber da mir Hilfe von Gott zuteil wurde, so stehe ich fest bis auf diesen Tag und lege Zeugnis ab vor Kleinen und Großen und lehre nichts anderes, als was die Propheten und Mose gesagt haben, daß es geschehen werde: 23 nämlich, daß der Christus leiden müsse und daß er als der Erstling aus der Auferstehung der Toten Licht verkündigen werde dem Volk und auch den Heiden.

24 Als er aber dies zu seiner Verteidigung vorbrachte, sprach Festus mit lauter Stimme: Paulus, du bist von Sinnen! Das viele Studieren bringt dich um den Verstand!

25 Er aber sprach: Hochedler Festus, ich bin nicht von Sinnen, sondern ich rede wahre und wohlüberlegte Worte! 26 Denn der König versteht diese Dinge sehr wohl! An ihn richte ich meine freimütige Rede. Denn ich bin überzeugt, daß ihm nichts davon unbekannt ist; denn dies ist nicht im Verborgenen geschehen! 27 Glaubst du den Propheten, König Agrippa? Ich weiß, daß du glaubst.

28 Da sagte Agrippa zu Paulus: Es fehlt nicht viel, und du über-
redest mich, daß ich ein Christ werde! ²⁹ Paulus aber sprach:
Ich wünschte mir von Gott, daß über kurz oder lang nicht allein du, sondern auch alle, die mich heute hören, solche würden, wie ich bin, ausgenommen diese Fesseln!

30 Und als er dies gesagt hatte, stand der König auf, ebenso der
Statthalter und Bernice und die bei ihnen saßen. ³¹ Und sie
zogen sich zurück und redeten miteinander und sprachen:
Dieser Mensch tut nichts, was den Tod oder die Gefangenschaft verdient! ³² Agrippa aber sprach zu Festus: Man könnte
diesen Menschen freilassen, wenn er sich nicht auf den Kaiser
berufen hätte!

Die Überfahrt des Apostels nach Italien

27 Als es aber beschlossen worden war, daß wir nach Italien
abfahren sollten, übergaben sie Paulus und einige andere Gefangene einem Hauptmann namens Julius von der Kai-
serlichen Schar. ² Nachdem wir aber ein Schiff aus Adramytti-
um bestiegen hatten, das die Häfen von Asia anlaufen sollte,
reisten wir ab in Begleitung des Aristarchus, eines Mazedoni-
ers aus Thessalonich.

3 Und am nächsten Tag liefen wir in Sidon ein; und Julius er-
zeigte sich freundlich gegen Paulus und erlaubte ihm, zu seinen Freunden zu gehen und ihre Pflege zu genießen. ⁴ Von
dort fuhren wir ab und segelten unter Cypern hin, weil die
Winde uns entgegen waren. ⁵ Und nachdem wir das Meer bei
Cilicien und Pamphilien durchsegelt hatten, kamen wir nach
Myra in Lycien. ⁶ Und dort fand der Hauptmann ein Schiff aus
Alexandria, das nach Italien segelte, und brachte uns auf dasselbe.

7 Da wir aber während vieler Tage eine langsame Fahrt hatten
und nur mit Mühe in die Nähe von Knidus kamen, weil der
Wind uns nicht hinzuließ, so segelten wir unter Kreta hin gegen Salmone; ⁸ und indem wir mit Mühe der Küste entlang
fuhren, kamen wir an einen Ort, »Die schönen Häfen« genannt, in dessen Nähe die Stadt Lasäa war.

9 Da aber schon geraume Zeit verflossen war und die Schiff-
fahrt gefährlich wurde, weil auch das Fasten[a] bereits vorüber
war, warnte sie Paulus ¹⁰ und sprach: Ihr Männer, ich sehe,
daß diese Schiffsreise mit Schädigung und großem Verlust
nicht nur für die Ladung und das Schiff, sondern auch für unser Leben verbunden sein wird!

---

a. (27,9) d.h. der jüdische Versöhnungstag im Oktober.

11 Aber der Hauptmann glaubte dem Steuermann und dem Schiffsherrn mehr als dem, was Paulus sagte. [12] Da aber der Hafen ungeeignet war zum Überwintern, gab die Mehrzahl den Rat, auch von dort abzufahren, um wenn irgend möglich nach Phönix zu gelangen, einem Hafen von Kreta, der gegen Südwest und Nordwest offen liegt, und dort zu überwintern.

13 Da nun ein schwacher Südwind wehte, meinten sie, sie hätten ihre Absicht erreicht, lichteten die Anker und segelten nahe bei der Küste von Kreta hin.

Der Sturm   2Kor 11,25-26

14 Aber nicht lange danach fegte ein Wirbelwind von der Insel daher, »Euroklydon« genannt. [15] Und da das Schiff mit fortgerissen wurde und dem Wind nicht widerstehen konnte, gaben wir es preis und ließen uns treiben. [16] Als wir aber an einer kleinen Insel, Klauda genannt, vorbeifuhren, konnten wir kaum das Beiboot meistern. [17] Als sie es heraufgezogen hatten, trafen sie Schutzmaßnahmen, indem sie das Schiff untergürteten; und weil sie fürchteten, auf die Syrte[a] geworfen zu werden, zogen sie die Segel ein und ließen sich so treiben.

18 Da wir aber von dem Sturm heftig umhergetrieben wurden, warfen sie am folgenden Tag einen Teil der Ladung über Bord, [19] und am dritten Tag warfen wir mit eigener Hand das Schiffsgerät hinaus. [20] Da aber während mehrerer Tage weder Sonne noch Sterne sichtbar waren und ein heftiger Sturm anhielt, schwand endlich alle Hoffnung, daß wir gerettet werden könnten.

21 Und da man lange ohne Nahrung geblieben war, stand Paulus in ihrer Mitte auf und sprach: Ihr Männer, man hätte zwar mir gehorchen und nicht von Kreta abfahren sollen und sich so diese Schädigung und den Verlust ersparen sollen. [22] Doch jetzt ermahne ich euch, guten Mutes zu sein, denn keiner von euch wird umkommen, nur das Schiff! [23] In dieser Nacht trat zu mir nämlich ein Engel des Gottes, dem ich angehöre und dem ich auch diene, [24] und sprach: Fürchte dich nicht, Paulus! Du mußt vor den Kaiser treten; und siehe, Gott hat dir alle geschenkt, die mit dir im Schiff sind! [25] Darum seid guten Mutes, ihr Männer! Denn ich vertraue Gott, daß es so gehen wird, wie es mir gesagt worden ist. [26] Wir müssen aber auf eine Insel verschlagen werden!

---

a. (27,17) Bezeichnung einer Bucht an der nordafrikanischen Küste mit gefürchteten Sandbänken.

27 Als nun die vierzehnte Nacht kam, seitdem wir auf dem Adriatischen Meer[a] umhergetrieben wurden, vermuteten die Schiffsleute um Mitternacht, daß sie sich einem Land näherten. [28] Und sie ließen das Senkblei hinunter und maßen zwanzig Faden. Und als sie ein wenig weitergefahren waren und es wieder hinunterließen, maßen sie fünfzehn Faden. [29] Und da sie fürchteten, sie könnten auf Klippen verschlagen werden, warfen sie vom Heck des Schiffes vier Anker aus und wünschten, daß es Tag würde.

30 Als aber die Schiffsleute aus dem Schiff zu entfliehen suchten und das Boot ins Meer hinabließen unter dem Vorwand, sie wollten vom Bug Anker auswerfen, [31] sprach Paulus zu dem Hauptmann und zu den Soldaten: Wenn diese nicht im Schiff bleiben, könnt ihr nicht gerettet werden! [32] Da schnitten die Kriegsknechte die Taue des Bootes ab und ließen es hinunterfallen.

33 Als es aber Tag werden wollte, ermahnte Paulus alle, Speise zu sich zu nehmen, und sprach: Es ist heute der vierzehnte Tag, daß ihr vor ängstlicher Erwartung ohne Nahrung geblieben seid und nichts zu euch genommen habt. [34] Darum ermahne ich euch, Speise zu euch zu nehmen, denn das dient zu eurer Rettung; denn keinem von euch wird ein Haar vom Haupt ausfallen!

35 Und nachdem er das gesagt hatte, nahm er Brot, dankte Gott vor allen, brach es und fing an zu essen. [36] Da wurden alle guten Mutes und nahmen ebenfalls Speise zu sich. [37] Wir waren aber auf dem Schiff insgesamt 276 Seelen. [38] Und nachdem sie sich mit Speise gesättigt hatten, erleichterten sie das Schiff, indem sie das Getreide ins Meer warfen.

Schiffbruch und Rettung

39 Als es aber Tag wurde, erkannten sie das Land nicht; sie bemerkten aber eine Bucht, die ein flaches Ufer hatte, an dieses beschlossen sie das Schiff nach Möglichkeit hintreiben zu lassen. [40] Und so schnitten sie die Anker ab und ließen sie ins Meer und lösten zugleich die Haltetaue der Steuerruder; dann zogen sie das Vordersegel auf gegen den Wind und hielten auf das Ufer zu.

41 Da sie aber an eine Sandbank gerieten, liefen sie mit dem Schiff auf; und das Vorderteil blieb unbeweglich stecken, das Hinterteil aber zerbrach durch die Gewalt der Wellen.

---

a. (27,27) so wurden in nt. Zeit auch die Gewässer südlich Italiens bis Sizilien und Malta bezeichnet.

42 Die Soldaten aber faßten den Plan, man solle die Gefangenen töten, damit keiner schwimmend entfliehe. [43] Doch der Hauptmann, der den Paulus retten wollte, verhinderte ihr Vorhaben und befahl, wer schwimmen könne, solle sich zuerst ins Meer werfen, um ans Land zu kommen, [44] und die übrigen teils auf Brettern, teils auf Schiffstrümmern. Und so geschah es, daß alle ans Land gerettet wurden.

Drei Monate Aufenthalt auf Melite

28 Und als sie gerettet waren, da erfuhren sie, daß die Insel Melite hieß. [2] Die Einwohner aber erzeigten uns ungewöhnliche Freundlichkeit, denn sie zündeten ein Feuer an und holten uns alle herbei wegen des anhaltenden Regens und wegen der Kälte.

3 Als aber Paulus einen Haufen Reiser zusammenraffte und auf das Feuer legte, kam infolge der Hitze eine Otter hervor und biß ihn in die Hand. [4] Wie aber die Einwohner das Tier an seiner Hand hängen sahen, sprachen sie zueinander: Gewiß ist dieser Mensch ein Mörder; er hat sich zwar aus dem Meer gerettet, doch die Rache läßt nicht zu, daß er lebt! [5] Er jedoch schleuderte das Tier ins Feuer, und ihm widerfuhr nichts Schlimmes. [6] Sie aber erwarteten, er werde anschwellen oder plötzlich tot niederfallen. Als sie aber lange warteten und sahen, daß ihm nichts Ungewöhnliches geschah, änderten sie ihre Meinung und sagten, er sei ein Gott.

7 Aber in der Umgebung jenes Ortes hatte der Vornehmste der Insel, der Publius hieß, ein Landgut; dieser nahm uns auf und beherbergte uns drei Tage lang freundlich. [8] Es begab sich aber, daß der Vater des Publius am Fieber und an der Ruhr krank daniederlag. Paulus ging zu ihm hinein, betete und legte ihm die Hände auf und machte ihn gesund. [9] Nachdem dies nun geschehen war, kamen auch die übrigen Kranken auf der Insel herbei und ließen sich heilen. [10] Diese erwiesen uns auch viel Ehre und gaben uns bei der Abfahrt noch alles Nötige mit.

Paulus kommt nach Rom

11 Nach drei Monaten aber fuhren wir ab auf einem Schiff von Alexandria, das auf der Insel überwintert hatte und das Zeichen der Dioskuren[a] führte. [12] Und wir liefen in Syrakus ein

---

a. (28,11) d.h. von Kastor und Polydeukes (lat. Pollux), den mythischen Zwillingssöhnen des Zeus, die im heidnischen Aberglauben als Beschützer in Seenot galten.

und blieben drei Tage dort. [13] Und von dort segelten wir um die Küste herum und kamen nach Regium; und da nach einem Tag ein Südwind aufkam, gelangten wir am zweiten Tag nach Puteoli.

14 Dort fanden wir Brüder und wurden von ihnen gebeten, sieben Tage zu bleiben, und so machten wir uns auf den Weg nach Rom. [15] Und von dort kamen uns die Brüder, als sie von uns gehört hatten, entgegen bis nach Forum Appii und Tres Tabernae. Als Paulus sie sah, dankte er Gott und faßte Mut. [16] Als wir aber nach Rom kamen, übergab der Hauptmann die Gefangenen dem Obersten der Leibwache[a]; Paulus aber wurde gestattet, für sich zu bleiben mit dem Soldaten, der ihn bewachte.

Das Zeugnis an die Juden in Rom

17 Es geschah aber nach drei Tagen, daß Paulus die Vornehmsten der Juden zusammenrief. Und als sie versammelt waren, sprach er zu ihnen: Ihr Männer und Brüder, obwohl ich nichts gegen das Volk oder die Gebräuche der Väter getan habe, bin ich von Jerusalem aus gefangen in die Hände der Römer ausgeliefert worden. [18] Diese wollten mich freilassen, nachdem sie mich verhört hatten, weil keine todeswürdige Schuld bei mir vorlag.

19 Da aber die Juden widersprachen, war ich genötigt, mich auf den Kaiser zu berufen, doch keinesfalls habe ich gegen mein Volk etwas zu klagen. [20] Aus diesem Grunde also habe ich euch rufen lassen, um euch zu sehen und mit euch zu sprechen; denn um der Hoffnung Israels willen trage ich diese Kette.

21 Sie aber sprachen zu ihm: Wir haben weder Briefe deinetwegen aus Judäa empfangen, noch ist jemand von den Brüdern gekommen, der über dich etwas Böses berichtet oder gesagt hätte. [22] Wir wollen aber gerne von dir hören, was du für Ansichten hast; denn von dieser Sekte ist uns bekannt, daß ihr überall widersprochen wird.

23 Nachdem sie ihm nun einen Tag bestimmt hatten, kamen mehrere zu ihm in die Herberge. Diesen legte er vom Morgen bis zum Abend in einem ausführlichen Zeugnis das Reich Gottes dar und suchte sie zu überzeugen von den Dingen, die Jesus betreffen, ausgehend von dem Gesetz Moses und von den Propheten. [24] Und die einen ließen sich von dem überzeugen, was er sagte, die anderen aber blieben ungläubig.

---

a. (28,16) d.h. der Prätorianergarde, der Leibwache des römischen Kaisers (vgl. Phil 1,13).

25 Und da sie sich nicht einigen konnten, trennten sie sich, nachdem Paulus das eine Wort gesagt hatte: Wie trefflich hat der Heilige Geist durch den Propheten Jesaja zu unseren Vätern geredet,   26 als er sprach: *Geh hin zu diesem Volk und sprich: Mit den Ohren werdet ihr hören und nicht verstehen, und mit den Augen werdet ihr sehen und nicht erkennen!* 27 *Denn das Herz dieses Volkes ist verstockt, und mit den Ohren hören sie schwer, und ihre Augen haben sie verschlossen, daß sie nicht etwa mit den Augen sehen und mit den Ohren hören und mit dem Herzen verstehen und sich bekehren und ich sie heile.*

28 So sei euch nun kundgetan, daß das Heil Gottes zu den Heiden gesandt ist; und sie werden auch hören! 29 Und als er das gesagt hatte, gingen die Juden weg und hatten viel Wortwechsel miteinander.

Paulus als Zeuge Jesu Christi in Rom   Eph 6,19-20; Phil 1,12-14; Kol 1,24-29; 4,3-4

30 Paulus aber blieb zwei Jahre in einer eigenen Mietwohnung und nahm alle auf, die zu ihm kamen,   31 und er verkündigte das Reich Gottes und lehrte von dem Herrn Jesus Christus mit aller Freimütigkeit und ungehindert.

DER BRIEF DES APOSTELS PAULUS AN DIE RÖMER

Der Brief des Apostels Paulus an die römischen Christen, während seiner 3. Missionsreise etwa 56 n. Chr. in Korinth geschrieben, zeigt besonders ausführlich, was die Heilsbotschaft (das Evangelium) von Jesus Christus bedeutet. Nicht umsonst steht er am Anfang der Briefe des Neuen Testaments: Er erklärt die Grundlagen des christlichen Glaubens und zeigt, wie der Mensch durch den Glauben an Jesus Christus Vergebung seiner Sünden bekommen und Gemeinschaft mit dem heiligen Gott haben kann. In den Kapiteln 9-11 erklärt Paulus das rettende Handeln Gottes mit dem Volk Israel und den Heiden (nichtjüdischen Völkern). Kapitel 12-16 behandeln Fragen des praktischen Lebens und Dienens als Christ.

Zuschrift und Gruß: Paulus, der Apostel der Heiden Tit 1,1-4

1 Paulus, Knecht Jesu Christi, berufener Apostel, ausgesondert für das Evangelium Gottes ² (das er zuvor durch seine Propheten in heiligen Schriften verheißen hat) ³ über seinen Sohn, der hervorgegangen ist aus dem Samen Davids nach dem Fleisch ⁴ und erwiesen ist als Sohn Gottes in Kraft nach dem Geist der Heiligkeit durch die Auferstehung aus den Toten, Jesus Christus, unseren Herrn, ⁵ durch welchen wir Gnade und Aposteldienst empfangen haben zum Glaubensgehorsam für seinen Namen unter allen Heiden[a], ⁶ *unter denen auch ihr seid, Berufene Jesu Christi* ⁷ *– an alle in Rom anwesenden Geliebten Gottes, an die berufenen Heiligen: Gnade sei mit euch und Friede von Gott, unserem Vater, und dem Herrn Jesus Christus!*

Das Verlangen des Paulus, die Christen in Rom zu besuchen

8 Zuerst danke ich meinem Gott durch Jesus Christus um euer aller willen, weil euer Glaube in der ganzen Welt verkündigt wird. ⁹ Denn Gott, dem ich in meinem Geist diene am Evangelium seines Sohnes, ist mein Zeuge, wie unablässig ich euer gedenke, ¹⁰ indem ich allezeit in meinen Gebeten flehe, ob es mir nicht endlich einmal durch den Willen Gottes gelingen möchte, zu euch zu kommen. ¹¹ Denn mich verlangt danach, euch zu sehen, um euch etwas geistliche Gnadengabe mitzuteilen, damit ihr gestärkt werdet, ¹² das heißt aber, daß ich mitgetrö-

a. (1,5) d.h. Angehörigen der nichtjüdischen Völker.

stet werde unter euch durch den gemeinsamen Glauben, den euren und den meinen.

13 Ich will euch aber nicht verschweigen, meine Brüder, daß ich mir schon oftmals vorgenommen habe, zu euch zu kommen – ich wurde aber bis jetzt verhindert –, um auch unter euch etwas Frucht zu wirken, gleichwie unter den übrigen Heiden; [14] denn ich bin ein Schuldner sowohl den Griechen als auch den Nichtgriechen, sowohl den Weisen als auch den Unverständigen; [15] darum bin ich bereit, soviel an mir liegt, auch euch in Rom das Evangelium zu verkündigen.

Das Evangelium als Gottes Kraft zur Errettung   1Kor 1,18-24

16 Denn ich schäme mich des Evangeliums von Christus nicht; denn es ist Gottes Kraft zur Rettung für jeden, der glaubt, zuerst für den Juden, dann auch für den Griechen; [17] denn es wird darin geoffenbart die Gerechtigkeit Gottes aus Glauben zum Glauben, wie geschrieben steht: *Der Gerechte wird aus Glauben leben*.

Gottes Zorn über die Heidenvölker   Apg 14,16-17; 17,24

18 Denn es wird geoffenbart Gottes Zorn vom Himmel her über alle Gottlosigkeit und Ungerechtigkeit der Menschen, welche die Wahrheit durch Ungerechtigkeit aufhalten, [19] weil das von Gott Erkennbare unter ihnen offenbar ist, da Gott es ihnen offenbar gemacht hat; [20] denn sein unsichtbares Wesen, nämlich seine ewige Kraft und Gottheit, wird seit Erschaffung der Welt an den Werken durch Nachdenken wahrgenommen, so daß sie keine Entschuldigung haben.

21 Denn obgleich sie Gott erkannten, haben sie ihn doch nicht als Gott geehrt und ihm nicht gedankt, sondern sind in ihren Gedanken in nichtigen Wahn verfallen, und ihr unverständiges Herz wurde verfinstert. [22] Da sie sich für weise hielten, sind sie zu Narren geworden [23] und haben die Herrlichkeit des unvergänglichen Gottes vertauscht mit einem Bild, das dem vergänglichen Menschen, den Vögeln und vierfüßigen und kriechenden Tieren gleicht. [24] Darum hat sie auch Gott dahingegeben in die Begierden ihrer Herzen, zur Unreinheit, so daß sie ihre eigenen Leiber untereinander entehren, [25] sie, welche die Wahrheit Gottes mit der Lüge vertauschten und dem Geschöpf Ehre und Gottesdienst erwiesen anstatt dem Schöpfer, der gelobt ist in Ewigkeit. Amen!

26 Darum hat sie Gott auch dahingegeben in entehrende Leidenschaften; denn ihre Frauen haben den natürlichen Verkehr

vertauscht mit dem widernatürlichen; [27] gleicherweise haben auch die Männer den natürlichen Verkehr mit der Frau verlassen und sind gegeneinander entbrannt in ihrer Begierde und haben Mann mit Mann Schande getrieben und den verdienten Lohn ihrer Verirrung an sich selbst empfangen.

28 Und gleichwie sie Gott nicht der Anerkennung würdigten, hat Gott auch sie dahingegeben in unwürdige Gesinnung, zu verüben, was sich nicht geziemt, [29] als solche, die voll sind von aller Ungerechtigkeit, Unzucht, Schlechtigkeit, Habsucht, Bosheit; voll Neid, Mordlust, Streit, Betrug und Tücke, solche, die Gerüchte verbreiten, [30] Verleumder, Gottesverächter, Freche, Übermütige, Prahler, erfinderisch im Bösen, den Eltern ungehorsam; [31] unverständig, treulos, lieblos, unversöhnlich, unbarmherzig. [32] Obwohl sie das gerechte Urteil Gottes erkennen, daß die des Todes würdig sind, welche solche Dinge verüben, tun sie diese nicht nur selbst, sondern haben auch Gefallen an denen, die sie verüben.

Das gerechte Gericht Gottes über alle Menschen

2 Darum bist du nicht zu entschuldigen, o Mensch, wer du auch seist, der du richtest! Denn indem du den anderen richtest, verurteilst du dich selbst; denn du verübst ja dasselbe, was du richtest! [2] Wir wissen aber, daß das Gericht Gottes der Wahrheit entsprechend über die ergeht, welche solche Dinge verüben. [3] Oder denkst du, o Mensch, der du die richtest, welche solche Dinge verüben, und doch das gleiche tust, daß du dem Gericht Gottes entrinnen wirst? [4] Oder verachtest du den Reichtum seiner Güte, Geduld und Langmut, und erkennst nicht, daß dich Gottes Güte zur Buße leitet?

5 Aber aufgrund deines verstockten und unbußfertigen Herzens häufst du dir selbst Zorn auf für den Tag des Zorns und der Offenbarung des gerechten Gerichtes Gottes, [6] der jedem vergelten wird nach seinen Werken; [7] denen nämlich, die mit Ausdauer im Wirken des Guten Herrlichkeit, Ehre und Unsterblichkeit erstreben, ewiges Leben; [8] denen aber, die selbstsüchtig und der Wahrheit ungehorsam sind, dagegen der Ungerechtigkeit gehorchen, Grimm und Zorn! [9] Drangsal und Angst über jede Menschenseele, die das Böse vollbringt, zuerst über den Juden, dann auch über den Griechen[a]; [10] Herrlichkeit aber und Ehre und Friede jedem, der das Gute tut, zuerst dem Juden, dann auch dem Griechen.

---

a. (2,9) »Griechen« wird hier wie öfters bei Paulus gleichbedeutend mit »Heiden« verwendet.

11 Denn bei Gott gibt es kein Ansehen der Person; [12] alle nämlich, die ohne Gesetz gesündigt haben, werden auch ohne Gesetz verloren gehen; und alle, die unter dem Gesetz[a] gesündigt
haben, werden durch das Gesetz verurteilt werden [13] – denn
vor Gott sind nicht die gerecht, welche das Gesetz hören; sondern die, welche das Gesetz befolgen, sollen gerechtfertigt werden. [14] Wenn nämlich Heiden, die das Gesetz nicht haben,
doch von Natur aus tun, was das Gesetz verlangt, so sind sie,
die das Gesetz nicht haben, sich selbst ein Gesetz, [15] da sie ja
beweisen, daß das Werk des Gesetzes in ihre Herzen geschrieben ist, was auch ihr Gewissen bezeugt, dazu ihre Überlegun-
gen, die sich untereinander verklagen oder auch entschuldigen
– [16] an dem Tag, da Gott das Verborgene der Menschen richten
wird, laut meinem Evangelium, durch Jesus Christus.

Die Juden werden durch das Gesetz als Sünder verurteilt

17 Siehe, du nennst dich einen Juden und verläßt dich auf das
Gesetz und rühmst dich Gottes, [18] und kennst seinen Willen
und verstehst zu prüfen, worauf es ankommt, weil du aus dem
Gesetz unterrichtet bist; [19] und du traust dir zu, ein Leiter der
Blinden zu sein, ein Licht derer, die in der Finsternis sind,
[20] ein Erzieher der Unverständigen, ein Lehrer der Unmündigen, der den Inbegriff der Erkenntnis und der Wahrheit im Gesetz hat: [21] Nun also, du lehrst andere, dich selbst aber lehrst
du nicht? Du verkündigst, man solle nicht stehlen, und stiehlst
selber? [22] Du sagst, man solle nicht ehebrechen, und brichst
selbst die Ehe? Du verabscheust die Götzen und begehst dabei
Tempelraub? [23] Du rühmst dich des Gesetzes und verunehrst
doch Gott durch Übertretung des Gesetzes? [24] Denn der Name
Gottes wird um euretwillen gelästert unter den Heiden, wie geschrieben steht.
25 Die Beschneidung[b] nämlich hat nur Wert, wenn du das Gesetz hältst; bist du aber ein Übertreter des Gesetzes, so ist deine
Beschneidung zur Unbeschnittenheit geworden. [26] Wenn nun
der Unbeschnittene die Forderungen des Gesetzes befolgt,
wird ihm dann nicht seine Unbeschnittenheit als Beschneidung angerechnet werden? [27] Und wird nicht der von Natur
Unbeschnittene, der das Gesetz erfüllt, dich richten, der du
trotz Buchstabe und Beschneidung ein Übertreter des Gesetzes

a. (2,12) »Gesetz« meint hier das Bundesgesetz vom Sinai, unter dem Israel stand.
b. (2,25) Die Entfernung der männlichen Vorhaut war das Zeichen des Bundes
   Gottes mit Abraham und wurde später unter Mose auch das Zeichen des Geset-
   zes-Bundes mit Israel.

bist? [28] Denn nicht der ist ein Jude, der es äußerlich ist; auch ist nicht das die Beschneidung, die äußerlich am Fleisch geschieht; [29] sondern der ist ein Jude, der es innerlich ist, und [seine] Beschneidung [geschieht] am Herzen, im Geist, nicht dem Buchstaben nach. Seine Anerkennung kommt nicht von Menschen, sondern von Gott.

Die Gerechtigkeit Gottes in seinem Gericht

3 Was hat nun der Jude für einen Vorzug, oder was nützt die Beschneidung? [2] Viel, in jeder Hinsicht! Denn vor allem sind ihnen die Aussprüche Gottes anvertraut worden.
3 Wie denn? Wenn auch etliche untreu waren, hebt etwa ihre Untreue die Treue Gottes auf? [4] Das sei ferne! Vielmehr erweist sich Gott als wahrhaftig, jeder Mensch aber als Lügner, wie geschrieben steht: *Damit du gerecht befunden wirst in deinen Worten und siegreich hervorgehst, wenn du gerichtet wirst.*
5 Wenn aber unsere Ungerechtigkeit Gottes Gerechtigkeit beweist, was sollen wir sagen? Ist Gott etwa ungerecht, wenn er darüber zornig ist? (Ich rede nach Menschenweise.) [6] Das sei ferne! Wie könnte Gott sonst die Welt richten? [7] Wenn nämlich die Wahrhaftigkeit Gottes durch meine Lüge überströmender wird zu seinem Ruhm, weshalb werde ich dann noch als Sünder gerichtet? [8] Müßte man dann nicht so reden, wie wir verleumdet werden und wie etliche behaupten, daß wir sagen: Laßt uns Böses tun, damit Gutes daraus komme? Ihre Verurteilung ist gerecht!

Kein Mensch ist vor Gott gerecht

9 Wie nun? Haben wir etwas voraus? Ganz und gar nichts! Denn wir haben ja vorhin sowohl Juden als Griechen beschuldigt, daß sie alle unter der Sünde sind, [10] wie geschrieben steht: *Es ist keiner gerecht, auch nicht einer;* [11] *es ist keiner, der verständig ist, der nach Gott fragt.* [12] *Sie sind alle abgewichen, sie taugen alle zusammen nichts; da ist keiner, der Gutes tut, da ist auch nicht* einer! [13] *Ihre Kehle ist ein offenes Grab, mit ihren Zungen betrügen sie; Otterngift ist unter ihren Lippen;* [14] *ihr Mund ist voll Fluchen und Bitterkeit,* [15] *ihre Füße sind rasch, um Blut zu vergießen;* [16] *Verwüstung und Elend bezeichnen ihre Bahn,* [17] *und den Weg des Friedens kennen sie nicht.* [18] *Es ist keine Gottesfurcht vor ihren Augen.*
19 Wir wissen aber, daß das Gesetz alles, was es spricht, zu denen sagt, die unter dem Gesetz sind, damit jeder Mund verstopft werde und alle Welt vor Gott schuldig sei, [20] weil aus

Werken des Gesetzes kein Fleisch vor ihm gerechtfertigt werden kann; denn durch das Gesetz kommt Erkenntnis der Sünde.

Die von Gott geschenkte Gerechtigkeit durch den Glauben an Jesus Christus Apg 10,43; 2Kor 5,21; Gal 2,15-16; 3,8-14

21 Nun aber ist außerhalb vom Gesetz die Gerechtigkeit Gottes offenbar geworden, die von dem Gesetz und den Propheten bezeugt wird, [22] nämlich die Gerechtigkeit Gottes durch den Glauben an Jesus Christus, die zu allen und auf alle [kommt], die glauben. Denn es ist kein Unterschied;
23 denn alle haben gesündigt und verfehlen die Herrlichkeit Gottes, [24] so daß sie gerechtfertigt werden ohne Verdienst durch seine Gnade[a] aufgrund der Erlösung, die in Christus Jesus ist. [25] Ihn hat Gott zum Sühnopfer verordnet, durch den Glauben an sein Blut, um seine Gerechtigkeit zu erweisen, weil er die Sünden ungestraft ließ, die zuvor geschehen waren, [26] als Gott Zurückhaltung übte, um seine Gerechtigkeit in der jetzigen Zeit zu erweisen, damit er selbst gerecht sei und zugleich den rechtfertige, der aus dem Glauben an Jesus ist.
27 Wo bleibt nun das Rühmen? Es ist ausgeschlossen! Durch welches Gesetz? Das der Werke? Nein, sondern durch das Gesetz des Glaubens! [28] So kommen wir nun zu dem Schluß, daß der Mensch durch den Glauben gerechtfertigt wird, ohne Werke des Gesetzes. [29] Oder ist Gott nur der Gott der Juden und nicht auch der Heiden? Ja freilich, auch der Heiden! [30] Denn es ist ja ein und derselbe Gott, der die Beschnittenen aus Glauben und die Unbeschnittenen durch den Glauben rechtfertigt.
31 Heben wir nun das Gesetz auf durch den Glauben? Das sei ferne! Vielmehr bestätigen wir das Gesetz.

Abraham als Vater derer, die durch Glauben gerecht werden

4 Was wollen wir denn sagen, daß Abraham, unser Vater, nach dem Fleisch erlangt hat? [2] Wenn nämlich Abraham aus Werken gerechtfertigt worden ist, hat er zwar Ruhm, aber nicht vor Gott. [3] Denn was sagt die Schrift? *Abraham aber glaubte Gott, und das wurde ihm zur Gerechtigkeit angerechnet.*
[4] Wer aber Werke verrichtet, dem wird der Lohn nicht aufgrund von Gnade angerechnet, sondern aufgrund der Verpflichtung; [5] wer dagegen keine Werke verrichtet, sondern an den glaubt, der den Gottlosen rechtfertigt, dem wird sein Glaube als Gerechtigkeit angerechnet.

a. (3,24) »Gnade« bezeichnet ein unverdientes, freiwilliges, aus Liebe erwiesenes Handeln des allmächtigen Gottes.

6 Ebenso preist auch David den Menschen glückselig, dem Gott ohne Werke Gerechtigkeit anrechnet: [7] *Glückselig sind die, deren Gesetzlosigkeiten vergeben und deren Sünden zugedeckt sind;* [8] *glückselig ist der Mann, dem der Herr die Sünde nicht anrechnet!*

9 Gilt nun diese Seligpreisung den Beschnittenen oder auch den Unbeschnittenen? Wir sagen ja, daß dem Abraham der Glaube als Gerechtigkeit angerechnet worden ist. [10] Wie wurde er ihm nun angerechnet? Als er beschnitten oder als er noch unbeschnitten war? Nicht als er beschnitten, sondern als er noch unbeschnitten war! [11] Und er empfing das Zeichen der Beschneidung als Siegel der Gerechtigkeit des Glaubens, den er schon im unbeschnittenen Zustand hatte, damit er ein Vater aller unbeschnittenen Gläubigen sei, damit auch ihnen die Gerechtigkeit angerechnet werde; [12] und auch ein Vater der Beschnittenen, die nicht nur aus der Beschneidung sind, sondern die auch wandeln in den Fußstapfen des Glaubens, den unser Vater Abraham hatte, als er noch unbeschnitten war.

13 Denn nicht durch das Gesetz erhielt Abraham und sein Same die Verheißung, daß er Erbe der Welt sein solle, sondern durch die Gerechtigkeit des Glaubens. [14] Denn wenn die vom Gesetz Erben sind, so ist der Glaube wertlos geworden und die Verheißung entkräftet. [15] Das Gesetz bewirkt nämlich Zorn; denn wo kein Gesetz ist, da ist auch keine Übertretung.

16 Darum ist es aus Glauben, damit es aufgrund von Gnade sei, auf daß die Verheißung dem ganzen Samen[a] sicher sei, nicht nur demjenigen aus dem Gesetz, sondern auch dem aus dem Glauben Abrahams, der unser aller Vater ist [17] (wie geschrieben steht: *Ich habe dich zum Vater vieler Völker gesetzt*), vor Gott, dem er glaubte, der die Toten lebendig macht und dem ruft, was nicht ist, als wäre es da.

18 Er hat da, wo nichts zu hoffen war, auf Hoffnung hin geglaubt, daß er ein Vater vieler Völker werde, gemäß der Zusage: *So soll dein Same sein!* [19] Und er wurde nicht schwach im Glauben und zog nicht seinen Leib in Betracht, der schon erstorben war, weil er fast hundertjährig war; auch nicht den erstorbenen Mutterleib der Sara. [20] Er zweifelte nicht an der Verheißung Gottes durch Unglauben, sondern wurde stark durch den Glauben, indem er Gott die Ehre gab [21] und völlig überzeugt war, daß Er das, was Er verheißen hat, auch zu tun vermag. [22] Darum wurde es ihm auch als Gerechtigkeit angerechnet.

a. (4,16) bildhaft für Nachkommenschaft.

23 Es steht aber nicht allein um seinetwillen geschrieben, daß es ihm angerechnet worden ist, 24 sondern auch um unsertwillen, denen es angerechnet werden soll, wenn wir an den glauben, der unseren Herrn Jesus aus den Toten auferweckt hat, 25 ihn, der um unserer Übertretungen willen dahingegeben und zu unserer Rechtfertigung auferweckt worden ist.

Die Früchte der Gerechtigkeit durch den Glauben 1Pt 1,3-9

5 Da wir nun aus Glauben gerechtfertigt sind, so haben wir Frieden mit Gott durch unseren Herrn Jesus Christus, 2 durch den wir im Glauben auch Zugang erlangt haben zu der Gnade, in der wir stehen, und wir rühmen uns der Hoffnung auf die Herrlichkeit Gottes. 3 Aber nicht nur das, sondern wir rühmen uns auch in den Drangsalen, weil wir wissen, daß die Drangsal Standhaftigkeit bewirkt, 4 die Standhaftigkeit aber Bewährung, die Bewährung aber Hoffnung; 5 die Hoffnung aber läßt nicht zuschanden werden; denn die Liebe Gottes ist ausgegossen in unsere Herzen durch den Heiligen Geist, der uns gegeben worden ist.

6 Denn Christus ist, als wir noch kraftlos waren, zur bestimmten Zeit für Gottlose gestorben. 7 Nun stirbt kaum jemand für einen Gerechten; für einen Wohltäter entschließt sich vielleicht jemand zu sterben. 8 Gott aber beweist seine Liebe zu uns dadurch, daß Christus für uns gestorben ist, als wir noch Sünder waren. 9 Wieviel mehr nun werden wir, nachdem wir jetzt durch sein Blut gerechtfertigt worden sind, durch ihn vor dem Zorn errettet werden! 10 Denn wenn wir mit Gott versöhnt worden sind durch den Tod seines Sohnes, als wir noch Feinde waren, wieviel mehr werden wir als Versöhnte gerettet werden durch sein Leben!

11 Aber nicht nur das, sondern wir rühmen uns auch Gottes durch unseren Herrn Jesus Christus, durch den wir jetzt die Versöhnung empfangen haben.

Die Sünde durch Adam – die Gerechtigkeit durch Christus

12 Darum, gleichwie durch *einen* Menschen die Sünde in die Welt gekommen ist und durch die Sünde der Tod, und so der Tod zu allen Menschen hindurchgedrungen ist, weil sie alle gesündigt haben 13 – denn schon vor dem Gesetz war die Sünde in der Welt; wo aber kein Gesetz ist, da wird die Sünde nicht angerechnet. 14 Dennoch herrschte der Tod von Adam bis Mose auch über die, welche nicht mit gleicher Übertretung gesündigt hatten wie Adam, der ein Vorbild des Zukünftigen ist.

15 Aber es verhält sich mit der Übertretung nicht wie mit der Gnadengabe. Denn wenn durch die Übertretung des Einen die Vielen gestorben sind, wieviel mehr ist die Gnade Gottes und das Gnadengeschenk durch den einen Menschen Jesus Christus den Vielen reichlich zuteil geworden. ¹⁶ Und es verhält sich mit der Sünde durch den Einen nicht wie mit dem Geschenk. Denn das Urteil [führt] aus der *einen* [Übertretung] zur Verurteilung; die Gnadengabe aber [führt] aus vielen Übertretungen zur Rechtfertigung. ¹⁷ Denn wenn infolge der Übertretung des Einen der Tod zur Herrschaft kam durch den Einen, wieviel mehr werden die, welche den Überfluß der Gnade und das Geschenk der Gerechtigkeit empfangen, im Leben herrschen durch den Einen, Jesus Christus! –

18 Also: wie es nun durch die Übertretung des Einen zur Verurteilung aller Menschen kam, so kommt es auch durch die gerechte Tun des Einen für alle Menschen zur lebenbringenden Rechtfertigung. ¹⁹ Denn gleichwie durch den Ungehorsam des einen Menschen die Vielen zu Sündern gemacht worden sind, so werden auch durch den Gehorsam des Einen die Vielen zu Gerechten gemacht.

20 Das Gesetz aber ist daneben hereingekommen, damit das Maß der Übertretung voll würde. Wo aber das Maß der Sünde voll geworden ist, da ist die Gnade überströmend geworden, ²¹ damit, wie die Sünde geherrscht hat im Tod, so auch die Gnade herrsche durch Gerechtigkeit zu ewigem Leben durch Jesus Christus, unseren Herrn.

Der Gläubige ist einsgemacht mit Christus: der Sünde gestorben – Gott lebend in Christus   Kol 2,11-13; 3,1-10; Gal 2,19-20; 5,24

6 Was wollen wir nun sagen? Sollen wir in der Sünde verharren, damit das Maß der Gnade voll werde? ² Das sei ferne! Wie sollten wir, die wir der Sünde gestorben sind, noch in ihr leben? ³ Oder wißt ihr nicht, daß wir alle, die wir in Christus Jesus getauft sind, in seinen Tod getauft sind? ⁴ Wir sind also mit ihm begraben worden durch die Taufe in den Tod, damit, gleichwie Christus durch die Herrlichkeit des Vaters aus den Toten auferweckt worden ist, so auch wir in einem neuen Leben wandeln.

5 Denn wenn wir mit ihm einsgemacht und ihm gleich geworden sind in seinem Tod, so werden wir ihm auch in der Auferstehung gleich sein; ⁶ wir wissen ja, daß unser alter Mensch mitgekreuzigt worden ist, damit der Leib der Sünde außer Wirksamkeit gesetzt sei, so daß wir der Sünde nicht mehr die-

nen; [7] denn wer gestorben ist, der ist von der Sünde freigesprochen.

8 Wenn wir aber mit Christus gestorben sind, so glauben wir, daß wir auch mit ihm leben werden, [9] da wir wissen, daß Christus, aus den Toten auferweckt, nicht mehr stirbt; der Tod herrscht nicht mehr über ihn. [10] Denn was er gestorben ist, das ist er der Sünde gestorben, ein für allemal; was er aber lebt, das lebt er für Gott.

11 Also auch ihr: Haltet euch selbst dafür, daß ihr für die Sünde tot seid, aber für Gott lebt in Christus Jesus, unserem Herrn! [12] So soll nun die Sünde nicht herrschen in eurem sterblichen Leib, damit ihr [der Sünde] nicht durch die Begierden [des Leibes] gehorcht; [13] gebt auch nicht eure Glieder der Sünde hin als Waffen der Ungerechtigkeit, sondern gebt euch selbst Gott hin als solche, die lebendig geworden sind aus den Toten, und eure Glieder Gott als Waffen der Gerechtigkeit!

14 Denn die Sünde wird nicht herrschen über euch, weil ihr nicht unter dem Gesetz seid, sondern unter der Gnade.

Die Gläubigen sind berufen, der Gerechtigkeit zu dienen Tit 2,11

15 Wie nun? Sollen wir sündigen, weil wir nicht unter dem Gesetz, sondern unter der Gnade sind? Das sei ferne! [16] Wißt ihr nicht: Wem ihr euch als Sklave hingebt, um ihm zu gehorchen, dessen Sklave seid ihr und müßt ihm gehorchen, es sei der Sünde zum Tode, oder dem Gehorsam zur Gerechtigkeit? [17] Gott aber sei Dank, daß ihr Sklaven der Sünde gewesen, nun aber von Herzen gehorsam geworden seid dem Vorbild der Lehre, dem ihr euch übergeben habt. [18] Nachdem ihr aber von der Sünde befreit wurdet, seid ihr der Gerechtigkeit dienstbar geworden.

19 Ich muß menschlich davon reden wegen der Schwachheit eures Fleisches. Denn so, wie ihr eure Glieder in den Dienst der Unreinheit und der Gesetzlosigkeit gestellt habt, um gesetzlos zu handeln, so stellt nun eure Glieder in den Dienst der Gerechtigkeit zur Heiligung. [20] Denn als ihr Sklaven der Sünde wart, da wart ihr frei gegenüber der Gerechtigkeit. [21] Welche Frucht hattet ihr nun damals von den Dingen, deren ihr euch jetzt schämt? denn ihr Ende ist der Tod. [22] Nun aber, da ihr von der Sünde frei und Gott dienstbar geworden seid, habt ihr als eure Frucht die Heiligung, als Ende aber das ewige Leben. [23] Denn der Lohn der Sünde ist der Tod; aber die Gnadengabe Gottes ist das ewige Leben in Christus Jesus, unserem Herrn.

Vom Gesetz befreit, dient der Gläubige Gott im Geist Gal 2,19-20

7 Oder wißt ihr nicht, Brüder – denn ich rede ja mit solchen, die das Gesetz kennen –, daß das Gesetz nur so lange über den Menschen herrscht, wie er lebt? ² Denn die verheiratete Frau ist durchs Gesetz an ihren Mann gebunden, solange er lebt; wenn aber der Mann stirbt, so ist sie von dem Gesetz des Mannes befreit. ³ So wird sie nun bei Lebzeiten des Mannes eine Ehebrecherin genannt, wenn sie einem anderen Mann zu eigen wird; stirbt aber der Mann, so ist sie vom Gesetz frei, so daß sie keine Ehebrecherin ist, wenn sie einem anderen Mann zu eigen wird.

4 Also seid auch ihr, meine Brüder, dem Gesetz getötet worden durch den Leib des Christus, damit ihr einem anderen angehört, nämlich dem, der aus den Toten auferweckt worden ist, damit wir Gott Frucht bringen. ⁵ Denn als wir im Fleisch waren, da wirkten in unseren Gliedern die Leidenschaften der Sünden, die durch das Gesetz sind, um dem Tod Frucht zu bringen. ⁶ Nun aber sind wir vom Gesetz frei geworden, da wir dem gestorben sind, worin wir festgehalten wurden, so daß wir im neuen Wesen des Geistes dienen und nicht im alten Wesen des Buchstabens.

Das Gesetz macht das Wesen der Sünde offenbar Röm 5,20; 3,19

7 Was wollen wir nun sagen? Ist das Gesetz Sünde? Das sei ferne! Aber ich hätte die Sünde nicht erkannt, außer durch das Gesetz; denn von der Begierde hätte ich nichts gewußt, wenn das Gesetz nicht gesagt hätte: Du sollst nicht begehren! ⁸ Da nahm aber die Sünde einen Anlaß durch das Gebot und bewirkte in mir jede Begierde; denn ohne das Gesetz ist die Sünde tot. ⁹ Ich aber lebte, als ich noch ohne Gesetz war; als aber das Gebot kam, lebte die Sünde auf, ich aber starb; ¹⁰ und eben dieses Gebot, das zum Leben gegeben war, erwies sich für mich als todbringend. ¹¹ Denn die Sünde nahm einen Anlaß durch das Gebot und verführte mich und tötete mich durch dasselbe. 12 So ist nun das Gesetz heilig, und das Gebot ist heilig, gerecht und gut. ¹³ Hat nun das Gute mir den Tod gebracht? Das sei ferne! Sondern die Sünde hat, damit sie als Sünde offenbar werde, durch das Gute meinen Tod bewirkt, damit die Sünde überaus sündig würde durch das Gebot.

Das Fleisch und die innewohnende Sünde Gal 5,16-25; Röm 8,1-9

14 Denn wir wissen, daß das Gesetz geistlich ist; ich aber bin fleischlich, unter die Sünde verkauft. ¹⁵ Denn was ich vollbrin-

ge, billige ich nicht; denn ich tue nicht, was ich will, sondern was ich hasse, das übe ich aus. [16] Wenn ich aber das tue, was ich nicht will, so stimme ich dem Gesetz zu, daß es gut ist. [17] Nun aber vollbringe nicht mehr ich dasselbe, sondern die Sünde, die in mir wohnt. [18] Denn ich weiß, daß in mir, das heißt in meinem Fleisch, nichts Gutes wohnt; das Wollen ist zwar bei mir vorhanden, aber das Vollbringen des Guten gelingt mir nicht. [19] Denn ich tue nicht das Gute, das ich will, sondern das Böse, das ich nicht will, das verübe ich. [20] Wenn ich aber das tue, was ich nicht will, so vollbringe nicht mehr ich es, sondern die Sünde, die in mir wohnt.

21 Ich finde also das Gesetz vor, wonach mir, der ich das Gute tun will, das Böse anhängt. [22] Denn ich habe Lust an dem Gesetz Gottes nach dem inwendigen Menschen; [23] ich sehe aber ein anderes Gesetz in meinen Gliedern, das gegen das Gesetz meiner Gesinnung streitet und mich gefangen nimmt unter das Gesetz der Sünde, das in meinen Gliedern ist. [24] Ich elender Mensch! Wer wird mich erlösen von diesem Todesleib? [25] Ich danke Gott durch Jesus Christus, unseren Herrn!

So diene nun ich selbst mit der Gesinnung dem Gesetz Gottes, mit dem Fleisch aber dem Gesetz der Sünde.

Das neue Leben im Geist   Gal 3,13-14; Röm 6,22-23; Gal 5,16-25

8 So gibt es nun keine Verdammnis mehr für die, welche in Christus Jesus sind, die nicht nach dem Fleisch[a] wandeln, sondern nach dem Geist.[b] [2] Denn das Gesetz des Geistes des Lebens in Christus Jesus hat mich frei gemacht von dem Gesetz der Sünde und des Todes. [3] Denn was dem Gesetz unmöglich war – weil es durch das Fleisch kraftlos war –, das tat Gott, indem er seinen Sohn sandte in der Ähnlichkeit des sündigen Fleisches und um der Sünde willen und die Sünde im Fleisch verdammte, [4] damit die vom Gesetz geforderte Gerechtigkeit in uns erfüllt würde, die wir nicht nach dem Fleisch wandeln, sondern nach dem Geist.

5 Denn die nach dem Fleisch leben, sinnen auf das, was des Fleisches ist, die aber nach dem Geist leben, auf das, was des Geistes ist. [6] Denn das Trachten des Fleisches ist Tod, das Trachten des Geistes aber Leben und Frieden, [7] weil nämlich

---

a. (8,1) »Fleisch« bezeichnet den Leib des Menschen, seine sterblich-leibliche Existenz auf Erden und die damit verbundene sündige egoistische Einstellung.

b. (8,1) d.h. die unter der Herrschaft des Geistes leben, bestimmt vom Geist und nicht vom Fleisch.

das Trachten des Fleisches Feindschaft gegen Gott ist; denn es ist dem Gesetz Gottes nicht untertan, und kann es auch nicht; [8] denn die im Fleisch sind, können Gott nicht gefallen.

9 Ihr aber seid nicht im Fleisch, sondern im Geist, wenn wirklich Gottes Geist in euch wohnt; wer aber den Geist des Christus nicht hat, der ist nicht sein. [10] Wenn aber Christus in euch ist, so ist der Leib zwar tot um der Sünde willen, der Geist aber ist Leben um der Gerechtigkeit willen. [11] Wenn aber der Geist dessen, der Jesus aus den Toten auferweckt hat, in euch wohnt, so wird derselbe, der Christus aus den Toten auferweckt hat, auch eure sterblichen Leiber lebendig machen durch seinen Geist, der in euch wohnt.

12 So sind wir also, ihr Brüder, dem Fleisch nicht verpflichtet, nach dem Fleisch zu leben! [13] Denn wenn ihr nach dem Fleisch lebt, so müßt ihr sterben; wenn ihr aber durch den Geist die Taten des Leibes tötet, so werdet ihr leben.

14 Denn alle, die durch den Geist Gottes geleitet werden, die sind Söhne Gottes. [15] Denn ihr habt nicht einen Geist der Knechtschaft empfangen, daß ihr euch abermals fürchten müßtet, sondern ihr habt den Geist der Sohnschaft empfangen, in dem wir rufen: Abba, Vater! [16] Der Geist selbst gibt Zeugnis unserem Geist, daß wir Gottes Kinder sind. [17] Wenn wir aber Kinder sind, so sind wir auch Erben, nämlich Erben Gottes und Miterben des Christus; wenn wir wirklich mit ihm leiden, damit wir auch mit ihm verherrlicht werden.

Die Hoffnung der kommenden Herrlichkeit 1Joh 3,1-3; 2Kor 4,16

18 Denn ich bin überzeugt, daß die Leiden der jetzigen Zeit nicht in Betracht kommen gegenüber der Herrlichkeit, die an uns geoffenbart werden soll. [19] Denn die gespannte Erwartung der Schöpfung sehnt die Offenbarung der Söhne Gottes herbei. [20] Die Schöpfung ist nämlich der Vergänglichkeit unterworfen, nicht freiwillig, sondern durch den, der sie unterworfen hat, auf Hoffnung hin, [21] daß auch die Schöpfung selbst befreit werden soll von der Knechtschaft der Sterblichkeit zur Freiheit der Herrlichkeit der Kinder Gottes.

22 Denn wir wissen, daß die ganze Schöpfung mitseufzt und mit in Wehen liegt bis jetzt; [23] und nicht nur sie, sondern auch wir selbst, die wir die Erstlingsgabe des Geistes haben, auch wir erwarten seufzend die Sohnesstellung, die Erlösung unseres Leibes. [24] Denn auf Hoffnung hin sind wir errettet worden. Eine Hoffnung aber, die man sieht, ist keine Hoffnung; denn warum hofft auch jemand auf das, was er sieht? [25] Wenn wir

aber auf das hoffen, was wir nicht sehen, so erwarten wir es mit Ausharren.
26 Ebenso kommt aber auch der Geist unseren Schwachheiten zu Hilfe. Denn wir wissen nicht, was wir beten sollen, wie sich's gebührt; aber der Geist selbst tritt für uns ein mit unaussprechlichen Seufzern. [27] Der aber die Herzen erforscht, weiß, was der Sinn des Geistes ist; denn er tritt für die Heiligen so ein, wie es Gott angemessen ist.

Die Zuversicht der Auserwählten Gottes Eph 1,3-12; Röm 5,1-11

28 Wir wissen aber, daß denen, die Gott lieben, alle Dinge zum Besten dienen, denen, die nach dem Vorsatz berufen sind. [29] Denn die er zuvor ersehen hat, die hat er auch vorherbestimmt, dem Ebenbild seines Sohnes gleichgestaltet zu werden, damit er der Erstgeborene sei unter vielen Brüdern. [30] Die er aber vorherbestimmt hat, die hat er auch berufen, die er aber berufen hat, die hat er auch gerechtfertigt, die er aber gerechtfertigt hat, die hat er auch verherrlicht.
31 Was wollen wir nun hierzu sagen? Ist Gott für uns, wer mag gegen uns sein? [32] Er, der sogar seinen eigenen Sohn nicht verschont hat, sondern ihn für uns alle dahingegeben hat, wie sollte er uns mit ihm nicht auch alles schenken? [33] Wer will gegen die Auserwählten Gottes Anklage erheben? Gott [ist es doch], der rechtfertigt! [34] Wer will verurteilen? Christus [ist es doch], der gestorben ist, ja mehr noch, der auch auferweckt ist, der auch zur Rechten Gottes ist, der auch für uns eintritt! [35] Wer will uns scheiden von der Liebe des Christus? Drangsal oder Angst oder Verfolgung oder Hunger oder Blöße oder Gefahr oder Schwert? [36] Wie geschrieben steht: *Um deinetwillen werden wir getötet den ganzen Tag; wie Schlachtschafe sind wir geachtet!*
37 Aber in dem allem überwinden wir weit durch den, der uns geliebt hat. [38] Denn ich bin gewiß, daß weder Tod noch Leben, weder Engel noch Fürstentümer noch Gewalten, weder Gegenwärtiges noch Zukünftiges, [39] weder Hohes noch Tiefes, noch irgend ein anderes Geschöpf uns zu scheiden vermag von der Liebe Gottes, die in Christus Jesus ist, unserem Herrn.

Die Verheißungen Gottes und das Volk Israel Gal 4,22-31

9 Ich sage die Wahrheit in Christus, ich lüge nicht, wie mir mein Gewissen bezeugt im Heiligen Geist, [2] daß ich große Traurigkeit und unablässigen Schmerz in meinem Herzen habe. [3] Ich wünschte nämlich, selber von Christus verbannt zu sein für meine Brüder, meine Verwandten nach dem Fleisch, [4] die Israeliten sind, denen die Sohnschaft und die Herrlichkeit und die Bündnisse gehören und die Gesetzgebung und der Gottesdienst und die Verheißungen; [5] ihnen gehören auch die Väter an, und von ihnen stammt dem Fleisch nach der Christus, der über alle ist, hochgelobter Gott, in Ewigkeit. Amen!

6 Nicht aber, daß das Wort Gottes nun hinfällig wäre! Denn nicht alle, die von Israel abstammen, sind Israel; [7] auch sind nicht alle, weil sie Abrahams Same sind, Kinder, sondern *in Isaak soll dir ein Same berufen werden.* [8] Das heißt: Nicht die Kinder des Fleisches sind Kinder Gottes, sondern die Kinder der Verheißung werden als Same gerechnet. [9] Denn das ist ein Wort der Verheißung: *Um diese Zeit will ich kommen, und Sarah soll einen Sohn haben.*

[10] Und nicht allein dies, sondern auch, als Rebekka von ein und demselben, von unserem Vater Isaak, schwanger war, [11] als [die Kinder] noch nicht geboren waren und weder Gutes noch Böses getan hatten – damit der gemäß der Erwählung gefaßte Vorsatz Gottes bestehen bleibe, nicht aufgrund von Werken, sondern aufgrund des Berufenden –, [12] wurde zu ihr gesagt: *Der Größere wird dem Kleineren dienen;* [13] wie auch geschrieben steht: *Jakob habe ich geliebt, Esau aber habe ich gehaßt.*

Die Souveränität Gottes

14 Was wollen wir nun sagen? Ist etwa Ungerechtigkeit bei Gott? Das sei ferne! [15] Denn zu Mose spricht er: *Wem ich gnädig bin, dem bin ich gnädig, und über wen ich mich erbarme, über den erbarme ich mich.* [16] So liegt es nun nicht an jemandes Wollen oder Laufen, sondern an Gottes Erbarmen. [17] Denn die Schrift sagt zum Pharao: *Eben dazu habe ich dich erweckt, daß ich an dir meine Macht erweise, und daß mein Name verkündigt werde auf der ganzen Erde.* [18] So erbarmt er sich nun, über wen er will, und verstockt, wen er will.

19 Nun wirst du mich fragen: Warum tadelt er dann noch? Denn wer kann seinem Willen widerstehen? [20] Ja, o Mensch, wer bist denn du, daß du mit Gott rechten willst? Spricht auch das Werk zu dem, der es geformt hat: Warum hast du mich so gemacht? [21] Oder hat nicht der Töpfer Macht über den Ton, aus derselben Masse das eine Gefäß zur Ehre, das andere zur Unehre zu machen?

22 Wenn nun aber Gott, da er seinen Zorn erzeigen und seine Macht kundtun wollte, mit großer Langmut die Gefäße des Zorns getragen hat, die zum Verderben zugerichtet sind,

23 damit er auch den Reichtum seiner Herrlichkeit an den Gefäßen der Barmherzigkeit erzeige, die er zuvor zur Herrlichkeit bereitet hat, 24 – wie er denn als solche auch uns berufen hat, nicht allein aus den Juden, sondern auch aus den Heiden –? 25 Wie er auch durch Hosea spricht: *Ich will das mein Volk nennen, was nicht mein Volk war, und Geliebte, die nicht die Geliebte war.* 26 *Und es soll geschehen, an dem Ort, wo zu ihnen gesagt wurde: Ihr seid nicht mein Volk!, da sollen sie Söhne des lebendigen Gottes genannt werden.* 27 Jesaja aber ruft über Israel aus: *Wenn die Zahl der Kinder Israels wäre wie der Sand am Meer, so wird doch nur der Überrest gerettet werden;* 28 *denn eine abschließende und beschleunigte Abrechnung in Gerechtigkeit wird der Herr durchführen, ja eine summarische Abrechnung über das Land!*

29 Und, wie Jesaja vorhergesagt hat: *Hätte der Herr der Heerscharen uns nicht einen Samen übrigbleiben lassen, so wären wir wie Sodom geworden und Gomorra gleichgemacht!*

Israel und die Heidenvölker – die Gerechtigkeit aus dem Gesetz und die Gerechtigkeit aus dem Glauben   Röm 3,21-31; Gal 2,15

30 Was wollen wir nun sagen? Daß Heiden, die nicht nach Gerechtigkeit strebten, Gerechtigkeit erlangt haben, und zwar eine Gerechtigkeit, die aus dem Glauben kommt, 31 daß aber Israel, das nach dem Gesetz der Gerechtigkeit strebte, das Gesetz der Gerechtigkeit nicht erreicht hat. 32 Warum? Weil es nicht aus Glauben geschah, sondern aus Werken des Gesetzes. Denn sie haben sich gestoßen an dem Stein des Anstoßes, 33 wie geschrieben steht: *Siehe, ich lege in Zion einen Stein des Anstoßes und einen Fels des Ärgernisses; und jeder, der an ihn glaubt, wird nicht zuschanden werden!*

10 Brüder, der Wunsch meines Herzens und mein Flehen zu Gott für Israel ist auf ihr Heil gerichtet. 2 Denn ich gebe ihnen das Zeugnis, daß sie Eifer für Gott haben, aber nicht nach der rechten Erkenntnis. 3 Denn weil sie die Gerechtigkeit Gottes nicht erkennen und ihre eigene Gerechtigkeit aufzurichten trachten, haben sie sich der Gerechtigkeit Gottes nicht unterworfen.

4 Denn Christus ist das Ende des Gesetzes zur Gerechtigkeit für jeden, der glaubt. 5 Mose beschreibt nämlich die Gerechtigkeit, die aus dem Gesetz kommt, so: *Der Mensch, der diese Dinge tut, wird durch sie leben.* 6 Aber die Gerechtigkeit aus dem Glauben redet so: Sprich nicht in deinem Herzen: Wer wird in den Himmel hinaufsteigen? – nämlich um Christus herabzu-

holen – [7] oder: Wer wird in den Abgrund hinuntersteigen? –
nämlich um Christus von den Toten zu holen. [8] Sondern was
sagt sie? *Das Wort ist dir nahe, in deinem Mund und in deinem
Herzen!* Dies ist das Wort des Glaubens, das wir verkündigen.

Errettung nur durch den Glauben an Jesus Christus. Die Wichtigkeit der Verkündigung des Evangeliums Röm 1,16-17; 3,22

9 Denn wenn du mit deinem Mund Jesus als den Herrn bekennst und in deinem Herzen glaubst, daß Gott ihn aus den
Toten auferweckt hat, so wirst du gerettet. [10] Denn mit dem
Herzen glaubt man, um gerecht zu werden, und mit dem
Mund bekennt man, um gerettet zu werden; [11] denn die Schrift
spricht: *Jeder, der an ihn glaubt, wird nicht zuschanden werden!*
12 Es ist ja kein Unterschied zwischen Juden und Griechen:
alle haben denselben Herrn, der reich ist für alle, die ihn anrufen, [13] denn: *Jeder, der den Namen des Herrn anruft, wird gerettet werden.* [14] Wie sollen sie aber den anrufen, an den sie nicht
geglaubt haben? Wie sollen sie aber an den glauben, von dem
sie nichts gehört haben? Wie sollen sie aber hören ohne einen
Verkündiger? [15] Wie sollen sie aber verkündigen, wenn sie
nicht ausgesandt werden? Wie geschrieben steht: *Wie lieblich
sind die Füße derer, die das Evangelium des Friedens verkündigen, die das Evangelium des Guten verkündigen!*
16 Aber nicht alle haben dem Evangelium gehorcht; denn Jesaja spricht: *Herr, wer hat unserer Verkündigung geglaubt?*
[17] Demnach kommt der Glaube aus der Verkündigung, die Verkündigung aber durch Gottes Wort. [18] Aber ich frage: Haben
sie etwa nicht gehört? Doch, ja! *Ihre Stimme ist ausgegangen
über die ganze Erde, und ihre Worte bis ans Ende des Erdkreises.*
19 Aber ich frage: Hat es Israel nicht erkannt? Schon Mose sagt:
*Ich will euch zur Eifersucht reizen durch das, was kein Volk ist;
durch ein unverständiges Volk will ich euch erzürnen.* [20] Jesaja
aber wagt sogar zu sagen: *Ich bin von denen gefunden worden,
die mich nicht suchten, bin denen offenbar geworden, die nicht
nach mir fragten.* [21] In bezug auf Israel aber spricht er: *Den
ganzen Tag habe ich meine Hände ausgestreckt nach einem ungehorsamen und widerspenstigen Volk!*

Gott hat sein Volk nicht endgültig verworfen. Ein Überrest erlangt das Heil

11 Ich frage nun: Hat etwa Gott sein Volk verstoßen? Das sei
ferne! Denn auch ich bin ein Israelit, aus dem Samen
Abrahams, aus dem Stamm Benjamin. [2] Gott hat sein Volk

nicht verstoßen, das er zuvor ersehen hat! Oder wißt ihr nicht, was die Schrift bei Elia sagt, wie er vor Gott gegen Israel auftritt und spricht: ³ *Herr, sie haben deine Propheten getötet und deine Altäre zerstört, und ich bin allein übriggeblieben, und sie trachten mir nach dem Leben!* ⁴ Aber was sagt ihm der göttliche Ausspruch? *Ich habe mir siebentausend Männer übrigbleiben lassen, die kein Knie gebeugt haben vor Baal.* ⁵ So ist nun auch in der jetzigen Zeit ein Überrest vorhanden aufgrund der Gnadenwahl. ⁶ Wenn aber aus Gnade, so ist es nicht mehr um der Werke willen; sonst ist die Gnade nicht mehr Gnade; wenn aber um der Werke willen, so ist es nicht mehr Gnade, sonst ist das Werk nicht mehr Werk.

7 Wie nun? Was Israel sucht, das hat es nicht erlangt, die Auswahl aber hat es erlangt. Die übrigen dagegen wurden verstockt, ⁸ wie geschrieben steht: *Gott hat ihnen einen Geist der Betäubung gegeben, Augen, um nicht zu sehen, und Ohren, um nicht zu hören, bis zum heutigen Tag.* ⁹ Und David spricht: *Ihr Tisch werde ihnen zur Schlinge und zum Fallstrick und zum Anstoß und zur Vergeltung;* ¹⁰ *ihre Augen sollen verfinstert werden, daß sie nicht sehen, und ihren Rücken beuge allezeit!*

11 Ich frage nun: Sind sie denn gestrauchelt, damit sie fallen sollten? Das sei ferne! Sondern durch ihren Fall wurde das Heil den Heiden zuteil, damit sie diesen nacheifern sollten. ¹² Wenn aber ihr Fall der Reichtum der Welt und ihr Verlust der Reichtum der Heiden geworden ist, wieviel mehr ihre Fülle!

13 Denn zu euch, den Heiden, rede ich: Weil ich Apostel der Heiden bin, bringe ich meinen Dienst zu Ehren, ¹⁴ ob ich irgendwie meine Volksgenossen zum Nacheifern reizen und etliche von ihnen erretten kann. ¹⁵ Denn wenn ihre Verwerfung die Versöhnung der Welt [zur Folge hatte], was wird ihre Annahme anderes [zur Folge haben] als Leben aus den Toten? ¹⁶ Wenn aber die Erstlingsgabe heilig ist, so ist es auch der Teig, und wenn die Wurzel heilig ist, so sind es auch die Zweige.

Die Gläubigen aus den Heidenvölkern sollen sich nicht überheben   1 Kor 4,7

17 Wenn aber etliche der Zweige ausgebrochen wurden und du als ein wilder Ölzweig unter sie eingepfropft bist und mit Anteil bekommen hast an der Wurzel und der Fettigkeit des Ölbaums, ¹⁸ so überhebe dich nicht gegen die Zweige! Überhebst du dich aber, [so bedenke]: Nicht du trägst die Wurzel, sondern die Wurzel trägt dich! ¹⁹ Nun sagst du aber: Die Zweige sind ausge-

brochen worden, damit ich eingepfropft werde. **20** Ganz recht! Um ihres Unglaubens willen sind sie ausgebrochen worden; du aber stehst durch den Glauben. Sei nicht hochmütig, sondern fürchte dich! **21** Denn wenn Gott die natürlichen Zweige nicht verschont hat, könnte es sonst geschehen, daß er auch dich nicht verschont.

22 So sieh nun die Güte und die Strenge Gottes; die Strenge gegen die, welche gefallen sind; die Güte aber gegen dich, sofern du bei der Güte bleibst, sonst wirst auch du abgehauen werden! **23** Jene dagegen, wenn sie nicht im Unglauben verharren, sollen wieder eingepfropft werden; denn Gott vermag sie wohl wieder einzupfropfen. **24** Denn wenn du aus dem von Natur wilden Ölbaum herausgeschnitten und gegen die Natur in den edlen Ölbaum eingepfropft worden bist, wieviel eher können diese, die natürlichen Zweige, wieder in ihren eigenen Ölbaum eingepfropft werden!

Der herrliche Heilsratschluß Gottes und die Rettung Israels

25 Denn ich will nicht, meine Brüder, daß euch dieses Geheimnis unbekannt bleibt, damit ihr euch nicht selbst für klug haltet – daß Israel zum Teil Verstockung widerfahren ist, bis die Vollzahl der Heiden eingegangen ist, **26** und so ganz Israel gerettet wird, wie geschrieben steht: *Aus Zion wird der Erlöser kommen und die Gottlosigkeiten von Jakob abwenden,* **27** *und das ist mein Bund mit ihnen, wenn ich ihre Sünden wegnehmen werde.*

28 Hinsichtlich des Evangeliums sind sie zwar Feinde um euretwillen, hinsichtlich der Erwählung aber Geliebte um der Väter willen. **29** Denn Gottes Gnadengaben und Berufung sind unwiderruflich. **30** Denn gleichwie auch ihr einst Gott nicht geglaubt habt, nun aber Barmherzigkeit erfahren habt um ihres Unglaubens willen, **31** so haben auch sie jetzt nicht geglaubt um der euch erwiesenen Barmherzigkeit willen, damit auch sie Barmherzigkeit erfahren sollten. **32** Denn Gott hat alle miteinander in den Unglauben verschlossen, damit er sich über alle erbarme.

33 O welch eine Tiefe des Reichtums sowohl der Weisheit als auch der Erkenntnis Gottes! Wie unergründlich sind seine Gerichte, und wie unausforschlich seine Wege! **34** Denn wer hat den Sinn des Herrn erkannt, oder wer ist sein Ratgeber gewesen? **35** Oder wer hat ihm etwas zuvor gegeben, daß es ihm wieder vergolten werde? **36** Denn von ihm und durch ihn und zu ihm sind alle Dinge; ihm sei die Ehre in Ewigkeit! Amen.

Die Antwort der Gläubigen auf Gottes Gnade: Hingabe und Tun des Willens Gottes Röm 6,13; 1Kor 6,19-20; 1Pt 4,2

12 Ich ermahne euch nun, ihr Brüder, angesichts der Barmherzigkeit Gottes, daß ihr eure Leiber darbringt als ein lebendiges, heiliges, Gott wohlgefälliges Opfer: das sei euer vernünftiger Gottesdienst! ² Und paßt euch nicht diesem Weltlauf an, sondern laßt euch in eurem Wesen verändern durch die Erneuerung eures Sinnes, damit ihr prüfen könnt, was der gute und wohlgefällige und vollkommene Wille Gottes ist.

Demut und Dienst in der Gemeinde 1Pt 4,10-11, 1Kor 12,4-27

3 Denn ich sage kraft der Gnade, die mir gegeben ist, einem jeden unter euch, daß er nicht höher von sich denke, als sich zu denken gebührt, sondern daß er auf Bescheidenheit bedacht sei, wie Gott einem jeden das Maß des Glaubens zugeteilt hat. ⁴ Denn gleichwie wir an *einem* Leib viele Glieder besitzen, nicht alle Glieder aber dieselbe Tätigkeit haben, ⁵ so sind auch wir, die vielen, *ein* Leib in Christus, und als einzelne untereinander Glieder, ⁶ wir haben aber verschiedene Gnadengaben gemäß der uns verliehenen Gnade; wenn wir Weissagung haben, [so geschehe sie] in Übereinstimmung mit dem Glauben; ⁷ wenn wir einen Dienst haben, [so geschehe er] im Dienen; wer lehrt, [diene] in der Lehre; ⁸ wer ermahnt, [diene] in der Ermahnung; wer gibt, gebe in Einfalt; wer vorsteht, tue es mit Eifer; wer Barmherzigkeit übt, mit Freudigkeit!

Liebe im praktischen Leben 1Pt 3,8-12; Hebr 13,1-3.16

9 Die Liebe sei ungeheuchelt! Haßt das Böse, haltet fest am Guten! ¹⁰ In der Bruderliebe seid herzlich gegeneinander; in der Ehrerbietung komme einer dem anderen zuvor! ¹¹ Im Eifer laßt nicht nach, seid brennend im Geist, dient dem Herrn! ¹² Seid fröhlich in Hoffnung, in Drangsal haltet stand, seid beharrlich im Gebet! ¹³ Nehmt Anteil an den Nöten der Heiligen, übt willig Gastfreundschaft!

14 Segnet, die euch verfolgen, segnet und flucht nicht! ¹⁵ Freut euch mit den Fröhlichen und weint mit den Weinenden! ¹⁶ Seid gleichgesinnt gegeneinander; trachtet nicht nach hohen Dingen, sondern haltet euch herunter zu den Niedrigen; haltet euch nicht selbst für klug!

17 Vergeltet niemand Böses mit Bösem! Seid auf das bedacht, was in den Augen aller Menschen gut ist. ¹⁸ Ist es möglich, soviel an euch liegt, so haltet mit allen Menschen Frieden. ¹⁹ Rächt euch nicht selbst, Geliebte, sondern gebt Raum dem

Zorn [Gottes]; denn es steht geschrieben: *Die Rache ist mein; ich will vergelten, spricht der Herr.* [20] Wenn nun dein Feind Hunger hat, so gib ihm zu essen; wenn er Durst hat, dann gib ihm zu trinken! Wenn du das tust, wirst du feurige Kohlen auf sein Haupt sammeln. [21] Laß dich nicht vom Bösen überwinden, sondern überwinde das Böse durch das Gute!

Unterordnung unter die Obrigkeit   1Pt 2,13-17

13 Jedermann ordne sich den Obrigkeiten unter, die über ihn gesetzt sind; denn es gibt keine Obrigkeit, die nicht von Gott wäre; die bestehenden Obrigkeiten aber sind von Gott eingesetzt. [2] Wer sich also gegen die Obrigkeit auflehnt, der widersetzt sich der Ordnung Gottes; die sich aber widersetzen, ziehen sich selbst die Verurteilung zu.

3 Denn die Herrscher sind nicht wegen guter Werke zu fürchten, sondern wegen böser. Wenn du also die Obrigkeit nicht fürchten willst, so tue das Gute, dann wirst du Lob von ihr empfangen! [4] Denn sie ist Gottes Dienerin, zu deinem Besten. Tust du aber Böses, so fürchte dich! Denn sie trägt das Schwert nicht umsonst; Gottes Dienerin ist sie, eine Rächerin zum Zorngericht an dem, der das Böse tut. [5] Darum ist es notwendig, sich unterzuordnen, nicht allein um des Zorngerichts, sondern auch um des Gewissens willen. [6] Deshalb zahlt ihr ja auch Steuern; denn sie sind Gottes Diener, die eben dazu beständig tätig sind.

7 So gebt nun jedermann, was ihr schuldig seid: Steuer, dem die Steuer, Zoll, dem der Zoll, Furcht, dem die Furcht, Ehre, dem die Ehre gebührt.

Die Liebe ist die Erfüllung des Gesetzes   Mt 22,35-40; Gal 5,14

8 Seid niemand etwas schuldig, außer daß ihr einander liebt; denn wer den anderen liebt, hat das Gesetz erfüllt. [9] Denn die [Gebote]: *Du sollst nicht ehebrechen, du sollst nicht töten, du sollst nicht stehlen, du sollst nicht falsches Zeugnis ablegen, du sollst nicht begehren* – und welches andere Gebot es noch gibt –, werden zusammengefaßt in diesem Wort, nämlich: *Du sollst deinen Nächsten lieben wie dich selbst!* [10] Die Liebe tut dem Nächsten nichts Böses; so ist nun die Liebe die Erfüllung des Gesetzes.

Leben in Wachsamkeit und Reinheit   1Th 5,4-11; Eph 5,15-18

11 Und dieses [sollen wir tun] als solche, die die Zeit verstehen, daß nämlich die Stunde schon da ist, daß wir vom Schlaf auf-

wachen sollten; denn jetzt ist unsere Errettung näher, als da wir gläubig wurden. ¹²Die Nacht ist vorgerückt, der Tag aber ist nahe. So laßt uns nun ablegen die Werke der Finsternis und anziehen die Waffen des Lichts! ¹³Laßt uns anständig wandeln wie am Tag, nicht in Schlemmereien und Trinkgelagen, nicht in Unzucht und Ausschweifungen, nicht in Streit und Neid; ¹⁴sondern zieht den Herrn Jesus Christus an und pflegt das Fleisch nicht bis zur Erregung von Begierden!

Gegenseitige Duldsamkeit in Gewissensfragen Röm 15,1-7

14 Nehmt den Schwachen im Glauben an, doch nicht um über Gewissensfragen zu streiten. ²Einer glaubt, alles essen zu dürfen; wer aber schwach ist, der ißt Gemüse. ³Wer ißt, verachte den nicht, der nicht ißt; und wer nicht ißt, richte den nicht, der ißt; denn Gott hat ihn angenommen. ⁴Wer bist du, daß du den Hausknecht eines anderen richtest? Er steht oder fällt seinem Herrn. Er wird aber aufgerichtet werden; denn Gott vermag ihn aufzurichten.

5 Dieser hält einen Tag höher als den anderen, jener hält alle Tage gleich; ein jeder sei seiner Meinung gewiß! ⁶Wer auf den Tag achtet, der achtet darauf für den Herrn, und wer nicht auf den Tag achtet, der achtet nicht darauf für den Herrn. Wer ißt, der ißt für den Herrn, denn er dankt Gott; und wer nicht ißt, der enthält sich der Speise für den Herrn und dankt Gott auch.

7 Denn keiner von uns lebt sich selbst und keiner stirbt sich selbst. ⁸Denn leben wir, so leben wir dem Herrn, und sterben wir, so sterben wir dem Herrn; ob wir nun leben oder sterben, wir gehören dem Herrn.

9 Denn dazu ist Christus auch gestorben und auferstanden und wieder lebendig geworden, daß er sowohl über Tote als auch über Lebende Herr sei. ¹⁰Du aber, was richtest du deinen Bruder? Oder du, was verachtest du deinen Bruder? Wir werden alle vor dem Richterstuhl des Christus erscheinen; ¹¹denn es steht geschrieben: *So wahr ich lebe, spricht der Herr: Mir soll sich jedes Knie beugen, und jede Zunge wird Gott bekennen.* ¹²So wird also jeder von uns für sich selbst Gott Rechenschaft geben.

Pflicht zur Rücksichtnahme gegenüber dem schwächeren Bruder 1Kor 8; 10,23-33

13 Darum laßt uns nicht mehr einander richten, sondern das richtet vielmehr, daß dem Bruder weder ein Anstoß noch ein Ärgernis in den Weg gestellt wird! ¹⁴Ich weiß und bin über-

zeugt in dem Herrn Jesus, daß nichts an und für sich unrein ist; sondern es ist nur für den unrein, der etwas für unrein hält. [15] Wenn aber dein Bruder um einer Speise willen betrübt wird, so wandelst du nicht mehr nach der Liebe. Verdirb mit deiner Speise nicht denjenigen, für den Christus gestorben ist! [16] So soll nun euer Bestes nicht verlästert werden. [17] Denn das Reich Gottes ist nicht Essen und Trinken, sondern Gerechtigkeit, Friede und Freude im Heiligen Geist; [18] wer in diesen Dingen dem Christus dient, der ist Gott wohlgefällig und auch von den Menschen geschätzt.

19 So laßt uns nun nach dem streben, was zum Frieden und zur Erbauung untereinander dient. [20] Zerstöre nicht wegen einer Speise das Werk Gottes! Es ist zwar alles rein, aber es ist demjenigen schädlich, der es mit Anstoß ißt. [21] Es ist gut, wenn du kein Fleisch ißt und keinen Wein trinkst, noch sonst etwas tust, woran dein Bruder Anstoß oder Ärgernis nehmen oder schwach werden könnte.

22 Du hast Glauben? Habe ihn für dich selbst vor Gott! Glückselig, wer sich selbst nicht verurteilt in dem, was er gutheißt! [23] Wer aber zweifelt, der ist verurteilt, wenn er doch ißt, weil es nicht aus Glauben geschieht. Alles aber, was nicht aus Glauben geschieht, ist Sünde.

Dem Nächsten gefallen zum Guten Röm 14,13-23; Phil 2,1-5

15 Wir aber, die Starken, haben die Pflicht, die Gebrechen der Schwachen zu tragen und nicht Gefallen an uns selbst zu haben. [2] Denn jeder von uns soll seinem Nächsten gefallen zum Guten, zur Erbauung. [3] Denn auch der Christus hatte nicht an sich selbst Gefallen, sondern wie geschrieben steht: *Die Schmähungen derer, die dich geschmäht haben, sind auf mich gefallen.*

4 Denn alles, was zuvor geschrieben worden ist, wurde zu unserer Belehrung geschrieben, damit wir durch das Ausharren und den Trost der Schriften Hoffnung fassen.

5 Der Gott des Ausharrens und des Trostes aber gebe euch, untereinander *eines* Sinnes zu sein, Christus Jesus gemäß, [6] damit ihr einmütig, mit *einem* Mund den Gott und Vater unseres Herrn Jesus Christus lobt. [7] Darum nehmt einander an, gleichwie auch der Christus uns angenommen hat, zur Ehre Gottes!

Die Gläubigen sollen Gott loben wegen seiner Barmherzigkeit

8 Ich sage aber, daß Jesus Christus ein Diener der Beschneidung geworden ist um der Wahrhaftigkeit Gottes willen, um

die Verheißungen an die Väter zu bestätigen, **9** daß aber die Heiden Gott loben sollen um der Barmherzigkeit willen, wie geschrieben steht: *Darum will ich dich preisen unter den Heiden und deinem Namen lobsingen!* **10** Und wiederum heißt es: *Freut euch, ihr Heiden, mit seinem Volk!* **11** Und wiederum: *Lobt den Herrn, alle Heiden, und preist ihn, alle Völker!* **12** Und wiederum spricht Jesaja: *Es wird kommen die Wurzel Isais und der, welcher aufsteht, um über die Heiden zu herrschen; auf ihn werden die Heiden hoffen.*

13 Der Gott der Hoffnung aber erfülle euch mit aller Freude und mit Frieden im Glauben, daß ihr überströmt in der Hoffnung durch die Kraft des Heiligen Geistes!

Der Dienst des Apostel Paulus   1Kor 15,10; 2Kor 12,12; 10,13-18

14 Ich habe aber, meine Brüder, die feste Überzeugung von euch, daß auch ihr selbst voll Gütigkeit seid, erfüllt mit aller Erkenntnis und fähig, einander zu ermahnen. **15** Das machte mir aber zum Teil um so mehr Mut, euch zu schreiben, Brüder, um euch wieder zu erinnern, aufgrund der Gnade, die mir von Gott gegeben ist, **16** daß ich ein Diener Jesu Christi für die Heiden sein soll, der priesterlich dient am Evangelium Gottes, damit das Opfer der Heiden angenehm werde, geheiligt im Heiligen Geist.

17 Ich habe also Grund zum Rühmen in Christus Jesus, vor Gott. **18** Denn ich würde nicht wagen, von irgend etwas zu reden, das nicht Christus durch mich gewirkt hat, um die Heiden zum Gehorsam zu bringen durch Wort und Werk, **19** in der Kraft von Zeichen und Wundern, in der Kraft des Geistes Gottes, so daß ich von Jerusalem an und ringsumher bis nach Illyrien das Evangelium von Christus völlig verkündigt habe. **20** Dabei mache ich es mir zur Ehre, das Evangelium nicht dort zu verkündigen, wo der Name des Christus schon bekannt ist, damit ich nicht auf den Grund eines anderen baue, **21** sondern, wie geschrieben steht: *Die, denen nicht von ihm verkündigt worden ist, sollen es sehen, und die, welche es nicht gehört haben, sollen es verstehen.*

Reisepläne des Apostels. Ermahnung zur Fürbitte   Röm 1,9-15

22 Darum bin ich auch oftmals verhindert worden, zu euch zu kommen. **23** Da ich jetzt aber in diesen Gegenden keinen Raum mehr habe, wohl aber seit vielen Jahren ein Verlangen hege, zu euch zu kommen, **24** so will ich auf der Reise nach Spanien zu euch kommen; denn ich hoffe, euch auf der Durch-

reise zu sehen und von euch dorthin geleitet zu werden, wenn ich mich zuvor ein wenig an euch erquickt habe.

25 Nun aber reise ich nach Jerusalem, im Dienst für die Heiligen. 26 Es hat nämlich Mazedonien und Achaja gefallen, eine Sammlung für die Armen unter den Heiligen in Jerusalem zu veranstalten; 27 es hat ihnen gefallen, und sie sind es ihnen auch schuldig; denn wenn die Heiden an ihren geistlichen Gütern Anteil erhalten haben, so sind sie auch verpflichtet, jenen in den leiblichen zu dienen. 28 Sobald ich nun das ausgerichtet und ihnen diese Frucht gesichert habe, will ich über euch weiterreisen nach Spanien. 29 Ich weiß aber, daß, wenn ich zu euch komme, ich mit dem vollen Segen des Evangeliums von Christus kommen werde.

30 Ich ermahne euch aber, ihr Brüder, um unseres Herrn Jesus Christus und der Liebe des Geistes willen, daß ihr mit mir zusammen kämpft in den Gebeten für mich zu Gott, 31 daß ich bewahrt werde vor den Ungläubigen in Judäa und daß mein Dienst für Jerusalem den Heiligen angenehm sei, 32 damit ich mit Freuden zu euch komme durch Gottes Willen und mich zusammen mit euch erquicke. 33 Der Gott des Friedens sei mit euch allen! Amen.

Empfehlungen, Grüße und Segenswünsche   3Joh 5-8; Phil 4,21

16 Ich empfehle euch aber unsere Schwester Phöbe, die eine Dienerin der Gemeinde in Kenchreä ist, 2 damit ihr sie aufnehmt im Herrn, wie es Heiligen angemessen ist, und ihr in allen Dingen beisteht, in denen sie euch braucht; denn auch sie ist vielen ein Beistand gewesen, auch mir selbst. 3 Grüßt Priscilla und Aquila, meine Mitarbeiter in Christus Jesus, 4 die für mein Leben ihr eigenes Leben eingesetzt haben, denen nicht allein ich dankbar bin, sondern auch alle Gemeinden der Heiden; 5 grüßt auch die Gemeinde in ihrem Haus. Grüßt meinen geliebten Epänetus, der ein Erstling von Achaja für Christus ist. 6 Grüßt Maria, die viel für uns gearbeitet hat.

7 Grüßt Andronicus und Junias, meine Verwandten und Mitgefangenen, die unter den Aposteln angesehen und vor mir in Christus gewesen sind. 8 Grüßt meinen im Herrn geliebten Amplias. 9 Grüßt Urbanus, unseren Mitarbeiter in Christus, und meinen geliebten Stachys. 10 Grüßt Apelles, den in Christus Bewährten, grüßt die vom Haus des Aristobulus. 11 Grüßt Herodion, meinen Verwandten; grüßt die vom Haus des Narcissus, die im Herrn sind.

12 Grüßt die Tryphena und die Tryphosa, die im Herrn arbeiten; grüßt die geliebte Persis, die viel gearbeitet hat im Herrn. 13 Grüßt Rufus, den Auserwählten im Herrn, und seine und meine Mutter. 14 Grüßt Asynkritus, Phlegon, Hermas, Patrobas, Hermes und die Brüder bei ihnen. 15 Grüßt Philologus und Julia, Nereus und seine Schwester, auch Olympas und alle Heiligen bei ihnen. 16 Grüßt einander mit dem heiligen Kuß! Es grüßen euch die Gemeinden des Christus.

Warnung vor falschen Lehrern und Verführern   1Tim 6,3-5

17 Ich ermahne euch aber, ihr Brüder: Gebt acht auf die, welche Trennungen und Ärgernisse bewirken im Widerspruch zu der Lehre, die ihr gelernt habt, und meidet sie. 18 Denn solche dienen nicht unserem Herrn Jesus Christus, sondern ihrem eigenen Bauch, und durch wohlklingende Reden und schöne Worte verführen sie die Herzen der Arglosen. 19 Denn euer Gehorsam ist überall bekanntgeworden. Darum freue ich mich eurethalben, möchte aber, daß ihr weise seid zum Guten und unvermischt bleibt mit dem Bösen. 20 Der Gott des Friedens aber wird in kurzem den Satan unter euren Füßen zermalmen. Die Gnade unseres Herrn Jesus Christus sei mit euch!

Briefschluß. Die Offenbarung des Geheimnisses Gottes

21 Es grüßen euch Timotheus, mein Mitarbeiter, und Lucius und Jason und Sosipater, meine Verwandten. 22 Ich, Tertius, der ich den Brief niedergeschrieben habe, grüße euch im Herrn. 23 Es grüßt euch Gajus, der mich und die ganze Gemeinde beherbergt. Es grüßt euch Erastus, der Stadtverwalter, und Quartus, der Bruder. 24 Die Gnade unseres Herrn Jesus Christus sei mit euch allen! Amen. 25 Dem aber, der euch zu stärken vermag nach meinem Evangelium und der Verkündigung von Jesus Christus, gemäß der Offenbarung des Geheimnisses, das von ewigen Zeiten her verschwiegen war, 26 jetzt aber offenbar gemacht und durch prophetische Schriften auf Befehl des ewigen Gottes kundgetan worden ist zum Gehorsam des Glaubens für alle Heiden 27 – ihm, dem allein weisen Gott, sei die Ehre durch Jesus Christus in Ewigkeit! Amen.

DER ERSTE BRIEF DES APOSTELS PAULUS AN DIE KORINTHER

Der Apostel Paulus schrieb seinen Brief an die junge christliche Gemeinde in der griechischen Großstadt Korinth etwa 54-56 n. Chr. Die Gläubigen dort hatten noch manche Schwierigkeiten, sich aus ihrem alten Leben zu lösen und nach Gottes Willen zu leben. Deshalb unterweist sie Paulus über viele Grundfragen des christlichen Gemeindelebens, aber auch der persönlichen Lebensführung.

Zuschrift und Gruß

1 Paulus, berufener Apostel Jesu Christi durch Gottes Willen, und Sosthenes, der Bruder, **2** an die Gemeinde Gottes, die in Korinth ist, an die Geheiligten in Christus Jesus, an die berufenen Heiligen, samt allen, die den Namen unseres Herrn Jesus Christus anrufen an jedem Ort, sowohl bei ihnen als auch bei uns: **3** Gnade sei mit euch und Friede von Gott, unserem Vater, und dem Herrn Jesus Christus!

Dank für die Gnade Gottes   Phil 1,3-6; Kol 1,3-11

4 Ich danke meinem Gott allezeit eurethalben für die Gnade Gottes, die euch in Christus Jesus gegeben ist, **5** daß ihr in allem reich gemacht worden seid in ihm, in allem Wort und in aller Erkenntnis, **6** wie denn das Zeugnis von Christus in euch befestigt worden ist, **7** so daß ihr keinen Mangel habt an irgendeiner Gnadengabe, während ihr die Offenbarung unseres Herrn Jesus Christus erwartet, **8** der euch auch befestigen wird bis ans Ende, so daß ihr unverklagbar seid am Tag unseres Herrn Jesus Christus. **9** Gott ist treu, durch den ihr berufen seid zur Gemeinschaft seines Sohnes Jesus Christus, unseres Herrn.

Ermahnung wegen Spaltungen in der Gemeinde   1Kor 3,3-8

10 Ich ermahne euch aber, ihr Brüder, kraft des Namens unseres Herrn Jesus Christus, daß ihr alle einmütig seid und keine Spaltungen unter euch zulaßt, sondern zusammenhaltet in derselben Gesinnung und in derselben Überzeugung. **11** Mir ist nämlich, meine Brüder, durch die Leute der Chloe bekanntgeworden, daß Streitigkeiten unter euch sind. **12** Ich rede aber davon, daß jeder von euch so spricht: Ich halte zu Paulus! – Ich aber zu Apollos! – Ich aber zu Kephas! – Ich aber zu Christus!

13 Ist der Christus denn zerteilt? Ist etwa Paulus für euch gekreuzigt worden, oder seid ihr auf den Namen des Paulus getauft? [14] Ich danke Gott, daß ich niemand von euch getauft habe, außer Krispus und Gajus; [15] so kann doch niemand sagen, ich hätte auf meinen Namen getauft! [16] Ich habe aber auch das Haus des Stephanas getauft. Sonst weiß ich nicht, ob ich noch jemand getauft habe; [17] denn Christus hat mich nicht gesandt zu taufen, sondern das Evangelium zu verkündigen, [und zwar] nicht in Redeweisheit, damit nicht das Kreuz des Christus entkräftet wird.

Das Wort vom Kreuz und die Weisheit der Menschen   Röm 1,16

18 Denn das Wort vom Kreuz ist eine Torheit denen, die verloren gehen; uns aber, die wir gerettet werden, ist es eine Kraft Gottes; [19] denn es steht geschrieben: *Ich will zunichte machen die Weisheit der Weisen, und den Verstand der Verständigen will ich verwerfen.*
20 Wo ist der Weise, wo der Schriftgelehrte, wo der Wortgewaltige dieser Weltzeit? Hat nicht Gott die Weisheit dieser Welt zur Torheit gemacht? [21] Denn weil die Welt durch ihre Weisheit Gott in seiner Weisheit nicht erkannte, gefiel es Gott, durch die Torheit der Verkündigung diejenigen zu retten, die glauben.
22 Während nämlich die Juden ein Zeichen fordern und die Griechen Weisheit verlangen, [23] verkündigen wir Christus den Gekreuzigten, den Juden ein Ärgernis, den Griechen eine Torheit; [24] denen aber, die berufen sind, sowohl Juden als Griechen, [verkündigen wir] Christus, Gottes Kraft und Gottes Weisheit. [25] Denn das Törichte Gottes ist weiser als die Menschen, und das Schwache Gottes ist stärker als die Menschen.
26 Seht doch eure Berufung an, ihr Brüder! Da sind nicht viele Weise nach dem Fleisch, nicht viele Mächtige, nicht viele Vornehme; [27] sondern das Törichte der Welt hat Gott erwählt, um die Weisen zuschanden zu machen, und das Schwache der Welt hat Gott erwählt, um das Starke zuschanden zu machen; [28] und das Unedle der Welt und das Verachtete hat Gott erwählt, und das, was nichts ist, damit er zunichte mache, was etwas ist, [29] damit sich vor ihm kein Fleisch rühme.
30 Durch ihn aber seid ihr in Christus Jesus, der uns von Gott gemacht worden ist zur Weisheit, zur Gerechtigkeit, zur Heiligung und zur Erlösung, [31] damit [es geschehe], wie geschrieben steht: *Wer sich rühmen will, der rühme sich des Herrn!*

Zentrum und Ziel der apostolischen Verkündigung 1Kor 1,17-25

2 So bin auch ich, meine Brüder, als ich zu euch kam, nicht gekommen, um euch in hervorragender Rede oder Weisheit das Zeugnis Gottes zu verkündigen. [2] Denn ich hatte mir vorgenommen, unter euch nichts anderes zu wissen als nur Jesus Christus, und zwar als Gekreuzigten.

3 Und ich war in Schwachheit und mit viel Furcht und Zittern unter euch. [4] Und meine Rede und meine Verkündigung bestand nicht in überredenden Worten menschlicher Weisheit, sondern in Erweisung des Geistes und der Kraft, [5] damit euer Glaube nicht auf Menschenweisheit beruhe, sondern auf Gottes Kraft.

Die Weisheit der Welt und die Weisheit Gottes Eph 3,2-11

6 Wir reden allerdings Weisheit unter den Gereiften; aber nicht die Weisheit dieser Weltzeit, auch nicht der Obersten dieser Weltzeit, die vergehen, [7] sondern wir reden Gottes Weisheit im Geheimnis, die verborgene, die Gott vor den Weltzeiten zu unserer Herrlichkeit vorherbestimmt hat, [8] die keiner der Obersten dieser Weltzeit erkannt hat – denn wenn sie sie erkannt hätten, so hätten sie den Herrn der Herrlichkeit nicht gekreuzigt –, [9] sondern, wie geschrieben steht: *Was kein Auge gesehen und kein Ohr gehört und keinem Menschen ins Herz gekommen ist, was Gott denen bereitet hat, die ihn lieben.*

10 Uns aber hat es Gott geoffenbart durch seinen Geist; denn der Geist erforscht alles, auch die Tiefen Gottes. [11] Denn welcher Mensch weiß, was im Menschen ist, als nur der Geist des Menschen, der in ihm ist? So weiß auch niemand, was in Gott ist, als nur der Geist Gottes.

12 Wir aber haben nicht den Geist der Welt empfangen, sondern den Geist, der aus Gott ist, so daß wir wissen können, was uns von Gott gegeben ist; [13] und davon reden wir auch, nicht in Worten, die von menschlicher Weisheit gelehrt sind, sondern in solchen, die vom Heiligen Geist gelehrt sind, indem wir Geistliches geistlich beurteilen.

14 Der natürliche Mensch aber nimmt nicht an, was vom Geist Gottes ist; denn es ist ihm eine Torheit, und er kann es nicht erkennen, weil es geistlich beurteilt werden muß. [15] Der geistliche [Mensch] dagegen beurteilt zwar alles, er selbst jedoch wird von niemand beurteilt; [16] denn *wer hat den Sinn des Herrn erkannt, daß er ihn belehre?* Wir aber haben den Sinn des Christus.

Geistliche Unmündigkeit und Zwietracht in der Gemeinde

3 Und ich, meine Brüder, konnte nicht zu euch reden als zu geistlichen, sondern als zu fleischlichen [Menschen], als zu Unmündigen in Christus. [2] Milch habe ich euch zu trinken gegeben und nicht feste Speise; denn ihr konntet sie nicht vertragen, ja ihr könnt sie auch jetzt noch nicht vertragen, [3] denn ihr seid noch fleischlich. Solange nämlich Eifersucht und Streit und Zwietracht unter euch sind, seid ihr da nicht fleischlich und wandelt nach Menschenweise? [4] Denn wenn einer sagt: Ich halte zu Paulus! der andere aber: Ich zu Apollos! – seid ihr da nicht fleischlich?

Die Verkündiger sind Diener des Christus   1Kor 4,1-6; Röm 15,16

5 Wer ist denn Paulus, wer ist Apollos? Was sind sie anderes als Diener, durch die ihr gläubig geworden seid, und zwar, wie es der Herr jedem gegeben hat? [6] Ich habe gepflanzt, Apollos hat begossen, Gott aber hat das Gedeihen gegeben. [7] So ist also weder der etwas, welcher pflanzt, noch der, welcher begießt, sondern Gott, der das Gedeihen gibt. [8] Der aber, welcher pflanzt und der, welcher begießt, sind eins; jeder aber wird seinen eigenen Lohn empfangen entsprechend seiner eigenen Arbeit.

Die Aufbauarbeit am Haus Gottes   Eph 2,20-22; 1Pt 2,4-6

9 Denn wir sind Gottes Mitarbeiter; ihr aber seid Gottes Ackerfeld und Gottes Bau. [10] Gemäß der Gnade Gottes, die mir gegeben ist, habe ich als ein weiser Baumeister den Grund gelegt; ein anderer aber baut darauf. Ein jeder sehe aber zu, wie er darauf aufbaut. [11] Denn einen anderen Grund kann niemand legen außer dem, der gelegt ist, welcher ist Jesus Christus.
12 Wenn aber jemand auf diesen Grund Gold, Silber, kostbare Steine, Holz, Heu, Stroh baut, [13] so wird das Werk eines jeden offenbar werden; der Tag wird es zeigen, weil es durchs Feuer geoffenbart wird. Und welcher Art das Werk eines jeden ist, wird das Feuer erproben. [14] Wenn jemandes Werk, das er darauf gebaut hat, bleibt, so wird er Lohn empfangen; [15] wird aber jemandes Werk verbrennen, so wird er Schaden erleiden, er selbst aber wird gerettet werden, doch so wie durchs Feuer hindurch.
16 Wißt ihr nicht, daß ihr Gottes Tempel seid und der Geist Gottes in euch wohnt? [17] Wenn jemand den Tempel Gottes verderbt, den wird Gott verderben; denn der Tempel Gottes ist heilig, und der seid ihr.

18 Niemand betrüge sich selbst! Wenn jemand unter euch sich für weise hält in dieser Weltzeit, so werde er töricht, damit er weise werde! **19** Denn die Weisheit dieser Welt ist Torheit vor Gott; denn es steht geschrieben: *Er fängt die Weisen in ihrer List.* **20** Und wiederum: *Der Herr kennt die Gedanken der Weisen, daß sie nichtig sind.*

21 So rühme sich nun niemand irgendwelcher Menschen; denn alles ist euer: **22** es sei Paulus oder Apollos oder Kephas oder die Welt, das Leben oder der Tod, das Gegenwärtige oder das Zukünftige – alles ist euer; **23** ihr aber seid des Christus, Christus aber ist Gottes.

Paulus als Verwalter göttlicher Geheimnisse Eph 3,1-11

4 So soll man uns betrachten: als Diener des Christus und Verwalter göttlicher Geheimnisse. **2** Im übrigen wird von einem Verwalter nur verlangt, daß er treu erfunden wird. **3** Mir aber ist es das Geringste, daß ich von euch oder von einem menschlichen Gerichtstag beurteilt werde; auch beurteile ich mich nicht selbst. **4** Denn ich bin mir nichts bewußt; aber damit bin ich nicht gerechtfertigt, sondern der Herr ist es, der mich beurteilt.

5 Darum richtet nichts vor der Zeit, bis der Herr kommt, der auch das im Finstern Verborgene ans Licht bringen und die Absichten der Herzen offenbar machen wird; und dann wird jedem das Lob von Gott zuteil werden.

Die Überheblichkeit der Korinther und das Vorbild des Apostels 2Kor 6,4-13; Phil 2,19-22

6 Das aber, meine Brüder, habe ich auf mich und Apollos bezogen um euretwillen, damit ihr an uns lernt, in eurem Denken nicht über das hinauszugehen, was geschrieben steht, damit ihr euch nicht für den einen auf Kosten des anderen aufbläht. **7** Denn wer gibt dir den Vorzug? Und was besitzt du, das du nicht empfangen hast? Wenn du es aber empfangen hast, was rühmst du dich, als ob du es nicht empfangen hättest? **8** Ihr seid schon satt geworden, ihr seid schon reich geworden, ihr seid ohne uns zur Herrschaft gelangt! O daß ihr doch wirklich zur Herrschaft gelangt wärt, damit auch wir mit euch herrschen könnten!

9 Es scheint mir nämlich, daß Gott uns Apostel als die Letzten hingestellt hat, gleichsam zum Tod bestimmt; denn wir sind der Welt ein Schauspiel geworden, sowohl Engeln als auch Menschen. **10** Wir sind Narren um des Christus willen, ihr aber

seid klug in Christus; wir schwach, ihr aber stark; ihr in Ehren, wir aber verachtet.

11 Bis zu dieser Stunde leiden wir Hunger und Durst und Blöße, werden geschlagen und haben keine Bleibe ¹² und arbeiten mühsam mit unseren eigenen Händen. Wenn wir geschmäht werden, segnen wir; wenn wir Verfolgung leiden, halten wir stand; ¹³ wenn wir gelästert werden, spenden wir Trost; zum Kehricht der Welt sind wir geworden, zum Abschaum aller bis jetzt.

14 Nicht zu eurer Beschämung schreibe ich das, sondern ich ermahne euch als meine geliebten Kinder. ¹⁵ Denn wenn ihr auch zehntausend Lehrmeister[a] hättet in Christus, so habt ihr doch nicht viele Väter; denn ich habe euch in Christus Jesus gezeugt durch das Evangelium. ¹⁶ So ermahne ich euch nun: Werdet meine Nachahmer! ¹⁷ Deshalb habe ich Timotheus zu euch gesandt, der mein geliebtes und treues Kind im Herrn ist; der wird euch an meine Wege in Christus erinnern, wie ich überall in jeder Gemeinde lehre.

18 Weil ich aber nicht selbst zu euch komme, haben sich etliche aufgebläht; ¹⁹ ich werde aber bald zu euch kommen, wenn der Herr will, und nicht die Worte der Aufgeblähten kennenlernen, sondern die Kraft. ²⁰ Denn das Reich Gottes [besteht] nicht in Worten, sondern in Kraft! ²¹ Was wollt ihr? Soll ich mit der Rute zu euch kommen, oder in Liebe und im Geist der Sanftmut?

Sünde in der Gemeinde und die Notwendigkeit von Gemeindezucht Mt 18,15-18; 1Th 4,3-8; 5Mo 19,19; Gal 5,9

5 Überhaupt hört man von Unzucht unter euch, und zwar von einer solchen Unzucht, die selbst unter den Heiden unerhört ist, daß nämlich einer die Frau seines Vaters hat! ² Und ihr seid aufgebläht und hättet doch eher Leid tragen sollen, damit der, welcher diese Tat begangen hat, aus eurer Mitte hinweggetan wird! ³ Denn ich als dem Leib nach abwesend, dem Geist nach aber anwesend, habe schon, als wäre ich anwesend, über den, der dies auf solche Weise begangen hat, beschlossen, ⁴ den Betreffenden im Namen unseres Herrn Jesus Christus und nachdem euer und mein Geist sich mit der Kraft unseres Herrn Jesus Christus vereinigt hat, ⁵ dem Satan zu übergeben zum Verderben des Fleisches, damit der Geist gerettet werde am Tag des Herrn Jesus.

---

a. (4,15) od. *Erzieher* (gr. *paidagogos*), ein Sklave, der die Erziehung der Kinder übernahm.

6 Euer Rühmen ist nicht gut! Wißt ihr nicht, daß ein wenig Sauerteig den ganzen Teig durchsäuert? [7] Fegt nun den alten Sauerteig aus, damit ihr ein neuer Teig seid, da ihr ja ungesäuert seid! Denn unser Passahlamm ist ja für uns geschlachtet worden: Christus. [8] So wollen wir denn nicht mit altem Sauerteig Fest feiern, auch nicht mit Sauerteig der Bosheit und Schlechtigkeit, sondern mit ungesäuerten Broten der Lauterkeit und Wahrheit.

9 Ich habe euch in dem Brief geschrieben, daß ihr keinen Umgang mit Unzüchtigen haben sollt; [10] und zwar nicht mit den Unzüchtigen dieser Welt überhaupt, oder den Habsüchtigen oder Räubern oder Götzendienern; sonst müßtet ihr ja aus der Welt hinausgehen. [11] Nun aber habe ich euch geschrieben, daß ihr keinen Umgang haben sollt mit jemand, der sich Bruder nennen läßt und dabei ein Unzüchtiger oder Habsüchtiger oder Götzendiener oder Lästerer oder Trunkenbold oder Räuber ist; mit einem solchen sollt ihr nicht einmal essen.

12 Denn was gehen mich auch die an, die außerhalb [der Gemeinde] sind, daß ich sie richten sollte? Habt ihr nicht die zu richten, welche drinnen sind? [13] Die aber außerhalb sind, richtet Gott. So tut den Bösen aus eurer Mitte hinweg!

Rechtsstreit unter Christen Jak 4,1; Mt 5,38-41; 5,23-26

6 Wie kann jemand von euch, der eine Beschwerde gegen einen anderen hat, sich bei den Ungerechten richten lassen anstatt bei den Heiligen? [2] Wißt ihr nicht, daß die Heiligen die Welt richten werden? Wenn nun durch euch die Welt gerichtet werden soll, seid ihr dann unwürdig, über die allergeringsten Dinge zu entscheiden? [3] Wißt ihr nicht, daß wir Engel richten werden? Wieviel mehr die Dinge dieses Lebens?

4 Wenn ihr nun über Dinge dieses Lebens Entscheidungen zu treffen habt, so setzt ihr solche zu Richtern ein, die bei der Gemeinde nichts gelten! [5] Zur Beschämung sage ich's euch: demnach ist also nicht ein einziger Weiser unter euch, der ein unparteiisches Urteil fällen könnte für seinen Bruder; [6] sondern ein Bruder führt Rechtsstreit mit dem anderen Bruder, und das vor Ungläubigen!

7 Es ist ja überhaupt schon ein Schaden unter euch, daß ihr Prozesse miteinander führt. Warum laßt ihr euch nicht lieber Unrecht tun? Warum laßt ihr euch nicht lieber übervorteilen? [8] Sondern ihr übt Unrecht und übervorteilt, und dies gegenüber Brüdern!

Warnung vor der Sünde. Der Leib als Tempel des Heiligen Geistes

9 Wißt ihr denn nicht, daß Ungerechte das Reich Gottes nicht erben werden? Irrt euch nicht: Weder Unzüchtige noch Götzendiener, weder Ehebrecher noch Weichlinge, noch Knabenschänder, 10 weder Diebe noch Habsüchtige, noch Trunkenbolde, noch Lästerer, noch Räuber werden das Reich Gottes erben. 11 Und solche sind etliche von euch gewesen; aber ihr seid abgewaschen, ihr seid geheiligt, ihr seid gerechtfertigt worden in dem Namen des Herrn Jesus und in dem Geist unseres Gottes!

12 Alles ist mir erlaubt – aber nicht alles ist nützlich! Alles ist mir erlaubt – aber ich will mich von nichts beherrschen lassen! 13 Die Speisen sind für den Bauch und der Bauch für die Speisen; Gott aber wird diesen und jene wegtun. Der Leib aber ist nicht für die Unzucht, sondern für den Herrn, und der Herr für den Leib. 14 Gott aber hat den Herrn auferweckt und wird auch uns auferwecken durch seine Kraft.

15 Wißt ihr nicht, daß eure Leiber Glieder des Christus sind? Soll ich nun die Glieder des Christus nehmen und Hurenglieder daraus machen? Das sei ferne! 16 Oder wißt ihr nicht, daß, wer einer Hure anhängt, *ein* Leib mit ihr ist? *Denn es werden*, heißt es, *die zwei* ein *Fleisch sein.* 17 Wer aber dem Herrn anhängt, ist *ein* Geist mit ihm.

18 Flieht die Unzucht! Jede Sünde, die ein Mensch [sonst] begeht, ist außerhalb des Leibes; wer aber Unzucht verübt, sündigt an seinem eigenen Leib. 19 Oder wißt ihr nicht, daß euer Leib ein Tempel des in euch wohnenden Heiligen Geistes ist, den ihr von Gott empfangen habt, und daß ihr nicht euch selbst gehört? 20 Denn ihr seid teuer erkauft; darum verherrlicht Gott in eurem Leib und in eurem Geist, die Gott gehören!

Antwort auf Fragen der Korinther zu Ehe und Ehelosigkeit

7 Was aber das betrifft, wovon ihr mir geschrieben habt, so ist es ja gut für den Menschen, keine Frau zu berühren; 2 um aber Unzucht zu vermeiden, soll jeder [Mann] seine eigene Frau und jede [Frau] ihren eigenen Mann haben. 3 Der Mann gebe der Frau die Zuneigung, die er ihr schuldig ist, ebenso aber auch die Frau dem Mann.

4 Die Frau verfügt nicht selbst über ihren Leib, sondern der Mann; gleicherweise verfügt aber auch der Mann nicht selbst über seinen Leib, sondern die Frau. 5 Entzieht euch einander nicht, außer nach Übereinkunft eine Zeitlang, damit ihr euch dem Fasten und dem Gebet widmen könnt; und kommt wieder

zusammen, damit euch der Satan nicht versucht um eurer Un-
enthaltsamkcit wlllen. [6] Das sage ich aber aus Nachsicht und
nicht als Befehl. [7] Denn ich wollte, alle Menschen wären wie
ich; aber jeder hat seine eigene Gnadengabe von Gott, der eine
so, der andere so.

8 Ich sage aber den Ledigen und den Witwen: Es ist gut für sie,
wenn sie bleiben wie ich. [9] Wenn sie sich aber nicht enthalten
können, so sollen sie heiraten; denn heiraten ist besser als in
Glut geraten.

Verbot der Ehescheidung Mk 10,2-12; Röm 7,2-3; 1Kor 7,39

10 Den Verheirateten aber gebiete nicht ich, sondern der Herr,
daß eine Frau sich nicht scheiden soll von dem Mann [11] (wenn
sie aber schon geschieden sein sollte, so bleibe sie unverheira-
tet oder versöhne sich mit dem Mann); und der Mann soll die
Frau nicht entlassen.
12 Den übrigen aber sage ich, nicht der Herr: Wenn ein Bruder
eine ungläubige Frau hat, und diese ist einverstanden, bei ihm
zu wohnen, so soll er sie nicht entlassen; [13] und eine Frau, die
einen ungläubigen Mann hat, der einverstanden ist, bei ihr zu
wohnen, soll ihn nicht verlassen. [14] Denn der ungläubige
Mann ist geheiligt durch die Frau, und die ungläubige Frau ist
geheiligt durch den Mann; sonst wären eure Kinder unrein,
nun aber sind sie heilig. [15] Wenn sich aber der Ungläubige
scheiden will, so scheide er sich! Der Bruder oder die Schwester ist in solchen Fällen nicht gebunden; in Frieden aber hat
uns Gott berufen. [16] Denn was weißt du, Frau, ob du den
Mann retten kannst? Oder was weißt du, Mann, ob du die Frau
retten kannst?

Jeder soll in seinem von Gott gegebenen Stand bleiben Eph 6,5-9

17 Doch wie Gott einem jeden zugeteilt hat, wie der Herr einen
jeden berufen hat, so wandle er! Und so ordne ich es in allen
Gemeinden an. [18] Ist jemand nach erfolgter Beschneidung berufen worden, so suche er sie nicht rückgängig zu machen; ist
jemand in unbeschnittenem Zustand berufen worden, so lasse
er sich nicht beschneiden. [19] Beschnitten sein ist nichts und
unbeschnitten sein ist auch nichts, wohl aber Gottes Gebote
halten.
20 Jeder bleibe in dem Stand, in dem er berufen worden ist.
[21] Bist du als Sklave berufen worden, so sei deshalb ohne Sorge!
Wenn du aber auch frei werden kannst, so benütze es lieber.
[22] Denn der im Herrn berufene Sklave ist ein Freigelassener des

Herrn; ebenso ist auch der berufene Freie ein Sklave des Christus. 23 Ihr seid teuer erkauft; werdet nicht Sklaven der Menschen! 24 Brüder, jeder bleibe vor Gott in dem [Stand], in dem er berufen worden ist.

Ratschläge des Apostels an die Unverheirateten 2Pt 3,11-13

25 Wegen der Jungfrauen aber habe ich keinen Befehl des Herrn; ich gebe aber ein Urteil ab als einer, der vom Herrn begnadigt worden ist, treu zu sein. 26 So halte ich nun um der gegenwärtigen Not willen [das] für richtig, daß es für einen Menschen gut ist, so zu bleiben [wie er ist]. 27 Bist du an eine Frau gebunden, so suche keine Lösung; bist du frei von der Frau, so suche keine Frau. 28 Wenn du aber auch heiratest, so sündigst du nicht; und wenn die Jungfrau heiratet, so sündigt sie nicht; doch werden solche Drangsal im Fleisch haben, die ich euch gerne ersparen möchte.

29 Das aber sage ich, ihr Brüder: Die Zeit ist begrenzt! So mögen nun in der noch verbliebenen Frist die, welche Frauen haben, sein, als hätten sie keine, 30 und die weinen, als weinten sie nicht, und die sich freuen, als freuten sie sich nicht, und die kaufen, als besäßen sie es nicht, 31 und die diese Welt gebrauchen, als gebrauchten sie sie gar nicht; denn die Gestalt dieser Welt vergeht.

32 Ich will aber, daß ihr ohne Sorgen seid! Der Unverheiratete ist für die Sache des Herrn besorgt, wie er dem Herrn gefällt; 33 der Verheiratete aber sorgt für die Dinge der Welt, wie er der Frau gefällt. 34 Es ist ein Unterschied zwischen der Ehefrau und der Jungfrau. Die Unverheiratete ist besorgt um die Sache des Herrn, daß sie heilig sei sowohl am Leib als auch am Geist; die Verheiratete aber sorgt für die Dinge der Welt, wie sie dem Mann gefällt. 35 Das sage ich aber zu eurem eigenen Nutzen, nicht um euch eine Schlinge um den Hals zu werfen, sondern um des Anstandes willen, und damit ihr ohne Ablenkung beständig dem Herrn dienen könnt.

36 Wenn aber jemand meint, er handle unschicklich an seiner Jungfrau, wenn sie über die Jahre der Reife hinauskommt, und wenn es dann so sein muß, der tue, was er will; er sündigt nicht, sie mögen heiraten! 37 Wenn aber einer im Herzen fest steht und keine Not hat, sondern Vollmacht, nach seinem eigenen Willen zu handeln, und in seinem eigenen Herzen beschlossen hat, seine Jungfrau zu bewahren, der handelt recht. 38 Also, wer verheiratet, handelt recht, wer aber nicht verheiratet, handelt besser.

Die Ehe besteht bis zum Tod des einen Ehepartners Röm 7,2-3

39 Eine Frau ist durch das Gesetz gebunden, solange ihr Mann lebt; wenn aber ihr Mann entschlafen ist, so ist sie frei, sich zu verheiraten, mit wem sie will; doch nur im Herrn! [40] Glückseliger aber ist sie nach meinem Urteil, wenn sie so bleibt; ich denke aber, daß auch ich den Geist Gottes habe.

Das Essen von Götzenopferfleisch und die Grenzen der Freiheit des Gläubigen 1Kor 10,19-33; Röm 14,13-23

8 Was aber die Götzenopfer angeht, so wissen wir: Wir alle haben Erkenntnis. Die Erkenntnis bläht auf, die Liebe aber erbaut. [2] Wenn aber jemand meint, etwas zu wissen, der hat noch nichts so erkannt, wie man erkennen soll. [3] Wenn aber jemand Gott liebt, der ist von ihm erkannt.

4 Was nun das Essen der Götzenopfer betrifft, so wissen wir, daß ein Götze in der Welt nichts ist, und daß es keinen anderen Gott gibt außer dem Einen. [5] Denn wenn es auch solche gibt, die Götter genannt werden, sei es im Himmel oder auf Erden – wie es ja wirklich viele »Götter« und viele »Herren« gibt –, [6] so gibt es für uns doch nur *einen* Gott, den Vater, von dem alle Dinge sind und wir für ihn; und *einen* Herrn, Jesus Christus, durch den alle Dinge sind, und wir durch ihn.

7 Aber nicht alle haben die Erkenntnis, sondern etliche machen sich ein Gewissen wegen des Götzen und essen [das Fleisch] noch immer als Götzenopferfleisch, und so wird ihr Gewissen befleckt, weil es schwach ist. [8] Nun bringt uns aber eine Speise nicht näher zu Gott; denn wir sind nicht besser, wenn wir essen, und sind nicht geringer, wenn wir nicht essen.

9 Seht aber zu, daß diese eure Freiheit den Schwachen nicht zum Anstoß wird! [10] Denn wenn jemand dich, der du die Erkenntnis hast, im Götzentempel zu Tisch sitzen sieht, wird nicht sein Gewissen, weil es schwach ist, dazu ermutigt werden, Götzenopferfleisch zu essen? [11] Und so wird wegen deiner Erkenntnis der schwache Bruder verderben, um dessen willen Christus gestorben ist. [12] Wenn ihr aber auf solche Weise an den Brüdern sündigt und ihr schwaches Gewissen verletzt, so sündigt ihr gegen Christus. [13] Darum, wenn eine Speise meinem Bruder ein Anstoß zur Sünde wird, so will ich lieber in Ewigkeit kein Fleisch essen, damit ich meinem Bruder keinen Anstoß zur Sünde gebe.

Paulus verteidigt seinen Aposteldienst Lk 10,7; 1Tim 5,17-18

9 Bin ich nicht ein Apostel? Bin ich nicht frei? Habe ich nicht unseren Herrn Jesus Christus gesehen? Seid nicht ihr mein Werk im Herrn? ² Wenn ich für andere kein Apostel bin, so bin ich es doch wenigstens für euch; denn das Siegel meines Aposteldienstes seid ihr im Herrn. ³ Dies ist meine Verteidigung denen gegenüber, die mich zur Rede stellen: ⁴ Haben wir nicht Vollmacht, zu essen und zu trinken? ⁵ Haben wir nicht Vollmacht, eine Schwester als Ehefrau mit uns zu führen, wie auch die anderen Apostel und die Brüder des Herrn und Kephas? ⁶ Oder haben nur ich und Barnabas keine Vollmacht, die Arbeit zu unterlassen?

7 Wer zieht je auf eigene Kosten in den Krieg? Wer pflanzt einen Weinberg und ißt nicht von dessen Frucht? Oder wer weidet eine Herde und nährt sich nicht von der Milch der Herde? ⁸ Sage ich das nur aus menschlicher Sicht? Oder sagt dies nicht auch das Gesetz? ⁹ Ja, im Gesetz Moses steht geschrieben: *Du sollst dem Ochsen nicht das Maul verbinden, wenn er drischt.* Kümmert sich Gott etwa um die Ochsen? ¹⁰ Oder sagt er das nicht vielmehr wegen uns? Denn unsertwegen steht ja geschrieben, daß, wer pflügt, auf Hoffnung hin pflügen, und wer drischt, auf Hoffnung hin dreschen soll, daß er seiner Hoffnung teilhaftig wird.

11 Wenn wir euch die geistlichen Güter gesät haben, ist es etwas Großes, wenn wir von euch diejenigen für den Leib ernten? ¹² Wenn andere an diesem Recht über euch Anteil haben, sollten wir es nicht viel eher haben? Aber wir haben uns dieses Rechtes nicht bedient, sondern wir ertragen alles, damit wir dem Evangelium von Christus kein Hindernis bereiten. ¹³ Wißt ihr nicht, daß die, welche die heiligen Dienste tun, auch vom Heiligtum essen, und daß die, welche am Altar dienen, vom Altar ihren Anteil erhalten? ¹⁴ So hat auch der Herr angeordnet, daß die, welche das Evangelium verkündigen, vom Evangelium leben sollen.

Die Haltung des Paulus bei der Verkündigung des Evangeliums

15 Ich aber habe davon keinerlei Gebrauch gemacht; ich habe dies auch nicht deshalb geschrieben, damit es mit mir so gehalten wird. Viel lieber wollte ich sterben, als daß mir jemand meinen Ruhm zunichte machte! ¹⁶ Denn wenn ich das Evangelium verkündige, so ist das kein Ruhm für mich; denn ich bin dazu verpflichtet, und wehe mir, wenn ich das Evangelium nicht verkündigen würde! ¹⁷ Denn wenn ich diese Dinge frei-

willig tue, so habe ich Lohn; wenn aber unfreiwillig, bin ich mit einem Verwalterdienst betraut. ¹⁸ Was ist denn nun mein Lohn? Daß ich bei meiner Verkündigung das Evangelium von Christus kostenfrei darbiete, so daß ich von meinem Anspruch am Evangelium keinen Gebrauch mache.

19 Denn obwohl ich frei bin von allen, habe ich mich doch allen zum Knecht gemacht, um desto mehr [Menschen] zu gewinnen. ²⁰ Den Juden bin ich wie ein Jude geworden, damit ich die Juden gewinne; denen, die unter dem Gesetz sind, bin ich geworden, als wäre ich unter dem Gesetz, damit ich die unter dem Gesetz gewinne; ²¹ denen, die ohne Gesetz sind, bin ich geworden, als wäre ich ohne Gesetz – obwohl ich vor Gott nicht ohne Gesetz bin, sondern Christus gesetzmäßig unterworfen –, damit ich die gewinne, die ohne Gesetz sind. ²² Den Schwachen bin ich wie ein Schwacher geworden, damit ich die Schwachen gewinne; ich bin allen alles geworden, damit ich auf alle Weise etliche rette. ²³ Dies aber tue ich um des Evangeliums willen, um an ihm teilzuhaben.

Der Kampf und der Lohn eines Dieners des Herrn   2Tim 2,3-6

24 Wißt ihr nicht, daß die, welche in der Rennbahn laufen, zwar alle laufen, aber nur *einer* den Preis erlangt? Lauft so, daß ihr ihn erlangt! ²⁵ Jeder aber, der sich am Wettkampf beteiligt, ist enthaltsam in allem – jene, um einen vergänglichen Siegeskranz zu empfangen, wir aber einen unvergänglichen. ²⁶ So laufe ich nun nicht wie aufs Ungewisse; ich führe meinen Faustkampf nicht mit bloßen Luftstreichen, ²⁷ sondern ich bezwinge meinen Leib und behandle ihn als Sklaven, damit ich nicht anderen verkündige und selbst verwerflich werde.

Das warnende Beispiel von Israel in der Wüste

10 Ich will aber nicht, meine Brüder, daß ihr außer acht laßt, daß unsere Väter alle unter der Wolke gewesen und alle durch das Meer hindurchgegangen sind. ² Sie wurden auch alle auf Mose getauft in der Wolke und im Meer, ³ und sie haben alle dieselbe geistliche Speise gegessen und alle denselben geistlichen Trank getrunken; ⁴ denn sie tranken aus einem geistlichen Felsen, der ihnen folgte. Der Fels aber war der Christus.

5 Aber an der Mehrzahl von ihnen hatte Gott kein Wohlgefallen; sie wurden nämlich in der Wüste niedergestreckt. ⁶ Diese Dinge aber sind zum Vorbild für uns geschehen, damit wir nicht nach dem Bösen begierig werden, so wie jene begierig waren.

7 Werdet auch nicht Götzendiener, so wie etliche von ihnen, wie geschrieben steht: *Das Volk setzte sich nieder, um zu essen und zu trinken, und stand auf, um sich zu vergnügen.* [8] Laßt uns auch nicht Unzucht treiben, so wie etliche von ihnen Unzucht trieben, und es fielen an einem Tag dreiundzwanzigtausend. [9] Laßt uns auch nicht den Christus versuchen, so wie auch etliche von ihnen ihn versuchten und von den Schlangen umgebracht wurden. [10] Murrt auch nicht, so wie auch etliche von ihnen murrten und durch den Verderber umgebracht wurden.

11 Alle diese Dinge aber, die jenen widerfuhren, sind Vorbilder, und sie wurden zur Warnung für uns aufgeschrieben, auf die das Ende der Weltzeiten gekommen ist. [12] Darum, wer meint, er stehe, der sehe zu, daß er nicht falle!

13 Es hat euch bisher nur menschliche Versuchung betroffen. Gott aber ist treu; er wird nicht zulassen, daß ihr über euer Vermögen versucht werdet, sondern er wird zugleich mit der Versuchung auch den Ausgang schaffen, so daß ihr sie ertragen könnt.

Die Gemeinschaft beim Mahl des Herrn ist unvereinbar mit Götzendienst   2Kor 6,14-18; Offb 2,14.20

14 Darum, meine Geliebten, flieht vor dem Götzendienst! [15] Ich rede ja mit Verständigen; beurteilt ihr, was ich sage! [16] Der Kelch des Segens, den wir segnen, ist er nicht Gemeinschaft mit dem Blut des Christus? Das Brot, das wir brechen, ist es nicht Gemeinschaft mit dem Leib des Christus? [17] Denn es ist *ein* Brot, so sind wir, die vielen, *ein* Leib; denn wir alle haben Teil an dem *einen* Brot.

18 Seht das Israel nach dem Fleisch! Stehen nicht die, welche die Opfer essen, in Gemeinschaft mit dem Opferaltar? [19] Was sage ich nun? Daß ein Götze etwas sei, oder daß das Götzenopfer etwas sei? [20] Nein, sondern daß die Heiden das, was sie opfern, den Dämonen opfern und nicht Gott! Ich will aber nicht, daß ihr in Gemeinschaft mit den Dämonen seid. [21] Ihr könnt nicht den Kelch des Herrn trinken und den Kelch der Dämonen; ihr könnt nicht am Tisch des Herrn teilhaben und am Tisch der Dämonen! [22] Oder wollen wir den Herrn zur Eifersucht reizen? Sind wir etwa stärker als er?

Zur Ehre Gottes leben   1Kor 8; Röm 14,13-23; 15,7

23 Es ist mir alles erlaubt – aber es ist nicht alles nützlich! Es ist mir alles erlaubt – aber es erbaut nicht alles! [24] Niemand suche das Seine, sondern jeder das des anderen.

25 Alles, was auf dem Fleischmarkt angeboten wird, das eßt, ohne um des Gewissens willen nachzuforschen; **26** denn *die Erde gehört dem Herrn und was sie erfüllt.* **27** Und wenn jemand von den Ungläubigen euch einlädt und ihr hingehen wollt, so eßt alles, was euch vorgesetzt wird, und forscht nicht nach um des Gewissens willen. **28** Wenn aber jemand zu euch sagt: Das ist Götzenopferfleisch! – so eßt es nicht, um dessen willen, der den Hinweis gab, und um des Gewissens willen, denn *die Erde gehört dem Herrn und was sie erfüllt.*

29 Ich rede aber nicht von deinem eigenen Gewissen, sondern von dem des anderen; denn warum sollte meine Freiheit von dem Gewissen eines anderen gerichtet werden? **30** Und wenn ich es mit Danksagung genieße, warum sollte ich gelästert werden über dem, wofür ich danke?

31 Ob ihr nun eßt oder trinkt oder sonst etwas tut – tut alles zur Ehre Gottes! **32** Gebt weder den Juden noch den Griechen noch der Gemeinde Gottes einen Anstoß, **33** so wie auch ich in allen Stücken allen zu Gefallen lebe und nicht meinen Nutzen suche, sondern den der vielen, damit sie gerettet werden.

Die Stellung des Mannes als Haupt und die Bedeckung des Hauptes der Frau 1Kor 14,34-40; Eph 5,22-24; 1Tim 2,8-15

11 Seid meine Nachahmer, gleichwie auch ich [Nachahmer] des Christus bin! **2** Ich lobe euch, Brüder, daß ihr in allen Dingen meiner gedenkt und an den Überlieferungen festhaltet, so wie ich sie euch übergeben habe.

3 Ich will aber, daß ihr wißt, daß der Christus das Haupt eines jeden Mannes ist, der Mann aber das Haupt der Frau, Gott aber das Haupt des Christus.

4 Jeder Mann, der betet oder weissagt und etwas auf dem Haupt hat, schändet sein Haupt. **5** Jede Frau aber, die mit unbedecktem Haupt betet oder weissagt, schändet ihr Haupt; es ist ein und dasselbe, wie wenn sie geschoren wäre! **6** Denn wenn sich eine Frau nicht bedecken will, so soll ihr auch das Haar abgeschnitten werden! Wenn es aber für eine Frau schändlich ist, sich das Haar abschneiden oder abscheren zu lassen, so soll sie sich bedecken. **7** Denn der Mann darf das Haupt nicht bedecken, weil er Gottes Bild und Ehre ist; die Frau aber ist die Ehre des Mannes. **8** Denn der Mann kommt nicht von der Frau, sondern die Frau vom Mann; **9** auch wurde der Mann nicht um der Frau willen erschaffen, sondern die Frau um des Mannes willen. **10** Darum soll die Frau [ein Zeichen der] Macht auf dem Haupt haben, um der Engel willen.

11 Doch ist im Herrn weder der Mann ohne die Frau, noch die Frau ohne den Mann. ¹²Denn gleichwie die Frau vom Mann [kommt], so auch der Mann durch die Frau; aber das alles von Gott.

13 Urteilt bei euch selbst, ob es schicklich ist, daß eine Frau unbedeckt zu Gott betet! ¹⁴Oder lehrt euch nicht schon die Natur, daß es für einen Mann eine Unehre ist, langes Haar zu tragen? ¹⁵Dagegen ist es für eine Frau eine Ehre, wenn sie langes Haar trägt; denn das Haar ist ihr anstelle eines Schleiers gegeben. ¹⁶Wenn aber jemand rechthaberisch sein will – wir haben eine solche Gewohnheit nicht, die Gemeinden Gottes auch nicht.

Das Mahl des Herrn soll würdig gefeiert werden   Lk 22,19-20

17 Das aber kann ich, da ich am Anordnen bin, nicht loben, daß eure Zusammenkünfte nicht besser, sondern schlechter werden. ¹⁸Denn erstens höre ich, daß Spaltungen unter euch sind, wenn ihr in der Gemeinde zusammenkommt, und zum Teil glaube ich es; ¹⁹denn es müssen ja auch Parteiungen unter euch sein, damit die Bewährten offenbar werden unter euch!

20 Wenn ihr nun am selben Ort zusammenkommt, so geschieht das doch nicht, um das Mahl des Herrn zu essen; ²¹denn jeder nimmt beim Essen sein eigenes Mahl vorweg, so daß der eine hungrig, der andere betrunken ist. ²²Habt ihr denn keine Häuser, wo ihr essen und trinken könnt? Oder verachtet ihr die Gemeinde Gottes und beschämt die, welche nichts haben? Was soll ich euch sagen? Soll ich euch loben? Dafür lobe ich nicht!

23 Denn ich habe von dem Herrn empfangen, was ich auch euch überliefert habe, nämlich daß der Herr Jesus in der Nacht, als er verraten wurde, Brot nahm, ²⁴dankte, es brach und sprach: Nehmt, eßt! Das ist mein Leib, der für euch gebrochen wird, dies tut zu meinem Gedächtnis! ²⁵Desgleichen auch den Kelch, nach dem Mahl, indem er sprach: Dieser Kelch ist der neue Bund in meinem Blut; dies tut, so oft ihr ihn trinkt, zu meinem Gedächtnis! ²⁶Denn so oft ihr dieses Brot eßt und diesen Kelch trinkt, verkündigt ihr den Tod des Herrn, bis er kommt.

27 Wer also unwürdig dieses Brot ißt oder den Kelch des Herrn trinkt, der ist schuldig am Leib und Blut des Herrn. ²⁸Es prüfe aber ein Mensch sich selbst, und so soll er von dem Brot essen und aus dem Kelch trinken; ²⁹denn wer unwürdig ißt und trinkt, der ißt und trinkt sich selbst ein Gericht, weil er den Leib

des Herrn nicht unterscheidet. ³⁰ Deshalb sind unter euch viele Schwache und Kranke, und eine beträchtliche Zahl sind entschlafen.

31 Denn wenn wir uns selbst richteten, würden wir nicht gerichtet werden; ³² wenn wir aber gerichtet werden, so werden wir vom Herrn gezüchtigt, damit wir nicht samt der Welt verurteilt werden. ³³ Darum, meine Brüder, wenn ihr zum Essen zusammenkommt, so wartet aufeinander! ³⁴ Wenn aber jemand hungrig ist, so esse er daheim, damit ihr nicht zum Gericht zusammenkommt. Das übrige will ich anordnen, sobald ich komme.

Die Geisteswirkungen und Gnadengaben in der Gemeinde

12 Über die Geisteswirkungen aber, meine Brüder, will ich euch nicht in Unwissenheit lassen. ² Ihr wißt, daß ihr einst Heiden wart und euch fortreißen ließt zu den stummen Götzen, so wie ihr geführt wurdet. ³ Darum tue ich euch kund, daß niemand, der im Geist Gottes redet, Jesus verflucht nennt; es kann aber auch niemand Jesus Herrn nennen als nur im Heiligen Geist.

4 Es bestehen aber Unterschiede in den Gnadengaben, doch es ist derselbe Geist; ⁵ auch gibt es unterschiedliche Dienste, doch es ist derselbe Herr; ⁶ und auch die Kraftwirkungen sind unterschiedlich, doch es ist derselbe Gott, der alles in allen wirkt.

7 Jedem wird aber die Offenbarung des Geistes zum [allgemeinen] Nutzen verliehen. ⁸ Dem einen nämlich wird durch den Geist ein Wort der Weisheit gegeben, einem anderen aber ein Wort der Erkenntnis gemäß demselben Geist; ⁹ einem anderen Glauben in demselben Geist; einem anderen Gnadengaben der Heilungen in demselben Geist; ¹⁰ einem anderen Wirkungen von Wunderkräften, einem anderen Weissagung, einem anderen Geister zu unterscheiden, einem anderen verschiedene Arten von Sprachen, einem anderen die Auslegung der Sprachen. 11 Dies alles aber wirkt ein und derselbe Geist, der jedem persönlich zuteilt, wie er will.

Ein Leib, viele Glieder   Röm 12,4-8; Eph 4,4-7; Phil 2,1-4

12 Denn gleichwie der Leib *einer* ist und doch viele Glieder hat, alle Glieder des *einen* Leibes aber, obwohl es viele sind, als Leib eins sind, so auch der Christus. ¹³ Denn wir sind ja alle durch *einen* Geist in *einen* Leib getauft worden, ob wir Juden sind oder Griechen, Knechte oder Freie, und sind alle in *einen* Geist getränkt worden.

14 Denn auch der Leib ist nicht *ein* Glied, sondern viele.
15 Wenn der Fuß spräche: Ich bin keine Hand, darum gehöre
ich nicht zum Leib! – gehört er deswegen etwa nicht zum Leib?
16 Und wenn das Ohr spräche: Ich bin kein Auge, darum gehöre
ich nicht zum Leib! – gehört es deswegen etwa nicht zum Leib?
17 Wenn der ganze Leib Auge wäre, wo bliebe das Gehör? Wenn
er ganz Ohr wäre, wo bliebe der Geruch? 18 Nun aber hat Gott
die Glieder, jedes einzelne von ihnen, so im Leib eingesetzt, wie
er gewollt hat. 19 Wenn aber alles *ein* Glied wäre, wo bliebe der
Leib?

20 Nun aber gibt es zwar viele Glieder, doch nur *einen* Leib.
21 Und das Auge kann nicht zur Hand sagen: Ich brauche dich
nicht! oder das Haupt zu den Füßen: Ich brauche euch nicht!
22 Vielmehr sind gerade die scheinbar schwächeren Glieder des
Leibes notwendig, 23 und die [Glieder] am Leib, die wir für weniger ehrbar halten, umgeben wir mit desto größerer Ehre, und
unsere weniger anständigen erhalten um so größere Anstän-
digkeit; 24 denn unsere anständigen brauchen es nicht. Gott
aber hat den Leib so zusammengefügt, daß er dem geringeren
Glied um so größere Ehre gab, 25 damit es keinen Zwiespalt im
Leib gibt, sondern die Glieder dieselbe Sorge füreinander haben. 26 Und wenn ein Glied leidet, so leiden alle Glieder mit;
und wenn ein Glied geehrt wird, so freuen sich alle Glieder mit.
27 Ihr aber seid [der] Leib des Christus, und jeder ist ein Glied
[daran] nach seinem Teil.
28 Und Gott hat in der Gemeinde etliche eingesetzt, erstens als
Apostel, zweitens als Propheten, drittens als Lehrer; sodann
Wunderkräfte, dann Gnadengaben der Heilungen, der Hilfeleistung, der Verwaltung, verschiedene Sprachen. 29 Sind etwa
alle Apostel? Sind etwa alle Propheten? Sind etwa alle Lehrer?
Haben etwa alle Wunderkräfte? 30 Haben alle Gnadengaben
der Heilungen? Reden alle in Sprachen? Können alle auslegen?
31 Strebt aber nach den vorzüglicheren Gnadengaben, und ich
will euch einen noch weit vortrefflicheren Weg zeigen:

Das Hohelied der Liebe   Mt 22,36-40; Kol 3,14; 1Joh 3,11-19; 4,7

13 Wenn ich in Sprachen der Menschen und der Engel redete, aber keine Liebe hätte, so wäre ich ein tönendes
Erz oder eine klingende Schelle. 2 Und wenn ich Weissagung
hätte und alle Geheimnisse wüßte und alle Erkenntnis, und
wenn ich allen Glauben besäße, so daß ich Berge versetzte,
aber keine Liebe hätte, so wäre ich nichts. 3 Und wenn ich alle
meine Habe austeilte und meinen Leib hingäbe, damit ich

verbrannt würde, aber keine Liebe hätte, so nützte es mir nichts!

4 Die Liebe ist langmütig und gütig, die Liebe beneidet nicht, die Liebe prahlt nicht, sie bläht sich nicht auf; 5 sie ist nicht unanständig, sie sucht nicht das Ihre, sie läßt sich nicht erbittern, sie rechnet das Böse nicht zu; 6 sie freut sich nicht an der Ungerechtigkeit, sie freut sich aber an der Wahrheit; 7 sie erträgt alles, sie glaubt alles, sie hofft alles, sie erduldet alles.

Das Vorläufige und das Vollkommene

8 Die Liebe hört niemals auf. Aber seien es Weissagungen, sie werden weggetan werden; seien es Sprachen, sie werden aufhören; sei es Erkenntnis, sie wird weggetan werden. 9 Denn wir erkennen stückweise und wir weissagen stückweise; 10 wenn aber einmal das Vollkommene da ist, dann wird das Stückwerk weggetan.

11 Als ich ein Unmündiger war, redete ich wie ein Unmündiger, dachte wie ein Unmündiger und urteilte wie ein Unmündiger; als ich aber ein Mann wurde, tat ich weg, was zum Unmündigsein gehört. 12 Denn wir sehen jetzt durch einen Spiegel wie im Rätsel, dann aber von Angesicht zu Angesicht; jetzt erkenne ich stückweise, dann aber werde ich erkennen, gleichwie ich erkannt bin. 13 Nun aber bleiben Glaube, Hoffnung, Liebe, diese drei; die größte aber von diesen ist die Liebe.

Die Geisteswirkungen sollen zur Erbauung der Gemeinde dienen 1Kor 12,4-7; Röm 14,19; 1Th 5,11; Eph 4,12

14 Strebt nach der Liebe; doch bemüht euch auch eifrig um die Geisteswirkungen, am meisten aber, daß ihr weissagt!

2 Denn wer in Sprachen redet, der redet nicht für Menschen, sondern für Gott; denn niemand versteht es, sondern er redet Geheimnisse im Geist. 3 Wer aber weissagt, der redet für Menschen zur Erbauung, zur Ermahnung und zum Trost. 4 Wer in einer Sprache redet, erbaut sich selbst; wer aber weissagt, erbaut die Gemeinde. 5 Ich wünschte, daß ihr alle in Sprachen reden würdet, noch viel mehr aber, daß ihr weissagen würdet. Denn wer weissagt, ist größer, als wer in Sprachen redet; es sei denn, daß er es auslegt, damit die Gemeinde Erbauung empfängt.

6 Nun aber, ihr Brüder, wenn ich zu euch käme und in Sprachen redete, was würde ich euch nützen, wenn ich nicht zu euch redete, sei es durch Offenbarung oder durch Erkenntnis

oder durch Weissagung oder durch Lehre? **7** Ist es doch ebenso mit den leblosen Instrumenten, die einen Laut von sich geben, sei es eine Flöte oder eine Harfe; wenn sie nicht bestimmte Töne geben, wie kann man erkennen, was auf der Flöte oder auf der Harfe gespielt wird? **8** Ebenso auch, wenn die Posaune einen undeutlichen Ton gibt, wer wird sich zum Kampf rüsten? **9** Also auch ihr, wenn ihr durch die Sprache nicht eine verständliche Rede gebt, wie kann man verstehen, was geredet wird? Denn ihr werdet in den Wind reden.

10 Es gibt wohl mancherlei Arten von Stimmen in der Welt, und keine von ihnen ist ohne Laut. **11** Wenn ich nun den Sinn des Lautes nicht kenne, so werde ich dem Redenden ein Fremder sein und der Redende für mich ein Fremder. **12** Also auch ihr, da ihr eifrig nach Geisteswirkungen trachtet, strebt danach, daß ihr zur Erbauung der Gemeinde Überfluß habt!

13 Darum: Wer in einer Sprache redet, der bete, daß er es auch auslegen kann. **14** Denn wenn ich in einer Sprache bete, so betet zwar mein Geist, aber mein Verstand ist ohne Frucht. **15** Wie soll es nun sein? Ich will mit dem Geist beten, ich will aber auch mit dem Verstand beten; ich will mit dem Geist lobsingen, ich will aber auch mit dem Verstand lobsingen. **16** Sonst, wenn du mit dem Geist den Lobpreis sprichst, wie soll der, welcher die Stelle des Unkundigen einnimmt, das Amen sprechen zu deiner Danksagung, da er nicht weiß, was du sagst? **17** Du magst wohl schön danksagen, aber der andere wird nicht erbaut.

18 Ich danke meinem Gott, daß ich mehr in Sprachen rede als ihr alle. **19** Aber in der Gemeinde will ich lieber fünf Worte mit meinem Verstand reden, damit ich auch andere unterweise, als zehntausend Worte in einer Sprache. **20** Ihr Brüder, werdet nicht Kinder im Verständnis, sondern in der Bosheit seid Unmündige, im Verständnis aber werdet erwachsen.

21 Im Gesetz steht geschrieben: *Ich will mit fremden Sprachen und mit fremden Lippen zu diesem Volk reden, aber auch so werden sie nicht auf mich hören, spricht der Herr.* **22** Darum dienen die Sprachen als ein Zeichen, und zwar nicht für die Gläubigen, sondern für die Ungläubigen; die Weissagung aber ist nicht für die Ungläubigen, sondern für die Gläubigen.

23 Wenn nun die ganze Gemeinde am selben Ort zusammenkäme, und alle würden in Sprachen reden, und es kämen Unkundige oder Ungläubige herein, würden sie nicht sagen, daß ihr von Sinnen seid? **24** Wenn aber alle weissagten, und es käme ein Ungläubiger oder Unkundiger herein, so würde er

von allen überführt, von allen erforscht; **25** und so würde das Verborgene seines Herzens offenbar, und so würde er auf sein Angesicht fallen und Gott anbeten und bekennen, daß Gott wahrhaftig in euch ist.

Ordnung in den Gemeindezusammenkünften. Das Schweigen der Frau Kol 2,5; 1Tim 2,12-15; 1Pt 3,1-6

26 Wie ist es nun, ihr Brüder? Wenn ihr zusammenkommt, so hat jeder von euch etwas: einen Psalm, eine Lehre, eine Sprachenrede, eine Offenbarung, eine Auslegung; alles laßt zur Erbauung geschehen! **27** Wenn jemand in einer Sprache reden will, so sollen es zwei, höchstens drei sein, und der Reihe nach, und einer soll es auslegen. **28** Ist aber kein Ausleger da, so schweige er in der Gemeinde; er mag aber für sich selbst und zu Gott reden.

29 Propheten aber sollen zwei oder drei reden, und die anderen sollen es beurteilen. **30** Wenn aber einem anderen, der dasitzt, eine Offenbarung zuteil wird, so soll der erste schweigen. **31** Denn ihr könnt alle einer nach dem anderen weissagen, damit alle lernen und alle ermahnt werden. **32** Und die Geister der Propheten sind den Propheten untertan. **33** Denn Gott ist nicht ein Gott der Unordnung, sondern des Friedens, wie in allen Gemeinden der Heiligen.

34 Eure Frauen sollen in den Gemeinden schweigen; denn es ist ihnen nicht gestattet zu reden, sondern sie sollen sich unterordnen, wie auch das Gesetz sagt. **35** Wenn sie aber etwas lernen wollen, so sollen sie daheim ihre Männer fragen; denn es ist für Frauen schändlich, in der Gemeinde zu reden.

36 Oder ist von euch das Wort Gottes ausgegangen? Oder ist es zu euch allein gekommen? **37** Wenn jemand glaubt, ein Prophet zu sein oder geistlich, der erkenne, daß die Dinge, die ich euch schreibe, Gebote des Herrn sind. **38** Wenn es aber jemand mißachten will, der mißachte es! **39** Also, ihr Brüder, strebt danach, zu weissagen, und das Reden in Sprachen verhindert nicht. **40** Laßt alles anständig und ordentlich zugehen!

Das Zeugnis von der Auferstehung des Christus Mt 28; Mk 16

15 Ich erinnere euch aber, ihr Brüder, an das Evangelium, das ich euch verkündigt habe, das ihr auch angenommen habt, in dem ihr auch fest steht, **2** durch das ihr auch gerettet werdet, wenn ihr an dem Wort festhaltet, das ich euch verkündigt habe – es sei denn, daß ihr vergeblich geglaubt hättet.

3 Denn ich habe euch zu allererst das überliefert, was ich auch empfangen habe, nämlich daß Christus für unsere Sünden gestorben ist, nach den Schriften, **4** und daß er begraben worden ist und daß er auferstanden ist am dritten Tag, nach den Schriften, **5** und daß er dem Kephas erschienen ist, danach den Zwölfen. **6** Danach ist er mehr als fünfhundert Brüdern auf einmal erschienen, von denen die meisten noch leben, etliche aber auch entschlafen sind. **7** Danach erschien er dem Jakobus, hierauf sämtlichen Aposteln. **8** Zuletzt aber von allen erschien er auch mir, der ich gleichsam eine unzeitige Geburt bin.

9 Denn ich bin der geringste von den Aposteln, nicht wert, ein Apostel zu heißen, weil ich die Gemeinde Gottes verfolgt habe. **10** Aber durch Gottes Gnade bin ich, was ich bin; und seine Gnade, die er an mir erwiesen hat, ist nicht vergeblich gewesen, sondern ich habe mehr gearbeitet als sie alle; jedoch nicht ich, sondern die Gnade Gottes, die mit mir ist. **11** Ob es nun aber ich sei oder jene, so verkündigen wir, und so habt ihr geglaubt.

Die Auferstehung der Toten   2Tim 2,8; 2,16-18; Lk 20,27-38

12 Wenn aber Christus verkündigt wird, daß er aus den Toten auferstanden ist, wieso sagen denn etliche unter euch, es gebe keine Auferstehung der Toten? **13** Wenn es wirklich keine Auferstehung der Toten gibt, so ist auch Christus nicht auferstanden! **14** Wenn aber Christus nicht auferstanden ist, so ist unsere Verkündigung vergeblich, und vergeblich auch euer Glaube! **15** Wir werden aber auch als falsche Zeugen Gottes erfunden, weil wir von Gott bezeugt haben, daß er den Christus auferweckt hat, während er ihn doch nicht auferweckt hat, wenn wirklich Tote nicht auferstehen! 16 Denn wenn Tote nicht auferstehen, so ist auch Christus nicht auferstanden. **17** Ist aber Christus nicht auferstanden, so ist euer Glaube nichtig, so seid ihr noch in euren Sünden; **18** dann sind auch die in Christus Entschlafenen verloren. **19** Wenn wir nur in diesem Leben auf Christus hoffen, so sind wir die elendesten unter allen Menschen! 20 Nun aber ist Christus aus den Toten auferstanden; er ist der Erstling der Entschlafenen geworden. **21** Denn weil der Tod durch einen Menschen kam, so kommt auch die Auferstehung der Toten durch einen Menschen; **22** denn gleichwie in Adam alle sterben, so werden auch in Christus alle lebendig gemacht werden.

23 Ein jeder aber in seiner Ordnung: Als Erstling Christus; danach die, welche Christus angehören, bei seiner Wiederkunft;

²⁴ danach das Ende, wenn er das Reich Gott, dem Vater, übergeben wird, wenn er jede Herrschaft, Gewalt und Macht beseitigt hat. ²⁵ Denn er muß herrschen, bis er alle Feinde unter seine Füße gelegt hat. ²⁶ Als letzter Feind wird der Tod beseitigt. ²⁷ Denn *alles hat er unterworfen unter seine Füße.* Wenn es aber heißt, daß ihm alles unterworfen ist, so ist offenbar, daß derjenige ausgenommen ist, der ihm alles unterworfen hat. ²⁸ Wenn ihm aber alles unterworfen sein wird, dann wird auch der Sohn selbst sich dem unterwerfen, der ihm alles unterworfen hat, damit Gott alles in allen sei.

29 Was würden sonst die tun, die sich für die Toten taufen lassen? Wenn die Toten gar nicht auferstehen, weshalb lassen sie sich für die Toten taufen? ³⁰ Und warum begeben auch wir uns stündlich in Gefahr? ³¹ So wahr ihr mein Ruhm seid, den ich habe in Christus Jesus, unserem Herrn, ich sterbe täglich! ³² Wenn ich als Mensch in Ephesus mit wilden Tieren gekämpft habe, was nützt es mir, wenn die Toten nicht auferstehen? – *Laßt uns essen und trinken, denn morgen sind wir tot!* 33 Laßt euch nicht irreführen: Schlechter Umgang verdirbt gute Sitten! ³⁴ Werdet doch wirklich nüchtern und sündigt nicht! Denn etliche haben keine Erkenntnis Gottes; das sage ich euch zur Beschämung.

Der geistliche Leib in der Auferstehung　Phil 3,20-21; 1Joh 3,2-3

35 Aber jemand könnte einwenden: Wie sollen die Toten auferstehen? Und mit was für einem Leib sollen sie kommen? ³⁶ Du Gedankenloser, was du säst, wird nicht lebendig, wenn es nicht stirbt! ³⁷ Und was du säst, das ist ja nicht der Leib, der werden soll, sondern ein bloßes Korn, etwa vom Weizen, oder von einer anderen Saat. ³⁸ Gott aber gibt ihm einen Leib, wie Er es gewollt hat, und zwar jedem Samen seinen besonderen Leib. 39 Nicht alles Fleisch ist von gleicher Art; sondern anders ist das Fleisch der Menschen, anders das Fleisch des Viehs, anders das der Fische, anders das der Vögel. ⁴⁰ Und es gibt himmlische Körper und irdische Körper; aber anders ist der Glanz der Himmelskörper, anders der der irdischen; ⁴¹ einen anderen Glanz hat die Sonne und einen anderen Glanz der Mond, und einen anderen Glanz haben die Sterne; denn ein Stern unterscheidet sich vom anderen im Glanz. 42 So ist es auch mit der Auferstehung der Toten: Es wird gesät verweslich und wird auferstehen unverweslich; ⁴³ es wird gesät in Unehre und wird auferstehen in Herrlichkeit; es wird gesät in Schwachheit und wird auferstehen in Kraft; ⁴⁴ es wird gesät ein

natürlicher Leib, und es wird auferstehen ein geistlicher Leib. Es gibt einen natürlichen Leib, und es gibt einen geistlichen Leib. 45 So steht auch geschrieben: Der erste Mensch, Adam, *wurde zu einer lebendigen Seele;* der letzte Adam zu einem lebendigmachenden Geist. [46] Aber nicht das Geistliche ist das erste, sondern das Natürliche, danach [kommt] das Geistliche. [47] Der erste Mensch ist von der Erde, irdisch; der zweite Mensch ist der Herr vom Himmel. [48] Wie der Irdische beschaffen ist, so sind auch die Irdischen; und wie der Himmlische beschaffen ist, so sind auch die Himmlischen. [49] Und wie wir das Bild des Irdischen getragen haben, so werden wir auch das Bild des Himmlischen tragen.

Die Verwandlung der Gläubigen. Der Sieg über den Tod 1Th 4,13

50 Das aber sage ich, Brüder, daß Fleisch und Blut das Reich Gottes nicht erben können; auch erbt das Verwesliche nicht die Unverweslichkeit. [51] Siehe, ich sage euch ein Geheimnis: Wir werden nicht alle entschlafen, wir werden aber alle verwandelt werden, [52] plötzlich, in einem Augenblick, zur Zeit der letzten Posaune; denn die Posaune wird erschallen, und die Toten werden auferstehen unverweslich, und wir werden verwandelt werden. 53 Denn dieses Verwesliche muß Unverweslichkeit anziehen, und dieses Sterbliche muß Unsterblichkeit anziehen. [54] Wenn aber dieses Verwesliche Unverweslichkeit anziehen und dieses Sterbliche Unsterblichkeit anziehen wird, dann wird das Wort erfüllt werden, das geschrieben steht: [55] *Der Tod ist verschlungen in Sieg! Tod, wo ist dein Stachel? Totenreich, wo ist dein Sieg?* [56] Der Stachel des Todes aber ist die Sünde, die Kraft der Sünde aber ist das Gesetz. [57] Gott aber sei Dank, der uns den Sieg gibt durch unseren Herrn Jesus Christus! 58 Darum, meine geliebten Brüder, seid fest, unerschütterlich, nehmt immer zu in dem Werk des Herrn, weil ihr wißt, daß eure Arbeit nicht vergeblich ist im Herrn!

Die Liebesgabe für die Gläubigen in Jerusalem 2Kor 8 u. 9

16 Was aber die Sammlung für die Heiligen anbelangt, so sollt auch ihr so handeln, wie ich es für die Gemeinden in Galatien angeordnet habe. [2] An jedem ersten Wochentag lege jeder unter euch etwas beiseite und sammle, je nachdem er Gedeihen hat, damit nicht erst dann die Sammlungen durchgeführt werden müssen, wenn ich komme. [3] Wenn ich aber angekommen bin, will ich die, welche ihr als geeignet erachtet, mit Briefen absenden, damit sie eure Liebesgabe nach

Jerusalem überbringen. ⁴ Wenn es aber nötig ist, daß auch ich hinreise, sollen sie mit mir reisen.

Persönliche Anliegen und abschließender Zuspruch   1Th 5,5-13

5 Ich werde aber zu euch kommen, wenn ich Mazedonien durchzogen habe, denn durch Mazedonien werde ich ziehen. ⁶ Bei euch aber werde ich vielleicht verweilen oder auch überwintern, damit ihr mich geleitet, wohin ich reise. ⁷ Denn ich will euch jetzt nicht nur im Vorbeigehen sehen, sondern ich hoffe, einige Zeit bei euch zu bleiben, wenn der Herr es zuläßt. ⁸ Ich werde aber bis Pfingsten in Ephesus bleiben; ⁹ denn eine Tür hat sich mir aufgetan, weit und vielversprechend; und es gibt viele Widersacher.

10 Wenn aber Timotheus kommt, so seht zu, daß er ohne Furcht bei euch sein kann, denn er arbeitet im Werk des Herrn, wie ich auch. ¹¹ Darum soll ihn niemand geringschätzen! Geleitet ihn vielmehr in Frieden, damit er zu mir kommt; denn ich erwarte ihn mit den Brüdern. ¹² Was aber den Bruder Apollos betrifft, so habe ich ihm viel zugeredet, mit den Brüdern zu euch zu kommen; doch er war durchaus nicht bereit, jetzt zu kommen. Er wird aber kommen, wenn er die rechte Gelegenheit findet.

13 Wachet, steht fest im Glauben, seid mannhaft, seid stark! ¹⁴ Laßt alles bei euch in Liebe geschehen!

15 Ich ermahne euch aber, ihr Brüder: Ihr wißt, daß das Haus des Stephanas der Erstling von Achaja ist, und daß sie sich dem Dienst an den Heiligen gewidmet haben; ¹⁶ ordnet auch ihr euch solchen unter und jedem, der mitwirkt und arbeitet.

17 Ich freue mich aber über die Ankunft des Stephanas und Fortunatus und Achaikus; denn diese haben mir ersetzt, daß ich euch entbehren muß; ¹⁸ denn sie haben meinen und euren Geist erquickt. Darum erkennt solche an!

19 Es grüßen euch die Gemeinden in Asien. Es grüßen euch vielmals im Herrn Aquila und Priscilla samt der Gemeinde in ihrem Haus. ²⁰ Es grüßen euch alle Brüder. Grüßt euch untereinander mit einem heiligen Kuß! ²¹ Das ist mein, des Paulus, handschriftlicher Gruß.

22 Wenn jemand den Herrn Jesus Christus nicht liebt, der sei verflucht! Maranatha[a]! ²³ Die Gnade des Herrn Jesus Christus sei mit euch! ²⁴ Meine Liebe [ist] mit euch allen in Christus Jesus! Amen.

---

a. (16,22) aramäisch *Unser Herr kommt!*

DER ZWEITE BRIEF DES APOSTELS PAULUS AN DIE KORINTHER

Der 2. Korintherbrief wurde von dem Apostel Paulus ca. 55-57 n. Chr. geschrieben. Mit Geduld und Liebe müht sich Paulus, die Gläubigen in Korinth weiterzuführen und falschen Haltungen wie auch Verleumdungen gegen seine Person entgegenzuwirken.

Zuschrift und Gruß

1 Paulus, Apostel Jesu Christi durch Gottes Willen, und Timotheus, der Bruder, an die Gemeinde Gottes, die in Korinth ist, samt allen Heiligen, die in ganz Achaja sind: **2** Gnade sei mit euch und Friede von Gott, unserem Vater, und dem Herrn Jesus Christus!

Drangsal und Trost im Dienst des Apostels 2Kor 4,8-18; 2Tim 2,8

3 Gelobt sei der Gott und Vater unseres Herrn Jesus Christus, der Vater der Barmherzigkeit und Gott alles Trostes, **4** der uns tröstet in all unserer Drangsal, damit wir die trösten können, die in allerlei Drangsal sind, durch den Trost, mit dem wir selbst von Gott getröstet werden. **5** Denn wie die Leiden des Christus sich reichlich über uns ergießen, so fließt auch durch Christus reichlich unser Trost.

6 Haben wir Drangsal, so geschieht es zu eurem Trost und Heil, das sich wirksam erweist in standhafter Erduldung derselben Leiden, die auch wir erleiden; werden wir getröstet, so geschieht es zu eurem Trost und Heil; **7** und unsere Hoffnung für euch ist gewiß, da wir wissen: Gleichwie ihr Anteil an den Leiden habt, so auch am Trost.

8 Denn wir wollen euch, Brüder, nicht in Unkenntnis lassen über unsere Drangsal, die uns in [der Provinz] Asia widerfahren ist, daß wir übermäßig schwer zu tragen hatten, über [unser] Vermögen hinaus, so daß wir selbst am Leben verzweifelten; **9** ja, wir hatten in uns selbst schon das Todesurteil, damit wir nicht auf uns selbst vertrauten, sondern auf Gott, der die Toten auferweckt. **10** Er hat uns denn auch aus solch großer Todesgefahr gerettet und rettet uns noch, und wir hoffen auf ihn, daß er uns auch ferner retten wird, **11** wobei auch ihr mitwirkt durch eure Fürbitte für uns, damit wegen der von vielen Personen für uns [erbetenen] Gnadengabe auch von vielen Danksagung geschehe um unsretwillen.

Verteidigung gegen Vorwürfe. Die Lauterkeit des Apostels und die Verheißungen Gottes 1Th 2,3-12; 1Kor 4,18-21; 16,5-7

12 Denn dies ist unser Ruhm: das Zeugnis unseres Gewissens, daß wir in Einfalt und göttlicher Lauterkeit, nicht in fleischlicher Weisheit, sondern in göttlicher Gnade gewandelt sind in der Welt, besonders aber bei euch. 13 Denn wir schreiben euch nichts anderes, als was ihr lest oder auch erkennt; ich hoffe aber, daß ihr [uns] auch vollständig erkennen werdet, 14 wie ihr uns zum Teil schon erkannt habt, nämlich daß wir euch zum Ruhm gereichen, so wie auch ihr uns, am Tag des Herrn Jesus.

15 In dieser Zuversicht nahm ich mir vor, zuerst zu euch zu kommen, damit ihr eine weitere Gnade empfangt, 16 und über euch durchzureisen nach Mazedonien, und von Mazedonien wieder zu euch zu kommen, um von euch nach Judäa geleitet zu werden. 17 Habe ich nun leichtfertig gehandelt, als ich mir dies vornahm? Oder mache ich überhaupt meine Pläne nach dem Fleisch, so daß bei mir das Ja Ja auch Nein Nein wäre?

18 Doch Gott ist treu, so daß unser Wort an euch nicht Ja und Nein gewesen ist! 19 Denn der Sohn Gottes, Jesus Christus, der durch uns unter euch verkündigt worden ist, durch mich und Silvanus und Timotheus, der war nicht Ja und Nein, sondern in ihm ist das Ja geschehen. 20 Denn so viele Verheißungen Gottes es gibt – in ihm ist das Ja, und in ihm auch das Amen, Gott zum Lob durch uns! 21 Gott aber, der uns samt euch in Christus befestigt und uns gesalbt hat, 22 er hat uns auch versiegelt und in unsere Herzen das Unterpfand des Geistes gegeben.

23 Ich berufe mich aber auf Gott als Zeugen für meine Seele, daß ich, um euch zu schonen, noch nicht nach Korinth gekommen bin. 24 Nicht daß wir Herren sein wollten über euren Glauben, sondern wir sind Gehilfen eurer Freude; denn ihr steht fest im Glauben.

2 Ich habe mir aber vorgenommen, nicht wieder in Betrübnis zu euch zu kommen. 2 Denn wenn ich euch betrübe, wer ist es dann, der mich erfreut, wenn nicht der, welcher von mir betrübt wird? 3 Darum habe ich euch dies auch geschrieben, damit ich nicht, wenn ich komme, von denen Betrübnis habe, über die ich mich freuen sollte; da ich doch zu euch allen das Vertrauen habe, daß meine Freude euer aller Freude ist. 4 Ich habe euch nämlich aus viel Bedrängnis und Herzensnot heraus geschrieben, unter vielen Tränen, nicht damit ihr betrübt werdet, sondern damit ihr die Liebe erkennt, die ich in besonderer Weise zu euch habe.

Vergebung für den Schuldigen   2Kor 7,5-16; Lk 17,3

5 Hat aber jemand Betrübnis verursacht, so hat er nicht mich betrübt, sondern zum Teil – damit ich nicht zu viel sage – euch alle. 6 Für den Betreffenden sei die Bestrafung von seiten der Mehrheit genug, 7 so daß ihr ihm nun im Gegenteil besser Vergebung und Trost gewährt, damit der Betreffende nicht in übermäßiger Traurigkeit versinkt.

8 Darum ermahne ich euch, Liebe gegen ihn walten zu lassen. 9 Denn ich habe euch auch deshalb geschrieben, um eure Zuverlässigkeit zu erkennen, ob ihr in allem gehorsam seid. 10 Wem ihr aber etwas vergebt, dem vergebe ich auch; denn wenn ich auch jemand etwas vergebe, so vergebe ich es um euretwillen, vor dem Angesicht des Christus, 11 damit wir nicht von dem Satan übervorteilt werden; seine Absichten sind uns nämlich nicht unbekannt.

Der Dienst des Apostels in der Verkündigung des Evangeliums

12 Als ich aber nach Troas kam, um das Evangelium von Christus zu verkündigen, und mir eine Tür geöffnet war im Herrn, hatte ich gleichwohl keine Ruhe in meinem Geist, weil ich meinen Bruder Titus nicht fand; 13 sondern ich nahm Abschied von ihnen und reiste nach Mazedonien.

14 Gott aber sei Dank, der uns allezeit in Christus triumphieren läßt und den Geruch seiner Erkenntnis durch uns an jedem Ort offenbart! 15 Denn wir sind für Gott ein Wohlgeruch des Christus unter denen, die gerettet werden, und unter denen, die verloren gehen; 16 den einen ein Geruch des Todes zum Tode, den anderen aber ein Geruch des Lebens zum Leben. Und wer ist hierzu tüchtig? 17 Denn wir sind nicht wie so viele, die das Wort Gottes verfälschen, sondern aus Lauterkeit, aus Gott reden wir vor dem Angesicht Gottes in Christus.

3 Fangen wir wieder an, uns selbst zu empfehlen? Oder brauchen wir etwa, wie gewisse Leute, Empfehlungsbriefe an euch oder Empfehlungsbriefe von euch? 2 Unser Brief seid ihr selbst, in unsere Herzen geschrieben, erkannt und gelesen von jedermann. 3 Es ist ja offenbar, daß ihr ein Brief des Christus seid, durch unseren Dienst ausgefertigt, geschrieben nicht mit Tinte, sondern mit dem Geist des lebendigen Gottes, nicht auf steinerne Tafeln, sondern auf fleischerne Tafeln des Herzens.

4 Und eine solche Zuversicht haben wir durch Christus zu Gott; 5 nicht daß wir von uns selber aus tüchtig wären, so daß wir uns etwas anrechnen dürften, als käme es aus uns selbst, sondern unsre Tüchtigkeit kommt von Gott, 6 der uns auch tüchtig ge-

macht hat zu Dienern des neuen Bundes, nicht des Buchstabens, sondern des Geistes, denn der Buchstabe tötet, aber der Geist macht lebendig.

Die Herrlichkeit des Neuen Bundes. Der Dienst der Gerechtigkeit

7 Wenn aber der Dienst des Todes durch in Stein gegrabene Buchstaben von solcher Herrlichkeit war, daß die Kinder Israels nicht in das Angesicht Moses zu schauen vermochten wegen der Herrlichkeit seines Antlitzes, die doch vergänglich war, 8 wie sollte dann nicht der Dienst des Geistes von weit größerer Herrlichkeit sein? 9 Denn wenn der Dienst der Verdammnis Herrlichkeit hatte, wieviel mehr wird der Dienst der Gerechtigkeit von Herrlichkeit überfließen! 10 Ja, selbst das, was herrlich gemacht war, ist nicht herrlich im Vergleich zu diesem, das eine so überschwengliche Herrlichkeit hat. 11 Denn wenn das, was weggetan wird, mit Herrlichkeit kam, wieviel mehr wird das, was bleibt, in Herrlichkeit bestehen!

12 Da wir nun eine solche Hoffnung haben, so treten wir mit großer Freimütigkeit auf 13 und nicht wie Mose, der eine Decke auf sein Angesicht legte, damit die Kinder Israels nicht auf das Ende dessen sähen, was weggetan werden sollte. 14 Aber ihre Gemüter wurden verhärtet; denn bis zum heutigen Tag bleibt beim Lesen des Alten Testamentes diese Decke unaufgedeckt, die in Christus weggetan wird. 15 Doch bis zum heutigen Tag liegt die Decke auf ihrem Herzen, so oft Mose gelesen wird. 16 Sobald es sich aber zum Herrn bekehrt, wird die Decke weggenommen.

17 Der Herr aber ist der Geist; und wo der Geist des Herrn ist, da ist Freiheit. 18 Wir alle aber, indem wir mit unverhülltem Angesicht die Herrlichkeit des Herrn erblicken wie in einem Spiegel, werden verwandelt in dasselbe Bild von Herrlichkeit zu Herrlichkeit, nämlich vom Geist des Herrn.

Die Lauterkeit und Kraft der Evangeliumsverkündigung 1Th 2,1

4 Darum lassen wir uns nicht entmutigen, weil wir diesen Dienst haben gemäß der Barmherzigkeit, die wir empfangen haben, 2 sondern wir lehnen die schändlichen Heimlichkeiten ab; wir gehen nicht mit Hinterlist um und fälschen auch nicht das Wort Gottes; sondern indem wir die Wahrheit bekannt machen, empfehlen wir uns jedem menschlichen Gewissen vor den Augen Gottes.

3 Wenn aber unser Evangelium verhüllt ist, so ist es bei denen verhüllt, die verloren gehen; 4 bei den Ungläubigen, denen der

Gott dieser Weltzeit die Sinne verblendet hat, so daß ihnen das helle Licht des Evangeliums von der Herrlichkeit des Christus nicht aufleuchtet, welcher Gottes Ebenbild ist. [5] Denn wir verkündigen nicht uns selbst, sondern Christus Jesus, daß er der Herr ist, uns selbst aber als eure Knechte um Jesu willen.
6 Denn Gott, der dem Licht gebot, aus der Finsternis hervorzuleuchten, er hat es auch in unseren Herzen licht werden lassen, zur Erleuchtung mit der Erkenntnis der Herrlichkeit Gottes im Angesicht Jesu Christi.

Ein Schatz in irdenen Gefäßen   2Kor 6,3-10; 1,5-11; 2Tim 2,8-11

7 Wir haben aber diesen Schatz in irdenen Gefäßen, damit die überragende Kraft von Gott sei und nicht von uns. [8] Wir werden überall bedrängt, aber nicht erdrückt; wir kommen in Verlegenheit, aber nicht in Verzweiflung; [9] wir werden verfolgt, aber nicht verlassen; wir werden niedergeworfen, aber wir kommen nicht um; [10] wir tragen allezeit das Sterben des Herrn Jesus am Leib umher, damit auch das Leben Jesu an unserem Leib offenbar wird. [11] Denn wir, die wir leben, werden beständig dem Tod preisgegeben um Jesu willen, damit auch das Leben Jesu offenbar wird an unserem sterblichen Fleisch. [12] So ist also der Tod wirksam in uns, das Leben aber in euch.
13 Weil wir aber denselben Geist des Glaubens haben, gemäß dem, was geschrieben steht: *Ich habe geglaubt, darum habe ich geredet*, so glauben auch wir, und darum reden wir auch, [14] da wir wissen, daß der, welcher den Herrn Jesus auferweckt hat, auch uns durch Jesus auferwecken und zusammen mit euch vor sich stellen wird. [15] Denn es geschieht alles um euretwillen, damit die zunehmende Gnade durch die Vielen den Dank überfließen lasse zur Ehre Gottes.

Vorübergehende Drangsal und ewige Herrlichkeit   Röm 8,17-18

16 Darum lassen wir uns nicht entmutigen; sondern wenn auch unser äußerer Mensch zugrundegeht, so wird doch der innere Tag für Tag erneuert. [17] Denn unsere Drangsal, die schnell vorübergehend und leicht ist, verschafft uns eine ewige und über alle Maßen gewichtige Herrlichkeit, [18] da wir nicht auf das Sichtbare sehen, sondern auf das Unsichtbare; denn was sichtbar ist, das ist zeitlich; was aber unsichtbar ist, das ist ewig.
5 Denn wir wissen: Wenn unsere irdische Zeltwohnung abgebrochen wird, haben wir im Himmel einen Bau von Gott, ein Haus, nicht mit Händen gemacht, das ewig ist. [2] Denn in diesem seufzen wir vor Sehnsucht danach, mit unserer Behau-

sung, die vom Himmel ist, überkleidet zu werden [3] – sofern wir bekleidet und nicht unbekleidet erfunden werden. [4] Denn wir, die wir in dem [Leibes-]Zelt sind, seufzen und sind beschwert, weil wir lieber nicht entkleidet, sondern überkleidet werden möchten, so daß das Sterbliche verschlungen wird vom Leben. [5] Der uns aber hierzu bereitet hat, ist Gott, der uns auch das Unterpfand des Geistes gegeben hat.

6 Darum sind wir allezeit getrost und wissen: Solange wir im Leib daheim sind, sind wir in der Fremde, abwesend vom Herrn. [7] Denn wir wandeln im Glauben und nicht im Schauen. [8] Wir sind aber getrost und wünschen vielmehr, aus dem Leib auszuwandern und heimzukehren zu dem Herrn. [9] Darum suchen wir auch unsere Ehre darin, daß wir ihm wohlgefallen, sei es daheim oder nicht daheim. [10] Denn wir alle müssen vor dem Richterstuhl des Christus offenbar werden, damit jeder das empfängt, was er durch den Leib gewirkt hat, es sei gut oder böse.

Der Dienst der Versöhnung Joh 3,16-18; 1Tim 2,3-7; Röm 5,1-11

11 In dem Bewußtsein, daß der Herr zu fürchten ist, suchen wir daher die Menschen zu überzeugen, Gott aber sind wir offenbar; ich hoffe aber auch in eurem Gewissen offenbar zu sein. [12] Denn wir empfehlen uns nicht nochmals selbst euch gegenüber, sondern wir geben euch Gelegenheit, euch unsretwegen zu rühmen, damit ihr es denen entgegenhalten könnt, die sich des Äußeren rühmen, aber nicht des Herzens. [13] Denn wenn wir je außer uns waren, so waren wir es für Gott; wenn wir besonnen sind, so sind wir es für euch.

14 Denn die Liebe des Christus drängt uns, da wir von diesem überzeugt sind: Wenn einer für alle gestorben ist, so sind sie alle gestorben; [15] und er ist deshalb für alle gestorben, damit die, welche leben, nicht mehr sich selbst leben, sondern dem, der für sie gestorben und auferstanden ist.

16 So kennen wir denn von nun an niemand mehr nach dem Fleisch; und wenn wir auch Christus nach dem Fleisch gekannt haben, so kennen wir ihn doch nicht mehr so. [17] Darum: Ist jemand in Christus, so ist er eine neue Schöpfung; das Alte ist vergangen, siehe, es ist alles neu geworden!

18 Das alles aber [kommt] von Gott, der uns mit sich selbst versöhnt hat durch Jesus Christus und uns den Dienst der Versöhnung gegeben hat; [19] weil nämlich Gott in Christus war und die Welt mit sich selbst versöhnte, indem er ihnen ihre Sünden nicht anrechnete und das Wort der Versöhnung in uns legte.

[20] So sind wir nun Botschafter für Christus, und zwar so, daß Gott selbst durch uns ermahnt; so bitten wir nun stellvertretend für Christus: Laßt euch versöhnen mit Gott! [21] Denn er hat den, der von keiner Sünde wußte, für uns zur Sünde gemacht, damit wir in ihm Gerechtigkeit Gottes würden.

Hingabe und Treue des Apostels   1Th 2,1-13; 2Tim 3,10-11; 2Kor 11,23-30; Apg 20,18-35

6 Aber als Mitarbeiter ermahnen wir euch auch, die Gnade Gottes nicht vergeblich zu empfangen. [2] Denn es heißt: *Ich habe dich zur angenehmen Zeit erhört und dir am Tag des Heils geholfen.* Seht, jetzt ist die angenehme Zeit, jetzt ist der Tag des Heils!

3 Wir geben niemand irgend einen Anstoß, damit der Dienst nicht verlästert wird; [4] sondern in allem empfehlen wir uns als Diener Gottes: in großer Geduld, in Drangsalen, in Nöten, in Ängsten, [5] unter Schlägen, in Gefängnissen, in Unruhen, in Mühen, in Zeiten des Wachens, in Zeiten des Fastens; [6] in Reinheit, in Erkenntnis, in Langmut, in Freundlichkeit, im Heiligen Geist, in ungeheuchelter Liebe; [7] im Wort der Wahrheit, in der Kraft Gottes, durch die Waffen der Gerechtigkeit in der Rechten und Linken; [8] unter Ehre und Schande, bei böser und guter Nachrede; als »Verführer« und doch wahrhaftig, [9] als Unbekannte und doch wohlbekannt, als Sterbende, und siehe, wir leben, als Gezüchtigte und doch nicht getötet; [10] als Betrübte, aber immer fröhlich, als Arme, die doch viele reich machen, als solche, die nichts haben und doch alles besitzen.

11 Unser Mund hat sich euch gegenüber aufgetan, ihr Korinther; unser Herz ist weit geworden! [12] Ihr habt nicht engen Raum in uns; aber eng ist es in euren Herzen! [13] Vergeltet uns nun Gleiches – ich rede zu euch als zu [meinen] Kindern – und laßt es auch in euch weit werden!

Gottes Ruf zur Absonderung   1Kor 10,14-22; Eph 5,5-11; Offb 18,4

14 Seid nicht in einem fremden Joch mit Ungläubigen! Denn was haben Gerechtigkeit und Gesetzlosigkeit miteinander zu schaffen? Und was hat das Licht für Gemeinschaft mit der Finsternis? [15] Wie stimmt Christus mit Belial[a] überein? Oder was hat der Gläubige gemeinsam mit dem Ungläubigen? [16] Wie stimmt der Tempel Gottes mit Götzenbildern überein? Denn ihr seid ein Tempel des lebendigen Gottes, wie Gott gesagt hat: *Ich will in ihnen wohnen und unter ihnen wandeln und will ihr*

a. (6,15) hier Bezeichnung für den Satan.

Gott sein, und sie sollen mein Volk sein. [17] Darum geht aus von ihnen und sondert euch ab, spricht der Herr, und rührt nichts Unreines an; und ich will euch aufnehmen, [18] und ich will euch ein Vater sein, und ihr sollt mir Söhne und Töchter sein, spricht der Herr, der Allmächtige.

7 Weil wir nun diese Verheißungen haben, Geliebte, so wollen wir uns reinigen von aller Befleckung des Fleisches und des Geistes zur Vollendung der Heiligkeit in Gottesfurcht!

Freude des Apostels über die Reue in der Gemeinde 1Th 3,5-9

2 Gebt uns Raum [in euren Herzen]: Wir haben niemand Unrecht getan, niemand geschädigt, niemand übervorteilt. [3] Ich erwähne das nicht, um zu verurteilen; denn ich habe vorhin gesagt, daß ihr in unseren Herzen seid, so daß wir mit [euch] sterben und mit [euch] leben. [4] Ich bin sehr freimütig euch gegenüber und rühme viel von euch. Ich bin mit Trost erfüllt, ich fließe über von Freude bei all unserer Drangsal.

5 Denn als wir nach Mazedonien kamen, hatte unser Fleisch keine Ruhe, sondern wir wurden auf alle Art bedrängt, von außen Kämpfe, von innen Ängste. [6] Aber Gott, der die Geringen tröstet, er tröstete uns durch die Ankunft des Titus; [7] und nicht allein durch seine Ankunft, sondern auch durch den Trost, den er bei euch empfangen hatte. Als er uns berichtete von eurer Sehnsucht, eurer Klage, eurem Eifer für mich, da freute ich mich noch mehr.

8 Denn wenn ich euch auch durch den Brief betrübt habe, so bereue ich es nicht, wenn ich es auch bereut habe; denn ich sehe, daß euch jener Brief betrübt hat, wenn auch nur für eine Stunde. [9] Nun freue ich mich – nicht darüber, daß ihr betrübt wurdet, sondern darüber, daß ihr zur Buße betrübt worden seid; denn ihr seid in gottgewollter Weise betrübt worden, so daß ihr von uns keinerlei Schaden genommen habt. [10] Denn die gottgewollte Betrübnis bewirkt eine Buße zum Heil, die man nicht bereuen muß; die Betrübnis der Welt aber bewirkt den Tod. [11] Denn siehe, wieviel ernstes Bemühen hat dies bei euch bewirkt, daß ihr in gottgewollter Weise betrübt worden seid, dazu Verantwortung, Entrüstung, Furcht, Verlangen, Eifer, Bestrafung! Ihr habt in jeder Hinsicht bewiesen, daß ihr in der Sache rein seid.

12 Wenn ich euch also geschrieben habe, so geschah es nicht um dessentwillen, der Unrecht getan hat, auch nicht um dessentwillen, dem Unrecht geschehen ist, sondern damit euer Eifer für uns zu euren Gunsten offenbar würde vor dem Ange-

sicht Gottes. [13] Deswegen sind wir getröstet worden in eurem Trost; wir haben uns aber noch viel mehr über die Freude des Titus gefreut, denn sein Geist ist von euch allen erquickt worden. [14] Denn wenn ich euch ihm gegenüber gerühmt habe, bin ich damit nicht zuschanden geworden, sondern wie wir euch gegenüber stets die Wahrheit gesprochen haben, so ist auch unser Rühmen dem Titus gegenüber wahr geworden; [15] und sein Herz ist euch jetzt noch viel mehr zugetan, da er sich an den Gehorsam von euch allen erinnert, wie ihr ihn mit Furcht und Zittern aufgenommen habt. [16] Ich freue mich, daß ich mich in allem auf euch verlassen kann.

Die Geldsammlung für die Gemeinde in Jerusalem Apg 11,27-29

8 Wir tun euch aber, ihr Brüder, die Gnade Gottes kund, die den Gemeinden Mazedoniens gegeben worden ist. [2] In einer großen Prüfung der Drangsal hat ihre überfließende Freude und ihre tiefe Armut die Schätze ihrer Freigebigkeit zutage gefördert. [3] Denn nach [ihrem] Vermögen, ja ich bezeuge es, über [ihr] Vermögen hinaus waren sie bereitwillig [4] und baten uns mit vielem Zureden, daß wir die Liebesgabe und [ihre] Gemeinschaft am Dienst für die Heiligen annehmen sollten, [5] und [sie gaben] nicht nur [so], wie wir es erhofften, sondern sich selbst gaben sie hin, zuerst dem Herrn und dann uns, durch den Willen Gottes, [6] so daß wir Titus zuredeten, dieses Liebeswerk, wie er es angefangen hatte, nun auch bei euch zu vollenden. [7] Aber wie ihr in allen Dingen reich seid, im Glauben, im Wort, in der Erkenntnis und in allem Eifer sowie in der Liebe, die ihr zu uns habt, so möge auch dieses Liebeswerk bei euch reichlich ausfallen!

8 Ich sage das nicht als Gebot, sondern um durch den Eifer anderer auch die Echtheit eurer Liebe zu erproben. [9] Denn ihr erkennt die Gnade unseres Herrn Jesus Christus, daß er, obwohl er reich war, um euretwillen arm wurde, damit ihr durch seine Armut reich würdet. [10] Und ich gebe hierin einen Rat: Es ist gut für euch, weil ihr nicht nur das Tun, sondern auch das Wollen seit vorigem Jahr angefangen habt, [11] daß ihr nun auch das Tun vollbringt, damit der Bereitschaft des Willens auch das Vollbringen entspricht, aus dem, was ihr habt. [12] Denn wo die Bereitwilligkeit vorhanden ist, da ist einer angenehm entsprechend dem, was er hat, nicht entsprechend dem, was er nicht hat.

13 Nicht, damit andere Erleichterung haben, ihr aber Bedrängnis, sondern nach dem Grundsatz des Ausgleichs: In der jetzigen Zeit soll euer Überfluß ihrem Mangel abhelfen, [14] damit

auch ihr Überfluß eurem Mangel abhilft, so daß ein Ausgleich stattfindet, [15] wie geschrieben steht: *Wer viel sammelte, hatte keinen Überfluß, und wer wenig sammelte, hatte keinen Mangel.*

Sendung des Titus und anderer Brüder   1Kor 16,1-4; 2Kor 9,1-5

16 Gott aber sei Dank, der dem Titus denselben Eifer für euch ins Herz gibt. [17] Denn er nahm den Zuspruch an, aber weil er so großen Eifer hatte, reiste er freiwillig zu euch ab. [18] Wir sandten aber den Bruder mit ihm, dessen Lob wegen des Evangeliums bei allen Gemeinden [verbreitet] ist. [19] Und nicht nur das, sondern er ist auch von den Gemeinden zu unserem Reisegefährten erwählt worden bei diesem Liebeswerk, das von uns besorgt wird zur Ehre des Herrn selbst und zum Beweis eures guten Willens, [20] weil wir das verhüten wollen, daß uns jemand wegen dieser reichen Gabe, die durch uns besorgt wird, übel nachredet. [21] Denn wir sind auf das bedacht, was recht ist, nicht nur vor dem Herrn, sondern auch vor den Menschen. 22 Wir sandten aber mit ihnen unseren Bruder, den wir vielfach und in vielen Dingen als eifrig erfunden haben, der jetzt aber noch viel eifriger ist wegen seines großen Vertrauens zu euch. [23] Was Titus betrifft, so ist er mein Gefährte und Mitarbeiter für euch; unsere Brüder aber sind Gesandte der Gemeinden, eine Ehre des Christus. [24] So liefert nun den Beweis eurer Liebe und unseres Rühmens von euch ihnen gegenüber und vor den Gemeinden!

9 Denn ich halte es für überflüssig, euch über den Dienst für die Heiligen zu schreiben; [2] denn ich kenne ja eure Bereitwilligkeit, die ich den Mazedoniern gegenüber von euch rühme, daß Achaja seit dem vorigen Jahr bereit gewesen ist; und euer Eifer hat viele angespornt. [3] Ich habe aber die Brüder gesandt, damit unser Rühmen von euch in dieser Hinsicht nicht zunichte wird, damit ihr bereit seid, so wie ich es gesagt habe; [4] daß nicht etwa, wenn die Mazedonier mit mir kommen und euch unvorbereitet finden, wir (um nicht zu sagen: ihr) mit diesem zuversichtlichen Rühmen zuschanden werden. [5] Darum habe ich es für nötig gehalten, die Brüder zu ermahnen, zu euch vorauszureisen, um diese vorher angekündigte Segensgabe rechtzeitig zuzubereiten, damit sie bereit ist, so daß sie eine Segensgabe ist und nicht eine Gabe des Geizes.

Wer im Segen sät, wird auch im Segen ernten

6 Das aber bedenkt: Wer kärglich sät, der wird auch kärglich ernten; und wer im Segen sät, der wird auch im Segen ernten.

[7] Ein jeder, wie er es sich im Herzen vornimmt; nicht aus Unwillen oder aus Zwang, denn einen fröhlichen Geber hat Gott lieb! [8] Gott aber ist mächtig, euch jede Gnade im Überfluß zu spenden, so daß ihr in allem allezeit alle Genüge habt und überreich seid zu jedem guten Werk, [9] wie geschrieben steht: *Er hat ausgestreut, er hat den Armen gegeben; seine Gerechtigkeit bleibt in Ewigkeit.*

10 Er aber, der dem Sämann Samen darreicht und Brot zur Speise, er möge euch die Saat darreichen und mehren und die Früchte eurer Gerechtigkeit wachsen lassen, [11] so daß ihr in allem reich werdet zu aller Freigebigkeit, die durch uns Gott gegenüber Dank bewirkt. [12] Denn die Besorgung dieses Dienstes füllt nicht nur den Mangel der Heiligen aus, sondern ist auch überreich durch die vielen Dankgebete zu Gott, [13] indem sie durch den Beweis dieses Dienstes zum Lob Gottes veranlaßt werden für den Gehorsam eures Bekenntnisses zum Evangelium von Christus und für die Freigebigkeit der Unterstützung für sie und für alle; [14] und in ihrem Flehen für euch werden sie eine herzliche Zuneigung zu euch haben wegen der überschwenglichen Gnade Gottes euch gegenüber. [15] Gott aber sei Dank für seine unaussprechliche Gabe!

Paulus verteidigt seinen Aposteldienst   1Kor 2,1-5; Röm 15,17-19

10 Ich selbst aber, Paulus, ermahne euch angesichts der Sanftmut und Freundlichkeit des Christus, der ich von Angesicht zu Angesicht demütig bin bei euch, abwesend aber mutig gegen euch; [2] und ich bitte euch, daß ich nicht bei meiner Anwesenheit mutig sein muß in der Zuversicht, mit der ich entschlossen gegen etliche aufzutreten gedenke, die von uns meinen, wir würden nach dem Fleisch wandeln.

3 Denn obgleich wir im Fleisch wandeln, so kämpfen wir doch nicht nach Art des Fleisches; [4] denn die Waffen unseres Kampfes sind nicht fleischlich, sondern mächtig durch Gott zur Zerstörung von Festungen, [5] so daß wir Vernunftschlüsse zerstören und jede Höhe, die sich gegen die Erkenntnis Gottes erhebt, und jeden Gedanken gefangennehmen zum Gehorsam gegen Christus, [6] und auch bereit sind, jeden Ungehorsam zu bestrafen, sobald euer Gehorsam vollständig geworden ist.

7 Schaut ihr auf das, was vor Augen liegt? Wenn jemand von sich selbst überzeugt ist, daß er Christus angehört, so möge er andererseits von sich selbst aus den Schluß ziehen, daß, gleichwie er Christus angehört, so auch wir Christus angehören.

8 Denn wenn ich mich auch noch etwas mehr rühmen wollte wegen unserer Vollmacht, die der Herr uns gegeben hat zu eurer Erbauung und nicht zu eurer Zerstörung, so würde ich nicht zuschanden werden; 9 doch ich will nicht den Anschein erwecken, als wollte ich euch durch die Briefe einschüchtern. 10 Denn die Briefe, sagt einer, sind nachdrücklich und stark, aber die leibliche Gegenwart ist schwach und die Rede verachtenswert. 11 Der Betreffende soll aber bedenken: So wie wir als Abwesende mit dem Wort in Briefen sind, ebenso werden wir als Anwesende auch mit der Tat sein.

12 Denn wir wagen es nicht, uns denen zuzurechnen oder gleichzustellen, die sich selbst empfehlen; sie aber sind unverständig, indem sie sich an sich selbst messen und sich mit sich selbst vergleichen. 13 Wir aber wollen uns nicht ins Maßlose rühmen, sondern nach dem Maß des Wirkungskreises, den uns Gott als Maß zugemessen hat, nämlich daß wir auch bis zu euch gelangen sollten.

14 Denn wir strecken uns nicht zu weit aus, als wären wir nicht bis zu euch gelangt; wir sind ja auch mit dem Evangelium von Christus bis zu euch gekommen. 15 Wir rühmen uns auch nicht ins Maßlose auf Grund der Arbeiten anderer; wir haben aber die Hoffnung, wenn euer Glaube wächst, bei euch noch viel mehr Raum zu gewinnen, unserem Wirkungskreis gemäß, 16 um das Evangelium auch in den Gebieten jenseits von euch zu verkündigen, und uns nicht im Wirkungskreis eines anderen Ruhm zu holen, wo die Arbeit schon getan ist. 17 *Wer sich aber rühmen will, der rühme sich des Herrn!* 18 Denn nicht der ist bewährt, der sich selbst empfiehlt, sondern der, den der Herr empfiehlt.

Der Dienst von Paulus und die Verführung durch falsche Apostel Gal 1,6-9; 3,1; 4,9-20; 2Kor 12,11-15; Mt 7,15-20; Röm 16,17-18

11 Möchtet ihr mich doch ein wenig in [meiner] Torheit ertragen! Doch ihr ertragt mich ja schon. 2 Denn ich eifere um euch mit göttlichem Eifer; denn ich habe euch *einem* Mann verlobt, um euch als eine reine Jungfrau dem Christus zuzuführen. 3 Ich fürchte aber, es könnte womöglich, so wie die Schlange Eva verführte mit ihrer List, auch eure Gesinnung verdorben werden [und abgewandt werden] von der Einfalt gegenüber dem Christus.

4 Denn wenn der, welcher [zu euch] kommt, einen anderen Jesus verkündigt, den wir nicht verkündigt haben, oder wenn ihr einen anderen Geist empfangt, den ihr nicht empfangen habt,

oder ein anderes Evangelium, das ihr nicht angenommen habt, so habt ihr das gut ertragen.

5 Denn ich meine, daß ich jenen »bedeutenden Aposteln« in nichts nachstehe. 6 Und wenn ich auch der Rede unkundig bin, so doch nicht der Erkenntnis; sondern wir sind euch gegenüber auf jede Weise in allem offenbar geworden.

7 Oder habe ich eine Sünde begangen, indem ich mich selbst erniedrigte, damit ihr erhöht würdet, so daß ich euch unentgeltlich das Evangelium Gottes verkündigt habe? 8 Andere Gemeinden habe ich beraubt und von ihnen Lohn genommen, um euch zu dienen! 9 Und als ich bei euch war und Mangel litt, bin ich niemand zur Last gefallen; denn meinen Mangel füllten die Brüder aus, die aus Mazedonien kamen; und in allem habe ich mich gehütet, euch zur Last zu fallen, und werde mich ferner hüten. 10 So gewiß die Wahrheit des Christus in mir ist, soll dieser Ruhm mir nicht verwehrt werden in den Gegenden von Achaja. 11 Warum das? Weil ich euch nicht lieb habe? Gott weiß es. 12 Was ich aber tue, das werde ich auch ferner tun, um denen die Gelegenheit abzuschneiden, welche eine Gelegenheit suchen, um in dem, dessen sie sich rühmen, so erfunden zu werden wie wir.

13 Denn solche sind falsche Apostel, betrügerische Arbeiter, die sich als Apostel des Christus verkleiden. 14 Und das ist nicht verwunderlich, denn der Satan selbst verkleidet sich als ein Engel des Lichts. 15 Es ist also nichts Besonderes, wenn auch seine Diener sich verkleiden als Diener der Gerechtigkeit; aber ihr Ende wird ihren Werken gemäß sein.

Leiden im Aposteldienst 1Kor 15,10; 4,9-13; 2Kor 6,3-10

16 Ich sage nochmals: Niemand soll mich für töricht halten! Andernfalls aber nehmt mich als einen Törichten an, damit auch ich mich ein wenig rühmen kann. 17 Was ich jetzt rede, das rede ich nicht dem Herrn gemäß, sondern wie in Torheit, in diesem zuversichtlichen Rühmen. 18 Da viele sich rühmen nach dem Fleisch, will auch ich mich rühmen. 19 Ihr, die ihr klug seid, ertragt ja gerne die Törichten. 20 Ihr ertragt es ja, wenn jemand euch versklavt, wenn jemand euch aufzehrt, wenn jemand euch einfängt, wenn jemand sich überhebt, wenn jemand euch ins Gesicht schlägt.

21 Zur Schande sage ich das, daß wir so schwach waren. Worauf aber jemand pocht (ich rede in Torheit), darauf poche ich auch. 22 Sie sind Hebräer? Ich bin es auch. Sie sind Israeliten? Ich auch. Sie sind Abrahams Same? Ich auch. 23 Sie sind Diener

des Christus? Ich rede unsinnig: Ich bin's noch mehr! Ich habe weit mehr Mühsal, über die Maßen viele Schläge ausgestanden, war weit mehr in Gefängnissen, öfters in Todesgefahren. 24 Von den Juden habe ich fünfmal vierzig Schläge weniger einen empfangen; 25 dreimal bin ich mit Ruten geschlagen, einmal gesteinigt worden; dreimal habe ich Schiffbruch erlitten; einen Tag und eine Nacht habe ich in der Tiefe zugebracht.

26 Ich bin oftmals auf Reisen gewesen, in Gefahren auf Flüssen, in Gefahren durch Mörder, in Gefahren vom eigenen Volk, in Gefahren von Heiden, in Gefahren in der Stadt, in Gefahren in der Wüste, in Gefahren auf dem Meer, in Gefahren unter falschen Brüdern; 27 in Arbeit und Mühe, oftmals in Nachtwachen, in Hunger und Durst; oftmals in Fasten, in Kälte und Blöße; 28 zu alledem der tägliche Andrang zu mir, die Sorge für alle Gemeinden. 29 Wer ist schwach, und ich bin nicht auch schwach? Wem wird Anstoß bereitet, und ich empfinde nicht brennenden Schmerz?

30 Wenn ich mich rühmen soll, so will ich mich meiner Schwachheit rühmen. 31 Der Gott und Vater unseres Herrn Jesus Christus, der gelobt sei in Ewigkeit, er weiß, daß ich nicht lüge. 32 In Damaskus bewachte der Statthalter des Königs Aretas die Stadt der Damaszener, weil er mich verhaften wollte; 33 und ich wurde durch ein Fenster in einem Korb an der Mauer hinabgelassen und entkam seinen Händen.

Gottes Kraft wirkt in der Schwachheit seines Knechtes

12 Das Rühmen nützt mir freilich nichts; doch will ich auf die Erscheinungen und Offenbarungen des Herrn zu sprechen kommen. 2 Ich weiß von einem Menschen in Christus, der vor vierzehn Jahren (ob im Leib oder ob außerhalb des Leibes, ich weiß es nicht; Gott weiß es) bis in den dritten Himmel entrückt wurde. 3 Und ich weiß von dem betreffenden Menschen (ob im Leib oder außerhalb des Leibes, weiß ich nicht; Gott weiß es), 4 daß er in das Paradies entrückt wurde und unaussprechliche Worte hörte, die ein Mensch nicht sagen darf. 5 Wegen eines solchen will ich mich rühmen, meiner selbst wegen aber will ich mich nicht rühmen, als nur meiner Schwachheiten. 6 Wenn ich mich zwar rühmen wollte, wäre ich deshalb nicht töricht, denn ich würde die Wahrheit sagen. Ich enthalte mich aber dessen, damit niemand mehr von mir hält, als was er an mir sieht oder von mir hört.

7 Und damit ich mich wegen der außerordentlichen Offenbarungen nicht überhebe, wurde mir ein Pfahl fürs Fleisch gege-

ben, ein Engel Satans, daß er mich mit Fäusten schlage, damit ich mich nicht überhebe. ⁸ Seinetwegen habe ich dreimal den Herrn gebeten, daß er von mir ablassen soll. ⁹ Und er hat zu mir gesagt: Laß dir an meiner Gnade genügen, denn meine Kraft wird in der Schwachheit vollkommen! Darum will ich mich am liebsten vielmehr meiner Schwachheiten rühmen, damit die Kraft des Christus bei mir wohne. ¹⁰ Darum habe ich Wohlgefallen an Schwachheiten, an Mißhandlungen, an Nöten, an Verfolgungen, an Ängsten um des Christus willen; denn wenn ich schwach bin, dann bin ich stark.

Das Ringen des Apostels um die Gemeinde 2Kor 11; 13,1-10

11 Ich bin töricht geworden mit meinem Rühmen; ihr habt mich dazu gezwungen. Denn ich sollte von euch empfohlen werden, da ich den »bedeutenden Aposteln« in nichts nachstehe, wenn ich auch nichts bin. ¹² Die Zeichen eines Apostels sind unter euch gewirkt worden in allem Ausharren, in Zeichen und Wundern und Kraftwirkungen. ¹³ Denn worin seid ihr benachteiligt worden gegenüber den restlichen Gemeinden, außer daß ich selbst euch nicht zur Last gefallen bin? Vergebt mir dieses Unrecht!

14 Siehe, zum dritten Mal bin ich nun bereit, zu euch zu kommen, und ich werde euch nicht zur Last fallen; denn ich suche nicht das Eure, sondern euch. Es sollen ja nicht die Kinder den Eltern Schätze sammeln, sondern die Eltern den Kindern. ¹⁵ Ich aber will sehr gerne Opfer bringen und geopfert werden für eure Seelen, sollte ich auch, je mehr ich euch liebe, desto weniger geliebt werden.

16 Doch sei es so, daß ich euch nicht belästigt habe; weil ich aber schlau bin, habe ich euch mit List gefangen. ¹⁷ Habe ich euch etwa übervorteilt durch irgend jemand von denen, die ich zu euch sandte? ¹⁸ Ich habe dem Titus zugeredet und mit ihm den Bruder gesandt; hat etwa Titus euch übervorteilt? Sind wir nicht in demselben Geist gewandelt? Nicht in denselben Fußstapfen?

19 Meint ihr wiederum, wir verantworten uns vor euch? Vor dem Angesicht Gottes, in Christus, reden wir, und das alles, Geliebte, zu eurer Erbauung. ²⁰ Denn ich fürchte, wenn ich komme, könnte ich euch nicht so finden, wie ich wünsche, und ihr könntet auch mich so finden, wie ihr nicht wünscht; es könnten Streitigkeiten unter euch sein, Eifersüchteleien, Wutausbrüche, Rechthabereien, Verleumdungen, Verbreitung von Gerüchten, Aufgeblasenheit, Unruhen, ²¹ so daß mein Gott mich

nochmals demütigt bei euch, wenn ich komme, und ich trauern muß über viele, die zuvor schon gesündigt und nicht Buße getan haben wegen der Unreinheit und Unzucht und Ausschweifung, die sie begangen haben.

Letzte Ermahnungen und Grüße   2Kor 12,19-21; 10,1-11

13 Dies ist das dritte Mal, daß ich zu euch komme. Durch zweier und dreier Zeugen Mund soll jede Aussage festgestellt werden! [2] Ich habe es im voraus gesagt und sage es im voraus; wie bei meiner zweiten Anwesenheit, so schreibe ich auch jetzt in meiner Abwesenheit denen, die zuvor gesündigt haben und allen übrigen, daß ich nicht schonen werde, wenn ich nochmals komme, [3] weil ihr ja einen Beweis verlangt, daß Christus durch mich redet, der euch gegenüber nicht schwach ist, sondern mächtig unter euch. [4] Denn wenn er auch aus Schwachheit gekreuzigt wurde, so lebt er doch aus der Kraft Gottes; so sind auch wir zwar schwach in ihm, doch werden wir mit ihm leben aus der Kraft Gottes für euch.

5 Prüft euch selbst, ob ihr im Glauben seid; stellt euch selbst auf die Probe! Oder erkennt ihr euch selbst nicht, daß Jesus Christus in euch ist? Es sei denn, daß ihr unecht wärt! [6] Ich hoffe aber, ihr werdet erkennen, daß wir nicht unecht sind. [7] Ich bete aber zu Gott, daß ihr nichts Böses tut; nicht damit wir bewährt erscheinen, sondern damit ihr das Gute tut, wir aber wie Unbewährte seien. [8] Denn wir vermögen nichts gegen die Wahrheit, sondern [nur] für die Wahrheit. [9] Wir freuen uns nämlich, wenn wir schwach sind, ihr aber stark seid; das aber wünschen wir auch, euer Zurechtkommen. [10] Darum schreibe ich dies abwesend, damit ich anwesend nicht Strenge gebrauchen muß gemäß der Vollmacht, die mir der Herr gegeben hat zum Erbauen und nicht zum Zerstören.

11 Im übrigen, ihr Brüder, freut euch, laßt euch zurechtbringen, laßt euch ermahnen, seid eines Sinnes, haltet Frieden, so wird der Gott der Liebe und des Friedens mit euch sein! [12] Grüßt einander mit dem heiligen Kuß! Es grüßen euch alle Heiligen. [13] Die Gnade des Herrn Jesus Christus und die Liebe Gottes und die Gemeinschaft des Heiligen Geistes sei mit euch allen! Amen.

DER BRIEF DES APOSTELS PAULUS AN DIE GALATER

Etwa um 48 n. Chr. schrieb der Apostel Paulus seinen Brief an verschiedene Gemeinden der römischen Provinz Galatien (im Gebiet der heutigen Türkei). Diese jungen, vorwiegend aus ehemaligen Heiden bestehenden Gemeinden waren durch das Auftreten jüdischer Lehrer verunsichert worden, die behaupteten, man müsse sich beschneiden lassen und damit in den Gesetzesbund Israels eintreten, um gerettet zu werden. Diese falsche Lehre, die die Grundlagen des biblischen Evangeliums von der Errettung durch den Glauben an Jesus Christus umwarf, widerlegt Paulus ausführlich in diesem Schreiben, das viele Bezüge zum Römerbrief hat.

Zuschrift und Grüße   Röm 1,1-7

1 Paulus, Apostel nicht von Menschen, auch nicht durch einen Menschen, sondern durch Jesus Christus und Gott, den Vater, der ihn auferweckt hat aus den Toten, ² und alle Brüder, die mit mir sind, an die Gemeinden in Galatien: ³ Gnade sei mit euch und Friede von Gott, dem Vater, und unserem Herrn Jesus Christus, ⁴ der sich selbst für unsere Sünden gegeben hat, damit er uns herausrette aus der gegenwärtigen bösen Weltzeit, nach dem Willen unseres Gottes und Vaters, ⁵ dem die Ehre gebührt von Ewigkeit zu Ewigkeit. Amen.

Warnung vor einem anderen Evangelium   Gal 3,1-5; 4,9-20; 5,1-12

6 Mich wundert, daß ihr euch so schnell abwenden laßt von dem, der euch durch die Gnade des Christus berufen hat, zu einem anderen Evangelium, ⁷ während es doch kein anderes gibt; nur sind etliche da, die euch verwirren und das Evangelium von Christus verdrehen wollen.
8 Aber selbst wenn wir oder ein Engel vom Himmel euch etwas anderes als Evangelium verkündigen würden außer dem, was wir euch verkündigt haben, der sei verflucht! ⁹ Wie wir zuvor gesagt haben, so sage ich auch jetzt wiederum: Wenn jemand euch etwas anderes als Evangelium verkündigt außer dem, das ihr empfangen habt, der sei verflucht! ¹⁰ Rede ich denn jetzt Menschen oder Gott zuliebe? Oder suche ich Menschen zu gefallen? Wenn ich allerdings den Menschen noch gefiele, so wäre ich nicht ein Knecht des Christus.

Die göttliche Berufung des Apostels Paulus Apg 9,1-20; 22,3-16

11 Ich tue euch aber kund, Brüder, daß das von mir verkündigte Evangelium nicht von Menschen stammt; 12 ich habe es auch nicht von einem Menschen empfangen noch erlernt, sondern durch eine Offenbarung Jesu Christi.

13 Denn ihr habt von meinem ehemaligen Wandel im Judentum gehört, daß ich die Gemeinde Gottes über die Maßen verfolgte und sie zerstörte 14 und im Judentum viele meiner Altersgenossen in meinem Geschlecht übertraf durch übermäßigen Eifer für die Überlieferungen meiner Väter. 15 Als es aber Gott, der mich vom Mutterleib an ausgesondert und durch seine Gnade berufen hat, wohlgefiel, 16 seinen Sohn in mir zu offenbaren, damit ich ihn durch das Evangelium unter den Heiden verkündigte, ging ich sogleich nicht mit Fleisch und Blut zu Rate, 17 zog auch nicht nach Jerusalem hinauf zu denen, die vor mir Apostel waren, sondern ging weg nach Arabien und kehrte wieder nach Damaskus zurück.

18 Darauf, nach drei Jahren, zog ich nach Jerusalem hinauf, um Petrus kennenzulernen, und blieb fünfzehn Tage bei ihm. 19 Ich sah aber keinen der anderen Apostel, nur Jakobus, den Bruder des Herrn. 20 Was ich euch aber schreibe – siehe, vor Gottes Angesicht –, ich lüge nicht! 21 Darauf kam ich in die Gegenden von Syrien und Cilicien. 22 Ich war aber den Gemeinden von Judäa, die in Christus sind, von Angesicht unbekannt. 23 Sie hatten nur gehört: Der, welcher uns einst verfolgte, verkündigt jetzt als Evangelium den Glauben, den er einst zerstörte! 24 Und sie priesen Gott um meinetwillen.

Die Anerkennung des Aposteldienstes von Paulus durch Petrus, Jakobus und Johannes Apg 15,1-29

2 Darauf, nach vierzehn Jahren, zog ich wieder hinauf nach Jerusalem mit Barnabas und nahm auch Titus mit. 2 Ich zog aber aufgrund einer Offenbarung hinauf und legte ihnen, insbesondere den Angesehenen, das Evangelium vor, das ich unter den Heiden verkündige, damit ich nicht etwa vergeblich liefe oder gelaufen wäre. 3 Aber nicht einmal mein Begleiter Titus, obwohl er ein Grieche ist, wurde gezwungen, sich beschneiden zu lassen.

4 Was aber die eingeschlichenen falschen Brüder betrifft, die sich hereingedrängt hatten, um unsere Freiheit auszukundschaften, die wir in Christus Jesus haben, damit sie uns unterjochen könnten – 5 denen gaben wir auch nicht eine Stunde

nach, daß wir uns ihnen unterworfen hätten, damit die Wahrheit des Evangeliums bei euch bestehen bliebe.

6 Von denen aber, die etwas gelten – was sie früher waren, ist mir gleich; Gott achtet das Ansehen der Person nicht –, mir haben diese Angesehenen nichts weiter auferlegt; [7] sondern im Gegenteil, als sie sahen, daß ich mit dem Evangelium an die Unbeschnittenen[a] betraut bin, gleichwie Petrus mit dem an die Beschneidung[b] – [8] denn der, welcher in Petrus kräftig wirkte zum Aposteldienst unter der Beschneidung, der wirkte auch in mir kräftig für die Heiden –, [9] und als sie die Gnade erkannten, die mir gegeben ist, reichten Jakobus und Kephas und Johannes, die als Säulen gelten, mir und Barnabas die Hand der Gemeinschaft, damit wir unter den Heiden, sie aber unter der Beschneidung wirkten; [10] nur sollten wir der Armen gedenken, und ich habe mich auch eifrig bemüht, dies zu tun.

Paulus widersteht Petrus in Antiochia Apg 11,1-18; 15,7-11

11 Als aber Petrus nach Antiochia kam, widerstand ich ihm ins Angesicht, denn er war im Unrecht. [12] Bevor nämlich etliche von Jakobus kamen, aß er mit den Heiden; als sie aber kamen, zog er sich zurück und sonderte sich ab, weil er die aus der Beschneidung fürchtete. [13] Und auch die übrigen Juden heuchelten mit ihm, so daß selbst Barnabas von ihrer Heuchelei mit fortgerissen wurde. [14] Als ich aber sah, daß sie nicht richtig wandelten nach der Wahrheit des Evangeliums, sprach ich zu Petrus vor allen: Wenn du, der du ein Jude bist, heidnisch lebst und nicht jüdisch, was zwingst du die Heiden, jüdisch zu leben?

Durch Christus gerechtfertigt – mit Christus gekreuzigt Röm 3,21

15 Wir sind von Natur Juden und nicht Sünder aus den Heiden; [16] doch weil wir erkannt haben, daß der Mensch nicht aus Werken des Gesetzes gerechtfertigt wird, sondern durch den Glauben an Jesus Christus, so sind auch wir an Christus Jesus gläubig geworden, damit wir aus dem Glauben an Christus gerechtfertigt würden und nicht aus Werken des Gesetzes, weil aus Werken des Gesetzes kein Fleisch gerechtfertigt wird. [17] Wenn wir aber, die wir in Christus gerechtfertigt zu werden suchen, auch selbst als Sünder erfunden würden, wäre demnach Christus ein Sündendiener? Das sei ferne! [18] Denn wenn ich das,

---

a. (2,7) d.h. die Heiden, die nichtjüdischen Menschen außerhalb des Bundes Gottes mit Israel.
b. (2,7) d.h. die Israeliten, die beschnitten wurden als Zeichen ihrer Zugehörigkeit zum Bund Gottes.

was ich niedergerissen habe, wieder aufbaue, so stelle ich mich selbst als Übertreter hin. [19] Nun bin ich aber durchs Gesetz[a] dem Gesetz gestorben, um Gott zu leben.

20 Ich bin mit Christus gekreuzigt, und doch lebe ich; aber nicht mehr ich, sondern Christus lebt in mir. Was ich aber jetzt im Fleisch lebe, das lebe ich im Glauben an den Sohn Gottes, der mich geliebt und sich selbst für mich hingegeben hat. [21] Ich verwerfe die Gnade Gottes nicht; denn wenn durch das Gesetz Gerechtigkeit [kommt], so ist Christus vergeblich gestorben.

Die Gerechtigkeit wird durch Glauben erlangt und nicht durchs Gesetz Röm 3,19-4,25

3 O ihr unverständigen Galater, wer hat euch verzaubert, daß ihr der Wahrheit nicht gehorcht, euch, denen Jesus Christus als unter euch gekreuzigt vor die Augen gemalt worden ist? [2] Das allein will ich von euch erfahren: Habt ihr den Geist durch Werke des Gesetzes empfangen oder durch die Verkündigung vom Glauben? [3] Seid ihr so unverständig? Im Geist habt ihr angefangen und wollt nun im Fleisch vollenden? [4] So viel habt ihr umsonst erlitten? Wenn es wirklich umsonst ist! [5] Der euch nun den Geist darreicht und Kräfte in euch wirken läßt, [tut er es] durch Werke des Gesetzes oder durch die Verkündigung vom Glauben?

6 Gleichwie Abraham Gott geglaubt hat und es ihm zur Gerechtigkeit angerechnet wurde, [7] so erkennt auch, daß die aus dem Glauben Abrahams Kinder sind. [8] Da es nun die Schrift voraussah, daß Gott die Heiden aus Glauben rechtfertigen würde, hat sie dem Abraham im voraus das Evangelium verkündigt: *In dir sollen alle Völker gesegnet werden.* [9] So werden nun die, welche aus dem Glauben sind, gesegnet mit dem gläubigen Abraham.

10 Denn alle, die aus Werken des Gesetzes sind, die sind unter dem Fluch; denn es steht geschrieben: *Verflucht ist jeder, der nicht bleibt in allem, was im Buch des Gesetzes geschrieben steht, um es zu tun.* [11] Daß aber durch das Gesetz niemand vor Gott gerechtfertigt wird, ist offenbar; denn *der Gerechte wird aus Glauben leben.* [12] Das Gesetz aber ist nicht aus Glauben, sondern: *Der Mensch, der diese Dinge tut, wird durch sie leben.* [13] Christus hat uns losgekauft von dem Fluch des

a. (2,19) Hier wie im folgenden meint Paulus mit »Gesetz« das für Israel geltende Gesetz des Bundesschlusses von Sinai.

Gesetzes, indem er ein Fluch für uns wurde (denn es steht geschrieben: *Verflucht ist jeder, der am Holz hängt*), [14] damit der Segen Abrahams zu den Heiden komme in Christus Jesus, damit wir durch den Glauben die Verheißung des Geistes empfingen.

Das Heil ist aufgrund der Verheißung gegeben, nicht aufgrund des Gesetzes Apg 3,25-26; Röm 4,13-17; 10,4-13; Eph 3,6

15 Brüder, ich rede nach Menschenweise: Sogar das Testament eines Menschen hebt niemand auf oder verordnet etwas dazu, wenn es bestätigt ist. [16] Nun aber sind die Verheißungen dem Abraham und seinem Samen zugesprochen worden. Es heißt nicht: »und den Samen«, als von vielen, sondern als von einem: »und deinem Samen«, und dieser ist Christus. [17] Das aber sage ich: Ein von Gott auf Christus hin zuvor bestätigtes Testament wird durch das 430 Jahre danach entstandene Gesetz nicht ungültig gemacht, so daß die Verheißung aufgehoben würde. [18] Denn wenn das Erbe durchs Gesetz käme, so käme es nicht mehr durch Verheißung; dem Abraham aber hat es Gott durch Verheißung geschenkt.

19 Wozu nun das Gesetz? Der Übertretungen wegen wurde es hinzugefügt, bis der Same käme, dem die Verheißung gilt, und es ist durch Engel übermittelt worden in die Hand eines Mittlers. [20] Ein Mittler aber ist nicht nur [Mittler] von einem; Gott aber ist *einer*. [21] Ist nun das Gesetz gegen die Verheißungen Gottes? Das sei ferne! Denn wenn ein Gesetz gegeben wäre, das lebendig machen könnte, so käme die Gerechtigkeit wirklich aus dem Gesetz. [22] Aber die Schrift hat alles unter die Sünde zusammengeschlossen, damit die Verheißung durch den Glauben an Jesus Christus denen gegeben würde, die glauben.

Die Knechtschaft des Gesetzes und die Sohnschaft in Christus

23 Bevor aber der Glaube kam, wurden wir unter dem Gesetz verwahrt und verschlossen auf den Glauben hin, der geoffenbart werden sollte. [24] So ist also das Gesetz unser Lehrmeister geworden auf Christus hin, damit wir durch den Glauben gerechtfertigt würden. [25] Nachdem aber der Glaube gekommen ist, sind wir nicht mehr unter dem Lehrmeister; [26] denn ihr alle seid Söhne Gottes durch den Glauben in Christus Jesus; [27] denn ihr alle, die ihr in Christus getauft seid, ihr habt Christus angezogen. [28] Da ist weder Jude noch Grieche, da ist weder Knecht noch Freier, da ist weder Mann noch Frau; denn

ihr seid alle *einer* in Christus Jesus. ²⁹ Wenn ihr aber Christus angehört, so seid ihr Abrahams Same und nach der Verheißung Erben.

4 Ich sage aber: Solange der Erbe unmündig ist, besteht zwischen ihm und einem Knecht kein Unterschied, obwohl er Herr aller Güter ist; ² sondern er steht unter Vormündern und Verwaltern bis zu der vom Vater festgesetzten Zeit. ³ Ebenso waren auch wir, als wir noch unmündig waren, den Grundsätzen der Welt als Knechte unterworfen.

4 Als aber die Zeit erfüllt war, sandte Gott seinen Sohn, geboren von einer Frau und unter das Gesetz getan, ⁵ damit er die, welche unter dem Gesetz waren, loskaufte, damit wir die Sohnschaft empfingen. ⁶ Weil ihr nun Söhne seid, hat Gott den Geist seines Sohnes in eure Herzen gesandt, der ruft: Abba, Vater! ⁷ So bist du also nicht mehr Knecht, sondern Sohn; wenn aber Sohn, dann auch Erbe Gottes durch Christus.

Warnender Zuspruch des Apostels Kol 2; 2Kor 11,1-4; 11,13-15

8 Damals aber, als ihr Gott nicht kanntet, dientet ihr denen, die von Natur nicht Götter sind. ⁹ Nun aber, da ihr Gott erkannt habt, ja vielmehr von Gott erkannt seid, wieso wendet ihr euch wiederum den schwachen und armseligen Grundsätzen zu, denen ihr von neuem dienen wollt? ¹⁰ Ihr beachtet Tage und Monate und Zeiten und Jahre. ¹¹ Ich fürchte um euch, daß ich am Ende vergeblich um euch gearbeitet habe.

12 Werdet doch wie ich, denn ich bin wie ihr! Ich bitte euch, meine Brüder! Ihr habt mir nichts zuleide getan; ¹³ ihr wißt aber, daß ich euch in Schwachheit des Fleisches zum ersten Mal das Evangelium verkündigt habe. ¹⁴ Und meine Anfechtung in meinem Fleisch habt ihr nicht verachtet oder gar verabscheut, sondern wie einen Engel Gottes nahmt ihr mich auf, wie Christus Jesus. ¹⁵ Was war denn eure Glückseligkeit? Denn ich gebe euch das Zeugnis, daß ihr wenn möglich eure Augen ausgerissen und mir gegeben hättet. ¹⁶ Bin ich also euer Feind geworden, weil ich euch die Wahrheit sage?

17 Sie eifern um euch nicht in edler Weise, sondern wollen euch ausschließen, damit ihr um sie eifert. ¹⁸ Das Eifern ist aber gut, wenn es für das Gute geschieht, und zwar allezeit, nicht nur in meiner Gegenwart bei euch. ¹⁹ Meine Kinder, um die ich noch einmal Geburtswehen leide, bis Christus in euch Gestalt gewinnt ²⁰ – wie gerne wollte ich jetzt bei euch sein und in anderem Ton zu euch reden, denn ich weiß nicht, woran ich mit euch bin!

Die Kinder der Sklavin und die Kinder der Freien

21 Sagt mir, die ihr unter dem Gesetz sein wollt: Hört ihr das Gesetz nicht? ²² Es steht doch geschrieben, daß Abraham zwei Söhne hatte, einen von der Sklavin, den anderen von der Freien. ²³ Der von der Sklavin war gemäß dem Fleisch geboren, der von der Freien aber kraft der Verheißung.

24 Das hat einen bildlichen Sinn: Es sind die zwei Bündnisse; das eine vom Berg Sinai, das zur Knechtschaft gebiert, das ist Hagar. ²⁵ Denn »Hagar« bedeutet den Berg Sinai in Arabien und entspricht dem jetzigen Jerusalem, und es ist in Knechtschaft samt seinen Kindern. ²⁶ Das obere Jerusalem aber ist frei, und dieses ist unser aller Mutter. ²⁷ Denn es steht geschrieben: *Freue dich, du Unfruchtbare, die du nicht gebierst; brich in Jubel aus und jauchze, die du nicht in Wehen liegst, denn die Vereinsamte hat mehr Kinder als die, welche den Mann hat.*

28 Wir aber, Brüder, sind nach der Weise des Isaak Kinder der Verheißung. ²⁹ Doch gleichwie damals der nach dem Fleisch Geborene den nach dem Geist [Geborenen] verfolgte, so auch jetzt. ³⁰ Was sagt aber die Schrift: *Stoße die Sklavin hinaus und ihren Sohn! Denn der Sohn der Sklavin soll nicht erben mit dem Sohn der Freien.* ³¹ So sind wir also, meine Brüder, nicht Kinder der Sklavin, sondern der Freien.

Die Freiheit in Christus und die Verführung der judaistischen Irrlehrer Röm 7,1-6; Gal 2,3-5; 2,15-21; Apg 15,1-31

5 So besteht nun in der Freiheit, zu der uns Christus befreit hat, und laßt euch nicht wieder in ein Joch der Knechtschaft spannen! ² Siehe, ich, Paulus, sage euch: Wenn ihr euch beschneiden laßt, wird euch Christus nichts nützen. ³ Ich bezeuge nochmals jedem, der sich beschneiden läßt, daß er verpflichtet ist, das ganze Gesetz zu halten. ⁴ Ihr seid losgetrennt von dem Christus, die ihr durchs Gesetz gerecht werden wollt, ihr seid aus der Gnade gefallen! ⁵ Wir aber erwarten im Geist aus Glauben die Hoffnung der Gerechtigkeit; ⁶ denn in Christus Jesus gilt weder Beschneidung noch Unbeschnittensein etwas, sondern der Glaube, der durch die Liebe wirksam ist.

7 Ihr lieft gut; wer hat euch aufgehalten, daß ihr der Wahrheit nicht gehorcht? ⁸ Die Überredung kommt nicht von dem, der euch berufen hat! ⁹ Ein wenig Sauerteig durchsäuert den ganzen Teig. ¹⁰ Ich traue euch zu in dem Herrn, daß ihr nicht anders gesinnt sein werdet; wer euch aber verwirrt, der wird das Urteil tragen, wer er auch sei. ¹¹ Ich aber, meine Brüder, wenn

ich noch die Beschneidung verkündigte, warum würde ich dann noch verfolgt? Dann hätte das Ärgernis des Kreuzes aufgehört! [12] O daß sie auch abgeschnitten würden, die euch verwirren!

13 Denn ihr seid zur Freiheit berufen, meine Brüder; nur macht die Freiheit nicht zu einem Vorwand für das Fleisch, sondern dient einander durch die Liebe. [14] Denn das ganze Gesetz wird in einem Wort erfüllt, in dem: *Du sollst deinen Nächsten lieben wie dich selbst.* [15] Wenn ihr einander aber beißt und freßt, so habt acht, daß ihr nicht voneinander verzehrt werdet!

Ermahnung zum Wandel im Geist Röm 8,1-14; Eph 5,1-12; Kol 3,5

16 Ich sage aber: Wandelt im Geist, so werdet ihr die Begierden des Fleisches nicht vollbringen. [17] Denn das Fleisch begehrt auf gegen den Geist und der Geist gegen das Fleisch; und diese widerstreben einander, so daß ihr nicht das tut, was ihr wollt. [18] Wenn ihr aber vom Geist geleitet werdet, so seid ihr nicht unter dem Gesetz.

19 Offenbar sind aber die Werke des Fleisches, welche sind: Ehebruch, Unzucht, Unreinheit, Zügellosigkeit; [20] Götzendienst, Zauberei, Feindschaft, Streitigkeiten, Eifersüchteleien, Zorn, Ehrgeiz, Zwietracht, Parteiungen; [21] Neid, Mord, Trunkenheit, Gelage und dergleichen, wovon ich euch voraussage, wie ich schon zuvor gesagt habe, daß die, welche solche Dinge tun, das Reich Gottes nicht erben werden.

22 Die Frucht des Geistes aber ist Liebe, Freude, Friede, Langmut, Freundlichkeit, Güte, Treue, Sanftmut, Selbstbeherrschung. [23] Gegen solche Dinge gibt es kein Gesetz.

24 Die aber dem Christus angehören, die haben das Fleisch gekreuzigt samt den Leidenschaften und Begierden. [25] Wenn wir im Geist leben, so laßt uns auch im Geist wandeln. [26] Laßt uns nicht nach nichtigem Ruhm gierig sein, einander nicht herausfordern noch beneiden!

Geistlicher Wandel im Gemeindeleben Röm 12,9-21; 15,1-7

6 Brüder, wenn auch ein Mensch von einem Fehltritt übereilt würde, so helft ihr, die ihr geistlich seid, einem solchen im Geist der Sanftmut wieder zurecht; und sieh dabei auf dich selbst, daß du nicht auch versucht wirst! [2] Einer trage des anderen Lasten, und so sollt ihr das Gesetz des Christus erfüllen! [3] Denn wenn jemand meint, etwas zu sein, da er doch nichts ist, so betrügt er sich selbst. [4] Ein jeder aber prüfe sein eigenes Werk, und dann wird er für sich selbst den Ruhm haben und

nicht für einen anderen; **5** denn ein jeder soll seine eigene Bürde tragen.

6 Wer im Wort unterrichtet wird, der gebe dem, der ihn unterrichtet, Anteil an allen Gütern.

7 Irrt euch nicht; Gott läßt sich nicht spotten! Denn was der Mensch sät, das wird er auch ernten. **8** Denn wer auf sein Fleisch sät, der wird vom Fleisch Verderben ernten; wer aber auf den Geist sät, der wird vom Geist ewiges Leben ernten. **9** Laßt uns aber im Gutestun nicht müde werden; denn zu seiner Zeit werden wir auch ernten, wenn wir nicht ermatten. **10** So laßt uns nun, wo wir Gelegenheit haben, an jedermann Gutes tun, besonders aber an den Hausgenossen des Glaubens.

Eigenhändiger Briefschluß. Das Kreuz Jesu Christi und die neue Schöpfung   Phil 3,2-21; Gal 5,5-10

11 Seht, wie weitläufig ich euch geschrieben habe mit eigener Hand! **12** Alle, die im Fleisch wohlangesehen sein wollen, nötigen euch, daß ihr euch beschneiden laßt, nur damit sie nicht um des Kreuzes des Christus willen verfolgt werden. **13** Denn nicht einmal sie, die sich beschneiden lassen, halten das Gesetz, sondern sie verlangen, daß ihr euch beschneiden laßt, damit sie sich eures Fleisches rühmen können.

14 Von mir aber sei es ferne, mich zu rühmen, als nur des Kreuzes unseres Herrn Jesus Christus, durch das mir die Welt gekreuzigt ist und ich der Welt. **15** Denn in Christus Jesus gilt weder Beschnittensein noch Unbeschnittensein etwas, sondern eine neue Schöpfung. **16** Über alle, die nach dieser Regel wandeln, komme Frieden und Erbarmen, und über das Israel Gottes!

17 Hinfort mache mir niemand weitere Mühe; denn ich trage die Malzeichen des Herrn Jesus an meinem Leib. **18** Die Gnade unseres Herrn Jesus Christus sei mit eurem Geist, meine Brüder! Amen.

DER BRIEF DES APOSTELS PAULUS AN DIE EPHESER

Der Epheserbrief wurde von dem Apostel Paulus um 60 n. Chr. aus der ersten Gefangenschaft in Rom an die Gemeinde der Großstadt Ephesus in Kleinasien geschrieben (vgl. Apg 19). Paulus gibt den Christen dort einen tiefen Einblick in den Reichtum an göttlichen Gaben und Segnungen, die sie durch ihre geistliche Gemeinschaft mit Christus empfangen hatten. Durch den Glauben gehörten sie nun dem auferstandenen Herrn Jesus Christus im Himmel an, sie waren „in Christus", und Paulus zeigt ihnen, was ein Gläubiger durch Christus alles empfängt. Im zweiten Teil des Briefes behandelt Paulus dann den Lebenswandel, der aus den Vorrechten und Segnungen der Erlösten folgen sollte.

Zuschrift und Gruß

1 Paulus, Apostel Jesu Christi durch den Willen Gottes, an die Heiligen, die in Ephesus sind, und Gläubigen in Christus Jesus. ² Gnade sei mit euch und Friede von Gott, unserem Vater, und dem Herrn Jesus Christus!

Gottes herrliche Gnade und die Segnungen der Gläubigen in Christus   1Pt 1,1-5; 2Th 2,13-14; Röm 8,28-30; 2Kor 1,19-22

3 Gepriesen sei der Gott und Vater unseres Herrn Jesus Christus, der uns mit jedem geistlichen Segen gesegnet hat in den himmlischen [Bereichen] in Christus, ⁴ wie er uns in ihm auserwählt hat vor Grundlegung der Welt, damit wir heilig und tadellos seien vor ihm in Liebe. ⁵ Er hat uns vorherbestimmt zur Sohnschaft für sich selbst durch Jesus Christus, nach dem Wohlgefallen seines Willens, ⁶ zum Lob der Herrlichkeit seiner Gnade, mit der er uns begnadigt hat in dem Geliebten.
7 In ihm haben wir die Erlösung durch sein Blut, die Vergebung der Sünden nach dem Reichtum seiner Gnade, ⁸ die er uns überströmend widerfahren ließ in aller Weisheit und Einsicht. ⁹ Er hat uns das Geheimnis seines Willens kundgetan, gemäß seinem wohlwollenden Ratschluß, den er gefaßt hat in ihm, ¹⁰ zur Ausführung[a] in der Fülle der Zeiten: alles unter ein Haupt zu bringen in dem Christus, sowohl was im Himmel als auch was auf Erden ist ¹¹ – in ihm, in welchem wir auch ein Erbteil erlangt haben, die wir vorherbestimmt sind nach dem Vorsatz dessen, der alles wirkt nach dem Ratschluß seines Willens,

---
a. (1,10) od. Haushaltung, Verwaltung.

¹² damit wir zum Lob seiner Herrlichkeit dienten, die wir zuvor auf den Christus gehofft haben.

13 In ihm seid auch ihr, nachdem ihr das Wort der Wahrheit, das Evangelium eurer Errettung, gehört habt – in ihm seid auch ihr, als ihr gläubig wurdet, versiegelt[a] worden mit dem Heiligen Geist der Verheißung, ¹⁴ der das Unterpfand unseres Erbes ist bis zur Erlösung des Eigentums, zum Lob seiner Herrlichkeit.

Gebet um die Erkenntnis der Herrlichkeit des Herrn Jesus Christus Kol 1,9-13; 2Kor 4,6

15 Darum lasse auch ich, nachdem ich von eurem Glauben an den Herrn Jesus und von eurer Liebe zu allen Heiligen gehört habe, ¹⁶ nicht ab, für euch zu danken und in meinen Gebeten euer zu gedenken, ¹⁷ daß der Gott unseres Herrn Jesus Christus, der Vater der Herrlichkeit, euch [den] Geist der Weisheit und Offenbarung gebe in der Erkenntnis seiner selbst, ¹⁸ erleuchtete Augen eures Verständnisses, damit ihr wißt, was die Hoffnung seiner Berufung und was der Reichtum der Herrlichkeit seines Erbes in den Heiligen ist, ¹⁹ was auch die überwältigende Größe seiner Kraftwirkung in uns ist, die wir glauben, gemäß der Wirksamkeit der Macht seiner Stärke. ²⁰ Die hat er wirksam gemacht in Christus, als er ihn aus den Toten auferweckte und ihn zu seiner Rechten setzte in den himmlischen [Bereichen], ²¹ hoch über jedes Fürstentum und jede Gewalt, Macht und Herrschaft und jeden Namen, der genannt wird nicht allein in dieser Weltzeit, sondern auch in der zukünftigen; ²² und er hat alles unter seine Füße getan und ihn als Haupt über alles der Gemeinde gegeben, ²³ die sein Leib ist, die Fülle dessen, der alles in allen erfüllt

Das neue Leben in Christus – eine Gabe der Gnade Gottes

2 – auch euch, die ihr tot wart durch Übertretungen und Sünden, ² in denen ihr einst gelebt habt nach dem Lauf dieser Welt, gemäß dem Fürsten, der in der Luft herrscht, dem Geist, der jetzt in den Söhnen des Ungehorsams wirkt, ³ unter denen auch wir alle einst unser Leben führten in den Begierden unseres Fleisches, indem wir den Willen des Fleisches und der Gedanken taten; und wir waren von Natur Kinder des Zorns, gleichwie die anderen.

4 Gott aber, der reich ist an Erbarmen, hat um seiner großen Liebe willen, mit der er uns geliebt hat, ⁵ auch uns, die wir tot

---

a. (1,13) das Siegel bedeutete damals ein Zeichen des rechtmäßigen Eigentümers und einen Schutz vor dem Zugriff von Unbefugten.

waren durch die Sünden, mit dem Christus lebendig gemacht –
aus Gnade seid ihr gerettet! – [6] und hat uns mitauferweckt und
mitversetzt in die himmlischen [Bereiche] in Christus Jesus,
[7] damit er in den kommenden Weltzeiten den überschwenglichen Reichtum seiner Gnade durch Güte an uns erzeige in
Christus Jesus.

8 Denn aus Gnade seid ihr gerettet durch den Glauben, und das
nicht aus euch – Gottes Gabe ist es; [9] nicht aus Werken, damit
niemand sich rühme. [10] Denn wir sind sein Werk, erschaffen in
Christus Jesus zu guten Werken, die Gott zuvor bereitet hat, damit wir in ihnen wandeln sollen.

**Juden und Heiden mit Gott versöhnt und eins gemacht durch das
Kreuz des Christus**   Kol 2,13-14; 1,20-22; Gal 3,28-29

11 Darum gedenkt daran, daß ihr, die ihr einst Heiden im
Fleisch wart und Unbeschnittene genannt wurdet von der sogenannten Beschneidung, die am Fleisch mit der Hand geschieht [12] – daß ihr in jener Zeit ohne Christus wart, ausgeschlossen von der Bürgerschaft Israels und fremd den Bündnissen der Verheißung; und ihr hattet keine Hoffnung und wart
ohne Gott in der Welt. [13] Nun aber, in Christus Jesus, seid ihr,
die ihr einst fern wart, nahe gebracht worden durch das Blut
des Christus.

14 Denn er ist unser Friede, der aus beiden eins gemacht und
die Scheidewand des Zaunes abgebrochen hat, [15] indem er in
seinem Fleisch die Feindschaft, das Gesetz der Gebote in Satzungen, hinwegtat, um so die zwei in sich selbst zu *einem* neuen Menschen zu schaffen und Frieden zu stiften, [16] und um die
beiden in *einem* Leib mit Gott zu versöhnen durch das Kreuz,
nachdem er durch dasselbe die Feindschaft getötet hatte.
[17] Und er kam und verkündigte Frieden euch, den Fernen, und
den Nahen; [18] denn durch ihn haben wir beide den Zutritt zu
dem Vater in *einem* Geist.

Die Gemeinde als heiliger Tempel Gottes   Eph 3,6; 1Pt 2,4-5

19 So seid ihr nun nicht mehr Fremdlinge und Gäste, sondern
Mitbürger der Heiligen und Gottes Hausgenossen, [20] auferbaut auf der Grundlage der Apostel und Propheten, während
Jesus Christus selbst der Eckstein ist, [21] in dem der ganze Bau,
zusammengefügt, wächst zu einem heiligen Tempel im Herrn,
[22] in dem auch ihr miterbaut werdet zu einer Wohnung Gottes
im Geist.

Das Geheimnis des Christus ist geoffenbart – ein Leib aus Juden und Heiden   Eph 1,9-10; Kol 1,24-29; Röm 16,25-26; 1Pt 1,10-12

3 Deshalb [bin] ich, Paulus, der Gebundene des Christus Jesus für euch, die Heiden ² – wenn ihr nämlich von der Verwaltung der Gnade Gottes gehört habt, die mir für euch gegeben worden ist, ³ daß er mir das Geheimnis durch Offenbarung kundgetan hat, wie ich zuvor in Kürze geschrieben habe, ⁴ woran ihr, wenn ihr es lest, meine Einsicht in das Geheimnis des Christus erkennen könnt, ⁵ das in früheren Generationen den Menschenkindern nicht kundgetan wurde, wie es jetzt seinen heiligen Aposteln und Propheten durch den Geist geoffenbart worden ist, ⁶ daß nämlich die Heiden Miterben und Miteinverleibte und Mitteilhaber seiner Verheißung sind in dem Christus durch das Evangelium, ⁷ dessen Diener ich geworden bin gemäß der Gabe der Gnade Gottes, die mir gegeben ist nach der Wirkung seiner Kraft.

8 Mir, dem allergeringsten unter allen Heiligen, ist diese Gnade gegeben worden, unter den Heiden den unausforschlichen Reichtum des Christus zu verkündigen, ⁹ und alle darüber zu erleuchten, was die Gemeinschaft des Geheimnisses ist, das von den Ewigkeiten her in Gott verborgen war, der alles erschaffen hat durch Jesus Christus, ¹⁰ damit jetzt den Fürstentümern und Gewalten in den himmlischen [Bereichen] durch die Gemeinde die mannigfaltige Weisheit Gottes kundgemacht werde, ¹¹ nach dem Vorsatz der Ewigkeiten, den er gefaßt hat in Christus Jesus, unserem Herrn, ¹² in dem wir die Freimütigkeit und den Zugang haben in Zuversicht durch den Glauben an ihn.

13 Darum bitte ich, daß ihr nicht mutlos werdet wegen meiner Drangsale um euretwillen, die euch eine Ehre sind.

Gebet um Erkenntnis der Liebe des Christus   Kol 2,1-3; 2,9-10

14 Deshalb beuge ich meine Knie vor dem Vater unseres Herrn Jesus Christus, ¹⁵ nach dem jede Vaterschaft im Himmel und auf Erden genannt wird, ¹⁶ daß er euch nach dem Reichtum seiner Herrlichkeit verleihe, durch seinen Geist mit Kraft gestärkt zu werden am inwendigen Menschen, ¹⁷ daß der Christus durch den Glauben in euren Herzen wohne, damit ihr, in Liebe gewurzelt und gegründet, ¹⁸ imstande seid, mit allen Heiligen zu begreifen, welches die Breite, die Länge, die Tiefe und die Höhe sei, ¹⁹ und die Liebe des Christus erkennt, die doch alle Erkenntnis übertrifft, damit ihr erfüllt werdet bis zur ganzen Fülle Gottes.

20 Dem aber, der weit über die Maßen mehr zu tun vermag, als wir bitten oder verstehen, gemäß der Kraft, die in uns wirkt, [21] ihm sei die Ehre in der Gemeinde in Christus Jesus, auf alle Geschlechter der Ewigkeit der Ewigkeiten! Amen.

Die Einheit des Geistes   Kol 3,12-14

4 So ermahne ich euch nun, ich, der Gebundene im Herrn, daß ihr der Berufung würdig wandelt, zu der ihr berufen worden seid, [2] indem ihr mit aller Demut und Sanftmut, mit Langmut einander in Liebe ertragt [3] und eifrig bemüht seid, die Einheit des Geistes zu bewahren durch das Band des Friedens: [4] *Ein* Leib und *ein* Geist, wie ihr auch berufen seid zu *einer* Hoffnung eurer Berufung; [5] *ein* Herr, *ein* Glaube, *eine* Taufe; [6] *ein* Gott und Vater aller, über allen und durch alle und in euch allen.

Die Gaben des erhöhten Christus und die Auferbauung des Leibes des Christus   Kol 2,1-7; 1Kor 12,4-28; Röm 12,4-8

7 Jedem einzelnen von uns aber ist die Gnade gegeben nach dem Maß der Gabe des Christus. [8] Darum heißt es: *Er ist hinaufgestiegen zur Höhe, hat Gefangene gemacht und den Menschen Gaben gegeben.*[a] [9] Das [Wort] aber: »Er ist hinaufgestiegen«, was bedeutet es anderes, als daß er auch zuvor hinabgestiegen ist zu den Niederungen der Erde? [10] Der hinabgestiegen ist, ist derselbe, der auch hinaufgestiegen ist über alle Himmel, damit er alles erfülle.

11 Und Er hat etliche als Apostel gegeben, etliche als Propheten, etliche als Evangelisten, etliche als Hirten und Lehrer, [12] zur Zurüstung der Heiligen, zum Werk des Dienstes, zur Erbauung des Leibes des Christus, [13] bis wir alle zur Einheit des Glaubens und der Erkenntnis des Sohnes Gottes gelangen, zur vollkommenen Mannesreife[b], zum Maß der vollen Größe des Christus; [14] damit wir nicht mehr Unmündige seien, hin- und hergeworfen und umhergetrieben von jedem Wind der Lehre durch das betrügerische Spiel der Menschen, durch die Schlauheit, mit der sie zum Irrtum verführen, [15] sondern, wahrhaftig in der Liebe, heranwachsen in allen Stücken zu ihm hin, der das Haupt ist, der Christus. [16] Von ihm aus vollbringt der ganze Leib, zusammengefügt und verbunden durch alle Gelenke, die einander Handreichung tun nach dem Maß der Leistungsfähigkeit jedes einzelnen Gliedes, das Wachstum des Leibes zur Auferbauung seiner selbst in Liebe.

a. (4,8) vgl. Ps 68,19. *Gaben = Geschenke.*
b. (4, 13) w. *zum erwachsenen Mann.*

Die Abkehr vom sündigen Leben der Heiden – Ablegen des alten Menschen und Anziehen des neuen   Kol 3,1-13; Gal 5,16-25

17 Das sage und bezeuge ich nun im Herrn, daß ihr nicht mehr so wandeln sollt, wie die übrigen Heiden wandeln in der Nichtigkeit ihres Sinnes,   18 deren Verstand verfinstert ist und die entfremdet sind dem Leben Gottes, wegen der Unwissenheit, die in ihnen ist, wegen der Verhärtung ihres Herzens;   19 die, nachdem sie alles Gefühl verloren haben, sich der Zügellosigkeit ergeben haben, um jede Art von Unreinheit zu verüben mit unersättlicher Gier.

20 Ihr aber habt den Christus nicht so kennengelernt;   21 wenn ihr wirklich Ihn gehört habt und in ihm gelehrt worden seid – wie es auch Wahrheit ist in Jesus –,   22 daß ihr, was den früheren Wandel betrifft, den alten Menschen abgelegt habt, der sich wegen der betrügerischen Begierden verderbte,   23 dagegen erneuert werdet im Geist eurer Gesinnung   24 und den neuen Menschen angezogen habt, der nach Gott geschaffen ist in wahrhafter Gerechtigkeit und Heiligkeit.

Anweisungen für das neue Leben   Kol 3,8; 1Kor 5,6-8

25 Darum legt die Lüge ab und redet die Wahrheit, ein jeder mit seinem Nächsten, denn wir sind untereinander Glieder.   26 Zürnt ihr, so sündigt nicht; die Sonne gehe nicht unter über eurem Zorn!   27 Gebt auch nicht Raum dem Teufel!   28 Wer gestohlen hat, der stehle nicht mehr, sondern bemühe sich vielmehr, mit den Händen etwas Gutes zu erarbeiten, damit er dem Bedürftigen etwas zu geben habe.   29 Kein schlechtes Wort soll aus eurem Mund kommen, sondern was gut ist zur notwendigen Erbauung, damit es den Hörern wohltue.   30 Und betrübt nicht den Heiligen Geist Gottes, mit dem ihr versiegelt worden seid auf den Tag der Erlösung!   31 Alle Bitterkeit und Wut und Zorn und Geschrei und Lästerung sei von euch weggetan samt aller Bosheit.   32 Seid aber gegeneinander freundlich und barmherzig und vergebt einander, gleichwie auch Gott euch vergeben hat in Christus.

Wandel in Liebe und Licht bedeutet, alles Böse zu meiden   Kol 3,5

5 Werdet nun Gottes Nachahmer als geliebte Kinder   2 und wandelt in der Liebe, gleichwie auch der Christus uns geliebt und sich selbst für uns gegeben hat als Gabe und Opfer für Gott, zu einem lieblichen Geruch.

3 Unzucht aber und alle Unreinheit oder Habsucht soll nicht einmal bei euch erwähnt werden, wie es Heiligen geziemt;

⁴ auch nicht Schändlichkeit und albernes Geschwätz oder Witzeleien, die sich nicht gehören, sondern vielmehr Danksagung. ⁵ Denn das sollt ihr wissen, daß kein Unzüchtiger oder Unreiner oder Habsüchtiger (der ein Götzendiener ist), ein Erbteil hat im Reich des Christus und Gottes.

6 Laßt euch von niemand mit leeren Worten verführen! Denn um dieser Dinge willen kommt der Zorn Gottes über die Söhne des Ungehorsams. ⁷ So werdet nun nicht ihre Mitteilhaber!

8 Denn ihr wart einst Finsternis; nun aber seid ihr Licht in dem Herrn. Wandelt als Kinder des Lichts! ⁹ Die Frucht des Geistes besteht nämlich in lauter Güte und Gerechtigkeit und Wahrheit.

10 Prüft also, was dem Herrn wohlgefällig ist, ¹¹ und habt keine Gemeinschaft mit den unfruchtbaren Werken der Finsternis, deckt sie vielmehr auf; ¹² denn was heimlich von ihnen getan wird, ist schändlich auch nur zu sagen. ¹³ Das alles aber wird offenbar, wenn es vom Licht aufgedeckt wird; denn alles, was offenbar wird, das ist Licht. ¹⁴ Darum heißt es: Wache auf, der du schläfst, und stehe auf aus den Toten, so wird der Christus dich erleuchten!

15 Seht nun darauf, wie ihr vorsichtig wandelt, nicht als Unweise, sondern als Weise; ¹⁶ und kauft die Zeit aus, denn die Tage sind böse. ¹⁷ Darum seid nicht unverständig, sondern verständig, was der Wille des Herrn ist! ¹⁸ Und berauscht euch nicht mit Wein, was zur Ausschweifung führt, sondern werdet voll Geistes; ¹⁹ redet miteinander in Psalmen und Lobgesängen und geistlichen Liedern; singt und spielt dem Herrn in eurem Herzen; ²⁰ sagt allezeit Gott, dem Vater, Dank für alles, in dem Namen unseres Herrn Jesus Christus; ²¹ ordnet euch einander unter in der Furcht Gottes.

Mann und Frau in Gottes Lebensordnung. Christus und die Gemeinde Kol 3,18-19; 1Pt 3,1-7

22 Ihr Frauen, ordnet euch euren eigenen Männern unter wie dem Herrn; ²³ denn der Mann ist das Haupt der Frau, wie auch der Christus das Haupt der Gemeinde ist; und er ist der Retter des Leibes. ²⁴ Wie nun die Gemeinde sich dem Christus unterordnet, so auch die Frauen ihren eigenen Männern in allem.

25 Ihr Männer, liebt eure Frauen, gleichwie auch der Christus die Gemeinde geliebt und sich selbst für sie hingegeben hat, ²⁶ damit er sie heilige, nachdem er sie gereinigt hat durch das Wasserbad im Wort; ²⁷ damit er sie sich selbst darstelle als eine

Gemeinde, die herrlich ist, so daß sie weder Flecken noch Runzeln noch etwas ähnliches hat, sondern daß sie heilig ist und tadellos.
28 Ebenso sind die Männer verpflichtet, ihre eigenen Frauen zu lieben wie ihre eigenen Leiber; wer seine Frau liebt, der liebt sich selbst. ²⁹ Denn niemand hat je sein eigenes Fleisch gehaßt, sondern er nährt und pflegt es, gleichwie der Herr die Gemeinde.
30 Denn wir sind Glieder seines Leibes, von seinem Fleisch und von seinem Gebein. ³¹ *Deshalb wird ein Mann seinen Vater und seine Mutter verlassen und seiner Frau anhangen, und die zwei werden* ein *Fleisch sein.* ³² Dieses Geheimnis ist groß, ich aber deute es auf Christus und auf die Gemeinde. ³³ Doch auch ihr, ein jeder von euch liebe seine Frau so wie sich selbst; die Frau aber begegne dem Mann mit Ehrfurcht!

Der Wille Gottes für Kinder und Eltern   Kol 3,20-21

6 Ihr Kinder, seid gehorsam euren Eltern in dem Herrn; denn das ist recht. ² *Du sollst deinen Vater und deine Mutter ehren,* das ist das erste Gebot mit einer Verheißung: ³ *damit es dir wohl geht und du lange lebst auf Erden.*
4 Und ihr Väter, reizt eure Kinder nicht zum Zorn, sondern zieht sie auf in der Zucht und Ermahnung des Herrn.

Der Wille Gottes für Knechte und Herren   Kol 3,22-25; 4,1; Tit 2,9

5 Ihr Knechte, gehorcht euren leiblichen Herren mit Furcht und Zittern, in Einfalt eures Herzens, wie dem Christus; ⁶ nicht mit Augendienerei, um Menschen zu gefallen, sondern als Knechte des Christus, die den Willen Gottes von Herzen tun; ⁷ dient mit gutem Willen dem Herrn und nicht den Menschen, ⁸ da ihr wißt: Was ein jeder Gutes tun wird, das wird er von dem Herrn empfangen, er sei ein Sklave oder ein Freier.
9 Und ihr Herren, tut dasselbe an ihnen und laßt das Drohen, da ihr wißt, daß auch euer eigener Herr im Himmel ist und daß es bei ihm kein Ansehen der Person gibt.

Die geistliche Waffenrüstung des Christen   1Pt 5,8-9; Röm 13,12

10 Im übrigen, meine Brüder, werdet stark im Herrn und in der Macht seiner Stärke. ¹¹ Zieht die ganze Waffenrüstung Gottes an, damit ihr standhalten könnt gegenüber den Kunstgriffen des Teufels; ¹² denn unser Kampf richtet sich nicht gegen Fleisch und Blut, sondern gegen die Herrschaften, gegen die Gewalten, gegen die Weltbeherrscher der Finsternis dieser

Weltzeit, gegen die geistlichen [Mächte] der Bosheit in den himmlischen [Bereichen].

13 Deshalb ergreift die ganze Waffenrüstung Gottes, damit ihr am bösen Tag widerstehen könnt und, nachdem ihr alles wohl ausgerichtet habt, euch behaupten könnt.

14 So steht nun fest, eure Lenden umgürtet mit Wahrheit, und angetan mit dem Brustpanzer der Gerechtigkeit, 15 und die Füße gestiefelt mit Bereitwilligkeit für das Evangelium des Friedens. 16 Vor allem aber ergreift den Schild des Glaubens, mit dem ihr alle feurigen Pfeile des Bösen auslöschen könnt. 17 Und nehmt den Helm des Heils und das Schwert des Geistes, welches das Wort Gottes ist.

18 Mit allem Gebet und Flehen aber betet jederzeit im Geist, und wacht zu diesem Zweck in aller Ausdauer und Fürbitte für alle Heiligen, 19 auch für mich, damit mir das Wort gegeben werde, so oft ich meinen Mund auftue, freimütig das Geheimnis des Evangeliums bekanntzumachen, 20 für das ich ein Botschafter in Ketten bin, damit ich darin freimütig rede, wie ich reden soll.

Schluß des Briefes, Grüße   Kol 4,7-9

21 Damit aber auch ihr wißt, wie es mir geht und was ich tue, wird euch Tychikus alles mitteilen, der geliebte Bruder und treue Diener im Herrn, 22 den ich eben darum zu euch gesandt habe, daß ihr erfahrt, wie es um uns steht, und daß er eure Herzen tröste.

23 Friede werde den Brüdern zuteil und Liebe samt Glauben von Gott, dem Vater, und dem Herrn Jesus Christus. 24 Die Gnade sei mit allen, die unseren Herrn Jesus Christus lieb haben, unwandelbar! Amen.

DER BRIEF DES APOSTELS PAULUS AN DIE PHILIPPER

Der Philipperbrief wurde von dem Apostel Paulus ca. 61-63 n. Chr., gegen Ende seiner ersten Gefangenschaft in Rom, geschrieben und war an die Gemeinde in der römischen Kolonie Philippi in Mazedonien (Griechenland) gerichtet. Paulus ermuntert sie, auch unter Verfolgungen dem Herrn Jesus entschieden nachzufolgen und zeigt ihnen, daß wahres Christsein bedeutet, von ganzem Herzen für den Herrn Jesus Christus zu leben. Dieser Brief offenbart viel von der Liebe, Dankbarkeit, Freude und Zuversicht, die Jesus Christus denen schenken will, die ihm gehören.

Zuschrift und Gruß

1 Paulus und Timotheus, Knechte Jesu Christi, an alle Heiligen in Christus Jesus, die in Philippi sind, samt den Aufsehern und Dienern: ² Gnade sei mit euch und Friede von Gott, unserem Vater, und dem Herrn Jesus Christus!

Das Gebet des Apostels für die Gemeinde Kol 1,3-11

3 Ich danke meinem Gott, so oft ich an euch denke, ⁴ indem ich allezeit, in jedem meiner Gebete für euch alle mit Freuden Fürbitte tue, ⁵ wegen eurer Gemeinschaft am Evangelium vom ersten Tag an bis jetzt, ⁶ weil ich davon überzeugt bin, daß der, welcher in euch ein gutes Werk angefangen hat, es auch vollenden wird bis auf den Tag Jesu Christi.

7 Es ist ja nur recht, daß ich so von euch allen denke, weil ich euch im Herzen trage, die ihr alle sowohl in meinen Fesseln als auch bei der Verteidigung und Bekräftigung des Evangeliums mit mir Anteil habt an der Gnade. ⁸ Denn Gott ist mein Zeuge, wie mich nach euch allen verlangt in der herzlichen Liebe Jesu Christi.

9 Und um das bete ich, daß eure Liebe noch mehr und mehr überströme in Erkenntnis und allem Urteilsvermögen, ¹⁰ damit ihr prüfen könnt, worauf es ankommt, so daß ihr lauter und ohne Anstoß seid bis zum Tag des Christus, ¹¹ erfüllt mit Früchten der Gerechtigkeit, die durch Jesus Christus [gewirkt werden] zur Ehre und zum Lob Gottes.

Die Zuversicht des Apostels in Gefangenschaft und Leiden

12 Ich will aber, Brüder, daß ihr erkennt, wie das, was mit mir geschehen ist, sich vielmehr zur Förderung des Evangeliums

ausgewirkt hat, [13] so daß im ganzen Prätorium und bei allen übrigen bekannt geworden ist, daß ich um des Christus willen gefesselt bin, [14] und daß die meisten der Brüder im Herrn, durch meine Fesseln ermutigt, es desto kühner wagen, das Wort zu reden ohne Furcht.

15 Einige verkündigen zwar den Christus auch aus Neid und Streitsucht, andere aber aus guter Gesinnung; [16] diese verkündigen den Christus aus Selbstsucht, nicht lauter, indem sie beabsichtigen, meinen Fesseln noch Bedrängnis hinzuzufügen; [17] jene aber aus Liebe, weil sie wissen, daß ich zur Verteidigung des Evangeliums bestimmt bin. [18] Was tut es? Jedenfalls wird auf alle Weise, sei es zum Vorwand oder in Wahrheit, Christus verkündigt, und darüber freue ich mich, ja, ich werde mich auch weiterhin freuen!

19 Denn ich weiß, daß mir dies zur Rettung[a] ausschlagen wird durch eure Fürbitte und den Beistand des Geistes Jesu Christi, [20] entsprechend meiner festen Erwartung und Hoffnung, daß ich in nichts zuschanden werde, sondern daß in aller Freimütigkeit, wie allezeit, so auch jetzt, Christus hoch gepriesen wird an meinem Leib, es sei durch Leben oder durch Tod.

21 Denn für mich ist Christus das Leben, und das Sterben ein Gewinn. [22] Wenn aber das Leben im Fleisch mir Gelegenheit gibt zu fruchtbarer Wirksamkeit, so weiß ich nicht, was ich wählen soll. [23] Denn ich werde von beidem bedrängt: Mich verlangt danach, aufzubrechen und bei Christus zu sein, was auch viel besser wäre; [24] aber es ist nötiger, im Fleisch zu bleiben um euretwillen. [25] Und weil ich davon überzeugt bin, so weiß ich, daß ich bleiben und bei euch allen sein werde zu eurer Förderung und Freude im Glauben, [26] damit ihr um so mehr zu rühmen habt in Christus Jesus meinethalben, weil ich wieder zu euch komme.

Ermahnung zu Standhaftigkeit und Eintracht   1Th 2,11-16

27 Nur führt euer Leben würdig des Evangeliums von Christus, damit ich, ob ich komme und euch sehe oder abwesend bin, von euch höre, daß ihr fest steht in *einem* Geist und einmütig miteinander kämpft für den Glauben des Evangeliums [28] und euch in keiner Weise einschüchtern laßt von den Widersachern, was für sie ein Anzeichen des Verderbens, für euch aber der Errettung ist, und zwar von Gott. [29] Denn euch wurde, was Christus betrifft, die Gnade verliehen, nicht nur an ihn zu glauben, sondern auch um seinetwillen zu leiden, [30] so daß ihr

a. (1,19) d.h. hier zur Befreiung aus der Gefangenschaft.

denselben Kampf habt, den ihr an mir gesehen habt und nun von mir hört.

Die Gesinnung des Christus als Vorbild für die Gläubigen Mt 11,29

2 Gibt es nun [bei euch] Ermahnung in Christus, gibt es Zuspruch der Liebe, gibt es Gemeinschaft des Geistes, gibt es Herzlichkeit und Erbarmen, ² so macht meine Freude völlig, indem ihr *eines* Sinnes seid, gleiche Liebe habt, einmütig und auf das *Eine* bedacht seid. ³ Tut nichts aus Selbstsucht oder nichtigem Ehrgeiz, sondern in Demut achte einer den anderen höher als sich selbst. ⁴ Jeder schaue nicht auf das Seine, sondern jeder auf das des anderen.

5 Denn diese Gesinnung sei in euch, die auch in Christus Jesus war, ⁶ der, als er in der Gestalt Gottes war, es nicht wie einen Raub festhielt, Gott gleich zu sein; ⁷ sondern er entäußerte sich selbst, nahm die Gestalt eines Knechtes an und wurde wie die Menschen; ⁸ und in seiner äußeren Erscheinung als ein Mensch erfunden, erniedrigte er sich selbst und wurde gehorsam bis zum Tod, ja bis zum Tod am Kreuz. ⁹ Darum hat ihn Gott auch über alle Maßen erhöht und ihm einen Namen verliehen, der über allen Namen ist, ¹⁰ damit in dem Namen Jesu sich alle Knie derer beugen, die im Himmel und auf Erden und unter der Erde sind, ¹¹ und alle Zungen bekennen, daß Jesus Christus der Herr ist, zur Ehre Gottes, des Vaters.

Ermahnung zu einem heiligen Wandel 2Pt 1,5-11; 1Pt 2,9

12 Darum, meine Geliebten, wie ihr allezeit gehorsam gewesen seid, nicht allein in meiner Gegenwart, sondern jetzt noch viel mehr in meiner Abwesenheit, verwirklicht eure Rettung mit Furcht und Zittern; ¹³ denn Gott ist es, der in euch sowohl das Wollen als auch das Vollbringen wirkt nach seinem Wohlgefallen.

14 Tut alles ohne Murren und Bedenken, ¹⁵ damit ihr unsträflich und lauter seid, untadelige Kinder Gottes inmitten eines verdrehten und verkehrten Geschlechts, unter welchem ihr leuchtet als Lichter in der Welt, ¹⁶ indem ihr das Wort des Lebens darbietet, mir zum Ruhm auf den Tag des Christus, daß ich nicht vergeblich gelaufen bin, noch vergeblich gearbeitet habe.

17 Wenn ich aber auch wie ein Trankopfer ausgegossen werden sollte über dem Opfer und dem priesterlichen Dienst eures Glaubens, so bin ich doch froh und freue mich mit euch allen; ¹⁸ gleicherweise sollt auch ihr froh sein und euch mit mir freuen!

Timotheus und Epaphroditus - zwei vorbildliche Diener Jesu Christi 1Th 3,1-11; 1Kor 16,15-18

19 Ich hoffe aber in dem Herrn Jesus, Timotheus bald zu euch zu senden, damit auch ich ermutigt werde, wenn ich erfahre, wie es um euch steht. 20 Denn ich habe sonst niemand von gleicher Gesinnung, der so redlich für eure Anliegen sorgen wird; 21 denn sie suchen alle das Ihre, nicht das, was des Christus Jesus ist! 22 Wie er sich aber bewährt hat, das wißt ihr, daß er nämlich wie ein Kind dem Vater mit mir gedient hat am Evangelium. 23 Diesen hoffe ich nun sofort zu senden, sobald ich absehen kann, wie es mit mir gehen wird. 24 Ich bin aber voll Zuversicht im Herrn, daß auch ich selbst bald kommen werde.

25 Doch habe ich es für notwendig erachtet, Epaphroditus zu euch zu senden, meinen Bruder und Mitarbeiter und Mitstreiter, der auch euer Gesandter ist und Diener meiner Not; 26 denn er hatte Verlangen nach euch allen und war bekümmert, weil ihr gehört habt, daß er krank gewesen ist. 27 Er war auch wirklich todkrank; aber Gott hat sich über ihn erbarmt, und nicht nur über ihn, sondern auch über mich, damit ich nicht eine Betrübnis um die andere hätte. 28 Um so dringlicher habe ich ihn nun gesandt, damit ihr durch seinen Anblick wieder froh werdet und auch ich weniger Betrübnis habe. 29 So nehmt ihn nun auf im Herrn mit aller Freude und haltet solche in Ehren; 30 denn für das Werk des Christus ist er dem Tod nahe gekommen, da er sein Leben gering achtete, um mir zu dienen an eurer Stelle.

Das Vorbild des Paulus: Christus ist alles, die Gesetzesgerechtigkeit ist Schaden Gal 5,1-6; 2,15-21

3 Im übrigen, meine Brüder, freut euch in dem Herrn! Euch [immer wieder] dasselbe zu schreiben, ist mir nicht lästig; euch aber macht es gewiß.

2 Habt acht auf die Hunde, habt acht auf die bösen Arbeiter, habt acht auf die Zerschneidung! 3 Denn wir sind die Beschneidung, die wir Gott im Geist dienen und uns in Christus Jesus rühmen und nicht auf Fleisch vertrauen, 4 obwohl auch ich mein Vertrauen auf Fleisch setzen könnte. Wenn ein anderer meint, er könne auf Fleisch vertrauen, ich viel mehr: 5 beschnitten am achten Tag, aus dem Geschlecht Israel, vom Stamm Benjamin, ein Hebräer von Hebräern, im Hinblick auf das Gesetz ein Pharisäer, 6 im Hinblick auf den Eifer ein Verfolger der Gemeinde, im Hinblick auf die Gerechtigkeit im Gesetz untadelig gewesen.

7 Aber was mir Gewinn war, das habe ich um des Christus willen für Schaden geachtet; **8** ja, wahrlich, ich achte alles für Schaden gegenüber der alles übertreffenden Erkenntnis des Christus Jesus, meines Herrn, um dessentwillen ich alles eingebüßt habe, und ich achte es für Dreck, damit ich Christus gewinne **9** und in ihm erfunden werde, indem ich nicht meine eigene Gerechtigkeit habe, die aus dem Gesetz kommt, sondern die durch den Glauben an Christus, die Gerechtigkeit aus Gott aufgrund des Glaubens, **10** um Ihn zu erkennen und die Kraft seiner Auferstehung und die Gemeinschaft seiner Leiden, indem ich seinem Tod gleichförmig werde, **11** damit ich zur Auferstehung der Toten gelange.

12 Nicht daß ich es schon erlangt habe oder schon vollendet bin, ich jage aber danach, daß ich das auch ergreife, wofür ich von Christus Jesus ergriffen worden bin. **13** Brüder, ich halte mich selbst nicht dafür, daß ich es ergriffen habe; eines aber [tue ich]: Ich vergesse, was dahinten ist, und strecke mich aus nach dem, was vor mir liegt, **14** und jage auf das Ziel zu, den Kampfpreis der himmlischen Berufung Gottes in Christus Jesus.

15 Laßt uns alle, die wir gereift sind, so gesinnt sein; und wenn ihr über etwas anders denkt, so wird euch Gott auch das offenbaren. **16** Doch wozu wir auch gelangt sein mögen, laßt uns nach derselben Richtschnur wandeln und dasselbe erstreben!

Warnung vor Feinden des Kreuzes des Christus Röm 16,17-18

17 Werdet meine Nachahmer, ihr Brüder, und seht auf diejenigen, die so wandeln, wie ihr uns zum Vorbild habt. **18** Denn viele wandeln, wie ich euch oft gesagt habe, nun aber auch weinend sage, als Feinde des Kreuzes des Christus; **19** ihr Ende ist das Verderben, ihr Gott ist der Bauch, sie rühmen sich ihrer Schande, und ihr Sinn ist auf das Irdische gerichtet.

20 Unser Bürgerrecht aber ist im Himmel, von woher wir auch den Herrn Jesus Christus erwarten als den Retter, **21** der unseren Leib der Niedrigkeit umgestalten wird, so daß er gleichförmig wird seinem Leib der Herrlichkeit, vermöge der Kraft, durch die er sich auch alles unterwerfen kann.

Ansporn zu geistlichem Wandel 1Th 5,14-19

4 Darum, meine geliebten und ersehnten Brüder, meine Freude und meine Krone, steht in dieser Weise fest im Herrn, Geliebte!

2 Ich ermahne Euodia und ich ermahne Syntyche, eines Sinnes zu sein im Herrn. ³ Und ich bitte auch dich, mein treuer Mitknecht, nimm dich ihrer an, die mit mir gekämpft haben für das Evangelium, samt Clemens und meinen übrigen Mitarbeitern, deren Namen im Buch des Lebens sind.

4 Freut euch im Herrn allezeit; abermals sage ich: Freut euch! 5 Laßt eure Sanftmut allen Menschen kundwerden! Der Herr ist nahe! ⁶ Sorgt euch um nichts; sondern in allem laßt durch Gebet und Flehen mit Danksagung eure Anliegen vor Gott kundwerden. ⁷ Und der Friede Gottes, der allen Verstand übersteigt, wird eure Herzen und eure Gedanken bewahren in Christus Jesus!

8 Im übrigen, meine Brüder, was wahrhaftig, was ehrbar, was gerecht, was rein, was liebenswert, was wohllautend, was irgend eine Tugend oder etwas Lobenswertes ist, darauf seid bedacht! ⁹ Was ihr auch gelernt und empfangen und gehört und an mir gesehen habt, das tut; und der Gott des Friedens wird mit euch sein.

Paulus dankt für die Gaben der Philipper   Hebr 13,3.5.16

10 Ich habe mich aber sehr gefreut im Herrn, daß ihr euch wieder so weit erholt habt, um für mich sorgen zu können; ihr habt auch sonst daran gedacht, aber ihr wart nicht in der Lage dazu. ¹¹ Nicht wegen des Mangels sage ich das; ich habe nämlich gelernt, mit der Lage zufrieden zu sein, in der ich mich befinde. ¹² Denn ich verstehe mich aufs Armsein, ich verstehe mich aber auch aufs Reichsein; ich bin mit allem und jedem vertraut, sowohl satt zu sein als auch zu hungern, sowohl Überfluß zu haben als auch Mangel zu leiden. ¹³ Ich vermag alles in dem, der mich stark macht, Christus.

14 Doch habt ihr recht gehandelt, daß ihr Anteil nahmt an meiner Bedrängnis. ¹⁵ Und ihr Philipper wißt auch, daß am Anfang [der Verkündigung] des Evangeliums, als ich von Mazedonien aufbrach, keine Gemeinde sich mit mir geteilt hat in die Rechnung der Einnahmen und Ausgaben als ihr allein; ¹⁶ ja auch nach Thessalonich habt ihr mir einmal, und sogar zweimal, etwas zur Deckung meiner Bedürfnisse gesandt.

17 Nicht daß ich nach der Gabe verlange, sondern ich verlange danach, daß die Frucht reichlich ausfalle auf eurer Rechnung. ¹⁸ Ich habe alles und habe Überfluß; ich bin völlig versorgt, seitdem ich von Epaphroditus eure Gabe empfangen habe, einen lieblichen Wohlgeruch, ein angenehmes Opfer, Gott wohlgefällig. ¹⁹ Mein Gott aber wird in Christus Jesus allen euren

Mangel ausfüllen nach seinem Reichtum in Herrlichkeit!
20 Unserem Gott und Vater aber sei die Ehre von Ewigkeit zu Ewigkeit! Amen.

Gruß und Segenswunsch

21 Grüßt jeden Heiligen in Christus Jesus! Es grüßen euch die Brüder, die bei mir sind. 22 Es grüßen euch alle Heiligen, besonders die aus dem Haus des Kaisers.
23 Die Gnade unseres Herrn Jesus Christus sei mit euch allen! Amen.

DER BRIEF DES APOSTELS PAULUS AN DIE KOLOSSER

Paulus schrieb seinen Brief an die Gemeinde der kleinasiatischen Stadt Kolossä um 60 n. Chr. Er wollte die Christen dort in ihrem Glauben an Jesus Christus, den Sohn Gottes, stärken, weil sie in Gefahr waren, diesen Glauben mit fremdem, heidnischem Gedankengut zu vermischen. So zeigt ihnen Paulus die Größe und Erhabenheit des Sohnes Gottes, dem sie sich anvertraut hatten. Er zeigt ihnen, daß die göttliche Offenbarung der Bibel weit über allen menschlichen Philosophien und Religionen steht. Er warnt sie vor unbiblischen Lehren und religiösen Praktiken, die sie irreführen würden. In Jesus Christus hatten sie die ganze Fülle Gottes geschenkt bekommen und sollten aus dieser Fülle leben.

Zuschrift und Gruß

1 Paulus, Apostel Jesu Christi durch den Willen Gottes, und der Bruder Timotheus ² an die heiligen und gläubigen Brüder in Christus in Kolossä: Gnade sei mit euch und Friede von Gott, unserem Vater, und dem Herrn Jesus Christus!

Das Gebet des Apostels für die Gemeinde · Phil 1,3-6; 1Th 1,2-4

3 Wir danken dem Gott und Vater unseres Herrn Jesus Christus, indem wir allezeit für euch beten, ⁴ da wir gehört haben von eurem Glauben an Christus Jesus und von eurer Liebe zu allen Heiligen, ⁵ um der Hoffnung willen, die euch aufbewahrt ist im Himmel, von der ihr zuvor gehört habt durch das Wort der Wahrheit des Evangeliums, ⁶ das zu euch gekommen ist, wie es auch in der ganzen Welt [ist] und Frucht bringt, so wie auch in euch, von dem Tag an, da ihr von der Gnade Gottes gehört und sie in Wahrheit erkannt habt. ⁷ So habt ihr es ja auch gelernt von Epaphras, unserem geliebten Mitknecht, der ein treuer Diener des Christus für euch ist, ⁸ der uns auch von eurer Liebe im Geist berichtet hat.

9 Deshalb hören wir auch seit dem Tag, da wir es vernommen haben, nicht auf, für euch zu beten und zu bitten, daß ihr erfüllt werdet mit der Erkenntnis seines Willens in aller geistlichen Weisheit und Einsicht, ¹⁰ damit ihr des Herrn würdig wandelt und ihm in allem wohlgefällig seid: in jedem guten Werk fruchtbar und in der Erkenntnis Gottes wachsend, ¹¹ mit aller Kraft gestärkt gemäß der Macht seiner Herrlichkeit zu aller Standhaf-

tigkeit und Langmut, mit Freuden, [12] indem ihr dem Vater Dank sagt, der uns dazu tüchtig gemacht hat, Anteil zu haben am Erbe der Heiligen im Licht. [13] Er hat uns errettet aus der Herrschaft der Finsternis und hat uns versetzt in das Reich des Sohnes seiner Liebe, [14] in dem wir die Erlösung haben durch sein Blut, die Vergebung der Sünden.

Die überragende Herrlichkeit und Vorrangstellung des Sohnes Gottes. Das Erlösungswerk Jesu Christi   Hebr 1,1-4; 1Kor 15,20-28

15 Er ist das Ebenbild des unsichtbaren Gottes, der Erstgeborene, der über aller Schöpfung ist. [16] Denn in ihm ist alles erschaffen worden, die Dinge im Himmel und die Dinge auf der Erde, das Sichtbare und das Unsichtbare, seien es Throne oder Herrschaften oder Fürstentümer oder Gewalten: alles ist durch ihn und für ihn geschaffen; [17] und er ist vor allem, und alles besteht in ihm.
18 Und er ist das Haupt des Leibes, der Gemeinde, er, der der Anfang ist, der Erstgeborene aus den Toten, damit er in allem der Erste sei. [19] Denn es gefiel [Gott], in ihm alle Fülle wohnen zu lassen [20] und durch ihn alles mit sich selbst zu versöhnen, indem er Frieden machte durch das Blut seines Kreuzes – durch ihn, sowohl das, was auf der Erde ist, als auch das, was im Himmel ist.
21 Auch euch, die ihr einst entfremdet und feindlich gesinnt wart in den bösen Werken, [22] hat er nun versöhnt in dem Leib seines Fleisches durch den Tod, um euch heilig und tadellos und unverklagbar darzustellen vor seinem Angesicht, [23] wenn ihr nämlich im Glauben gegründet und fest bleibt und euch nicht abbringen laßt von der Hoffnung des Evangeliums, das ihr gehört habt, das verkündigt worden ist in der ganzen Schöpfung, die unter dem Himmel ist, und dessen Diener ich, Paulus, geworden bin.

Der Dienst des Apostels zur Verkündigung des Christus   Eph 3,1-13

24 Nun freue ich mich in meinen Leiden für euch und erdulde stellvertretend an meinem Fleisch, was noch fehlt an den Drangsalen des Christus für seinen Leib, der die Gemeinde ist. [25] Deren Diener bin ich geworden gemäß der Verwaltung Gottes, die mir für euch gegeben ist, daß ich das Wort Gottes voll ausrichten soll, [26] [nämlich] das Geheimnis, das verborgen war, seitdem es Weltzeiten und Geschlechter gibt, nun aber seinen Heiligen offenbar gemacht worden ist. [27] Ihnen wollte Gott kundtun, was der Reichtum der Herrlichkeit dieses Geheimnis-

ses unter den Heiden ist, nämlich: Christus in euch, die Hoffnung der Herrlichkeit.

28 Ihn verkündigen wir, indem wir jeden Menschen ermahnen und jeden Menschen lehren in aller Weisheit, um jeden Menschen vollkommen in Christus Jesus darzustellen, 29 wofür ich auch arbeite und ringe gemäß seiner wirksamen Kraft, die in mir wirkt mit Macht.

2 Ich will aber, daß ihr wißt, welch großen Kampf ich habe um euch und um die in Laodizea und um alle, die mich nicht von Angesicht gesehen haben, 2 damit ihre Herzen ermahnt, in Liebe zusammengeschlossen und mit völliger Gewißheit bereichert werden, zur Erkenntnis des Geheimnisses Gottes, des Vaters, und des Christus, 3 in welchem alle Schätze der Weisheit und der Erkenntnis verborgen sind.

Warnung vor Menschenlehren und Philosophie. Der Wandel in Christus Röm 16,17-18; Eph 4,14-15; 1Tim 6,20-21

4 Das sage ich aber, damit euch nicht irgend jemand durch Überredungskünste zu Trugschlüssen verleitet. 5 Denn wenn ich auch leiblich abwesend bin, so bin ich doch im Geist bei euch und sehe mit Freuden eure Ordnung und die Festigkeit eures Glaubens an Christus.

6 Wie ihr nun den Christus Jesus, den Herrn, angenommen habt, so wandelt auch in ihm, 7 gewurzelt und auferbaut in ihm und befestigt im Glauben, so wie ihr gelehrt worden seid, und seid darin überfließend mit Danksagung.

8 Habt acht, daß euch niemand einfängt durch die Philosophie und leeren Betrug, gemäß der Überlieferung der Menschen, gemäß den Grundsätzen der Welt und nicht Christus gemäß.

Die Fülle Gottes und das Heil in Christus Hebr 1,1-4; Eph 1,18-2,7

9 Denn in ihm wohnt die ganze Fülle der Gottheit leibhaftig; 10 und ihr habt die Fülle in ihm, der das Haupt jeder Herrschaft und Gewalt ist. 11 In ihm seid ihr auch beschnitten mit einer Beschneidung, die nicht von Menschenhand geschehen ist, durch das Ablegen des fleischlichen Leibes der Sünden, in der Beschneidung des Christus, 12 da ihr mit ihm begraben seid in der Taufe. In ihm seid ihr auch mitauferstanden durch den Glauben an die Kraftwirkung Gottes, der ihn aus den Toten auferweckt hat.

13 Er hat auch euch, die ihr tot wart in den Übertretungen und dem unbeschnittenen Zustand eures Fleisches, mit ihm lebendig gemacht, da er uns alle Übertretungen vergab, 14 dadurch,

daß er die gegen uns gerichtete Schuldschrift auslöschte, die durch Satzungen uns entgegenstand, und sie aus dem Weg schaffte, indem er sie ans Kreuz heftete. [15] Als er so die Herrschaften und Gewalten entwaffnet hatte, stellte er sie öffentlich an den Pranger und triumphierte über sie an demselben.

Die Gefahr von falschen Lehrern, die von Christus ablenken

16 So laßt euch von niemand richten wegen Speise oder Trank, oder wegen bestimmter Feiertage oder Neumondfeste oder Sabbate, [17] die doch nur ein Schatten der Dinge sind, die kommen sollen, die Wirklichkeit aber ist in dem Christus. [18] Laßt nicht zu, daß euch irgend jemand um den Kampfpreis bringt, indem er sich in Demut und Verehrung von Engeln gefällt und sich mit Dingen einläßt, die er nicht gesehen hat, wobei er ohne Grund aufgeblasen ist von seiner fleischlichen Gesinnung, [19] und nicht festhält an dem Haupt, von dem aus der ganze Leib, durch die Gelenke und Bänder unterstützt und zusammengehalten, heranwächst in dem von Gott gewirkten Wachstum.

20 Wenn ihr nun mit dem Christus den Grundsätzen der Welt gestorben seid, weshalb laßt ihr euch Satzungen auferlegen, als ob ihr noch in der Welt lebtet? [21] »Rühre das nicht an, koste jenes nicht, betaste dies nicht!« [22] – was doch alles durch den Gebrauch der Vernichtung anheimfällt – [Gebote] nach den Weisungen und Lehren der Menschen, [23] die freilich einen Schein von Weisheit haben in selbstgewähltem Gottesdienst und Demut und Kasteiung des Leibes, [und doch] wertlos sind und zur Befriedigung des Fleisches dienen.

Die Stellung des Gläubigen in Christus, sein Trachten und seine Hoffnung   Kol 2,20; Eph 2,4-6

3 Wenn ihr nun mit dem Christus auferstanden seid, so sucht das, was droben ist, wo der Christus ist, sitzend zur Rechten Gottes. [2] Trachtet nach dem, was droben ist, nicht nach dem, was auf Erden ist; [3] denn ihr seid gestorben, und euer Leben ist verborgen mit dem Christus in Gott. [4] Wenn der Christus, unser Leben, offenbar werden wird, dann werdet auch ihr mit ihm offenbar werden in Herrlichkeit.

Ermahnung zu einem heiligen Wandel und zu gegenseitiger Liebe

5 Tötet daher eure Glieder, die auf Erden sind: Unzucht, Unreinheit, Leidenschaft, böse Begierde und die Habsucht, die Götzendienst ist; [6] um dieser Dinge willen kommt der Zorn

Gottes über die Söhne des Ungehorsams; [7] unter ihnen seid auch ihr einst gewandelt, als ihr in diesen Dingen lebtet. [8] Nun aber legt auch ihr das alles ab – Zorn, Wut, Bosheit, Lästerung, häßliche Redensarten aus eurem Mund.

9 Lügt einander nicht an, da ihr ja den alten Menschen ausgezogen habt mit seinen Handlungen [10] und den neuen angezogen habt, der erneuert wird zur Erkenntnis, nach dem Ebenbild dessen, der ihn geschaffen hat; [11] wo nicht Grieche noch Jude mehr ist, weder Beschneidung noch Unbeschnittenheit, [noch] Barbar, Skythe[a], Knecht, Freier – sondern alles und in allen Christus.

12 Zieht nun an als Gottes Auserwählte, Heilige und Geliebte herzliches Erbarmen, Freundlichkeit, Demut, Sanftmut, Langmut; 13 ertragt einander und vergebt einander, wenn einer gegen den anderen zu klagen hat; gleichwie der Christus euch vergeben hat, so auch ihr. [14] Über dies alles aber [zieht] die Liebe [an], die das Band der Vollkommenheit ist. [15] Und der Friede Gottes regiere in euren Herzen; zu diesem seid ihr ja auch berufen in einem Leib; und seid dankbar!

16 Laßt das Wort des Christus reichlich in euch wohnen in aller Weisheit; lehrt und ermahnt einander und singt mit Psalmen und Lobgesängen dem Herrn lieblich in euren Herzen. [17] Und was immer ihr tut in Wort oder Werk, das tut alles im Namen des Herrn Jesus und dankt Gott, dem Vater, durch ihn.

Gottes Ordnung für Familie und Arbeit
Eph 5,22-33; 6,1-9; 1Pt 3,1-7; 2,18-19; Tit 2,9-10; 1Tim 6,1-2

18 Ihr Frauen, ordnet euch euren Männern unter, wie sich's gebührt im Herrn! [19] Ihr Männer, liebt eure Frauen und seid nicht bitter gegen sie! [20] Ihr Kinder, seid gehorsam euren Eltern in allen Dingen, denn das ist dem Herrn wohlgefällig!

21 Ihr Väter, erbittert eure Kinder nicht, damit sie nicht unwillig werden!

22 Ihr Knechte, gehorcht euren leiblichen Herren in allen Dingen, nicht mit Augendienerei, um den Menschen zu gefallen, sondern in Einfalt des Herzens, als solche, die Gott fürchten. [23] Und alles, was ihr tut, das tut von Herzen, als für den Herrn und nicht für Menschen, [24] da ihr wißt, daß ihr von dem Herrn zum Lohn das Erbe empfangen werdet; denn ihr dient dem Herrn Christus! [25] Wer aber Unrecht tut, der wird empfangen, was er Unrechtes getan hat; und es gilt kein Ansehen der Person.

a. (3,11) als roh verrufene Nomadenstämme des Schwarzmeergebietes.

4 Ihr Herren, gewährt euren Knechten das, was recht und billig ist, da ihr wißt, daß auch ihr einen Herrn im Himmel habt!

Ermahnung zum Gebet und zum weisen Verhalten Eph 6,18-20

2 Seid ausdauernd im Gebet und wacht darin mit Danksagung. 3 Betet zugleich auch für uns, damit Gott uns eine Tür öffne für das Wort, um das Geheimnis des Christus auszusprechen, um dessentwillen ich auch gefesselt bin, 4 damit ich es so offenbar mache, wie ich reden soll.

5 Wandelt in Weisheit denen gegenüber, die außerhalb [der Gemeinde] sind, und kauft die Zeit aus! 6 Euer Wort sei allezeit in Gnade, mit Salz gewürzt, damit ihr wißt, wie ihr jedem einzelnen antworten sollt.

Abschließende Grüße Eph 6,21-22

7 Alles, was mich betrifft, wird euch Tychikus mitteilen, der geliebte Bruder und treue Diener und Mitknecht im Herrn, 8 den ich eben deshalb zu euch gesandt habe, damit er erfährt, wie es bei euch steht, und damit er eure Herzen tröstet, 9 zusammen mit Onesimus, dem treuen und geliebten Bruder, der einer der Euren ist; sie werden euch alles mitteilen, was hier vorgeht.

10 Es grüßt euch Aristarchus, mein Mitgefangener, und Markus, der Vetter des Barnabas – ihr habt seinetwegen Anordnungen erhalten; wenn er zu euch kommt, so nehmt ihn auf! –, 11 und Jesus, der Justus genannt wird, die aus der Beschneidung sind. Diese allein sind meine Mitarbeiter für das Reich Gottes, die mir zum Trost geworden sind. 12 Es grüßt euch Epaphras, der einer der Euren ist, ein Knecht des Christus, der allezeit in den Gebeten für euch kämpft, damit ihr fest steht, vollkommen und zur Fülle gebracht in allem, was der Wille Gottes ist. 13 Denn ich gebe ihm das Zeugnis, daß er großen Eifer hat um euch und um die in Laodizea und in Hierapolis. 14 Es grüßt euch Lukas, der geliebte Arzt, und Demas.

15 Grüßt die Brüder in Laodizea und den Nymphas und die Gemeinde in seinem Haus.

16 Und wenn der Brief bei euch gelesen ist, so sorgt dafür, daß er auch in der Gemeinde der Laodizeer gelesen wird, und daß ihr auch den aus Laodizea lest. 17 Und sagt dem Archippus: Habe acht auf den Dienst, den du im Herrn empfangen hast, damit du ihn erfüllst!

18 Der Gruß mit meiner, des Paulus, Hand. Gedenkt meiner Fesseln! Die Gnade sei mit euch! Amen.

DER ERSTE BRIEF DES APOSTELS PAULUS AN DIE THESSALONICHER

Etwa 50 n. Chr. schrieb der Apostel Paulus an die kurz zuvor von ihm gegründete Gemeinde in Thessalonich in Griechenland (vgl. Apg 17,1-9). Diese Christen hatten unter schweren Verfolgungen von seiten ihrer jüdischen und heidnischen Umwelt zu leiden. Paulus tröstet sie und ermutigt sie zum standhaften Aushalten, indem er ihnen die Hoffnung ihrer Vereinigung mit dem wiederkommenden Herrn Jesus Christus vor Augen stellt.

Zuschrift und Gruß

1 Paulus und Silvanus und Timotheus an die Gemeinde der Thessalonicher in Gott, dem Vater, und dem Herrn Jesus Christus: Gnade sei mit euch und Friede von Gott, unserem Vater, und dem Herrn Jesus Christus!

Der Glaube der Thessalonicher und seine Ausstrahlung Kol 1,3-8

2 Wir danken Gott allezeit für euch alle, wenn wir euch erwähnen in unseren Gebeten, [3] indem wir unablässig gedenken an euer Werk des Glaubens und eure Arbeit der Liebe und euer Ausharren in der Hoffnung auf unseren Herrn Jesus Christus vor unserem Gott und Vater.

4 Wir wissen ja, von Gott geliebte Brüder, um eure Erwählung, [5] denn unser Evangelium ist nicht nur im Wort zu euch gekommen, sondern auch in Kraft und im Heiligen Geist und in großer Gewißheit, so wie ihr ja auch wißt, wie wir unter euch gewesen sind um euretwillen.

6 Und ihr seid unsere und des Herrn Nachahmer geworden, indem ihr das Wort unter viel Drangsal aufgenommen habt mit Freude des Heiligen Geistes, [7] so daß ihr Vorbilder geworden seid für alle Gläubigen in Mazedonien und Achaja. [8] Denn von euch aus ist das Wort des Herrn erklungen; nicht nur in Mazedonien und Achaja, sondern überall ist euer Glaube an Gott bekannt geworden, so daß wir es nicht nötig haben, davon zu reden. [9] Denn sie selbst erzählen von uns, welchen Eingang wir bei euch gefunden haben und wie ihr euch von den Götzen zu Gott bekehrt habt, um dem lebendigen und wahren Gott zu dienen [10] und seinen Sohn aus dem Himmel zu erwarten, den er aus den Toten auferweckt hat, Jesus, der uns errettet vor dem zukünftigen Zorn.

Der Dienst des Apostels unter den Thessalonichern Apg 20,18-21

2 Denn ihr wißt selbst, Brüder, daß unser Eingang bei euch nicht vergeblich war; [2] sondern, obwohl wir zuvor gelitten hatten und mißhandelt worden waren in Philippi, wie ihr wißt, gewannen wir dennoch Freudigkeit in unserem Gott, euch das Evangelium Gottes zu verkünden unter viel Kampf. [3] Denn unsere Verkündigung entspringt nicht dem Irrtum, noch unreinen Absichten, noch geschieht sie in listigem Betrug; [4] sondern so wie wir von Gott für tauglich befunden wurden, mit dem Evangelium betraut zu werden, so reden wir auch – nicht als solche, die den Menschen gefallen wollen, sondern Gott, der unsere Herzen prüft.

5 Denn wir sind nie mit Schmeichelworten gekommen, wie ihr wißt, noch mit verblümter Habsucht – Gott ist Zeuge –; [6] wir haben auch nicht Ehre von Menschen gesucht, weder von euch noch von anderen, [7] obgleich wir als Apostel des Christus würdevoll hätten auftreten können, sondern wir waren liebevoll in eurer Mitte, wie eine stillende Mutter ihre Kinder pflegt.

8 Und wir sehnten uns so sehr nach euch, daß wir willig waren, euch nicht nur das Evangelium Gottes mitzuteilen, sondern auch unsere Seelen, weil ihr uns lieb geworden seid. [9] Ihr erinnert euch ja, Brüder, an unsere Arbeit und Mühe; denn wir arbeiteten Tag und Nacht, um niemand von euch zur Last zu fallen, und verkündigten euch dabei das Evangelium Gottes.

10 Ihr selbst seid Zeugen, und auch Gott, wie heilig, gerecht und untadelig wir bei euch, den Gläubigen, gewesen sind; [11] ihr wißt ja, daß wir jeden einzelnen von euch ermahnt und ermutigt haben wie ein Vater seine Kinder, [12] und euch ernstlich bezeugt haben, daß ihr so wandeln sollt, wie es Gottes würdig ist, der euch zu seinem Reich und seiner Herrlichkeit beruft.

Der echte Glaube und die Standhaftigkeit 1Th 1,6-10; 2Th 1,4-5

13 Darum danken wir auch Gott unablässig, daß ihr, als ihr das von uns verkündigte Wort Gottes empfangen habt, es nicht als Menschenwort aufgenommen habt, sondern als das, was es in Wahrheit ist, als Gottes Wort, das auch wirkt in euch, die ihr gläubig seid.

14 Denn ihr, Brüder, seid Nachahmer der Gemeinden Gottes geworden, die in Judäa in Christus Jesus sind, weil ihr dasselbe erlitten habt von euren eigenen Volksgenossen wie sie von den Juden. [15] Diese haben auch den Herrn Jesus und ihre eigenen Propheten getötet und haben uns verfolgt und gefallen Gott nicht und stehen allen Menschen feindlich gegenüber,

[16] indem sie uns hindern wollen, zu den Heiden zu reden, damit diese gerettet werden. Dadurch machen sie allezeit das Maß ihrer Sünden voll; es ist aber der Zorn über sie gekommen bis zum Ende!

Die Sehnsucht des Paulus nach den Thessalonichern   Röm 1,9-13

17 Wir aber, Brüder, nachdem wir für eine kleine Weile von euch getrennt waren – dem Angesicht, nicht dem Herzen nach –, haben uns vor großem Verlangen um so mehr bemüht, euer Angesicht zu sehen. [18] Darum wollten wir auch zu euch kommen, ich, Paulus, einmal, sogar zweimal, doch der Satan hat uns gehindert. [19] Denn wer ist unsere Hoffnung oder Freude oder Krone des Ruhms? Seid nicht auch ihr es vor unserem Herrn Jesus Christus bei seiner Wiederkunft? [20] Ja, ihr seid unsere Ehre und Freude!

Die fürsorgliche Liebe des Paulus   Apg 14,22

3 Weil wir es nicht länger aushielten, zogen wir es daher vor, allein in Athen zu bleiben, [2] und sandten Timotheus, unseren Bruder, der Gottes Diener und unser Mitarbeiter am Evangelium von Christus ist, damit er euch stärke und euch tröste in eurem Glauben, [3] damit niemand wankend werde in diesen Drangsalen; denn ihr wißt selbst, daß wir dazu bestimmt sind. [4] Als wir nämlich bei euch waren, sagten wir euch voraus, daß wir Drangsale erleiden müßten, und so ist es auch gekommen, wie ihr wißt. [5] Darum hielt ich es auch nicht mehr länger aus, sondern erkundigte mich nach eurem Glauben, ob nicht etwa der Versucher euch versucht habe und unsere Arbeit umsonst gewesen sei.

6 Nun aber, da Timotheus von euch zu uns zurückgekehrt ist und uns gute Nachricht gebracht hat von eurem Glauben und eurer Liebe, und daß ihr uns allezeit in gutem Andenken habt und danach verlangt, uns zu sehen, gleichwie [auch] wir euch, [7] da sind wir deshalb, ihr Brüder, euretwegen bei all unserer Drangsal und Not getröstet worden durch euren Glauben. [8] Denn nun leben wir, wenn ihr feststeht im Herrn! [9] Denn was für einen Dank können wir Gott euretwegen abstatten für all die Freude, die wir um euretwillen haben vor unserem Gott? [10] Tag und Nacht flehen wir aufs allerdringendste, euer Angesicht sehen und die Mängel eures Glaubens ergänzen zu dürfen.

11 Er selbst aber, Gott, unser Vater, und unser Herr Jesus Christus lenke unseren Weg zu euch! [12] Euch aber lasse der Herr

wachsen und überströmend werden in der Liebe zueinander und zu allen, gleichwie auch wir sie zu euch haben, ¹³ damit eure Herzen gestärkt und untadelig erfunden werden in Heiligkeit vor unserem Gott und Vater bei der Wiederkunft unseres Herrn Jesus Christus mit allen seinen Heiligen.

Ermahnung zu einem Leben in Heiligung 1Pt 1,14-16; Eph 5,3-8

4 Weiter nun, ihr Brüder, bitten und ermahnen wir euch in dem Herrn Jesus, daß ihr in dem noch mehr zunehmt, was ihr von uns empfangen habt, nämlich wie ihr wandeln und Gott gefallen sollt. ² Denn ihr wißt, welche Gebote wir euch gegeben haben im Auftrag des Herrn Jesus.

3 Denn das ist der Wille Gottes, eure Heiligung, daß ihr euch der Unzucht enthaltet; ⁴ daß es jeder von euch versteht, sein eigenes Gefäß in Heiligung und Ehrbarkeit in Besitz zu nehmen, ⁵ nicht mit leidenschaftlicher Begierde wie die Heiden, die Gott nicht kennen; ⁶ daß niemand zu weit gehe und seinen Bruder in dieser Angelegenheit übervorteile; denn der Herr ist ein Rächer für alle diese Dinge, wie wir euch zuvor gesagt und ernstlich bezeugt haben. ⁷ Denn Gott hat uns nicht zur Unreinheit berufen, sondern zur Heiligung. ⁸ Deshalb – wer dies verwirft, der verwirft nicht Menschen, sondern Gott, der doch seinen Heiligen Geist in uns gegeben hat.

Ermahnung zur Bruderliebe und zur ehrlichen Arbeit 1Pt 1,22

9 Über die Bruderliebe aber braucht man euch nicht zu schreiben; denn ihr seid selbst von Gott gelehrt, einander zu lieben, ¹⁰ und das tut ihr auch an allen Brüdern, die in ganz Mazedonien sind. Wir ermahnen euch aber, ihr Brüder, daß ihr darin noch mehr zunehmt ¹¹ und eure Ehre darin sucht, ein stilles Leben zu führen, eure eigenen Angelegenheiten zu besorgen und mit euren eigenen Händen zu arbeiten, so wie wir es euch geboten haben, ¹² damit ihr ehrbar wandelt gegenüber denen außerhalb [der Gemeinde] und niemand nötig habt.

Die Auferstehung der Toten und die Wiederkunft des Herrn

13 Ich will euch aber, Brüder, nicht in Unwissenheit lassen über die Entschlafenen, damit ihr nicht traurig seid wie die anderen, die keine Hoffnung haben. ¹⁴ Denn wenn wir glauben, daß Jesus gestorben und auferstanden ist, so wird Gott auch die Entschlafenen durch Jesus mit ihm führen.

15 Denn das sagen wir euch in einem Wort des Herrn: Wir, die wir leben und bis zur Wiederkunft des Herrn übrigbleiben, wer-

den den Entschlafenen nicht zuvorkommen; [16] denn der Herr selbst wird, wenn der Befehl ergeht und die Stimme des Erzengels und die Posaune Gottes erschallt, vom Himmel herabkommen, und die Toten in Christus werden zuerst auferstehen. [17] Danach werden wir, die wir leben und übrigbleiben, zugleich mit ihnen entrückt werden in Wolken, zur Begegnung mit dem Herrn, in die Luft, und so werden wir bei dem Herrn sein allezeit. [18] So tröstet nun einander mit diesen Worten!

Aufforderung zu Wachsamkeit und Nüchternheit Mt 24,36-51; Lk 12,35-40; 21,34-36; Röm 13,11-14

5 Von den Zeiten und Zeitpunkten aber braucht man euch Brüdern nicht zu schreiben. [2] Denn ihr wißt ja genau, daß der Tag des Herrn[a] so kommen wird wie ein Dieb in der Nacht. [3] Wenn sie nämlich sagen werden: »Friede und Sicherheit«, dann wird sie das Verderben plötzlich überfallen wie die Wehen eine schwangere Frau, und sie werden nicht entfliehen.

4 Ihr aber, Brüder, seid nicht in der Finsternis, daß euch der Tag wie ein Dieb überfallen könnte; [5] ihr alle seid Kinder des Lichts und Kinder des Tages. Wir gehören nicht der Nacht an noch der Finsternis. [6] So laßt uns auch nicht schlafen wie die anderen, sondern laßt uns wachen und nüchtern sein! [7] Denn die Schlafenden schlafen bei Nacht, und die Betrunkenen sind bei Nacht betrunken; [8] wir aber, die wir dem Tag angehören, wollen nüchtern sein, angetan mit dem Brustpanzer des Glaubens und der Liebe und mit dem Helm der Hoffnung auf das Heil. [9] Denn Gott hat uns nicht zum Zorngericht bestimmt, sondern zum Besitz des Heils durch unseren Herrn Jesus Christus, [10] der für uns gestorben ist, damit wir, ob wir wachen oder schlafen, zugleich mit ihm leben sollen. [11] Darum ermahnt einander und erbaut einer den anderen, wie ihr es auch tut.

Ermahnungen für das Gemeindeleben

12 Wir bitten euch aber, ihr Brüder, erkennt diejenigen an, die an euch arbeiten und euch im Herrn vorstehen und euch zurechtweisen, [13] und achtet sie um so mehr in Liebe um ihres Werkes willen. Lebt im Frieden miteinander!

14 Wir ermahnen euch aber, Brüder: Verwarnt die Unordentlichen, tröstet die Kleinmütigen, nehmt euch der Schwachen an, seid langmütig gegen jedermann!

15 Seht darauf, daß niemand Böses mit Bösem vergilt, sondern

---

a. (5,2) Mit »Tag des Herrn« ist im AT wie im NT der große Gerichtstag Gottes am Ende der Zeiten gemeint.

trachtet allezeit nach dem Guten, sowohl untereinander als auch gegenüber jedermann!

16 Freut euch allezeit!

17 Betet ohne Unterlaß! [18] Seid in allem dankbar; denn das ist der Wille Gottes in Christus Jesus für euch.

19 Den Geist dämpft nicht! [20] Die Weissagung verachtet nicht! [21] Prüft alles, das Gute behaltet! [22] Enthaltet euch des Bösen in jeglicher Gestalt!

Segenswünsche und Grüße   Hebr 13,20-21; 1Kor 1,8-9

23 Er selbst aber, der Gott des Friedens, heilige euch durch und durch, und euer ganzes Wesen, der Geist, die Seele und der Leib, werde untadelig bewahrt auf die Wiederkunft unseres Herrn Jesus Christus hin! [24] Treu ist er, der euch beruft; er wird es auch tun.

25 Brüder, betet für uns! [26] Grüßt alle Brüder mit dem heiligen Kuß! [27] Ich beschwöre euch bei dem Herrn, daß dieser Brief allen heiligen Brüdern vorgelesen wird.

28 Die Gnade unseres Herrn Jesus Christus sei mit euch! Amen.

DER ZWEITE BRIEF DES APOSTELS PAULUS AN DIE THESSALONICHER

Der 2. Brief an die Gemeinde der Thessalonicher wurde von dem Apostel Paulus ca. 51 n. Chr. geschrieben. In der Gemeinde waren falsche prophetische Botschaften aufgetaucht, und die Thessalonicher fürchteten, sie seien schon in dem furchterregenden Gerichtstag des Herrn, den die Bibel für die Zeit des Endes vorhersagt. Paulus zeigt ihnen, daß zuvor ein großer, mit Wunderkräften begabter Verführer (der „Antichrist") auf der Erde aufgetreten sein muß, der die Massen in seinen Bann ziehen wird (2Th 2,1-12). Die Hoffung der Gemeinde ist der Herr, der sie bewahrt und rettet.

Zuschrift und Gruß

1 Paulus und Silvanus und Timotheus an die Gemeinde der Thessalonicher in Gott, unserem Vater, und dem Herrn Jesus Christus.
2 Gnade sei mit euch und Friede von Gott, unserem Vater, und dem Herrn Jesus Christus!

Glaubenstreue in Bedrängnis. Das gerechte Gericht Gottes über seine Feinde   Phil 1,27-30; Mt 5,10-12; Röm 8,17-18; 1Pt 4,12-13

3 Wir sind es Gott schuldig, allezeit für euch zu danken, Brüder, wie es sich auch geziemt, weil euer Glaube über die Maßen wächst und die Liebe eines jeden einzelnen von euch zunimmt allen gegenüber, 4 so daß wir selbst uns euer rühmen in den Gemeinden Gottes wegen eurer Standhaftigkeit und Glaubenstreue in allen euren Verfolgungen und Bedrängnissen, die ihr zu ertragen habt.
5 Sie sind ein Anzeichen des gerechten Gerichtes Gottes, daß ihr des Reiches Gottes würdig geachtet werdet, für das ihr auch leidet; 6 wie es denn gerecht ist vor Gott, denen, die euch bedrängen, mit Bedrängnis zu vergelten, 7 euch aber, die ihr bedrängt werdet, mit Ruhe gemeinsam mit uns, bei der Offenbarung des Herrn Jesus vom Himmel her mit den Engeln seiner Macht, 8 in flammendem Feuer, wenn er Vergeltung üben wird an denen, die Gott nicht anerkennen, und an denen, die dem Evangelium unseres Herrn Jesus Christus nicht gehorsam sind. 9 Diese werden Strafe erleiden, ewiges Verderben, von dem Angesicht des Herrn und von der Herrlichkeit seiner Kraft, 10 an jenem Tag, wenn Er kommen wird, um verherrlicht zu werden

in seinen Heiligen und bewundert in denen, die glauben – denn
unser Zeugnis hat bei euch Glauben gefunden.

11 Deshalb beten wir auch allezeit für euch, daß unser Gott
euch der Berufung würdig mache und alles Wohlgefallen der
Güte und das Werk des Glaubens in Kraft erfülle, [12] damit der
Name unseres Herrn Jesus Christus in euch verherrlicht werde
und ihr in ihm, gemäß der Gnade unseres Gottes und des Herrn
Jesus Christus.

Die Wiederkunft des Herrn und die Offenbarung des Menschen der Sünde   1Th 4,13-5,10; 1Joh 2,18-25; 4,1-6; Offb 13 u. 17

2 Wir bitten euch aber, ihr Brüder, wegen der Wiederkunft unseres Herrn Jesus Christus und unserer Vereinigung mit ihm:
[2] Laßt euch nicht so schnell in eurem Verständnis erschüttern
oder gar in Schrecken jagen, weder durch einen Geist, noch
durch ein Wort, noch durch einen angeblich von uns stammen-
den Brief, als wäre der Tag des Christus schon da. [3] Laßt euch
von niemand in irgendeiner Weise verführen! Denn es muß unbedingt zuerst der Abfall kommen und der Mensch der Sünde
geoffenbart werden, der Sohn des Verderbens, [4] der sich widersetzt und sich über alles erhebt, was Gott oder Gegenstand der
Verehrung heißt, so daß er sich in den Tempel Gottes setzt als
ein Gott und sich selbst für Gott ausgibt.

5 Denkt ihr nicht mehr daran, daß ich euch dies sagte, als ich
noch bei euch war? [6] Und ihr wißt ja, was jetzt noch zurückhält,
damit er geoffenbart werde zu seiner Zeit. [7] Denn das Geheimnis der Gesetzlosigkeit ist schon am Wirken, nur muß der, welcher jetzt zurückhält, erst aus dem Weg sein; [8] und dann wird
der Gesetzlose geoffenbart werden, den der Herr verzehren
wird durch den Hauch seines Mundes, und den er durch die Erscheinung seiner Wiederkunft beseitigen wird, [9] ihn, dessen
Kommen aufgrund der Wirkung des Satans erfolgt, unter Ent-
faltung aller betrügerischen Kräfte, Zeichen und Wunder
[10] und aller Verführung der Ungerechtigkeit bei denen, die verlorengehen, weil sie die Liebe zur Wahrheit nicht angenommen
haben, durch die sie hätten gerettet werden können. [11] Darum
wird ihnen Gott eine wirksame Kraft der Verführung senden, so
daß sie der Lüge glauben, [12] damit alle gerichtet werden, die
der Wahrheit nicht geglaubt haben, sondern Wohlgefallen hatten an der Ungerechtigkeit.

Ermutigung zur Standhaftigkeit   Röm 8,29; 1Pt 5,10-11

13 Wir aber sind es Gott schuldig, allezeit für euch zu danken,

vom Herrn geliebte Brüder, daß Gott euch von Anfang an zum Heil erwählt hat in der Heiligung des Geistes und im Glauben an die Wahrheit, **14** wozu er euch berufen hat durch unser Evangelium, damit ihr die Herrlichkeit unseres Herrn Jesus Christus erlangt.

15 So steht denn nun fest, ihr Brüder, und haltet fest an den Überlieferungen, die ihr gelehrt worden seid, sei es durch ein Wort oder durch einen Brief von uns. **16** Er selbst aber, unser Herr Jesus Christus, und unser Gott und Vater, der uns geliebt hat und uns einen ewigen Trost und eine gute Hoffnung gegeben hat durch Gnade, **17** er tröste eure Herzen und stärke euch in jedem guten Wort und Werk!

3 Im übrigen betet für uns, ihr Brüder, daß das Wort des Herrn freien Lauf hat und verherrlicht wird, so wie bei euch, **2** und daß wir errettet werden von den verkehrten und bösen Menschen; denn die Treue ist nicht jedermanns Sache. **3** Aber der Herr ist treu; er wird euch stärken und bewahren vor dem Bösen. **4** Wir trauen euch aber zu im Herrn, daß ihr das tut und auch tun werdet, was wir euch gebieten. **5** Der Herr aber lenke eure Herzen zu der Liebe Gottes und zum Ausharren des Christus!

Das richtige Verhalten der Gemeinde gegenüber Müßiggängern

6 Wir gebieten euch aber, Brüder, im Namen unseres Herrn Jesus Christus, daß ihr euch von jedem Bruder zurückzieht, der unordentlich wandelt und nicht nach der Überlieferung, die er von uns empfangen hat. **7** Ihr wißt ja selbst, wie ihr uns nachahmen sollt; denn wir haben nicht unordentlich unter euch gelebt, **8** wir haben auch nicht umsonst bei jemand Brot gegessen, sondern mit Mühe und Anstrengung haben wir Tag und Nacht gearbeitet, um niemand von euch zur Last zu fallen. **9** Nicht daß wir kein Recht dazu hätten, sondern um euch an uns ein Vorbild zu geben, damit ihr uns nachahmt. **10** Denn als wir bei euch waren, geboten wir euch dies: Wenn jemand nicht arbeiten will, so soll er auch nicht essen!

11 Wir hören nämlich, daß etliche von euch unordentlich wandeln und nicht arbeiten, sondern unnütze Dinge treiben. **12** Solchen gebieten wir und ermahnen sie im Auftrag unseres Herrn Jesus Christus, daß sie mit stiller Arbeit ihr eigenes Brot verdienen.

13 Ihr aber, Brüder, werdet nicht müde, Gutes zu tun! **14** Wenn aber jemand unserem brieflichen Wort nicht gehorcht, den kennzeichnet und habt keinen Umgang mit ihm, damit er sich

schämen muß; [15] doch haltet ihn nicht für einen Feind, sondern weist ihn zurecht als einen Bruder.

Segenswunsch und Abschiedsgruß

16 Er aber, der Herr des Friedens, gebe euch den Frieden allezeit und auf alle Weise! Der Herr sei mit euch allen!
17 Der Gruß mit meiner, des Paulus, Hand; dies ist das Zeichen in jedem Brief, so schreibe ich.
18 Die Gnade unseres Herrn Jesus Christus sei mit euch allen! Amen.

DER ERSTE BRIEF DES APOSTELS PAULUS AN TIMOTHEUS

Paulus schrieb den 1. Timotheusbrief etwa 65-66 n. Chr. an seinen jungen Mitarbeiter Timotheus, der damals in der Gemeinde von Ephesus lehrte. Angesichts von falschen Lehrern und verkehrten Entwicklungen in der Gemeinde ermuntert Paulus den Timotheus, Gott treu zu dienen und sein Wort unbeirrt und unverfälscht zu verkündigen. Er spricht einige wichtige Fragen der Ordnung des Gemeindelebens an, besonders die Eigenschaften derer, die als Aufseher und Vorsteher dienen sollen.

Zuschrift und Gruß

1 Paulus, Apostel Jesu Christi nach dem Befehl Gottes, unseres Retters, und des Herrn Jesus Christus, der unsere Hoffnung ist, **2** an Timotheus, [meinen] echten Sohn im Glauben: Gnade, Barmherzigkeit, Friede [sei mit dir] von Gott, unserem Vater, und Christus Jesus, unserem Herrn!

Abwehr falscher Lehren   1Tim 6,3-5; 6,20-21; Tit 3,9; Gal 3,10-12

3 Ich habe dich ja bei meiner Abreise nach Mazedonien ermahnt, in Ephesus zu bleiben, daß du gewissen Leuten gebietest, keine fremden Lehren zu verbreiten **4** und sich auch nicht mit Legenden und endlosen Geschlechtsregistern zu beschäftigen, die mehr Streitfragen hervorbringen als göttliche Erbauung im Glauben; **5** das Endziel des Gebotes aber ist Liebe aus reinem Herzen und gutem Gewissen und ungeheucheltem Glauben.

6 Davon sind einige abgeirrt und haben sich unnützem Geschwätz zugewandt; **7** sie wollen Lehrer des Gesetzes sein und verstehen doch die Dinge nicht, die sie verkünden und die sie als gewiß hinstellen.

8 Wir wissen aber, daß das Gesetz gut ist, wenn man es gesetzmäßig anwendet **9** und berücksichtigt, daß einem Gerechten kein Gesetz auferlegt ist, sondern Gesetzlosen und Widerspenstigen, Gottlosen und Sündern, Unheiligen und Gemeinen, solchen, die Vater und Mutter mißhandeln, Menschen töten, **10** Unzüchtigen, Knabenschändern, Menschenräubern, Lügnern, Meineidigen und was sonst im Widerspruch zu der gesunden Lehre steht, **11** nach dem Evangelium der Herrlichkeit des hochgelobten Gottes, das mir anvertraut worden ist.

Gottes Erbarmung im Leben des Paulus Apg 26,9-20; 1Kor 15,9

12 Und darum danke ich dem, der mir Kraft verliehen hat, Christus Jesus, unserem Herrn, daß er mich treu erachtet und in den Dienst eingesetzt hat, [13] der ich zuvor ein Lästerer und Verfolger und Frevler war. Aber mir ist Erbarmung widerfahren, weil ich es unwissend im Unglauben getan habe. [14] Und die Gnade unseres Herrn wurde über alle Maßen groß samt der Treue und der Liebe, die in Christus Jesus ist.

15 Glaubwürdig ist das Wort und aller Annahme wert, daß Christus Jesus in die Welt gekommen ist, um Sünder zu retten, von denen ich der größte bin. [16] Aber darum ist mir Erbarmung widerfahren, damit an mir zuerst Jesus Christus alle Langmut erzeige, zum Vorbild für die, die künftig an ihn glauben sollen zum ewigen Leben.

17 Dem König der Ewigkeiten aber, dem unvergänglichen, unsichtbaren, allein weisen Gott, sei Ehre und Ruhm von Ewigkeit zu Ewigkeit! Amen.

Ermutigung zum guten Kampf des Glaubens 1Tim 6,12; 2Tim 2,15

18 Dieses Gebot vertraue ich dir an, mein Sohn Timotheus, gemäß den früher über dich ergangenen Weissagungen, damit du in denselben den guten Kampf kämpfst, [19] indem du den Glauben und ein gutes Gewissen bewahrst. Dieses haben einige von sich gestoßen und darum im Glauben Schiffbruch erlitten. [20] Zu ihnen gehören Hymenäus und Alexander, die ich dem Satan übergeben habe, damit sie gezüchtigt werden und nicht mehr lästern.

Anweisungen für das Gebet. Gottes Heil in Christus

2 So ermahne ich nun, daß man vor allen Dingen Bitten, Gebete, Fürbitten und Danksagungen darbringe für alle Menschen, [2] für Könige und alle, die in hoher Stellung sind, damit wir ein ruhiges und stilles Leben führen können in aller Gottseligkeit[a] und Ehrbarkeit; [3] denn dies ist gut und angenehm vor Gott, unserem Retter, [4] welcher will, daß alle Menschen gerettet werden und zur Erkenntnis der Wahrheit kommen.

5 Denn es ist *ein* Gott und *ein* Mittler zwischen Gott und den Menschen, der Mensch Christus Jesus, [6] der sich selbst als Lösegeld für alle gegeben hat. [Das ist] das Zeugnis zur rechten Zeit, [7] für das ich eingesetzt wurde als Verkündiger und Apostel – ich sage die Wahrheit in Christus und lüge nicht –, als Lehrer der Heiden im Glauben und in der Wahrheit.

a. (2,2) d.h. in Gottesfurcht, in der rechten Verehrung Gottes.

8 So will ich nun, daß die Männer an jedem Ort beten, indem sie heilige Hände aufheben ohne Zorn und Zweifel.

Das Verhalten der gläubigen Frauen   1Pt 3,1-6; 1Kor 14,34-38

9 Ebenso [will ich] auch, daß sich die Frauen in ehrbarem Anstand mit Schamhaftigkeit und Zucht schmücken, nicht mit Haarflechten oder Gold oder Perlen oder aufwendiger Kleidung, [10] sondern durch gute Werke, wie es sich für Frauen geziemt, die sich zur Gottesfurcht bekennen.

11 Eine Frau soll in der Stille lernen, in aller Unterordnung. [12] Das Lehren aber gestatte ich einer Frau nicht, auch nicht, daß sie über den Mann herrscht, sondern sie soll sich still verhalten. [13] Denn Adam wurde zuerst gebildet, danach Eva. [14] Und Adam wurde nicht verführt, die Frau aber wurde verführt und geriet in Übertretung; [15] sie soll aber [davor] bewahrt werden durch das Kindergebären, wenn sie bleiben im Glauben und in der Liebe und in der Heiligung samt der Zucht.

Voraussetzungen für den Dienst der Aufseher (Ältesten) in der Gemeinde   Tit 1,5-9; 1Pt 5,1-4

3 Glaubwürdig ist das Wort: Wer nach einem Aufseherdienst trachtet, der begehrt eine vortreffliche Tätigkeit. [2] Nun muß aber ein Aufseher untadelig sein, Mann *einer* Frau, nüchtern, besonnen, anständig, gastfreundlich, fähig zu lehren; [3] nicht der Trunkenheit ergeben, nicht gewalttätig, nicht nach schändlichem Gewinn strebend, sondern gütig, nicht streitsüchtig, nicht geldgierig; [4] einer, der seinem eigenen Haus gut vorsteht und die Kinder in Unterordnung hält mit aller Ehrbarkeit [5] – wenn aber jemand seinem eigenen Haus nicht vorzustehen weiß, wie wird er für die Gemeinde Gottes sorgen? –, [6] kein Neubekehrter, damit er nicht aufgeblasen wird und unter die Anklage des Teufels fällt. [7] Er muß aber auch ein gutes Zeugnis haben von denen außerhalb [der Gemeinde], damit er nicht in üble Nachrede und in die Fallstricke des Teufels gerät.

Voraussetzung für den Dienst der Diakone   Apg 6,1-6

8 Gleicherweise sollen auch die Diakone ehrbar sein, nicht doppelzüngig, nicht vielem Weingenuß ergeben, nicht nach schändlichem Gewinn strebend; [9] sie sollen das Geheimnis des Glaubens in einem reinen Gewissen bewahren. [10] Und diese soll man zuerst prüfen; dann sollen sie dienen, wenn sie untadelig sind. [11] [Die] Frauen sollen ebenfalls ehrbar sein, nicht verleumderisch, sondern nüchtern, treu in allem. [12] Die Dia-

kone sollen jeder Mann *einer* Frau sein, ihren Kindern und ihrem Haus gut vorstehen; [13] denn wenn sie ihren Dienst gut versehen, erwerben sie sich selbst eine gute Grundlage und viel Freimütigkeit im Glauben in Christus Jesus.

Der Wandel im Haus Gottes und das Geheimnis der Gottseligkeit
Joh 1,1.14; 1Joh 1,1-4; 4,1-3; 5,20

14 Dies schreibe ich dir in der Hoffnung, bald zu dir zu kommen, [15] damit du aber, falls sich mein Kommen verzögern sollte, weißt, wie man wandeln soll im Haus Gottes, welches die Gemeinde des lebendigen Gottes ist, der Pfeiler und die Grundfeste der Wahrheit.
16 Und anerkannt groß ist das Geheimnis der Gottseligkeit: Gott ist geoffenbart worden im Fleisch, gerechtfertigt im Geist, gesehen von den Engeln, verkündigt unter den Heiden, geglaubt in der Welt, aufgenommen in die Herrlichkeit.

Verführung und Abfall vom Glauben in der letzten Zeit 1Joh 4,1-3

4 Der Geist aber sagt ausdrücklich, daß in späteren Zeiten etliche vom Glauben abfallen und sich verführerischen Geistern und Lehren der Dämonen zuwenden werden [2] durch die Verstellungskunst von Leuten, die Betrug lehren, die in ihrem eigenen Gewissen gebrandmarkt sind. [3] Sie verbieten zu heiraten und Speisen zu genießen, die doch Gott geschaffen hat, damit sie mit Danksagung gebraucht werden von denen, die gläubig sind und die Wahrheit erkennen. [4] Denn alles, was Gott geschaffen hat, ist gut, und nichts ist verwerflich, wenn es mit Danksagung empfangen wird; [5] denn es wird geheiligt durch Gottes Wort und Gebet.

Anweisungen für treue Diener Gottes 2Tim 2,14-16; 1Tim 6,11-14

6 Wenn du dies den Brüdern vor Augen stellst, wirst du ein guter Diener Jesu Christi sein, der sich nährt mit den Worten des Glaubens und der guten Lehre, der du nachgefolgt bist. [7] Die unheiligen und altweiberhaften Legenden aber weise ab; dagegen übe dich in der Gottseligkeit! [8] Denn die leibliche Übung nützt wenig, die Gottseligkeit aber ist für alles nützlich, da sie die Verheißung für dieses und für das zukünftige Leben hat.
9 Glaubwürdig ist das Wort und aller Annahme wert; [10] denn dafür arbeiten wir auch und werden geschmäht, weil wir unsere Hoffnung auf den lebendigen Gott gesetzt haben, der ein Retter aller Menschen ist, besonders der Gläubigen.

11 Dies sollst du gebieten und lehren! [12] Niemand soll dich geringschätzen wegen deiner Jugend, sondern sei den Gläubigen ein Vorbild im Wort, im Wandel, in der Liebe, im Geist, im Glauben, in der Reinheit!

13 Sei bedacht auf das Vorlesen, das Ermahnen und das Lehren, bis ich komme. [14] Vernachlässige nicht die Gnadengabe in dir, die dir verliehen wurde durch Weissagung unter Handauflegung der Ältestenschaft! [15] Dies soll deine Sorge sein, darin sollst du leben, damit dein Fortschreiten in allen Dingen offenbar sei! [16] Habe acht auf dich selbst und auf die Lehre; bleibe beständig in diesen Dingen! Denn wenn du dies tust, wirst du sowohl dich selbst retten als auch die, welche auf dich hören.

5 Einen älteren Mann fahre nicht hart an, sondern ermahne ihn wie einen Vater, jüngere wie Brüder, [2] ältere Frauen wie Mütter, jüngere wie Schwestern, in aller Keuschheit.

Von den Witwen in der Gemeinde   Lk 2,36-37; Röm 16,1-2

3 Erweise den Witwen Ehre, die wirklich Witwen sind. [4] Wenn aber eine Witwe Kinder oder Enkel hat, so sollen diese zuerst lernen, am eigenen Haus gottesfürchtig zu handeln und den Eltern Empfangenes zu vergelten; denn das ist gut und angenehm vor Gott. [5] Eine wirkliche und vereinsamte Witwe aber hat ihre Hoffnung auf Gott gesetzt und bleibt beständig im Flehen und Gebet Tag und Nacht; [6] eine genußsüchtige jedoch ist lebendig tot. [7] Sprich das offen aus, damit sie untadelig sind!

8 Wenn aber jemand für die Seinen, besonders für seine Hausgenossen, nicht sorgt, so hat er den Glauben verleugnet und ist schlimmer als ein Ungläubiger. [9] Eine Witwe soll nur in die Liste eingetragen werden, wenn sie nicht weniger als sechzig Jahre alt ist, die Frau *eines* Mannes war [10] und ein Zeugnis guter Werke hat; wenn sie Kinder aufgezogen, Gastfreundschaft geübt, die Füße der Heiligen gewaschen, Bedrängten geholfen hat, wenn sie sich jedem guten Werk gewidmet hat.

11 Jüngere Witwen aber weise ab; denn wenn sie gegen [den Willen des] Christus begehrlich geworden sind, wollen sie heiraten [12] und kommen [damit] unter das Urteil, daß sie die erste Treue gebrochen haben. [13] Zugleich lernen sie auch untätig zu sein, indem sie in den Häusern herumlaufen; und nicht nur untätig, sondern auch geschwätzig und neugierig zu sein; und sie reden Dinge, die sich nicht gehören. [14] So will ich nun, daß jüngere [Witwen] heiraten, Kinder gebären, den Haushalt führen und dem Widersacher keinen Anlaß zur Lästerung geben; [15] denn etliche haben sich schon abgewandt, dem Satan nach.

16 Wenn ein Gläubiger oder eine Gläubige Witwen hat, so soll er sie versorgen, und die Gemeinde soll nicht belastet werden, damit diese für die wirklichen Witwen sorgen kann.

Die richtige Haltung gegenüber den Ältesten 1Th 5,12-13

17 Die Ältesten, die gut vorstehen, sollen doppelter Ehre wert geachtet werden, besonders die, welche im Wort und in der Lehre arbeiten. [18] Denn die Schrift sagt: *Du sollst dem Ochsen nicht das Maul verbinden, wenn er drischt!*, und »Der Arbeiter ist seines Lohnes wert«.

19 Gegen einen Ältesten nimm keine Klage an, außer aufgrund von zwei oder drei Zeugen. [20] Die, welche sündigen, weise zurecht vor allen, damit sich auch die anderen fürchten. [21] Ich ermahne dich ernstlich vor Gott und dem Herrn Jesus Christus und den auserwählten Engeln, daß du dies ohne Vorurteil befolgst und nichts aus Zuneigung tust! [22] Die Hände lege niemand schnell auf, mache dich auch nicht fremder Sünden teilhaftig; bewahre dich selbst rein!

Persönliche Ratschläge an Timotheus

23 Trinke nicht mehr nur Wasser, sondern gebrauche ein wenig Wein um deines Magens willen und wegen deiner häufigen Krankheiten. [24] Die Sünden mancher Menschen sind allen offenbar und kommen vorher ins Gericht; manchen aber folgen sie auch nach. [25] Gleicherweise sind auch die guten Werke allen offenbar, und die, mit welchen es sich anders verhält, können auch nicht verborgen bleiben.

Vom richtigen Verhalten der Knechte Eph 6,5-8; Tit 2,9-10

6 Diejenigen, die unter dem Joch der Sklaverei sind, sollen ihre eigenen Herren aller Ehre wert halten, damit nicht der Name Gottes und die Lehre verlästert werden. [2] Die aber, welche gläubige Herren haben, sollen diese darum nicht geringschätzen, weil sie Brüder sind, sondern ihnen um so lieber dienen, weil es Gläubige und Geliebte sind, die darauf bedacht sind, Gutes zu tun. Dies sollst du lehren und dazu ermahnen!

Warnung vor Irrlehrern und Habgier Röm 16,17-18; Hebr 13,5

3 Wenn jemand fremde Lehren verbreitet und nicht die gesunden Worte unseres Herrn Jesus Christus annimmt und die Lehre, die der Gottseligkeit entspricht, [4] so ist er aufgeblasen und versteht doch nichts, sondern krankt an Streitfragen und Wort-

gefechten, woraus Neid, Zwietracht, Lästerung, böse Verdächtigungen entstehen, [5] unnütze Streitgespräche von Menschen, die eine verdorbene Gesinnung haben und der Wahrheit beraubt sind und meinen, die Gottseligkeit sei ein Mittel zur Bereicherung – von solchen halte dich fern!

6 Es ist allerdings die Gottseligkeit eine große Bereicherung, wenn sie mit Genügsamkeit verbunden wird. [7] Denn wir haben nichts in die Welt gebracht, und es ist klar, daß wir auch nichts hinausbringen können. [8] Wenn wir aber Nahrung und Kleidung haben, soll uns das genügen! [9] Denn die, welche reich werden wollen, fallen in Versuchung und Fallstricke und viele törichte und schädliche Begierden, welche die Menschen in Untergang und Verderben stürzen. [10] Denn die Geldgier ist eine Wurzel alles Bösen; etliche, die sich ihr hingegeben haben, sind vom Glauben abgeirrt und haben sich selbst viel Schmerzen verursacht.

Ermahnung an Timotheus, den geistlichen Gütern nachzujagen und das Wort Gottes treu zu bewahren 2Tim 2,22; 2,3-7; 4,1-8

11 Du aber, o Mensch Gottes, fliehe diese Dinge, jage aber nach Gerechtigkeit, Gottseligkeit, Glauben, Liebe, Ausharren, Sanftmut! [12] Kämpfe den guten Kampf des Glaubens, ergreife das ewige Leben, zu dem du auch berufen bist und worüber du das gute Bekenntnis vor vielen Zeugen abgelegt hast.

13 Ich gebiete dir vor Gott, der alles lebendig macht, und vor Christus Jesus, der vor Pontius Pilatus das gute Bekenntnis bezeugt hat, [14] daß du das Gebot unbefleckt und untadelig bewahrst bis zur Erscheinung unseres Herrn Jesus Christus, [15] welche zu seiner Zeit zeigen wird der Hochgelobte und allein Gewaltige, der König der Könige und der Herr der Herrschenden, [16] der allein Unsterblichkeit hat, der in einem unzugänglichen Licht wohnt, den kein Mensch gesehen hat noch sehen kann; ihm sei Ehre und ewige Macht! Amen.

Ermahnung für wohlhabende Gläubige Lk 12,15-21; Hebr 13,16

17 Den Reichen in der jetzigen Weltzeit gebiete, nicht hochmütig zu sein, auch nicht ihre Hoffnung auf die Unbeständigkeit des Reichtums zu setzen, sondern auf den lebendigen Gott, der uns alles reichlich zum Genuß darreicht. [18] Sie sollen Gutes tun, reich werden an guten Werken, freigebig sein, bereit, mit anderen zu teilen, [19] damit sie das ewige Leben ergreifen und so für sich selbst eine gute Grundlage für die Zukunft sammeln.

Abschließende Warnung vor Irrlehren   2Tim 1,13-14; 2,15-18

20 O Timotheus, bewahre das anvertraute Gut, meide das unheilige, nichtige Geschwätz und die Widersprüche der fälschlich sogenannten »Erkenntnis«[a]! 21 Zu dieser haben sich etliche bekannt und sind in bezug auf den Glauben abgeirrt. Die Gnade sei mit dir! Amen.

---

a. (6,20) w. *Gnosis*. Hiermit ist eine Irrlehre heidnischen Ursprungs gemeint.

DER ZWEITE BRIEF DES APOSTELS PAULUS AN TIMOTHEUS

Der 2. Brief an Timotheus wurde von dem Apostel Paulus am Ende seines Lebens (ca. 66-67 n. Chr.) aus der römischen Gefangenschaft geschrieben; er ist gewissermaßen das Vermächtnis des Apostels. Paulus sieht voraus, daß sich die Christenheit von der apostolischen Lehre bald entfernen und falschen, irreführenden Lehren anhängen würde, so daß nur noch ein kleiner Überrest das Wort Gottes bewahren und den Weg des Glaubens treu gehen würde. Solchen treuen Christen gibt er viele Ratschläge und Ermunterungen auf den Weg.

Zuschrift und Gruß

1 Paulus, Apostel Jesu Christi durch Gottes Willen nach der Verheißung des Lebens in Christus Jesus, 2 an Timotheus, [meinen] geliebten Sohn: Gnade, Barmherzigkeit, Friede [sei mit dir] von Gott, dem Vater, und Christus Jesus, unserem Herrn!

Ermahnung zum furchtlosen Zeugnis für den Herrn 2Tim 4,1-5; Röm 1,16-17

3 Ich danke Gott, dem ich von den Vorfahren her mit reinem Gewissen diene, wenn ich unablässig in meinen Gebeten deiner gedenke Tag und Nacht, 4 [und ich bin] voll Verlangen, dich zu sehen, da ich mich an deine Tränen erinnere, damit ich mit Freude erfüllt werde. 5 Dabei halte ich die Erinnerung an deinen ungeheuchelten Glauben fest, der zuvor in deiner Großmutter Lois und deiner Mutter Eunike gewohnt hat, ich bin aber überzeugt, auch in dir.
6 Aus diesem Grund erinnere ich dich daran, die Gnadengabe Gottes wieder anzufachen, die durch Auflegung meiner Hände in dir ist; 7 denn Gott hat uns nicht einen Geist der Furchtsamkeit gegeben, sondern der Kraft und der Liebe und der Besonnenheit.
8 So schäme dich nun nicht des Zeugnisses unseres Herrn, auch nicht meiner, der ich sein Gefangener bin; sondern leide mit [uns] für das Evangelium in der Kraft Gottes. 9 Er hat uns ja errettet und berufen mit einem heiligen Ruf, nicht aufgrund unserer Werke, sondern aufgrund seines eigenen Vorsatzes und der Gnade, die uns in Christus Jesus vor ewigen Zeiten gegeben

wurde, [10] die jetzt aber geoffenbart worden ist durch die Erscheinung unseres Retters Jesus Christus, der dem Tod die Macht genommen hat und Leben und Unvergänglichkeit ans Licht gebracht hat durch das Evangelium, [11] für das ich als Verkündiger und Apostel und Lehrer der Heiden eingesetzt worden bin.

Ermahnung zur Bewahrung des Wortes Gottes angesichts der Untreue mancher Christen 1Tim 6,14-16; Jud 3; Offb 3,8

12 Aus diesem Grund erleide ich dies auch; aber ich schäme mich nicht. Denn ich weiß, wem ich mein Vertrauen geschenkt habe, und ich bin überzeugt, daß er mächtig ist, das mir anvertraute Gut zu bewahren bis zu jenem Tag. [13] Halte dich an das Muster der gesunden Worte, die du von mir gehört hast, im Glauben und in der Liebe, die in Christus Jesus ist! [14] Dieses edle anvertraute Gut bewahre durch den Heiligen Geist, der in uns wohnt!

15 Du weißt ja, daß sich von mir alle abgewandt haben, die in [der Provinz] Asia sind, unter ihnen auch Phygellus und Hermogenes. [16] Der Herr erweise dem Haus des Onesiphorus Barmherzigkeit, weil er mich oft erquickt und sich meiner Ketten nicht geschämt hat; [17] sondern als er in Rom war, suchte er mich umso eifriger und fand mich auch. [18] Der Herr gebe ihm, daß er Barmherzigkeit erlange vom Herrn an jenem Tag! Und wieviel er mir in Ephesus gedient hat, weißt du am besten.

Ermunterung zum Kampf und Erdulden von Widrigkeiten im Dienst 1Kor 9,24-27; 2Tim 3,10-12; 4,5-8

2 Du nun, mein Sohn, sei stark in der Gnade, die in Christus Jesus ist. [2] Und was du von mir gehört hast vor vielen Zeugen, das vertraue treuen Menschen an, die fähig sein werden, auch andere zu lehren.

3 Du nun erdulde die Widrigkeiten als ein guter Streiter Jesu Christi! [4] Wer Kriegsdienst tut, verstrickt sich nicht in Geschäfte des Lebensunterhalts, damit er dem gefällt, der ihn in Dienst gestellt hat. [5] Und wenn sich auch jemand an Wettkämpfen beteiligt, so empfängt er doch nicht den Siegeskranz, wenn er nicht nach den Regeln kämpft. [6] Der Ackersmann, der sich mit der Arbeit müht, hat den ersten Anspruch an die Früchte. [7] Bedenke die Dinge, die ich sage; und der Herr gebe dir in allem Verständnis!

8 Halte im Gedächtnis Jesus Christus, aus dem Samen Davids, der aus den Toten auferstanden ist nach meinem Evangelium,

[9] in dessen Dienst ich Widrigkeiten erdulde, sogar Ketten wie ein Übeltäter – aber das Wort Gottes ist nicht gekettet! [10] Darum ertrage ich alles standhaft um der Auserwählten willen, damit auch sie die Errettung erlangen, die in Christus Jesus ist, mit ewiger Herrlichkeit.

11 Glaubwürdig ist das Wort: Wenn wir mitgestorben sind, so werden wir auch mitleben; [12] wenn wir erdulden, so werden wir mitherrschen; wenn wir verleugnen, so wird er uns auch verleugnen; [13] wenn wir untreu sind, so bleibt er doch treu; er kann sich selbst nicht verleugnen.

Der Dienst am Wort der Wahrheit und der Kampf gegen Irrlehren

14 Bringe dies in Erinnerung und bezeuge ernstlich vor dem Herrn, daß man nicht um Worte streiten soll, was zu nichts nütze ist als zur Verwirrung der Zuhörer.

15 Strebe eifrig danach, dich Gott als bewährt zu erweisen, als einen Arbeiter, der sich nicht zu schämen braucht, der das Wort der Wahrheit recht teilt.

16 Die unheiligen, nichtigen Schwätzereien aber meide; denn sie fördern nur noch mehr die Gottlosigkeit, [17] und ihr Wort frißt um sich wie ein Krebsgeschwür. Zu ihnen gehören Hymenäus und Philetus, [18] die von der Wahrheit abgeirrt sind, indem sie behaupten, die Auferstehung sei schon geschehen, und so den Glauben etlicher Leute umstürzen.

Aufforderung zur persönlichen Treue und Heiligung inmitten des Abfalls   2Kor 6,16-7,1

19 Aber der feste Grund Gottes bleibt bestehen und trägt dieses Siegel: Der Herr kennt die Seinen! und: Jeder, der den Namen des Christus nennt, wende sich ab von der Ungerechtigkeit! [20] In einem großen Haus gibt es aber nicht nur goldene und silberne Gefäße, sondern auch hölzerne und irdene, und die einen zur Ehre, die anderen zur Unehre. [21] Wenn nun jemand sich von solchen reinigt, wird er ein Gefäß zur Ehre sein, geheiligt und dem Hausherrn nützlich, zu jedem guten Werk zubereitet.

22 So fliehe nun die Begierden der Jugend, jage aber der Gerechtigkeit, dem Glauben, der Liebe, dem Frieden nach zusammen mit denen, die den Herrn aus reinem Herzen anrufen.

Die richtige Haltung eines Knechtes des Herrn gegenüber Irrenden   Tit 1,7-9; Jak 5,19-20

23 Die törichten und unverständigen Streitfragen aber weise zurück, da du weißt, daß sie nur Streit erzeugen. [24] Ein Knecht

des Herrn aber soll nicht streiten, sondern milde sein gegen jedermann, fähig zu lehren, standhaft im Ertragen von Bosheiten; [25] er soll mit Sanftmut die Widerspenstigen zurechtweisen, ob ihnen Gott nicht noch Buße geben möchte zur Erkenntnis der Wahrheit [26] und sie wieder nüchtern werden aus dem Fallstrick des Teufels heraus, von dem sie lebendig gefangen worden sind für seinen Willen.

Der geistliche Niedergang in den letzten Tagen   2Pt 2,1-22; Jud 3,23

3 Das aber sollst du wissen, daß in den letzten Tagen schlimme Zeiten eintreten werden. [2] Denn die Menschen werden selbstsüchtig sein, geldgierig, prahlerisch, überheblich, Lästerer, den Eltern ungehorsam, undankbar, unheilig, [3] lieblos, unversöhnlich, verleumderisch, unbeherrscht, gewalttätig, dem Guten feind, [4] Verräter, leichtsinnig, aufgeblasen; sie lieben das Vergnügen mehr als Gott; [5] dabei haben sie eine äußere Form von Gottseligkeit, deren Kraft aber verleugnen sie. Von solchen wende dich ab!

6 Denn zu diesen gehören die, welche sich in die Häuser einschleichen und die leichtfertigen Frauen einfangen, die mit Sünden beladen sind und von mancherlei Begierden umgetrieben werden, [7] die immerzu lernen und doch nie zur Erkenntnis der Wahrheit kommen können. [8] Auf dieselbe Weise aber wie Jannes und Jambres dem Mose widerstanden, so widerstehen auch diese [Leute] der Wahrheit; es sind Menschen mit völlig verdorbener Gesinnung, untüchtig zum Glauben. [9] Aber sie werden es nicht mehr viel weiter bringen; denn ihre Torheit wird jedermann offenbar werden, wie es auch bei jenen der Fall war.

Das Vorbild des Apostels im Erdulden von Verfolgungen   2Kor 6,3

10 Du aber bist mir nachgefolgt in der Lehre, in der Lebensführung, im Vorsatz, im Glauben, in der Langmut, in der Liebe, im Ausharren, [11] in den Verfolgungen, in den Leiden, wie sie mir in Antiochia, in Ikonium und Lystra widerfahren sind. Solche Verfolgungen habe ich ertragen, und aus allen hat mich der Herr gerettet! [12] Und alle, die gottselig[a] leben wollen in Christus Jesus, werden Verfolgung erleiden. [13] Böse Menschen aber und Betrüger werden es immer schlimmer treiben, indem sie verführen und sich verführen lassen.

---

a.   (3,12) d.h. gottesfürchtig, in der rechten Verehrung Gottes.

Der Schutz vor Verführung: Festhalten an der von Gottes Geist eingegebenen Heiligen Schrift 2Tim 1,13; 2Pt 1,10-21; Apg 20,32

14 Du aber bleibe in dem, was du gelernt hast und was dir zur Gewißheit geworden ist, da du weißt, von wem du es gelernt hast, 15 und weil du von Kindheit an die heiligen Schriften kennst, die die Kraft haben, dich weise zu machen zur Errettung durch den Glauben, der in Christus Jesus ist.

16 Die ganze Schrift ist von Gottes Geist eingegeben und nützlich zur Belehrung, zur Überführung, zur Zurechtweisung, zur Erziehung in der Gerechtigkeit, 17 damit der Mensch Gottes ganz zubereitet sei, zu jedem guten Werk völlig ausgerüstet.

Der Auftrag zur treuen Verkündigung des Wortes Apg 20,18-32

4 Daher ermahne ich dich ernstlich vor dem Angesicht Gottes und des Herrn Jesus Christus, der Lebendige und Tote richten wird zu der Zeit seiner Erscheinung und seines Reiches: 2 Verkündige das Wort, tritt dafür ein, es sei gelegen oder ungelegen; überführe, tadle, ermahne mit aller Langmut und Belehrung!

3 Denn es wird eine Zeit kommen, da werden sie die gesunde Lehre nicht ertragen, sondern sich selbst nach ihren eigenen Begierden Lehrer beschaffen, weil sie empfindliche Ohren haben; 4 und sie werden ihre Ohren von der Wahrheit abwenden und sich den Legenden zuwenden.

5 Du aber bleibe nüchtern in allen Dingen, erdulde die Widrigkeiten, tue das Werk eines Evangelisten, richte deinen Dienst völlig aus!

6 Denn ich werde schon geopfert, und die Zeit meines Aufbruchs ist nahe. 7 Ich habe den guten Kampf gekämpft, den Lauf vollendet, den Glauben bewahrt. 8 Von nun an liegt für mich die Krone der Gerechtigkeit bereit, die mir der Herr, der gerechte Richter, an jenem Tag zuerkennen wird, nicht aber mir allein, sondern auch allen, die seine Erscheinung liebgewonnen haben.

Persönliche Verfügungen und Nachrichten

9 Beeile dich, bald zu mir zu kommen! 10 Denn Demas hat mich verlassen, weil er die jetzige Weltzeit liebgewonnen hat, und ist nach Thessalonich gezogen, Crescens nach Galatien, Titus nach Dalmatien. 11 Nur Lukas ist bei mir. Nimm Markus zu dir und bringe ihn mit; denn er ist mir sehr nützlich zum Dienst. 12 Tychikus aber habe ich nach Ephesus gesandt. 13 Den Reisemantel, den ich in Troas bei Karpus ließ, bringe

mit, wenn du kommst; auch die Bücher, besonders die Pergamente.

14 Alexander, der Schmied, hat mir viel Böses erwiesen; der Herr vergelte ihm nach seinen Werken! [15] Vor ihm hüte auch du dich; denn er hat unseren Worten sehr widerstanden.

16 Bei meiner ersten Verteidigung stand mir niemand bei, sondern alle verließen mich; es werde ihnen nicht angerechnet! [17] Der Herr aber stand mir bei und stärkte mich, damit durch mich die Verkündigung völlig ausgerichtet würde und alle Heiden sie hören könnten; und so wurde ich erlöst aus dem Rachen des Löwen. [18] Und der Herr wird mich von jedem boshaften Werk erlösen und mich retten in sein himmlisches Reich. Ihm sei die Ehre von Ewigkeit zu Ewigkeit! Amen.

Grüße und Abschiedswort

19 Grüße Prisca und Aquila und das Haus des Onesiphorus. [20] Erastus blieb in Korinth, Trophimus aber ließ ich in Milet krank zurück. [21] Beeile dich, vor dem Winter zu kommen! Es grüßen dich Eubulus und Pudens und Linus und Claudia und alle Brüder.

22 Der Herr Jesus Christus sei mit deinem Geist! Die Gnade sei mit euch! Amen.

DER BRIEF DES APOSTELS PAULUS AN TITUS

Etwa 65-66 n. Chr. schrieb der Apostel Paulus seinen Brief an seinen Mitarbeiter Titus, der auf Kreta die dortigen Gemeinden besuchte. Dort gab es manche falschen Lehren und verkehrte Haltungen unter den Christen; Paulus gibt hier göttliche Richtlinien dafür, wie Christen im Alltag zur Ehre Gottes leben sollen und wie das Gemeindeleben nach dem Willen Gottes gestaltet werden kann.

Zuschrift und Gruß

1 Paulus, Knecht Gottes und Apostel Jesu Christi, gemäß dem Glauben der Auserwählten Gottes und der Erkenntnis der Wahrheit, die der Gottseligkeit entspricht, ² aufgrund der Hoffnung des ewigen Lebens, das Gott, der nicht lügen kann, vor ewigen Zeiten verheißen hat ³ – zu seiner Zeit aber hat er sein Wort geoffenbart in der Verkündigung, mit der ich betraut worden bin nach dem Befehl Gottes, unseres Retters –, ⁴ an Titus, [meinen] echten Sohn nach unserem gemeinsamen Glauben: Gnade, Barmherzigkeit, Friede [sei mit dir] von Gott, dem Vater, und dem Herrn Jesus Christus, unserem Retter!

Voraussetzungen für den Ältestendienst   1Tim 3,1-7; 1Pt 5,1-4

5 Ich habe dich zu dem Zweck in Kreta zurückgelassen, damit du das, was noch mangelt, in Ordnung bringst und in jeder Stadt Älteste einsetzt, so wie ich dir die Anweisung gegeben habe: ⁶ wenn einer untadelig ist, Mann *einer* Frau, und treue Kinder hat, über die keine Klage wegen Ausschweifung oder Aufsässigkeit vorliegt.
7 Denn ein Aufseher muß untadelig sein als ein Haushalter Gottes, nicht eigenmächtig, nicht jähzornig, nicht unnüchtern, nicht gewalttätig, nicht nach schändlichem Gewinn strebend, ⁸ sondern gastfreundlich, das Gute liebend, besonnen, gerecht, heilig, beherrscht; ⁹ einer, der sich an das zuverlässige Wort hält, wie es der Lehre entspricht, damit er imstande ist, sowohl mit der gesunden Lehre zu ermahnen als auch die Widersprechenden zu überführen.

Der notwendige Kampf gegen Irrlehrer   Röm 16,17-18; 1Tim 1,3-7

10 Denn es gibt viele widerspenstige und nichtige Schwätzer und Verführer, besonders die aus der Beschneidung. ¹¹ Denen muß man den Mund stopfen, denn sie bringen ganze Häuser

durcheinander mit ihrem ungehörigen Lehren um schändlichen Gewinnes willen. [12] Einer von ihnen, ihr eigener Prophet, hat gesagt: Die Kreter sind von jeher Lügner, böse Tiere, faule Bäuche!

13 Dieses Zeugnis ist wahr; aus diesem Grund weise sie scharf zurecht, damit sie gesund seien im Glauben [14] und nicht auf jüdische Legenden achten und auf Gebote von Menschen, die sich von der Wahrheit abwenden. [15] Den Reinen ist alles rein; den Befleckten aber und Ungläubigen ist nichts rein, sondern sowohl ihre Gesinnung als auch ihr Gewissen sind befleckt. [16] Sie geben vor, Gott zu kennen, aber mit den Werken verleugnen sie ihn. Sie sind verabscheuungswürdig und ungehorsam und zu jedem guten Werk untüchtig.

Anweisungen zu einem Gott wohlgefälligen Lebenswandel

2 Du aber rede, was der gesunden Lehre entspricht: [2] daß die alten Männer nüchtern sein sollen, ehrbar, besonnen, gesund im Glauben, in der Liebe, in der Standhaftigkeit;

3 daß sich die alten Frauen gleicherweise so verhalten sollen, wie es Heiligen geziemt, daß sie nicht verleumderisch sein sollen, nicht vielem Weingenuß ergeben, sondern Lehrerinnen des Guten, [4] damit sie die jungen Frauen dazu anleiten, ihre Männer und ihre Kinder zu lieben, [5] besonnen zu sein, rein, häuslich, gütig, und sich ihren Männern unterzuordnen, damit das Wort Gottes nicht verleumdet wird.

6 Gleicherweise ermahne die jungen Männer, daß sie besonnen sein sollen. [7] In allem mache dich selbst zu einem Vorbild guter Werke. In der Lehre erweise Unverfälschtheit, würdigen Ernst, Unverderbtheit, [8] gesunde, untadelige Rede, damit der Gegner beschämt wird, weil er nichts Schlechtes über euch sagen kann.

9 Die Knechte [ermahne], daß sie sich ihren eigenen Herren unterordnen, in allem gern gefällig sind, nicht widersprechen, [10] nichts entwenden, sondern alle gute Treue beweisen, damit sie der Lehre Gottes, unseres Retters, in jeder Hinsicht Ehre machen.

Die Gnade Gottes in Jesus Christus und der Lebenswandel der Erlösten 1Pt 1,10-21; Röm 12,1-2; 1Kor 6,20

11 Denn die Gnade Gottes ist erschienen, die heilbringend ist für alle Menschen; [12] sie nimmt uns in Zucht, damit wir die Gottlosigkeit und die weltlichen Begierden verleugnen und besonnen und gerecht und gottselig leben in der jetzigen Welt-

zeit, [13] während wir warten auf die glückselige Hoffnung und die Erscheinung der Herrlichkeit unseres großen Gottes und Retters Jesus Christus, [14] der sich selbst für uns dahingegeben hat, um uns von aller Gesetzlosigkeit zu erlösen und für sich selbst ein auserwähltes Volk zum Eigentum zu reinigen, das eifrig ist im Tun von guten Werken. [15] Diese Dinge sollst du lehren und mit allem Nachdruck ermahnen und zurechtweisen. Niemand soll dich geringschätzen!

3 Erinnere sie, daß sie sich den Regierenden und Obrigkeiten unterordnen und gehorsam sind, zu jedem guten Werk bereit; [2] daß sie niemand verleumden, nicht streitsüchtig sind, sondern gütig, indem sie allen Menschen gegenüber alle Sanftmut erweisen.

3 Denn auch wir waren einst unverständig, ungehorsam, gingen in die Irre, dienten mannigfachen Begierden und Vergnügungen, lebten in Bosheit und Neid, verhaßt und einander hassend.

4 Als aber die Freundlichkeit und Menschenliebe Gottes, unseres Retters, erschien, [5] hat er uns errettet – nicht um der Werke der Gerechtigkeit willen, die wir getan hätten, sondern aufgrund seiner Barmherzigkeit – durch das Bad der Wiedergeburt und durch die Erneuerung des Heiligen Geistes, [6] den er reichlich über uns ausgegossen hat durch Jesus Christus, unseren Retter, [7] damit wir, durch seine Gnade gerechtfertigt, der Hoffnung gemäß Erben des ewigen Lebens würden.

8 Glaubwürdig ist das Wort, und ich will, daß du dies mit allem Nachdruck bekräftigst, damit die, welche an Gott gläubig geworden sind, darauf bedacht sind, eifrig gute Werke zu tun. Dies ist gut und den Menschen nützlich.

Abwehr von sektiererischen Menschen und unnützen Streitfragen   1Tim 6,3-5; 2Tim 2,23-26

9 Die törichten Streitfragen aber und Geschlechtsregister, sowie Zwistigkeiten und Auseinandersetzungen über das Gesetz meide; denn sie sind unnütz und nichtig. [10] Einen sektiererischen Menschen weise ab nach ein- und zweimaliger Zurechtweisung, [11] da du weißt, daß ein solcher verkehrt ist und sündigt und sich selbst verurteilt hat.

Letzte Empfehlungen und Grüße

12 Wenn ich Artemas zu dir senden werde oder Tychikus, so beeile dich, zu mir nach Nikopolis zu kommen; denn ich habe beschlossen, dort zu überwintern. [13] Zenas, den Schriftgelehr-

ten, und Apollos schicke eilends voraus und laß es ihnen an nichts fehlen! [14] Es sollen aber auch die Unseren lernen, eifrig gute Werke zu tun zur Befriedigung notwendiger Bedürfnisse, damit sie nicht unfruchtbar sind!

15 Es grüßen dich alle, die bei mir sind! Grüße diejenigen, die uns lieben im Glauben! Die Gnade sei mit euch allen! Amen.

DER BRIEF DES APOSTELS PAULUS AN PHILEMON

In diesem kürzesten und persönlichsten Brief (ca. 60 n. Chr. entstanden) verwendet sich der Apostel Paulus für einen entlaufenen Sklaven, dessen Herr, Philemon, ein Christ war, der durch Paulus zu Christus geführt worden war. Nun hatte der Apostel durch Gottes Fügung den Sklaven Onesimus in Rom getroffen und zur Bekehrung geführt. Mit diesem Begleitschreiben sandte er ihn zu seinem Herrn zurück.

Zuschrift und Gruß

Paulus, ein Gefangener des Christus Jesus, und Timotheus, der Bruder, an Philemon, unseren geliebten Mitarbeiter, ² und an die geliebte Apphia, und Archippus, unseren Mitstreiter, und an die Gemeinde in deinem Haus: ³ Gnade sei mit euch und Friede von Gott, unserem Vater, und dem Herrn Jesus Christus!

Dank für den Glauben und die Liebe Philemons Kol 1,3-8

4 Ich danke meinem Gott und gedenke deiner allezeit in meinen Gebeten, ⁵ weil ich von deiner Liebe und von dem Glauben höre, den du an den Herrn Jesus und gegenüber allen Heiligen hast, ⁶ damit die Gemeinschaft deines Glaubens wirksam werde durch die Erkenntnis all des Guten, das in euch ist, für Christus Jesus. ⁷ Denn wir haben viel Freude und Trost um deiner Liebe willen; denn die Herzen der Heiligen sind durch dich erquickt worden, lieber Bruder.

Fürsprache für Onesimus

8 Darum, obwohl ich in Christus volle Freiheit hätte, dir zu gebieten, was sich geziemt, ⁹ so will ich doch, um der Liebe willen, vielmehr eine Bitte aussprechen, in dem Zustand, in dem ich bin, nämlich als der alte Paulus, und jetzt auch ein Gefangener Jesu Christi.

10 Ich bitte dich für meinen Sohn, den ich in meinen Fesseln gezeugt habe, Onesimus[a], ¹¹ der dir einst unnütz war, jetzt aber dir und mir nützlich ist. Ich sende ihn hiermit zurück; ¹² du aber nimm ihn auf wie mein eigenes Herz!

13 Ich wollte ihn bei mir behalten, damit er mir an deiner Stelle diene in den Fesseln, die ich um des Evangeliums willen trage;

a. (10) bed. »Der Nützliche«, siehe das Wortspiel in V. 11.

[14] aber ohne deine Zustimmung wollte ich nichts tun, damit deine Wohltat nicht gleichsam erzwungen, sondern freiwillig sei. [15] Denn vielleicht ist er darum auf eine kurze Zeit von dir getrennt worden, damit du ihn auf ewig besitzen sollst, [16] nicht mehr als einen Sklaven, sondern, was besser ist als ein Sklave, als einen geliebten Bruder, besonders für mich, wie viel mehr aber für dich, sowohl im Fleisch als auch im Herrn.

17 Wenn du mich nun für einen Freund hältst, so nimm ihn auf wie mich selbst. [18] Wenn er dir aber Schaden zugefügt hat oder etwas schuldig ist, so rechne das mir an. [19] Ich, Paulus, schreibe es eigenhändig: Ich will es erstatten! Ich will ja nicht davon reden, daß du auch dich selbst mir schuldig bist. [20] Ja, Bruder, laß mich von dir Nutzen haben im Herrn! Erquicke mein Herz im Herrn! [21] Im Vertrauen auf deinen Gehorsam schreibe ich dir, weil ich weiß, daß du noch mehr tun wirst als ich dir sage.

Persönliche Mitteilungen und Grüße   Kol 4,10-18

22 Zugleich aber bereite mir auch eine Herberge, denn ich hoffe, euch geschenkt zu werden durch eure Gebete. [23] Es grüßen dich Epaphras, mein Mitgefangener in Christus Jesus, [24] Markus, Aristarchus, Demas, Lukas, meine Mitarbeiter. [25] Die Gnade unseres Herrn Jesus Christus sei mit eurem Geist! Amen.

DER BRIEF AN DIE HEBRÄER

Der Hebräerbrief, zwischen 60 und 68 n. Chr. geschrieben, ist an eine Gruppe christusgläubiger Juden („Hebräer") gerichtet, von denen einige unter dem Druck ihrer jüdischen Umwelt in Gefahr standen, ins Judentum zurückzukehren. Der Brief behandelt die Überlegenheit Jesu Christi als des großen Hohenpriesters der Gläubigen über das alttestamentliche Priestertum und den Gottesdienst des Judentums. Er zeigt allen Christen die Größe ihres Herrn und Erlösers und die Vollkommenheit seines Erlösungswerkes, dem nichts mehr hinzugefügt werden kann.

Gott hat durch seinen Sohn gesprochen Joh 1,1-3.14; Kol 1,15-17

1 Nachdem Gott in vergangenen Zeiten vielfältig und auf vielerlei Weise zu den Vätern geredet hat durch die Propheten, [2] hat er in diesen letzten Tagen zu uns geredet durch den Sohn. Ihn hat er eingesetzt zum Erben über alles, durch ihn hat er auch die Weltzeiten geschaffen; [3] dieser ist die Ausstrahlung seiner Herrlichkeit und der Ausdruck seines Wesens und trägt alle Dinge durch das Wort seiner Kraft; er hat sich, nachdem er die Reinigung von unseren Sünden durch sich selbst vollbracht hat, zur Rechten der Majestät in der Höhe gesetzt.

Der Sohn Gottes ist erhabener als die Engel Eph 1,20-23; 1Pt 3,22

4 Und er ist um so viel erhabener geworden als die Engel, als der Name, den er geerbt hat, ihn auszeichnet vor ihnen. [5] Denn zu welchem von den Engeln hat er jemals gesagt: *Du bist mein Sohn; heute habe ich dich gezeugt?* Und wiederum: *Ich werde sein Vater sein, und er wird mein Sohn sein?* [6] Und wenn er den Erstgeborenen wiederum in die Welt einführt, spricht er: *Und alle Engel Gottes sollen ihn anbeten!* 7 Von den Engeln zwar sagt er: *Er macht seine Engel zu Winden und seine Diener zu Feuerflammen;* [8] aber von dem Sohn: *Dein Thron, o Gott, währt von Ewigkeit zu Ewigkeit. Das Zepter deines Reiches ist ein Zepter des Rechts.* [9] *Du hast Gerechtigkeit geliebt und Gesetzlosigkeit gehaßt, darum hat dich, o Gott, dein Gott mit Freudenöl gesalbt, mehr als deine Gefährten!* 10 Und: *Du, o Herr, hast im Anfang die Erde gegründet, und die Himmel sind das Werk deiner Hände.* [11] *Sie werden vergehen, du aber bleibst; und sie alle werden veralten wie ein Kleid,* [12] *und wie einen Mantel wirst du sie zusammenrollen, und sie*

sollen verwandelt werden. Du aber bleibst derselbe, und deine Jahre nehmen kein Ende.

13 Zu welchem von den Engeln hat er denn jemals gesagt: *Setze dich zu meiner Rechten, bis ich deine Feinde hinlege als Schemel deiner Füße?* [14] Sind sie nicht alle dienstbare Geister, ausgesandt zum Dienst um derer willen, welche das Heil erben sollen?

Ermahnung, auf die von Gott bestätigte Heilsverkündigung zu hören   Hebr 4,1; 12,25

2 Darum sollten wir desto mehr auf das achten, was wir gehört haben, damit wir nicht etwa abgleiten. [2] Denn wenn das durch Engel gesprochene Wort zuverlässig war und jede Übertretung und jeder Ungehorsam den gerechten Lohn empfing, [3] wie wollen wir entfliehen, wenn wir eine so große Errettung mißachten? Diese wurde zuerst durch den Herrn verkündigt und ist uns dann von denen, die ihn gehört haben, bestätigt worden, [4] wobei Gott sein Zeugnis dazu gab mit Zeichen und Wundern und mancherlei Kraftwirkungen und Austeilungen des Heiligen Geistes nach seinem Willen.

Die freiwillige Erniedrigung des Christus um der Erretteten willen   Phil 2,6-11; Gal 4,4-5

5 Denn nicht Engeln hat er die zukünftige Welt, von der wir reden, unterstellt; [6] sondern an einer Stelle bezeugt jemand ausdrücklich und spricht: *Was ist der Mensch, daß du seiner gedenkst, oder der Sohn des Menschen, daß du auf ihn achtest?* [7] *Du hast ihn für kurze Zeit niedriger sein lassen als die Engel; mit Herrlichkeit und Ehre hast du ihn gekrönt und hast ihn gesetzt über die Werke deiner Hände;* [8] *alles hast du unter seine Füße unterworfen.* Indem er ihm aber alles unterworfen hat, hat er nichts übriggelassen, das ihm nicht unterworfen wäre. Jetzt aber sehen wir noch nicht, daß ihm alles unterworfen ist; [9] wir sehen aber Jesus, der für kurze Zeit niedriger gewesen ist als die Engel wegen des Todesleidens, mit Herrlichkeit und Ehre gekrönt; er sollte ja durch Gottes Gnade für alle den Tod schmecken.

10 Denn es war dem angemessen, um dessentwillen alle Dinge sind und durch den alle Dinge sind, da er viele Söhne zur Herrlichkeit führte, den Urheber ihres Heils durch Leiden zu vollenden. [11] Denn sowohl der, welcher heiligt, als auch die, welche geheiligt werden, stammen alle von *einem*. Aus diesem Grund schämt er sich auch nicht, sie Brüder zu nennen,

[12] sondern spricht: *Ich will deinen Namen meinen Brüdern verkündigen; inmitten der Gemeinde will ich dir lobsingen!* [13] Und wiederum: *Ich will mein Vertrauen auf ihn setzen;* und wiederum: *Siehe, ich und die Kinder, die mir Gott gegeben hat.*

14 Da nun die Kinder an Fleisch und Blut Anteil haben, ist er in ähnlicher Weise dessen teilhaftig geworden, damit er durch den Tod den außer Wirksamkeit setzte, der die Macht des Todes hatte, nämlich den Teufel, [15] und alle diejenigen befreite, die durch Todesfurcht ihr ganzes Leben hindurch in Knechtschaft gehalten wurden. [16] Denn er nimmt sich ja nicht der Engel an, sondern des Samens Abrahams nimmt er sich an.

17 Daher mußte er in jeder Hinsicht den Brüdern ähnlich werden, damit er ein barmherziger und treuer Hoherpriester im Dienst vor Gott würde, um die Sünden des Volkes zu sühnen; [18] denn worin er selbst gelitten hat, als er versucht wurde, kann er denen helfen, die versucht werden.

Christus ist größer als Mose

3 Daher, ihr heiligen Brüder, die ihr Anteil habt an der himmlischen Berufung, betrachtet den Apostel und Hohenpriester unseres Bekenntnisses, Christus Jesus, [2] welcher dem treu ist, der ihn eingesetzt hat, wie es auch Mose war in seinem ganzen Haus. [3] Denn dieser ist größerer Ehre wertgeachtet worden als Mose, wie ja doch der, welcher ein Haus gebaut hat, mehr Ehre verdient als das Haus selbst.

4 Denn jedes Haus wird von jemand gebaut; der aber alles gebaut hat, ist Gott. [5] Auch Mose ist treu gewesen als Diener in seinem ganzen Haus, zum Zeugnis dessen, was verkündet werden sollte, [6] Christus aber als Sohn über sein eigenes Haus; und sein Haus sind wir, wenn wir die Zuversicht und das Rühmen der Hoffnung bis zum Ende standhaft festhalten.

Warnung vor dem Unglauben, der die verheißene Ruhe in Christus verfehlt   2Kor 3,13-16; 4,3-4

7 Darum, wie der Heilige Geist spricht: *Heute, wenn ihr seine Stimme hört,* [8] *so verstockt eure Herzen nicht, wie in der Auflehnung am Tag der Versuchung in der Wüste,* [9] *wo mich eure Väter versuchten; sie prüften mich und sahen meine Werke vierzig Jahre lang.* [10] *Darum wurde ich zornig über jenes Geschlecht und sprach: Immer gehen sie mit ihrem Herzen in die Irre! Sie aber erkannten meine Wege nicht,* [11] *so daß ich schwor in meinem Zorn: Sie sollen nicht in meine Ruhe eingehen!*

12 Habt acht, ihr Brüder, daß nicht in einem von euch ein böses, ungläubiges Herz sei, das im Begriff ist, von dem lebendigen Gott abzufallen! ¹³ Ermahnt einander vielmehr jeden Tag, solange es »heute« heißt, damit nicht jemand unter euch verstockt wird durch den Betrug der Sünde!

14 Denn wir haben Anteil an dem Christus bekommen, wenn wir die anfängliche Zuversicht bis ans Ende standhaft festhalten, ¹⁵ solange gesagt wird: *Heute, wenn ihr seine Stimme hört, so verstockt eure Herzen nicht, wie in der Auflehnung.*

16 Denn einige lehnten sich auf, als sie es hörten, aber nicht alle, die durch Mose aus Ägypten ausgezogen waren. ¹⁷ Welchen zürnte er aber vierzig Jahre lang? Waren es nicht die, welche gesündigt hatten, deren Leiber in der Wüste fielen? ¹⁸ Welchen schwor er aber, daß sie nicht in seine Ruhe eingehen sollten, wenn nicht denen, die sich weigerten zu glauben? ¹⁹ Und wir sehen, daß sie nicht eingehen konnten wegen des Unglaubens.

Nur durch den Glauben an das Evangelium kann Israel in die Sabbatruhe eingehen   Röm 9,30-33; 10,4-13; Hebr 10,38-39

4 So laßt uns nun mit Furcht darauf bedacht sein, daß sich nicht etwa bei jemand von euch herausstellt, daß er zurückgeblieben ist, während doch die Verheißung zum Eingang in seine Ruhe noch besteht!

2 Denn auch uns ist eine Heilsbotschaft verkündigt worden, gleichwie jenen; aber das Wort der Verkündigung hat jenen nicht geholfen, weil es bei den Hörern nicht mit dem Glauben verbunden war. ³ Denn wir, die wir gläubig geworden sind, gehen in die Ruhe ein, wie er gesagt hat: *Daß ich schwor in meinem Zorn: Sie sollen nicht in meine Ruhe eingehen.* Und doch waren die Werke seit Grundlegung der Welt beendigt; ⁴ denn er hat an einer Stelle von dem siebten [Tag] so gesprochen: *Und Gott ruhte am siebten Tag von allen seinen Werken,* ⁵ und in dieser Stelle wiederum: *Sie sollen nicht in meine Ruhe eingehen!*

6 Da nun noch vorbehalten bleibt, daß etliche in sie eingehen sollen, und die, welchen zuerst die Heilsbotschaft verkündigt worden ist, wegen ihres Unglaubens nicht eingegangen sind, ⁷ so bestimmt er wiederum einen Tag, ein »Heute«, indem er nach so langer Zeit durch David sagt, wie es gesagt worden ist: *Heute, wenn ihr seine Stimme hört, so verstockt eure Herzen nicht!* ⁸ Denn wenn Josua sie zur Ruhe gebracht hätte, so würde nicht danach von einem anderen Tag gesprochen.

9 Also bleibt dem Volk Gottes noch eine Sabbatruhe vorbehalten; 10 denn wer in seine Ruhe eingegangen ist, der ruht auch selbst von seinen Werken, gleichwie Gott von den seinen. 11 So wollen wir denn eifrig bestrebt sein, in jene Ruhe einzugehen, damit nicht jemand als ein gleiches Beispiel des Unglaubens zu Fall kommt.

Die Kraft des Wortes Gottes

12 Denn das Wort Gottes ist lebendig und wirksam und schärfer als jedes zweischneidige Schwert, und es dringt durch, bis es scheidet sowohl Seele als auch Geist, sowohl Mark als auch Bein, und es ist ein Richter der Gedanken und Gesinnungen des Herzens. 13 Und kein Geschöpf ist vor ihm verborgen, sondern alles ist enthüllt und aufgedeckt vor den Augen dessen, dem wir Rechenschaft zu geben haben.

Jesus Christus, unser großer Hohepriester Hebr 9,11-12.24

14 Da wir nun einen großen Hohenpriester haben, der die Himmel durchschritten hat, Jesus, den Sohn Gottes, so laßt uns festhalten an dem Bekenntnis! 15 Denn wir haben nicht einen Hohenpriester, der kein Mitleid haben könnte mit unseren Schwachheiten, sondern einen, der in allem versucht worden ist in ähnlicher Weise [wie wir], doch ohne Sünde. 16 So laßt uns nun mit Freimütigkeit hinzutreten zum Thron der Gnade, damit wir Barmherzigkeit erlangen und Gnade finden zu rechtzeitiger Hilfe!

5 Denn jeder aus Menschen genommene Hohepriester wird für Menschen eingesetzt zum Dienst vor Gott, um sowohl Gaben darzubringen als auch Opfer für die Sünden. 2 Ein solcher kann Nachsicht üben mit den Unwissenden und Irrenden, da er auch selbst mit Schwachheit behaftet ist; 3 und um dieser willen muß er, wie für das Volk, so auch für sich selbst Opfer für die Sünden darbringen.

4 Und keiner nimmt sich selbst diese Ehre, sondern der [empfängt sie], welcher von Gott berufen wird, gleichwie Aaron. 5 So hat auch der Christus sich nicht selbst die Würde beigelegt, ein Hoherpriester zu werden, sondern der, welcher zu ihm sprach: *Du bist mein Sohn; heute habe ich dich gezeugt.* 6 Wie er auch an anderer Stelle spricht: *Du bist Priester in Ewigkeit nach der Ordnung Melchisedeks.*

7 Und er hat in den Tagen seines Fleisches sowohl Bitten als auch Flehen mit lautem Rufen und Tränen dem dargebracht, der ihn aus dem Tod erretten konnte, und ist auch erhört wor-

den um seiner Gottesfurcht willen. [8] Und obwohl er Sohn war, hat er doch an dem, was er litt, den Gehorsam gelernt; [9] und nachdem er zur Vollendung gelangt ist, ist er allen, die ihm gehorchen, der Urheber ewigen Heils geworden, [10] von Gott genannt: Hoherpriester nach der Ordnung Melchisedeks.

Geistliche Unreife als Hindernis für tiefere Erkenntnis 1Kor 3,1-3

[11] Über ihn haben wir viel zu sagen, und zwar Dinge, die schwer zu erklären sind, weil ihr träge geworden seid im Hören. [12] Denn obgleich ihr der Zeit nach Lehrer sein solltet, habt ihr es wieder nötig, daß man euch gewisse Anfangsgründe der Aussprüche Gottes lehrt, und ihr seid solche geworden, die Milch nötig haben und nicht feste Speise. [13] Wer nämlich noch Milch genießt, der ist unerfahren im Wort der Gerechtigkeit; denn er ist ein Unmündiger. [14] Die feste Speise aber ist für die Gereiften, deren Sinne durch Übung geschult sind zur Unterscheidung des Guten und des Bösen.

Ermahnung zum gläubigen Festhalten der Verheißungen in Christus 1Tim 6,12; Röm 4,13-25

6 Darum wollen wir die Anfangsgründe des Wortes von Christus lassen und zur vollen Reife übergehen, wobei wir nicht nochmals den Grund legen mit der Buße von toten Werken und dem Glauben an Gott, [2] mit der Lehre von Waschungen, von der Handauflegung, der Totenauferstehung und dem ewigen Gericht.

3 Und das wollen wir tun, wenn Gott es zuläßt. [4] Denn es ist unmöglich, die, welche einmal erleuchtet worden sind und die himmlische Gabe geschmeckt haben und des Heiligen Geistes teilhaftig geworden sind [5] und das gute Wort Gottes geschmeckt haben, dazu die Kräfte der zukünftigen Weltzeit, [6] und die dann abgefallen sind, wieder zur Buße zu erneuern, da sie sich selbst den Sohn Gottes wiederum kreuzigen und zum Gespött machen! [7] Denn ein Erdreich, das den Regen trinkt, der sich öfters darüber ergießt und nützliches Gewächs hervorbringt denen, für die es bebaut wird, empfängt Segen von Gott; [8] dasjenige aber, das Dornen und Disteln trägt, ist untauglich und dem Fluch nahe; es wird am Ende verbrannt.

9 Wir sind aber überzeugt, ihr Geliebten, daß euer Zustand besser ist und mit der Errettung verbunden ist, obgleich wir so reden. [10] Denn Gott ist nicht ungerecht, daß er euer Werk und die Arbeit der Liebe vergäße, die ihr für seinen Namen bewiesen habt, indem ihr den Heiligen dientet und noch dient.

11 Wir wünschen aber, daß jeder von euch denselben Eifer beweise, so daß ihr die Hoffnung mit voller Gewißheit festhaltet bis ans Ende, 12 damit ihr ja nicht träge werdet, sondern Nachfolger derer, die durch Glauben und Geduld die Verheißungen erben.

13 Denn als Gott dem Abraham die Verheißung gab, schwor er, da er bei keinem Größeren schwören konnte, bei sich selbst 14 und sprach: *Wahrlich, ich will dich reichlich segnen und mächtig vermehren!* 15 Und da er auf diese Weise geduldig wartete, erlangte er die Verheißung.

16 Menschen schwören ja bei einem Größeren, und für sie ist der Eid das Ende alles Widerspruchs und dient als Bürgschaft. 17 Darum hat Gott, als er den Erben der Verheißung in noch stärkerem Maße beweisen wollte, wie unwandelbar sein Ratschluß ist, sich mit einem Eid verbürgt, 18 damit wir durch zwei unwandelbare Handlungen, in denen Gott unmöglich lügen konnte, eine starke Ermutigung haben, wir, die wir unsere Zuflucht dazu genommen haben, die dargebotene Hoffnung zu ergreifen. 19 Diese [Hoffnung] halten wir fest als einen sicheren und festen Anker der Seele, der auch hineinreicht ins Innere, hinter den Vorhang, 20 wohin Jesus als Vorläufer für uns eingegangen ist, der Hoherpriester in Ewigkeit geworden ist nach der Ordnung Melchisedeks.

Melchisedek als Vorbild für das Priestertum Jesu Christi

7 Denn dieser Melchisedek [war] König von Salem, ein Priester Gottes, des Allerhöchsten; er kam Abraham entgegen, als er von der Niederwerfung der Könige zurückkehrte, und segnete ihn. 2 Ihm gab auch Abraham den Zehnten von allem. Er wird zuerst gedeutet als »König der Gerechtigkeit«, dann aber auch als »König von Salem«, das heißt König des Friedens. 3 Er ist ohne Vater, ohne Mutter, ohne Geschlechtsregister und hat weder Anfang der Tage noch Ende des Lebens; und als einer, der dem Sohn Gottes verglichen ist, bleibt er Priester für immer.

4 So seht nun, wie groß der ist, dem selbst Abraham, der Patriarch, den Zehnten von der Beute gab! 5 Zwar haben auch diejenigen von den Söhnen Levis, die das Priestertum empfangen, den Auftrag, vom Volk den Zehnten zu nehmen nach dem Gesetz, also von ihren Brüdern, obgleich diese aus Abrahams Lenden hervorgegangen sind; 6 der aber, der sein Geschlecht nicht von ihnen herleitet, hat von Abraham den Zehnten genommen und den gesegnet, der die Verheißungen hatte! 7 Nun ist es

aber unwidersprechlich so, daß das Geringere von dem Besseren gesegnet wird; [8] und hier nehmen sterbliche Menschen den Zehnten, dort aber einer, von dem bezeugt wird, daß er lebt. [9] Und sozusagen ist durch Abraham auch für Levi, den Empfänger des Zehnten, der Zehnte entrichtet worden; [10] denn er war noch in der Lende seines Vaters, als Melchisedek ihm begegnete.

Jesus Christus als der vollkommene Hohepriester setzt das levitische Priestertum und das Gesetz beiseite   Hebr 8; 9,6-12

[11] Wenn nun durch das levitische Priestertum die Vollkommenheit [gekommen] wäre – denn unter diesem hat das Volk das Gesetz empfangen –, wozu wäre es noch nötig, daß ein anderer Priester nach der Ordnung Melchisedeks auftritt und nicht nach der Ordnung Aarons benannt wird? [12] Denn wenn das Priestertum verändert wird, so muß notwendigerweise auch eine Änderung des Gesetzes erfolgen.

[13] Denn derjenige, von dem diese Dinge gesagt werden, gehört einem anderen Stamm an, von dem keiner am Altar gedient hat; [14] denn es ist ja bekannt, daß unser Herr aus Juda entsprossen ist, und zu diesem Stamm hat Mose nichts über ein Priestertum geredet. [15] Und noch viel klarer liegt die Sache, wenn ein anderer Priester auftritt, von gleicher Art wie Melchisedek, [16] der es nicht aufgrund des Gesetzes eines fleischlichen Gebotes geworden ist, sondern aufgrund der Kraft unauflöslichen Lebens; [17] denn er bezeugt: *Du bist Priester in Ewigkeit nach der Ordnung Melchisedeks.*

[18] Damit geschieht nämlich eine Aufhebung des vorher gültigen Gebotes wegen seiner Schwachheit und Nutzlosigkeit – [19] denn das Gesetz hat nichts zur Vollkommenheit gebracht –, zugleich aber die Einführung einer besseren Hoffnung, durch die wir Gott nahen können. [20] Und um so mehr, als dies nicht ohne Eidschwur geschah – denn jene sind ohne Eidschwur Priester geworden, [21] dieser aber mit einem Eid durch den, der zu ihm sprach: *Der Herr hat geschworen, und es wird ihn nicht gereuen: Du bist Priester in Ewigkeit nach der Ordnung Melchisedeks* –, [22] um so viel mehr ist Jesus der Bürge eines besseren Bundes geworden.

[23] Und jene sind in großer Anzahl Priester geworden, weil der Tod sie am Bleiben hinderte; [24] er aber hat, weil er in Ewigkeit bleibt, ein unübertragbares Priestertum. [25] Daher kann er auch diejenigen vollkommen erretten, die durch ihn zu Gott kommen, da er immerdar lebt, um für sie einzutreten.

26 Denn ein solcher Hoherpriester tat uns not, der heilig, unschuldig, unbefleckt, von den Sündern abgesondert und höher als der Himmel ist, ²⁷ der es nicht wie die Hohenpriester täglich nötig hat, zuerst für die eigenen Sünden Opfer darzubringen, danach für die des Volkes; denn dieses [letztere] hat er ein für allemal getan, indem er sich selbst als Opfer darbrachte.

28 Denn das Gesetz bestellt Menschen zu Hohenpriestern, die mit Schwachheit behaftet sind, das Wort des Eidschwurs aber, der nach der Einführung des Gesetzes erfolgte, den Sohn, der für alle Ewigkeit vollkommen ist.

Jesus Christus als Hoherpriester des wahrhaftigen, himmlischen Heiligtums   Hebr 9,11-12; 9,24

8 Die Hauptsache aber bei dem, was wir sagen, ist: Wir haben einen solchen Hohenpriester, der sich gesetzt hat zur Rechten des Thrones der Majestät im Himmel, ² einen Diener des Heiligtums und des wahrhaftigen Zeltes, das der Herr errichtet hat und nicht ein Mensch.

3 Denn jeder Hohepriester wird eingesetzt, um Gaben und Opfer darzubringen; daher muß auch dieser etwas haben, was er darbringen kann. ⁴ Wenn er sich nämlich auf Erden befände, so wäre er nicht einmal Priester, weil hier die Priester sind, die nach dem Gesetz die Gaben opfern. ⁵ Diese dienen einem Abbild und Schatten des Himmlischen, gemäß der göttlichen Weisung, die Mose erhielt, als er das Zelt anfertigen sollte: *Achte darauf,* heißt es, *daß du alles nach dem Vorbild machst, das dir auf dem Berg gezeigt worden ist!*

Jesus Christus – der Mittler eines neuen, besseren Bundes
Hebr 7,22; 9,15; 12,24

6 Nun aber hat er einen um so erhabeneren Dienst erlangt, als er auch der Mittler eines besseren Bundes ist, der aufgrund von besseren Verheißungen festgesetzt wurde.

7 Denn wenn jener erste [Bund] tadellos gewesen wäre, so wäre nicht Raum für einen zweiten gesucht worden. ⁸ Denn er tadelt doch, indem er zu ihnen spricht: *Siehe, es kommen Tage, spricht der Herr, da ich mit dem Haus Israel und mit dem Haus Juda einen neuen Bund schließen werde;* ⁹ *nicht wie der Bund, den ich mit ihren Vätern gemacht habe an dem Tag, als ich sie bei der Hand nahm, um sie aus dem Land Ägypten zu führen – denn sie sind nicht in meinem Bund geblieben, und ich ließ sie gehen, spricht der Herr –,* ¹⁰ *sondern das ist der Bund, den ich*

mit dem Haus Israel schließen will nach jenen Tagen, spricht der Herr: Ich will ihnen meine Gesetze in den Sinn geben und sie in ihre Herzen schreiben, und ich will ihr Gott sein, und sie sollen mein Volk sein. [11] *Und es wird keiner mehr seinen Nächsten und keiner mehr seinen Bruder lehren und sagen: Erkenne den Herrn!, denn es werden mich alle kennen, vom Kleinsten unter ihnen bis zum Größten unter ihnen;* [12] *denn ich werde gnädig sein gegen ihre Ungerechtigkeiten, und ihrer Sünden und ihrer Gesetzlosigkeiten werde ich nicht mehr gedenken.*

13 Indem er sagt: »Einen neuen«, hat er den ersten [Bund] für veraltet erklärt; was aber veraltet ist und sich überlebt hat, das wird bald verschwinden.

Der levitische Priester- und Opferdienst ist vorläufig und unvollkommen

9 Es hatte nun zwar auch der erste [Bund] gottesdienstliche Ordnungen und ein Heiligtum, das von dieser Welt war. [2] Denn es war ein Zelt aufgerichtet, das vordere, in dem sich der Leuchter und der Tisch und die Schaubrote befanden; dieses wird das Heilige genannt. [3] Hinter dem zweiten Vorhang aber befand sich das Zelt, welches das Allerheiligste genannt wird; [4] zu diesem gehört ein goldener Räucheraltar und die Bundeslade, überall mit Gold überzogen, und in dieser war der goldene Krug mit dem Manna und der Stab Aarons, der gegrünt hatte, und die Tafeln des Bundes; [5] oben über ihr aber die Cherubim der Herrlichkeit, die den Sühnedeckel überschatteten, worüber jetzt nicht im einzelnen geredet werden soll.

6 Da nun dies so eingerichtet ist, betreten zwar die Priester allezeit das vordere Zelt zur Verrichtung des Gottesdienstes; [7] in das zweite Zelt aber geht einmal im Jahr nur der Hohepriester, nicht ohne Blut, das er für sich selbst und für die Verirrungen des Volkes darbringt.

8 Damit zeigt der Heilige Geist deutlich, daß der Weg zum Heiligtum noch nicht offenbar gemacht ist, solange das vordere Zelt Bestand hat. [9] Dieses ist ein Gleichnis für die gegenwärtige Zeit, in welcher Gaben und Opfer dargebracht werden, die, was das Gewissen anbelangt, den nicht vollkommen machen können, der den Gottesdienst verrichtet, [10] der nur aus Speisen und Getränken und verschiedenen Waschungen [besteht] und aus Verordnungen des Fleisches, die bis zu der Zeit auferlegt sind, da eine bessere Ordnung eingeführt wird.

Das Blut des Hohenpriesters Jesus Christus als Grundlage des neuen Bundes und der ewigen Erlösung   Hebr 10,11-22; 12,24

11 Als aber Christus kam als ein Hoherpriester der zukünftigen Heilsgüter, ist er durch das größere und vollkommenere Zelt, das nicht mit Händen gemacht, das heißt nicht von dieser Schöpfung ist, [12] auch nicht mit dem Blut von Böcken und Kälbern, sondern mit seinem eigenen Blut ein für allemal in das Heiligtum eingegangen und hat eine ewige Erlösung bewirkt. [13] Denn wenn das Blut von Stieren und Böcken und die Besprengung mit der Asche der jungen Kuh die Verunreinigten heiligt zur Reinheit des Fleisches, [14] wieviel mehr wird das Blut des Christus, der sich selbst durch den ewigen Geist als ein makelloses Opfer Gott dargebracht hat, euer Gewissen reinigen von toten Werken, damit ihr dem lebendigen Gott dienen könnt.

15 Darum ist er auch der Mittler eines neuen Bundes, damit – da sein Tod geschehen ist zur Erlösung von den unter dem ersten Bund begangenen Übertretungen – die Berufenen das verheißene ewige Erbe empfangen. [16] Denn wo ein Testament ist, da muß notwendig der Tod dessen eintreten, der das Testament gemacht hat; [17] denn ein Testament tritt auf den Todesfall hin in Kraft, da es keine Gültigkeit hat, solange derjenige lebt, der das Testament gemacht hat. [18] Daher wurde auch der erste [Bund] nicht ohne Blut eingeweiht. [19] Denn nachdem jedes einzelne Gebot nach dem Gesetz von Mose dem ganzen Volk verkündet worden war, nahm er das Blut der Kälber und Böcke mit Wasser und Purpurwolle und Ysop und besprengte sowohl das Buch selbst als auch das ganze Volk, [20] wobei er sprach: *Dies ist das Blut des Bundes, den Gott mit euch geschlossen hat!* [21] Auch das Zelt und alle Geräte des Gottesdienstes besprengte er in gleicher Weise mit Blut; [22] und fast alles wird nach dem Gesetz mit Blut gereinigt, und ohne Blutvergießen geschieht keine Vergebung.

23 So ist es also notwendig, daß die Abbilder der im Himmel befindlichen Dinge hierdurch gereinigt werden, die himmlischen Dinge selbst aber durch bessere Opfer als diese. 24 Denn nicht in ein mit Händen gemachtes Heiligtum, in eine Nachbildung des wahrhaftigen, ist der Christus eingegangen, sondern in den Himmel selbst, um jetzt für uns zu erscheinen vor dem Angesicht Gottes; [25] auch nicht, um sich selbst öfters als Opfer darzubringen, gleichwie der Hohepriester jedes Jahr ins Heiligtum hineingeht mit fremdem Blut, [26] denn sonst hätte er ja vielmals leiden müssen von Grundlegung der Welt an.

Nun aber ist er *einmal* erschienen in der Vollendung der Weltzeiten zur Aufhebung der Sünde durch das Opfer seiner selbst. [27] Und so gewiß es den Menschen bestimmt ist, *einmal* zu sterben, danach aber das Gericht, [28] so wird der Christus, nachdem er sich *einmal* zum Opfer dargebracht hat, um die Sünden vieler auf sich zu nehmen, zum zweitenmal denen erscheinen, die auf ihn warten, nicht wegen der Sünde, sondern zum Heil.

Das einmalige, vollkommene Sühnopfer Jesu Christi bewirkt ein vollkommenes Heil   Hebr 9,7 15; 9,23-28

10 Denn weil das Gesetz nur einen Schatten der zukünftigen Heilsgüter hat, nicht die Gestalt der Dinge selbst, so kann es auch mit den gleichen alljährlichen Opfern, die man immer wieder darbringt, die Hinzutretenden niemals zur Vollendung bringen. [2] Hätte man sonst nicht aufgehört, Opfer darzubringen, wenn die, welche den Gottesdienst verrichten, einmal gereinigt, kein Bewußtsein von Sünden mehr gehabt hätten? [3] Statt dessen geschieht durch diese [Opfer] alle Jahre eine Erinnerung an die Sünden. [4] Denn unmöglich kann das Blut von Stieren und Böcken Sünden hinwegnehmen!

5 Darum spricht er bei seinem Eintritt in die Welt: *Opfer und Gaben hast du nicht gewollt; einen Leib aber hast du mir bereitet.* [6] *An Brandopfern*[a] *und Sündopfern hast du keinen Gefallen gefunden.* [7] *Da sprach ich: Siehe, ich komme – in der Buchrolle steht von mir geschrieben –, um deinen Willen, o Gott, zu tun!*

8 Oben sagt er: *Opfer und Gaben, Brandopfer und Sündopfer hast du nicht gewollt, du hast auch keinen Gefallen an ihnen gefunden* – die ja nach dem Gesetz dargebracht werden –, [9] dann fährt er fort: *Siehe, ich komme, um deinen Willen, o Gott, zu tun.* Somit hebt er das erste auf, um das zweite einzusetzen.

10 Aufgrund dieses Willens sind wir ein für allemal geheiligt durch die Opferung des Leibes Jesu Christi.

11 Und jeder Priester steht da und verrichtet täglich den Gottesdienst und bringt öfters dieselben Opfer dar, die doch niemals Sünden hinwegnehmen können; [12] Er aber hat sich, nachdem er ein einziges Opfer für die Sünden dargebracht hat, das ewiglich gilt, zur Rechten Gottes gesetzt, [13] und er wartet hinfort, bis seine Feinde als Schemel seiner Füße hingelegt werden.

---

a.   (10,6) d.h. ein Tieropfer, das ganz auf dem Altar verbrannt wurde.

14 Denn mit einem einzigen Opfer hat er die für immer vollendet, welche geheiligt werden. [15] Das bezeugt uns aber auch der Heilige Geist; denn nachdem zuvor gesagt worden ist. [16] *Das ist der Bund, den ich mit ihnen schließen will nach diesen Tagen, spricht der Herr: Ich will meine Gesetze in ihre Herzen geben und sie in ihre Sinne schreiben,* [17] sagt er auch: *Ihrer Sünden und ihrer Gesetzlosigkeiten will ich nicht mehr gedenken.* [18] Wo aber Vergebung für diese ist, da gibt es kein Opfer mehr für Sünde.

Ermunterung zum freimütigen Eintreten ins Heiligtum und zum gläubigen Festhalten am Bekenntnis Hebr 4,1-11; 4,14-16; Hebr 6

19 Da wir nun, ihr Brüder, kraft des Blutes Jesu Freimütigkeit haben zum Eingang in das Heiligtum, [20] den er uns eingeweiht hat als neuen und lebendigen Weg durch den Vorhang hindurch, das heißt, durch sein Fleisch, [21] und da wir einen großen Priester über das Haus Gottes haben, [22] so laßt uns hinzutreten mit wahrhaftigem Herzen, in völliger Gewißheit des Glaubens, durch Besprengung der Herzen los vom bösen Gewissen und am Leib gewaschen mit reinem Wasser.

23 Laßt uns festhalten am Bekenntnis der Hoffnung, ohne zu wanken – denn er ist treu, der die Verheißung gegeben hat –, [24] und laßt uns aufeinander achtgeben, damit wir uns gegenseitig anspornen zur Liebe und zu guten Werken, [25] indem wir unsere eigene Versammlung nicht verlassen, wie es einige zu tun pflegen, sondern einander ermahnen, und das um so mehr, als ihr den Tag herannahen seht!

26 Denn wenn wir mutwillig sündigen, nachdem wir die Erkenntnis der Wahrheit empfangen haben, so bleibt für die Sünden kein Opfer mehr übrig, [27] sondern nur ein schreckliches Erwarten des Gerichts und ein Zorneseifer des Feuers, der die Widerspenstigen verzehren wird.

28 Wenn jemand das Gesetz Moses verwirft, muß er ohne Erbarmen sterben auf die Aussage von zwei oder drei Zeugen hin; [29] wieviel schlimmerer Strafe, meint ihr, wird derjenige schuldig erachtet werden, der den Sohn Gottes mit Füßen getreten und das Blut des Bundes, durch das er geheiligt wurde, für gemein geachtet und den Geist der Gnade geschmäht hat? [30] Denn wir kennen ja den, der sagt: *Die Rache ist mein; ich will vergelten! spricht der Herr,* und weiter: *Der Herr wird sein Volk richten.* [31] Es ist schrecklich, in die Hände des lebendigen Gottes zu fallen!

32 Erinnert euch aber an die früheren Tage, in denen ihr, nachdem ihr erleuchtet wurdet, viel Kampf erduldet habt, der mit Leiden verbunden war, 33 da ihr teils selbst Schmähungen und Bedrängnissen öffentlich preisgegeben wart, teils mit denen Gemeinschaft hattet, die so behandelt wurden. 34 Denn ihr hattet sowohl Anteilnahme mit mir in meinen Ketten bewiesen als auch den Raub eurer Güter mit Freuden hingenommen, weil ihr in euch selbst wißt, daß ihr ein besseres und bleibendes Gut in den Himmeln besitzt.

35 So werft nun eure Zuversicht nicht weg, die eine große Belohnung hat! 36 Denn standhaftes Ausharren tut euch not, damit ihr, nachdem ihr den Willen Gottes erfüllt habt, die Verheißung erlangt. 37 Denn noch eine kleine, ganz kleine Weile, dann *wird der kommen, der kommen soll, und wird nicht auf sich warten lassen.*

38 *Der Gerechte aber wird aus Glauben leben;* doch: *Wenn er feige zurückweicht, so wird meine Seele kein Wohlgefallen an ihm haben.* 39 Wir aber gehören nicht zu denen, die feige zurückweichen zum Verderben, sondern zu denen, die glauben zur Errettung der Seele.

Das Wesen des Glaubens und die Glaubenszeugen des alten Bundes   Röm 4,17-22; 1Joh 5,4-5

11 Es ist aber der Glaube ein Beharren auf dem, was man hofft, eine Überzeugung von Tatsachen, die man nicht sieht. 2 Durch diesen haben die Alten ein gutes Zeugnis erhalten.

3 Durch Glauben verstehen wir, daß die Welten durch Gottes Wort bereitet worden sind, so daß die Dinge, die man sieht, nicht aus Sichtbarem entstanden sind.

Abel, Henoch und Noah

4 Durch Glauben brachte Abel Gott ein besseres Opfer dar als Kain; durch ihn erhielt er das Zeugnis, daß er gerecht sei, indem Gott über seine Gaben Zeugnis ablegte, und durch ihn redet er noch, obwohl er gestorben ist.

5 Durch Glauben wurde Henoch entrückt, so daß er den Tod nicht sah, und er wurde nicht mehr gefunden, weil Gott ihn entrückt hatte; denn vor seiner Entrückung wurde ihm das Zeugnis gegeben, daß er Gott wohlgefallen hatte. 6 Ohne Glauben aber ist es unmöglich, ihm wohlzugefallen; denn wer zu Gott kommt, muß glauben, daß er ist, und daß er die belohnen wird, welche ihn suchen.

7 Durch Glauben baute Noah, als er eine göttliche Weisung empfangen hatte über die Dinge, die man noch nicht sah, von Gottesfurcht bewegt eine Arche zur Rettung seines Hauses; durch ihn verurteilte er die Welt und wurde ein Erbe der Gerechtigkeit aus Glauben.

Der Glaubensweg Abrahams

8 Durch Glauben gehorchte Abraham, als er berufen wurde, nach dem Ort auszuziehen, den er als Erbteil empfangen sollte; und er zog aus, ohne zu wissen, wohin er kommen werde. 9 Durch Glauben hielt er sich in dem Land der Verheißung auf wie in einem fremden, und wohnte in Zelten mit Isaak und Jakob, den Miterben derselben Verheißung; 10 denn er wartete auf die Stadt, welche die Grundfesten hat, deren Baumeister und Schöpfer Gott ist.

11 Durch Glauben erhielt auch Sarah selbst die Kraft, schwanger zu werden, und sie gebar, obwohl sie über das geeignete Alter hinaus war, weil sie den für treu achtete, der es verheißen hatte. 12 Darum sind auch von einem Einzigen, der doch erstorben war, Nachkommen hervorgebracht worden, so zahlreich wie die Sterne des Himmels und wie der Sand am Ufer des Meeres, der nicht zu zählen ist.

Die Glaubenden sind Fremdlinge auf Erden

13 Diese alle sind im Glauben gestorben, ohne das Verheißene empfangen zu haben, sondern sie haben es nur von ferne gesehen und waren davon überzeugt, und haben es willkommen geheißen und bekannt, daß sie Fremdlinge und Wanderer ohne Bürgerrecht sind auf Erden; 14 denn die solches sagen, geben damit zu erkennen, daß sie ein Vaterland suchen. 15 Und hätten sie dabei jenes im Sinn gehabt, von dem sie ausgegangen waren, so hätten sie ja Gelegenheit gehabt zurückzukehren; 16 nun aber trachten sie nach einem besseren, nämlich einem himmlischen. Darum schämt sich Gott nicht, ihr Gott genannt zu werden; denn er hat ihnen eine Stadt bereitet.

Der Glaube von Abraham, Isaak, Jakob und Joseph

17 Durch Glauben brachte Abraham den Isaak dar, als er geprüft wurde, und opferte den Eingeborenen, er, der die Verheißungen empfangen hatte, 18 zu dem gesagt worden war: *In Isaak soll dir ein Same berufen werden.* 19 Er zählte darauf, daß Gott imstande ist, auch aus den Toten aufzuerwecken, weshalb er ihn auch als ein Gleichnis wieder erhielt.

20 Durch Glauben segnete Isaak den Jakob und den Esau im Hinblick auf zukünftige Dinge.

21 Durch Glauben segnete Jakob, als er im Sterben lag, jeden der Söhne Josephs und betete an, auf seinen Stab gestützt.

22 Durch Glauben gedachte Joseph bei seinem Ende des Auszuges der Söhne Israels und traf Anordnungen wegen seiner Gebeine.

Der Glaubensweg des Mose

23 Durch Glauben wurde Mose nach seiner Geburt von seinen Eltern drei Monate lang verborgen gehalten, weil sie sahen, daß er ein schönes Kind war, und sie fürchteten das Gebot des Königs nicht.

24 Durch Glauben weigerte sich Mose, als er groß geworden war, ein Sohn der Tochter des Pharao zu heißen. 25 Er zog es vor, mit dem Volk Gottes Drangsal zu erleiden, als den vergänglichen Genuß der Sünde zu haben, 26 da er die Schmach des Christus für größeren Reichtum hielt als die Schätze Ägyptens; denn er sah die Belohnung an.

27 Durch Glauben verließ er Ägypten, ohne die Wut des Königs zu fürchten; denn er hielt sich an den Unsichtbaren, als sähe er ihn. 28 Durch Glauben hat er das Passah veranstaltet und das Besprengen mit Blut, damit der Verderber ihre Erstgeborenen nicht antaste.

29 Durch Glauben gingen sie durch das Rote Meer wie durch das Trockene, während die Ägypter ertranken, als sie das versuchten.

30 Durch Glauben fielen die Mauern von Jericho, nachdem sie sieben Tage umzogen worden waren.

31 Durch Glauben ging Rahab, die Hure, nicht verloren mit den Ungläubigen, weil sie die Kundschafter mit Frieden aufgenommen hatte.

Die gläubigen Israeliten

32 Und was soll ich noch sagen? Die Zeit würde mir fehlen, wenn ich erzählen wollte von Gideon und Barak und Simson und Jephta und David und Samuel und den Propheten, 33 die durch Glauben Königreiche bezwangen, Gerechtigkeit wirkten, Verheißungen erlangten, die Rachen der Löwen verstopften. 34 Sie haben die Gewalt des Feuers ausgelöscht, sind der Schärfe des Schwertes entronnen, sie sind aus Schwachheit zu Kraft gekommen, sind stark geworden im Kampf, haben die Heere der Fremden in die Flucht gejagt.

35 Frauen erhielten ihre Toten durch Auferstehung wieder; andere aber ließen sich martern und nahmen die Befreiung nicht an, um eine bessere Auferstehung zu erlangen; [36] und andere erfuhren Spott und Geißelung, dazu Ketten und Gefängnis; [37] sie wurden gesteinigt, zersägt, versucht, sie erlitten den Tod durchs Schwert, sie zogen umher in Schafspelzen und Ziegenfellen, erlitten Mangel, Bedrückung, Mißhandlung; [38] sie, deren die Welt nicht wert war, irrten umher in Wüsten und Gebirgen, in Höhlen und Löchern der Erde.

39 Und diese alle, obgleich sie durch den Glauben ein gutes Zeugnis empfingen, haben das Verheißene nicht erlangt, [40] weil Gott für uns etwas Besseres vorgesehen hat, damit sie nicht ohne uns vollendet würden.

Ermunterung zum Glaubenswandel im Aufblick auf Jesus Christus   1Kor 9,24-27; Phil 3,11-14; 1Pt 2,21-24

12 Da wir nun eine solche Wolke von Zeugen um uns haben, so laßt uns jede Last ablegen und die Sünde, die uns so leicht umstrickt, und laßt uns mit Ausdauer laufen in dem Kampf, der vor uns liegt, [2] im Aufblick auf Jesus, den Anfänger und Vollender des Glaubens, der um der vor ihm liegenden Freude willen das Kreuz erduldete und dabei die Schande für nichts achtete, und der sich zur Rechten des Thrones Gottes gesetzt hat. [3] Achtet doch auf ihn, der solchen Widerspruch von den Sündern gegen sich erduldet hat, damit ihr nicht müde werdet und den Mut verliert!

Gottes Züchtigungen dienen denen zum Besten, die echte Söhne in Christus sind   Offb 3,19; Jak 1,2-4

4 Ihr habt noch nicht bis aufs Blut widerstanden im Kampf gegen die Sünde [5] und habt das Trostwort vergessen, das zu euch als zu Söhnen spricht: *Mein Sohn, achte nicht gering die Züchtigung des Herrn und verzage nicht, wenn du von ihm gestraft wirst!* [6] *Denn wen der Herr lieb hat, den züchtigt er, und er schlägt einen jeden Sohn, den er aufnimmt.*

7 Wenn ihr Züchtigung erduldet, so behandelt euch Gott ja als Söhne; denn wo ist ein Sohn, den der Vater nicht züchtigt? [8] Wenn ihr aber ohne Züchtigung seid, an der sie alle Anteil bekommen haben, so seid ihr ja unecht und keine Söhne! [9] Sodann hatten wir auch unsere leiblichen Väter zu Erziehern und scheuten sie; sollten wir uns jetzt nicht vielmehr dem Vater der Geister unterwerfen und leben? [10] Denn jene haben uns für wenige Tage gezüchtigt, so wie es ihnen richtig erschien; er

aber zu unserem Besten, damit wir seiner Heiligkeit teilhaftig werden.

11 Alle Züchtigung aber scheint uns für den Augenblick nicht zur Freude, sondern zur Traurigkeit zu dienen; danach aber gibt sie eine friedsame Frucht der Gerechtigkeit denen, die durch sie geübt sind.

Ermahnung zur Heiligung und Gottesfurcht. Warnung vor dem Zurückweisen des Evangeliums von Jesus Christus Hebr 3,7-16

12 Darum *richtet wieder auf die schlaff gewordenen Hände und die erlahmten Knie,* 13 und *tut gerade Tritte mit euren Füßen,* damit das Lahme nicht vom Weg abkommt, sondern vielmehr geheilt wird!

14 Jagt nach dem Frieden mit jedermann und der Heiligung, ohne die niemand den Herrn sehen wird!

15 Und achtet darauf, daß nicht jemand die Gnade Gottes versäumt, daß nicht etwa eine bittere Wurzel aufwächst und Unheil anrichtet und viele durch diese befleckt werden, 16 daß nicht jemand ein Unzüchtiger oder ein gottloser Mensch sei wie Esau, der um einer Speise willen sein Erstgeburtsrecht verkaufte. 17 Denn ihr wißt, daß er nachher verworfen wurde, als er den Segen erben wollte, denn obgleich er ihn unter Tränen suchte, fand er keinen Raum zur Buße.

18 Denn ihr seid nicht zu dem Berg gekommen, den man anrühren konnte, und zu dem glühenden Feuer, noch zu dem Dunkel, der Finsternis und dem Gewittersturm, 19 noch zu dem Klang der Posaune und dem Donnerschall der Worte, bei dem die Zuhörer baten, daß nicht weiter zu ihnen geredet werde 20 – denn sie ertrugen nicht, was befohlen war: *Und wenn ein Tier den Berg berührt, soll es gesteinigt oder mit einem Geschoß erschossen werden!* 21 Und so schrecklich war die Erscheinung, daß Mose sprach: *Ich bin erschrocken und zittere!* –,

22 sondern ihr seid gekommen zu dem Berg Zion und zu der Stadt des lebendigen Gottes, dem himmlischen Jerusalem, und zu Zehntausenden von Engeln, 23 zu der Festversammlung und zu der Gemeinde der Erstgeborenen, die im Himmel angeschrieben sind, und zu Gott, dem Richter über alle, und zu den Geistern der vollendeten Gerechten, 24 und zu Jesus, dem Mittler des neuen Bundes, und zu dem Blut der Besprengung, das besseres redet als [das Blut] Abels.

25 Seht zu, daß ihr den nicht abweist, der da redet! Denn wenn jene nicht entflohen sind, die den abgewiesen haben, der auf der Erde göttliche Weisungen verkündete, wieviel weniger wir,

wenn wir uns von dem abwenden, der es vom Himmel herab tut! [26] Seine Stimme erschütterte damals die Erde; nun aber hat er eine Verheißung gegeben, indem er spricht: *Noch einmal will ich erschüttern nicht allein die Erde, sondern auch den Himmel!* [27] Dieses »Noch einmal« deutet aber hin auf die Beseitigung der Dinge, die erschüttert werden, als solche, die erschaffen worden sind, damit die Dinge bleiben, die nicht erschüttert werden können.

28 Darum, weil wir ein unerschütterliches Reich empfangen, laßt uns die Gnade festhalten, durch die wir Gott auf wohlgefällige Weise dienen können mit Scheu und Furcht! [29] Denn unser Gott ist ein verzehrendes Feuer.

Verschiedene Weisungen und Ermahnungen zum Wandel der Gläubigen

13 Bleibt fest in der brüderlichen Liebe! [2] Vernachlässigt nicht die Gastfreundschaft; denn durch sie haben etliche ohne ihr Wissen Engel beherbergt.

3 Gedenkt der Gefangenen, als wärt ihr Mitgefangene, und derer, die mißhandelt werden, als solche, die selbst auch noch im Leibe leben.

4 Die Ehe soll von allen in Ehren gehalten werden und das Ehebett unbefleckt; die Unzüchtigen und Ehebrecher aber wird Gott richten!

5 Euer Lebenswandel sei frei von Geldliebe! Begnügt euch mit dem, was vorhanden ist; denn er selbst hat gesagt: *Ich will dich nicht verlassen noch versäumen!* [6] So können wir nun zuversichtlich sagen: *Der Herr ist mein Helfer, und deshalb fürchte ich mich nicht! Was kann ein Mensch mir antun?*

7 Gedenkt eurer Führer, die euch das Wort Gottes gesagt haben; schaut das Ende ihres Wandels an und ahmt ihren Glauben nach. [8] Jesus Christus ist derselbe gestern und heute und auch in Ewigkeit!

9 Laßt euch nicht von vielfältigen und fremden Lehren umhertreiben; denn es ist gut, daß das Herz fest wird, was durch Gnade geschieht, nicht durch Speisen, von denen die keinen Nutzen hatten, die mit ihnen umgingen.

10 Wir haben einen Opferaltar, von dem diejenigen nicht essen dürfen, die dem Zelt dienen. [11] Denn die Leiber der Tiere, deren Blut für die Sünde durch den Hohenpriester in das Heiligtum getragen wird, werden außerhalb des Lagers verbrannt. [12] Darum hat auch Jesus, um das Volk durch sein eigenes Blut zu heiligen, außerhalb des Tores gelitten. [13] So laßt uns nun zu

ihm hinausgehen, außerhalb des Lagers, und seine Schmach tragen! [14] Denn wir haben hier keine bleibende Stadt, sondern die zukünftige suchen wir.

15 Durch ihn laßt uns nun Gott beständig ein Opfer des Lobes darbringen, das ist die Frucht der Lippen, die seinen Namen bekennen!

16 Wohlzutun und mitzuteilen vergeßt nicht; denn solche Opfer gefallen Gott wohl!

17 Gehorcht euren Führern und fügt euch ihnen; denn sie wachen über eure Seelen als solche, die einmal Rechenschaft ablegen werden, damit sie das mit Freuden tun und nicht mit Seufzen; denn das wäre euch zum Schaden!

Segenswünsche und Grüße

18 Betet für uns! Denn wir verlassen uns darauf, daß wir ein gutes Gewissen haben, indem wir in jeder Hinsicht bestrebt sind, uns richtig zu verhalten. [19] Um so mehr aber ermahne ich euch, dies zu tun, damit ich euch desto schneller wiedergeschenkt werde.

20 Der Gott des Friedens aber, der den großen Hirten der Schafe, unseren Herrn Jesus, aus den Toten heraufgeführt hat mit dem Blut eines ewigen Bundes, [21] er mache euch vollkommen in jedem guten Werk, damit ihr seinen Willen tut, indem er in euch das wirkt, was vor ihm wohlgefällig ist, durch Jesus Christus. Ihm sei die Ehre von Ewigkeit zu Ewigkeit! Amen.

22 Ich ermahne euch aber, ihr Brüder, nehmt das Wort der Ermahnung an; denn ich habe euch mit wenigen Worten geschrieben.

23 Ihr sollt wissen, daß [unser] Bruder Timotheus freigelassen worden ist; wenn er bald kommt, will ich euch mit ihm besuchen.

24 Grüßt alle eure Führer und alle Heiligen! Es grüßen euch die von Italien!

25 Die Gnade sei mit euch allen! Amen.

DER BRIEF DES JAKOBUS

Der Jakobusbrief wurde von Jakobus, dem Bruder des Herrn Jesus Christus, einem der Führer der Jerusalemer Gemeinde, etwa 40-49 n. Chr. geschrieben. Er ist an Judenchristen in der Zerstreuung unter den Heidenvölkern gerichtet und spornt sie zu einem klaren, konsequenten Glaubensleben an.

Zuschrift und Gruß

1 Jakobus, Knecht Gottes und des Herrn Jesus Christus, grüßt die zwölf Stämme, die in der Zerstreuung sind!

Standhaftigkeit in Anfechtungen und Versuchungen

2 Meine Brüder, achtet es für lauter Freude, wenn ihr in mancherlei Anfechtungen geratet, 3 da ihr ja wißt, daß die Bewährung eures Glaubens Standhaftigkeit bewirkt. 4 Die Standhaftigkeit aber soll ein vollkommenes Werk haben, damit ihr vollkommen und ganz seid und es euch an nichts mangelt.

5 Wenn es aber jemand unter euch an Weisheit mangelt, so erbitte er sie von Gott, der allen gern und ohne Vorwurf gibt, so wird sie ihm gegeben werden. 6 Er bitte aber im Glauben und zweifle nicht; denn wer zweifelt, gleicht der Meereswoge, die vom Wind getrieben und hin- und hergeworfen wird. 7 Ein solcher Mensch denke nicht, daß er etwas von dem Herrn empfangen wird, 8 ein Mann mit geteiltem Herzen, unbeständig in allen seinen Wegen.

9 Der Bruder aber, der niedrig gestellt ist, soll sich seiner Erhöhung rühmen, 10 der Reiche dagegen seiner Niedrigkeit; denn wie eine Blume des Grases wird er vergehen. 11 Denn kaum ist die Sonne aufgegangen mit ihrer Glut, so verdorrt das Gras, und seine Blume fällt ab, und die Schönheit seiner Gestalt vergeht; so wird auch der Reiche verwelken auf seinen Wegen.

12 Glückselig ist der Mann, der die Anfechtung erduldet; denn nachdem er sich bewährt hat, wird er die Krone des Lebens empfangen, welche der Herr denen verheißen hat, die ihn lieben.

13 Niemand sage, wenn er versucht wird: Ich werde von Gott versucht. Denn Gott kann nicht versucht werden zum Bösen, und er selbst versucht auch niemand; 14 sondern jeder einzelne wird versucht, wenn er von seiner eigenen Begierde gereizt und gelockt wird. 15 Danach, wenn die Begierde empfangen hat, gebiert sie die Sünde; die Sünde aber, wenn sie vollendet ist, gebiert den Tod.

16 Irrt euch nicht, meine geliebten Brüder: [17] Jede gute Gabe und jedes vollkommene Geschenk kommt von oben herab, von dem Vater der Lichter, bei dem keine Veränderung ist, noch ein Schatten infolge von Wechsel. [18] Nach seinem Willen hat er uns gezeugt durch das Wort der Wahrheit, damit wir gleichsam Erstlinge seiner Geschöpfe seien.

Nicht nur Hörer, sondern Täter des Wortes sein   Mt 7,24-27

19 Darum, meine geliebten Brüder, sei jeder Mensch schnell zum Hören, langsam zum Reden, langsam zum Zorn; [20] denn der Zorn des Menschen vollbringt nicht Gottes Gerechtigkeit! [21] Darum legt ab allen Schmutz und allen Rest von Bosheit und nehmt mit Sanftmut das [euch] eingepflanzte Wort auf, das eure Seelen zu erretten vermag!
22 Seid aber Täter des Wortes und nicht bloß Hörer, die sich selbst betrügen. [23] Denn wer [nur] Hörer des Wortes ist und nicht Täter, der gleicht einem Mann, der sein natürliches Angesicht im Spiegel anschaut; [24] er betrachtet sich und läuft davon und hat bald vergessen, wie er gestaltet war. [25] Wer aber hineinschaut in das vollkommene Gesetz der Freiheit und darin bleibt, dieser [Mensch], der kein vergeßlicher Hörer, sondern ein wirklicher Täter ist, er wird glückselig sein in seinem Tun.
26 Wenn jemand unter euch meint, fromm zu sein, seine Zunge aber nicht im Zaum hält, sondern sein Herz betrügt, dessen Frömmigkeit ist wertlos. [27] Eine reine und makellose Frömmigkeit vor Gott, dem Vater, ist es, Waisen und Witwen in ihrer Bedrängnis zu besuchen und sich von der Welt unbefleckt zu bewahren.

Warnung vor der Bevorzugung bestimmter Personen

2 Meine Brüder, verbindet den Glauben an unseren Herrn Jesus Christus, [den Herrn] der Herrlichkeit, nicht mit Ansehen der Person! [2] Denn wenn in eure Versammlung ein Mann käme mit goldenen Ringen und in prächtiger Kleidung, es käme aber auch ein Armer in unsauberer Kleidung, [3] und ihr würdet euch nach dem umsehen, der die prächtige Kleidung trägt, und zu ihm sagen: Setze du dich hier auf diesen guten Platz!, zu dem Armen aber würdet ihr sagen: Bleibe du dort stehen, oder setze dich hier an meinen Fußschemel! [4] – würdet ihr da nicht Unterschiede unter euch machen und nach verwerflichen Grundsätzen richten?
5 Hört, meine geliebten Brüder: Hat nicht Gott die Armen dieser Welt erwählt, daß sie reich im Glauben würden und Erben

des Reiches, das er denen verheißen hat, die ihn lieben? ⁶ Ihr aber habt den Armen verachtet! Sind es nicht die Reichen, die euch unterdrücken, und ziehen nicht sie euch vor Gericht? ⁷ Lästern sie nicht den guten Namen, der über euch genannt worden ist?

8 Wenn ihr das königliche Gesetz erfüllt nach dem Schriftwort: *Du sollst deinen Nächsten lieben wie dich selbst!*, so tut ihr recht; ⁹ wenn ihr aber die Person anseht, so tut ihr Sünde und werdet vom Gesetz als Übertreter verurteilt. ¹⁰ Denn wer das ganze Gesetz hält, sich aber in *einem* verfehlt, der ist in allem schuldig geworden; ¹¹ denn der, welcher gesagt hat: *Du sollst nicht ehebrechen!*, hat auch gesagt: *Du sollst nicht töten!* Wenn du nun zwar nicht die Ehe brichst, aber tötest, so bist du ein Übertreter des Gesetzes geworden.

12 Redet so und handelt so wie solche, die durch das Gesetz der Freiheit gerichtet werden sollen! ¹³ Denn das Gericht wird unbarmherzig ergehen über den, der keine Barmherzigkeit geübt hat; die Barmherzigkeit aber triumphiert über das Gericht.

Glauben und Werke Gal 5,6; Jak 1,22-27; 1Joh 2,3-6

14 Was hilft es, meine Brüder, wenn jemand sagt, er habe Glauben, und hat doch keine Werke? Kann ihn denn der Glaube retten? ¹⁵ Wenn nun ein Bruder oder eine Schwester ohne Kleidung ist und es ihnen an der täglichen Nahrung fehlt, ¹⁶ und jemand von euch würde zu ihnen sagen: Geht hin in Frieden, wärmt und sättigt euch!, aber ihr würdet ihnen nicht geben, was zur Befriedigung ihrer leiblichen Bedürfnisse erforderlich ist, was würde das helfen? ¹⁷ So ist es auch mit dem Glauben: Wenn er keine Werke hat, so ist er in sich selbst tot.

18 Da wird aber jemand sagen: Du hast Glauben, ich habe Werke. Zeige mir deinen Glauben aus deinen Werken; ich aber will dir aus meinen Werken meinen Glauben zeigen! ¹⁹ Du glaubst, daß ein einziger Gott ist? Du tust wohl daran! Auch die Dämonen glauben – und zittern! ²⁰ Willst du aber erkennen, du nichtiger Mensch, daß der Glaube ohne die Werke tot ist?

21 Wurde nicht Abraham, unser Vater, durch Werke gerechtfertigt, als er seinen Sohn Isaak auf dem Altar darbrachte? ²² Siehst du, daß der Glaube zusammen mit seinen Werken wirksam war, und daß der Glaube durch die Werke vollkommen wurde? ²³ Und so erfüllte sich die Schrift, die spricht: *Abraham hat Gott geglaubt, und das wurde ihm zur Gerechtigkeit angerechnet,* und er ist ein Freund Gottes genannt worden. ²⁴ So seht ihr nun, daß der Mensch durch Werke gerechtfertigt

wird und nicht durch den Glauben allein. 25 Ist nicht ebenso auch die Hure Rahab durch Werke gerechtfertigt worden, da sie die Boten aufnahm und auf einem anderen Weg entließ? 26 Denn gleichwie der Leib ohne Geist tot ist, also ist auch der Glaube ohne die Werke tot.

Warnung vor dem Mißbrauch der Zunge

3 Werdet nicht in großer Zahl Lehrer, meine Brüder, da ihr wißt, daß wir ein strengeres Urteil empfangen werden! 2 Denn wir alle verfehlen uns vielfach; wenn jemand sich im Wort nicht verfehlt, so ist er ein vollkommener Mann, fähig, auch den ganzen Leib im Zaum zu halten.

3 Siehe, den Pferden legen wir die Zäume ins Maul, damit sie uns gehorchen, und so lenken wir ihren ganzen Leib. 4 Siehe, auch die Schiffe, so groß sie sind und so rauh die Winde auch sein mögen, die sie treiben – sie werden von einem ganz kleinen Steuerruder gelenkt, wohin die Absicht des Steuermannes es will. 5 So ist auch die Zunge ein kleines Glied und rühmt sich doch großer Dinge. Siehe, ein kleines Feuer – welch großen Wald zündet es an!

6 Auch die Zunge ist ein Feuer, eine Welt der Ungerechtigkeit. So nimmt die Zunge ihren Platz ein unter unseren Gliedern; sie befleckt den ganzen Leib und steckt den Umkreis des Lebens in Brand und wird selbst von der Hölle in Brand gesteckt.

7 Denn jede Art der wilden Tiere und Vögel, der Reptilien und Meerestiere wird bezwungen und ist bezwungen worden von der menschlichen Natur; 8 die Zunge aber kann kein Mensch bezwingen, das unruhige Übel voll tödlichen Giftes!

9 Mit ihr loben wir Gott, den Vater, und mit ihr verfluchen wir die Menschen, die nach dem Bild Gottes gemacht sind; 10 aus ein und demselben Mund geht Loben und Fluchen hervor. Das soll nicht so sein, meine Brüder! 11 Sprudelt auch eine Quelle aus derselben Öffnung Süßes und Bitteres hervor? 12 Kann auch, meine Brüder, ein Feigenbaum Oliven tragen, oder der Weinstock Feigen? So kann auch eine Quelle nicht salziges und süßes Wasser geben.

Die Weisheit von oben und die irdische Weisheit   Eph 4,1-3

13 Wer ist weise und verständig unter euch? Der zeige durch einen guten Wandel seine Werke in Sanftmut der Weisheit! 14 Wenn ihr aber bitteren Neid und Streitsucht in eurem Herzen habt, so rühmt euch nicht und lügt nicht gegen die Wahrheit! 15 Das ist nicht die Weisheit, die von oben herabkommt,

sondern eine irdische, seelische, dämonische. [16] Denn wo
Neid und Streitsucht regieren, da ist Unordnung und jede böse
Tat.
17 Die Weisheit von oben aber ist erstens rein, sodann friedfer-
tig, gütig, folgsam, voll Barmherzigkeit und guter Früchte, un-
parteiisch und frei von Heuchelei. [18] Die Frucht der Gerechtigkeit aber wird in Frieden denen gesät, die Frieden stiften.

Gegen Begehrlichkeit und Freundschaft mit der Welt Gal 5,24-26

4 Woher kommen die Kämpfe und die Streitigkeiten unter
euch? Kommen sie nicht von den Begierden, die in euren
Gliedern streiten? [2] Ihr seid begehrlich und habt es nicht, ihr
mordet und neidet und könnt es doch nicht erlangen; ihr streitet und kämpft, doch ihr habt es nicht, weil ihr nicht bittet.
[3] Ihr bittet und bekommt es nicht, weil ihr in böser Absicht bittet, um es in euren Begierden zu vergeuden.
4 Ihr Ehebrecher und Ehebrecherinnen, wißt ihr nicht, daß die
Freundschaft mit der Welt Feindschaft gegen Gott ist? Wer ein
Freund der Welt sein will, der macht sich zum Feind Gottes!
[5] Oder meint ihr, die Schrift sage umsonst: Ein eifersüchtiges
Verlangen hat der Geist, der in uns wohnt? [6] Um so reicher
aber ist die Gnade, die er gibt. Darum spricht er: *Gott widersteht den Hochmütigen; den Demütigen aber gibt er Gnade.*

Aufruf zu Buße und Demütigung vor Gott 1Pt 5,5-6

7 So unterwerft euch nun Gott! Widersteht dem Teufel, so flieht
er von euch; [8] naht euch zu Gott, so naht er sich zu euch! Reinigt die Hände, ihr Sünder, und heiligt eure Herzen, die ihr ge-
teilten Herzens seid! [9] Fühlt euer Elend, trauert und heult! Euer
Lachen verwandle sich in Trauer und eure Freude in Niederge-
schlagenheit! [10] Demütigt euch vor dem Herrn, so wird er euch
erhöhen.
11 Redet nicht Schlechtes gegeneinander, Brüder! Wer gegen
einen Bruder Schlechtes redet und seinen Bruder richtet, der
redet Schlechtes gegen das Gesetz und richtet das Gesetz;
wenn du aber das Gesetz richtest, so bist du nicht ein Täter,
sondern ein Richter des Gesetzes. [12] *Einer* nur ist der Gesetzge-
ber, der die Macht hat, zu retten und zu verderben; wer bist du,
daß du den anderen richtest?

Warnung vor Selbstsicherheit Lk 12,16-20

13 Wohlan nun, die ihr sagt: Heute oder morgen wollen wir in die
und die Stadt reisen und dort ein Jahr zubringen, Handel treiben

und Gewinn machen [14] – und doch wißt ihr nicht, was morgen sein wird! Denn was ist euer Leben? Es ist doch nur ein Dunst, der eine kleine Zeit sichtbar ist; danach aber verschwindet er. [15] Statt dessen solltet ihr sagen: Wenn der Herr will und wir leben, wollen wir dies oder das tun. [16] Jetzt aber rühmt ihr euch in eurem Übermut! Jedes derartige Rühmen ist böse. [17] Wer nun Gutes zu tun weiß und es nicht tut, für den ist es Sünde.

Warnung an die gottlosen Reichen

5 Wohlan nun, ihr Reichen, weint und heult über das Elend, das über euch kommt! [2] Euer Reichtum ist verfault und eure Kleider sind zum Mottenfraß geworden; [3] euer Gold und Silber ist verrostet, und ihr Rost wird gegen euch Zeugnis ablegen und euer Fleisch fressen wie Feuer. Ihr habt Schätze gesammelt in den letzten Tagen! [4] Siehe, der Lohn der Arbeiter, die euch die Felder abgemäht haben, der aber von euch zurückbehalten worden ist, er schreit, und das Rufen der Schnitter ist dem Herrn der Heerscharen zu Ohren gekommen! [5] Ihr habt euch dem Genuß hingegeben und üppig gelebt auf Erden, ihr habt eure Herzen gemästet wie an einem Schlachttag! [6] Ihr habt den Gerechten verurteilt, ihn getötet; er hat euch nicht widerstanden.

Verschiedene Ermahnungen

[7] So wartet nun geduldig, ihr Brüder, bis zur Wiederkunft des Herrn! Siehe, der Landmann wartet auf die köstliche Frucht der Erde und geduldet sich ihretwegen, bis sie den Früh- und Spätregen empfangen hat. [8] So wartet auch ihr geduldig; stärkt eure Herzen, denn die Wiederkunft des Herrn ist nahe! [9] Seufzt nicht gegeneinander, Brüder, damit ihr nicht verurteilt werdet; siehe, der Richter steht vor der Tür! [10] Meine Brüder, nehmt auch die Propheten, die im Namen des Herrn geredet haben, zum Vorbild des Leidens und der Geduld. [11] Siehe, wir preisen die glückselig, welche standhaft ausharren! Von Hiobs Standhaftigkeit habt ihr gehört, und ihr habt gesehen, zu welchem Ende es der Herr geführt hat; denn der Herr ist voll Mitleid und Erbarmen. [12] Vor allem aber, meine Brüder, schwört nicht, weder bei dem Himmel noch bei der Erde noch mit irgend einem anderen Eid; euer Ja soll ein Ja sein, und euer Nein ein Nein, damit ihr nicht unter ein Gericht fallt. [13] Leidet jemand von euch Unrecht? Er soll beten! Ist jemand guten Mutes? Er soll Psalmen singen! [14] Ist jemand von euch

krank? Er soll die Ältesten der Gemeinde zu sich rufen lassen; und sie sollen für ihn beten und ihn dabei mit Öl salben im Namen des Herrn. [15] Und das Gebet des Glaubens wird den Kranken retten, und der Herr wird ihn aufrichten; und wenn er Sünden begangen hat, so wird ihm vergeben werden.

16 Bekennt einander die Übertretungen und betet füreinander, damit ihr geheilt werdet! Das Gebet eines Gerechten vermag viel, wenn es ernstlich ist. [17] Elia war ein Mensch von gleicher Art wie wir, und er betete inständig, daß es nicht regnen solle, und es regnete drei Jahre und sechs Monate nicht im Land; [18] und er betete wiederum; da gab der Himmel Regen, und die Erde brachte ihre Frucht.

19 Brüder, wenn jemand unter euch von der Wahrheit abirrt, und es führt ihn einer zur Umkehr, [20] so soll er wissen: Wer einen Sünder von seinem Irrweg zur Umkehr führt, der wird eine Seele vom Tod erretten und eine Menge Sünden zudecken.

DER ERSTE BRIEF DES APOSTELS PETRUS

Der Apostel Petrus schrieb diesen Brief um 63-64 n. Chr. an eine Reihe von christlichen Gemeinden in Kleinasien, um sie angesichts von Verfolgungen durch ihre heidnische Umwelt zu ermutigen. Er spricht die Christen als „Fremdlinge" auf dieser Erde an, d. h. als Gäste ohne Bürgerrecht, die ihre eigentliche Heimat im Himmel haben, wo Gott ihnen ein wunderbares Heil bereitet hat, das auf sie wartet.

Zuschrift und Gruß

1 Petrus, Apostel Jesu Christi, an die Fremdlinge in der Zerstreuung in Pontus, Galatien, Kappadozien, Asien und Bithynien[a], 2 die auserwählt sind gemäß der Vorsehung Gottes, des Vaters, in der Heiligung des Geistes, zum Gehorsam und zur Besprengung mit dem Blut Jesu Christi: Gnade und Friede werde euch mehr und mehr zuteil!

Die lebendige Hoffnung der Gläubigen   Röm 8,16-39

3 Gelobt sei der Gott und Vater unseres Herrn Jesus Christus, der uns aufgrund seiner großen Barmherzigkeit wiedergeboren hat zu einer lebendigen Hoffnung durch die Auferstehung Jesu Christi aus den Toten, 4 zu einem unvergänglichen und unbefleckten und unverwelklichen Erbe, das im Himmel aufbewahrt wird für uns, 5 die wir in der Kraft Gottes bewahrt werden durch den Glauben zu dem Heil, das bereit ist, geoffenbart zu werden in der letzten Zeit.

6 Dann werdet ihr frohlocken, die ihr jetzt eine kurze Zeit, wenn es sein muß, traurig seid in mancherlei Anfechtungen, 7 damit die Bewährung eures Glaubens (der viel kostbarer ist als das vergängliche Gold, das doch durchs Feuer erprobt wird) Lob, Ehre und Herrlichkeit zur Folge habe bei der Offenbarung Jesu Christi. 8 Ihn liebt ihr, obgleich ihr ihn nicht gesehen habt; an ihn glaubt ihr, obgleich ihr ihn jetzt nicht seht, und über ihn freut ihr euch mit unaussprechlicher und herrlicher Freude, 9 wenn ihr das Endziel eures Glaubens davontragt, die Errettung der Seelen!

10 Wegen dieser Errettung haben die Propheten gesucht und nachgeforscht, die von der euch zuteil gewordenen Gnade geweissagt haben. 11 Sie haben nachgeforscht, auf welche und was für eine Zeit der Geist des Christus in ihnen hindeutete,

---

a. (1,1) Die genannten römischen Provinzen umfaßten große Teile Kleinasiens.

der die für Christus bestimmten Leiden und die darauf folgenden Herrlichkeiten zuvor bezeugte. [12] Ihnen wurde geoffenbart, daß sie nicht sich selbst, sondern uns dienten mit dem, was euch nunmehr kundgetan worden ist durch diejenigen, welche euch das Evangelium verkündigt haben im Heiligen Geist, der vom Himmel gesandt wurde – Dinge, in welche auch die Engel hineinzuschauen begehren.

Ermahnung zu einem heiligen Wandel 1Th 4,1-7; Eph 4,17-24

13 Darum umgürtet die Lenden eurer Gesinnung, seid nüchtern und setzt eure Hoffnung ganz auf die Gnade, die euch zuteil wird in der Offenbarung Jesu Christi. [14] Als gehorsame Kinder paßt euch nicht den Begierden an, denen ihr früher in eurer Unwissenheit dientet, [15] sondern wie der, welcher euch berufen hat, heilig ist, sollt auch ihr heilig sein in eurem ganzen Wandel. [16] Denn es steht geschrieben: *Ihr sollt heilig sein, denn ich bin heilig!*
17 Und wenn ihr den als Vater anruft, der ohne Ansehen der Person richtet nach dem Werk jedes einzelnen, so führt euren Wandel in Furcht, solange ihr hier als Fremdlinge weilt. [18] Denn ihr wißt ja, daß ihr nicht mit vergänglichen Dingen, mit Silber oder Gold, losgekauft worden seid aus eurem nichtigen, von den Vätern überlieferten Wandel, [19] sondern mit dem kostbaren Blut des Christus, als eines fehlerlosen und unbefleckten Lammes. [20] Er war zuvor ersehen vor Grundlegung der Welt, aber wurde geoffenbart in den letzten Zeiten um euretwillen, [21] die ihr durch ihn an Gott glaubt, der ihn aus den Toten auferweckt und ihm Herrlichkeit gegeben hat, damit euer Glaube und eure Hoffnung auf Gott gerichtet seien.
22 Da ihr eure Seelen im Gehorsam gegen die Wahrheit gereinigt habt durch den Geist zu ungeheuchelter Bruderliebe, so liebt einander beharrlich und aus reinem Herzen, [23] denn ihr seid wiedergeboren nicht aus vergänglichem, sondern aus unvergänglichem Samen, durch das lebendige Wort Gottes, das in Ewigkeit bleibt. [24] Denn *alles Fleisch ist wie Gras und alle Herrlichkeit des Menschen wie des Grases Blume. Das Gras ist verdorrt und seine Blume abgefallen; aber das Wort des Herrn bleibt in Ewigkeit.* [25] Das ist aber das Wort, welches euch als Evangelium verkündigt worden ist.

2 So legt nun ab alle Bosheit und allen Betrug und Heuchelei und Neid und alle Verleumdungen, [2] und seid als neugeborene Kindlein begierig nach der unverfälschten Milch des Wor-

tes, damit ihr durch sie heranwachst, ³ wenn ihr wirklich geschmeckt habt, daß der Herr freundlich ist.

Jesus Christus als Eckstein des Hauses Gottes. Die Berufung der Gemeinde als heiliges Priestertum   Apg 4,11-12; Eph 2,20-22

4 Da ihr zu ihm gekommen seid, zu dem lebendigen Stein, der von den Menschen zwar verworfen, bei Gott aber auserwählt und kostbar ist, ⁵ so laßt auch ihr euch nun als lebendige Steine aufbauen, als ein geistliches Haus, als ein heiliges Priestertum, um geistliche Opfer darzubringen, die Gott angenehm sind durch Jesus Christus. ⁶ Darum steht auch in der Schrift: *Siehe, ich lege in Zion einen auserwählten, kostbaren Eckstein, und wer an ihn glaubt, soll nicht zuschanden werden.*

7 Für euch nun, die ihr glaubt, ist er kostbar; für die Ungläubigen aber gilt: *Der Stein, den die Bauleute verworfen haben, gerade der ist zum Eckstein geworden,* ⁸ ein »Stein des Anstoßens« und ein »Fels des Ärgernisses«. Sie nehmen Anstoß, weil sie dem Wort nicht glauben, wozu sie auch gesetzt sind.

9 Ihr aber seid ein auserwähltes Geschlecht, ein königliches Priestertum, ein heiliges Volk, ein Volk des Eigentums, damit ihr die Tugenden dessen verkündet, der euch aus der Finsternis berufen hat zu seinem wunderbaren Licht ¹⁰ – euch, die ihr einst nicht ein Volk wart, nun aber Gottes Volk seid, und einst nicht begnadigt wart, nun aber begnadigt seid.

Der Wandel des Gläubigen als Fremdling in dieser Welt   Tit 2,11-15

11 Geliebte, ich ermahne euch als Fremdlinge und Wanderer ohne Bürgerrecht: Enthaltet euch der fleischlichen Begierden, die gegen die Seele streiten; ¹² und führt einen guten Wandel unter den Heiden, damit sie da, wo sie euch als Übeltäter verleumden, doch aufgrund der guten Werke, die sie gesehen haben, Gott preisen am Tag der Untersuchung.

13 Ordnet euch deshalb aller menschlichen Ordnung unter um des Herrn willen, es sei dem König als dem Oberhaupt ¹⁴ oder den Statthaltern als seinen Gesandten zur Bestrafung der Übeltäter und zum Lob derer, die Gutes tun. ¹⁵ Denn das ist der Wille Gottes, daß ihr durch Gutestun die Unwissenheit der unverständigen Menschen zum Schweigen bringt; ¹⁶ als Freie, und nicht als solche, die die Freiheit als Deckmantel für die Bosheit benutzen, sondern als Knechte Gottes. ¹⁷ Erweist jedermann Achtung, liebt die Bruderschaft, fürchtet Gott, ehrt den König!

Das Verhältnis der Gläubigen zu Vorgesetzten. Das herrliche Vorbild Jesu Christi Eph 6,5-8; Tit 2,9-10; 1Pt 3,14-18

18 Ihr Hausknechte, seid in aller Furcht euren Herren untertan, nicht nur den guten und milden, sondern auch den verkehrten! **19** Denn das ist Gnade, wenn jemand wegen des Gewissens vor Gott Kränkungen erträgt, indem er zu Unrecht leidet. **20** Denn was ist das für ein Ruhm, wenn ihr geduldig Schläge ertragt, weil ihr gesündigt habt? Wenn ihr aber für Gutestun leidet und es geduldig ertragt, das ist Gnade bei Gott. **21** Denn dazu seid ihr berufen, weil auch Christus für uns gelitten und uns ein Vorbild hinterlassen hat, damit ihr seinen Fußstapfen nachfolgt.

22 *Er hat keine Sünde getan, es ist auch kein Betrug in seinem Mund gefunden worden;* **23** als er geschmäht wurde, schmähte er nicht wieder, als er litt, drohte er nicht, sondern übergab es dem, der gerecht richtet. **24** Er hat unsere Sünden selbst an seinem Leib getragen auf dem Holz, damit wir, den Sünden gestorben, der Gerechtigkeit leben mögen; durch seine Wunden seid ihr heil geworden. **25** Denn ihr wart wie Schafe, die in die Irre gehen, nun aber habt ihr euch bekehrt zu dem Hirten und Hüter eurer Seelen.

Weisungen für Frauen und Männer Kol 3,18-19; 1Tim 2,9-15

3 Gleicherweise sollen auch die Frauen sich ihren eigenen Männern unterordnen, damit, wenn auch etliche dem Wort nicht glauben, sie durch den Wandel der Frauen ohne Wort gewonnen werden, **2** wenn sie euren in Furcht reinen Wandel ansehen.

3 Euer Schmuck soll nicht der äußerliche sein, Haarflechten und Anlegen von Goldgeschmeide oder Kleidung, **4** sondern der verborgene Mensch des Herzens in dem unvergänglichen Schmuck eines sanften und stillen Geistes, der vor Gott sehr kostbar ist.

5 Denn so haben sich einst auch die heiligen Frauen geschmückt, die ihre Hoffnung auf Gott setzten und sich ihren Männern unterordneten, **6** wie Sarah dem Abraham gehorchte und ihn »Herr« nannte. Deren Töchter seid ihr geworden, wenn ihr Gutes tut und euch durch keine Drohung einschüchtern laßt.

7 Ihr Männer gleichermaßen, lebt mit eurer Frau als dem schwächeren Gefäß mit Einsicht zusammen, und erweist ihr Achtung als solche, die gemeinsame Erben der Gnade des Lebens sind, damit eure Gebete nicht verhindert werden.

Geistliche Haltung inmitten von Bedrängnissen und Verfolgungen Röm 12,14-21; Mt 5,43-48

8 Endlich aber seid alle gleichgesinnt, mitfühlend, voll brüderlicher Liebe, barmherzig, gütig! [9] Vergeltet nicht Böses mit Bösem oder Schmähung mit Schmähung, sondern im Gegenteil segnet, weil ihr wißt, daß ihr dazu berufen seid, Segen zu erben. [10] Denn *wem das Leben lieb ist und wer gute Tage sehen will, der bewahre seine Zunge vor Bösem und seine Lippen, daß sie nicht Trug reden;* [11] *er wende sich ab vom Bösen und tue Gutes, er suche den Frieden und jage ihm nach!* [12] *Denn die Augen des Herrn sehen auf die Gerechten, und seine Ohren merken auf ihr Flehen; das Angesicht des Herrn aber ist gegen die gerichtet, die Böses tun.*

13 Und wer will euch Schaden zufügen, wenn ihr Nachahmer des Guten seid? [14] Doch wenn ihr auch leiden solltet um der Gerechtigkeit willen, glückselig seid ihr! Ihr Drohen aber fürchtet nicht und laßt euch nicht beunruhigen; [15] sondern heiligt vielmehr Gott, den Herrn, in euren Herzen! Seid auch allezeit bereit zur Verantwortung gegenüber jedermann, der Rechenschaft fordert über die Hoffnung, die in euch ist, [und zwar] mit Sanftmut und Ehrerbietung; [16] und bewahrt ein gutes Gewissen, damit die, welche euren guten Wandel in Christus verlästern, zuschanden werden in dem, worin sie euch als Übeltäter verleumden mögen. [17] Denn es ist besser, daß ihr für Gutestun leidet, wenn das der Wille Gottes sein sollte, als für Bösestun.

Das Vorbild des Christus als Ansporn für einen heiligen Wandel 1Pt 2,19-24; Phil 1,27-2,15

18 Denn auch Christus hat einmal für Sünden gelitten, der Gerechte für die Ungerechten, damit er uns zu Gott führte; und er wurde getötet nach dem Fleisch, aber lebendig gemacht durch den Geist, [19] in welchem er auch hinging und den Geistern im Gefängnis verkündigte, [20] die einst nicht glaubten, als Gottes Langmut einmal zuwartete in den Tagen Noahs, während die Arche zugerichtet wurde, in der wenige, nämlich acht Seelen, durchs Wasser hindurchgerettet wurden. [21] Als Gegenbild davon rettet nun auch uns die Taufe, die nicht ein Abtun der Unreinheit des Fleisches ist, sondern das Zeugnis eines guten Gewissens vor Gott durch die Auferstehung Jesu Christi, [22] welcher seit seiner Himmelfahrt zur Rechten Gottes ist; und Engel und Gewalten und Mächte sind ihm unterworfen.

4 Da nun Christus für uns im Fleisch gelitten hat, so wappnet auch ihr euch mit derselben Gesinnung; denn wer im Fleisch gelitten hat, der ist zur Ruhe gekommen von der Sünde, [2] um die noch verbleibende Zeit im Fleisch nicht mehr den Begierden der Menschen zu leben, sondern dem Willen Gottes.

3 Denn es ist für uns genug, daß wir die vergangene Zeit des Lebens nach dem Willen der Heiden zugebracht haben, indem wir uns gehen ließen in Ausschweifungen, Begierden, Trunksucht, Belustigungen, Trinkgelagen und frevelhaftem Götzendienst. [4] Das befremdet sie, daß ihr nicht mitlauft in denselben heillosen Schlamm, und darum lästern sie; [5] sie werden aber dem Rechenschaft geben müssen, der bereit ist, die Lebendigen und die Toten zu richten.

6 Denn dazu ist auch Toten das Evangelium verkündigt worden, daß sie gerichtet würden im Fleisch den Menschen gemäß, aber Gott gemäß lebten im Geist.

7 Es ist aber nahe gekommen das Ende aller Dinge. So seid nun besonnen und nüchtern zum Gebet. [8] Vor allem aber habt innige Liebe untereinander; denn die Liebe wird eine Menge von Sünden zudecken. [9] Seid gegeneinander gastfreundlich ohne Murren!

Gegenseitiges Dienen in der Gemeinde   Röm 12,1-8; 1Kor 12,4-27

10 Dient einander, ein jeder mit der Gnadengabe, die er empfangen hat, als gute Haushalter der mannigfachen Gnade Gottes: [11] Wenn jemand redet, so rede er es als Aussprüche Gottes; wenn jemand dient, so tue er es aus der Kraft, die Gott darreicht, damit in allem Gott verherrlicht wird durch Jesus Christus. Ihm sei die Herrlichkeit und die Macht von Ewigkeit zu Ewigkeit! Amen.

Ermutigung zu standhaftem Leiden um des Christus willen
Mt 5,10-12; Apg 5,41; 14,22; 2Th 1,4-12

12 Geliebte, laßt euch durch die unter euch entstandene Feuersglut, die zur Prüfung über euch gekommen ist, nicht befremden, so als widerführe euch etwas Fremdartiges; [13] sondern in dem Maß, wie ihr Anteil habt an den Leiden des Christus, freut euch, damit ihr euch auch bei der Offenbarung seiner Herrlichkeit jubelnd freuen könnt.

14 Glückselig seid ihr, wenn ihr geschmäht werdet um des Namens des Christus willen! Denn der Geist der Herrlichkeit, der Geist Gottes ruht auf euch; bei ihnen ist er verlästert, bei euch

aber verherrlicht. [15] Keiner von euch soll daher als Mörder oder Dieb oder Übeltäter leiden, oder weil er sich in fremde Dinge mischt; [16] wenn er aber als Christ leidet, so soll er sich nicht schämen, sondern er soll Gott verherrlichen in dieser Sache!

17 Denn die Zeit ist da, daß das Gericht beginnt beim Haus Gottes; wenn aber zuerst bei uns, wie wird das Ende derer sein, die dem Evangelium Gottes nicht glauben? [18] Und wenn der Gerechte [nur] mit Not gerettet wird, wo wird sich der Gottlose und Sünder wiederfinden?

19 Daher sollen auch die, welche nach dem Willen Gottes leiden, ihre Seelen ihm als dem treuen Schöpfer anvertrauen und dabei das Gute tun.

Ermahnung für die Ältesten in den Gemeinden Apg 20,28

5 Die Ältesten, die unter euch sind, ermahne ich als Mitältester und Zeuge der Leiden des Christus, aber auch als Teilhaber der Herrlichkeit, die geoffenbart werden soll: [2] Hütet die Herde Gottes bei euch, indem ihr nicht gezwungen, sondern freiwillig Aufsicht übt, nicht nach schändlichem Gewinn strebend, sondern mit Hingabe, [3] nicht als solche, die über das ihnen Zugewiesene herrschen, sondern indem ihr Vorbilder der Herde seid! [4] Dann werdet ihr auch, wenn der oberste Hirte erscheint, den unverwelklichen Ehrenkranz empfangen.

Ermahnung zu Demut und Wachsamkeit Jak 4,6-8.10; Eph 6,10-18

5 Ebenso ihr Jüngeren, ordnet euch den Ältesten unter; ihr alle sollt euch gegenseitig unterordnen und mit Demut bekleiden! Denn *Gott widersteht den Hochmütigen, den Demütigen aber gibt er Gnade.*

6 So demütigt euch nun unter die gewaltige Hand Gottes, damit er euch erhöhe zu seiner Zeit! [7] Alle eure Sorge werft auf ihn; denn er sorgt für euch.

8 Seid nüchtern und wachet! Denn euer Widersacher, der Teufel, geht umher wie ein brüllender Löwe und sucht, wen er verschlingen kann; [9] dem widersteht, fest im Glauben, in dem Wissen, daß sich die gleichen Leiden erfüllen an eurer Bruderschaft, die in der Welt ist.

10 Der Gott aller Gnade aber, der uns berufen hat zu seiner ewigen Herrlichkeit in Christus Jesus, er selbst möge euch, nachdem ihr eine kurze Zeit gelitten habt, völlig zubereiten, festigen, stärken, gründen! [11] Ihm sei die Herrlichkeit und die Macht von Ewigkeit zu Ewigkeit! Amen.

Schlußwort und Gruß

12 Durch Silvanus, der euch, wie ich überzeugt bin, ein treuer Bruder ist, habe ich euch in Kürze geschrieben, um euch zu ermahnen und zu bezeugen, daß dies die wahre Gnade Gottes ist, in der ihr steht.

13 Es grüßt euch die Mitauserwählte in Babylon und Markus, mein Sohn. Grüßt einander mit dem Kuß der Liebe!

14 Friede sei mit euch allen, die in Christus Jesus sind! Amen.

DER ZWEITE BRIEF DES APOSTELS PETRUS

Der zweite Brief des Apostels Petrus, ca. 64-67 n. Chr. kurz vor seinem Tod geschrieben, ist so etwas wie ein prophetisches, in die Zukunft weisendes Vermächtnis des Apostels. Wie Paulus im 2. Timotheusbrief weist auch Petrus warnend darauf hin, daß viele christliche Gemeinden bald nach der Zeit der Apostel durch falsche Lehrer von ihrem gottgewollten Weg abweichen würden. Petrus warnt vor Spöttern, die die Gültigkeit der biblischen Aussagen von dem erneuten Kommen Jesu Christi in Frage stellten (3,3-10). Er zeigt, daß falsche Lehrer den Herrn Jesus Christus verleugnen und verderbenbringende Irrlehren einführen werden (2,1-3). Er mahnt die Christen, unbeirrt an dem von Gottes Geist eingegebenen Wort der Bibel festzuhalten (1,19-21).

Zuschrift und Gruß

1 Simon Petrus, Knecht und Apostel Jesu Christi, an die, welche den gleichen kostbaren Glauben wie wir empfangen haben an die Gerechtigkeit unseres Gottes und Retters Jesus Christus: ² Gnade und Friede werde euch mehr und mehr zuteil in der Erkenntnis Gottes und unseres Herrn Jesus!

Ermahnung zum Ausleben der christlichen Tugenden

3 Da seine göttliche Kraft uns alles, was zum Leben und zur Gottseligkeit[a] dient, geschenkt hat durch die Erkenntnis dessen, der uns berufen hat durch [seine] Herrlichkeit und Tugend, ⁴ durch welche er uns die überaus großen und kostbaren Verheißungen gegeben hat, damit ihr durch dieselben göttlicher Natur teilhaftig werdet, nachdem ihr dem Verderben entflohen seid, das durch die Begierde in der Welt herrscht,
5 so setzt eben deshalb allen Eifer daran und reicht in eurem Glauben die Tugend dar, in der Tugend aber die Erkenntnis, ⁶ in der Erkenntnis aber die Selbstbeherrschung, in der Selbstbeherrschung aber die Standhaftigkeit, in der Standhaftigkeit aber die Gottseligkeit, ⁷ in der Gottseligkeit aber die Bruderliebe, in der Bruderliebe aber die Liebe.
8 Denn wenn diese Dinge bei euch vorhanden sind und zunehmen, so lassen sie euch nicht träge noch unfruchtbar sein für die Erkenntnis unseres Herrn Jesus Christus. ⁹ Wem dagegen diese Dinge fehlen, der ist blind und kurzsichtig und hat die Reinigung von seinen früheren Sünden vergessen.

a. (1,3) d.h. Gottesfurcht, rechte Verehrung Gottes.

10 Darum, meine Brüder, seid um so eifriger bestrebt, eure Berufung und Erwählung fest zu machen; denn wenn ihr diese Dinge tut, werdet ihr niemals zu Fall kommen; [11] denn auf diese Weise wird euch der Eingang in das ewige Reich unseres Herrn und Retters Jesus Christus reichlich gewährt werden.

Die Gewißheit des von Gott geoffenbarten prophetischen Wortes der Heiligen Schrift   1Joh 1,1-4; Mt 17,1-6; Röm 16,25-27; 2Tim 3,16

12 Darum will ich es nicht versäumen, euch stets an diese Dinge zu erinnern, obwohl ihr sie kennt und in der [bei euch] vorhandenen Wahrheit fest gegründet seid. [13] Ich halte es aber für richtig, solange ich in diesem [Leibes-]Zelt bin, euch aufzuwecken, indem ich euch erinnere, [14] da ich weiß, daß ich mein Zelt bald ablegen werde, so wie es mir auch unser Herr Jesus Christus eröffnet hat. [15] Ich will aber dafür Sorge tragen, daß ihr euch auch nach meinem Abschied jederzeit diese Dinge in Erinnerung rufen könnt.

16 Denn wir sind nicht klug ersonnenen Legenden gefolgt, als wir euch die Macht und Wiederkunft unseres Herrn Jesus Christus kundtaten, sondern wir sind Augenzeugen seiner herrlichen Majestät gewesen. [17] Denn er empfing von Gott, dem Vater, Ehre und Herrlichkeit, als eine Stimme von der hocherhabenen Herrlichkeit an ihn erging: »Dies ist mein geliebter Sohn, an dem ich Wohlgefallen habe!« [18] Und diese Stimme hörten wir vom Himmel her kommen, als wir mit ihm auf dem heiligen Berg waren.

19 Und wir halten nun desto fester an dem prophetischen Wort, und ihr tut gut daran, darauf zu achten als auf ein Licht, das an einem dunklen Ort scheint, bis der Tag anbricht und der Morgenstern aufgeht in euren Herzen. [20] Dabei sollt ihr vor allem das erkennen, daß keine Weissagung der Schrift ein Werk eigenmächtiger Deutung ist. [21] Denn niemals wurde eine Weissagung durch menschlichen Willen hervorgebracht, sondern vom Heiligen Geist getrieben haben die heiligen Menschen Gottes geredet.

Warnung vor falschen Lehrern   Apg 20,29-30; Jud 3-4; 16-19

2 Es gab aber auch falsche Propheten unter dem Volk, wie auch unter euch falsche Lehrer sein werden, die heimlich verderbliche Sekten einführen, indem sie sogar den Herrn, der sie erkauft hat, verleugnen; und sie werden ein schnelles Verderben über sich selbst bringen. [2] Und viele werden ihren ver-

derblichen Wegen nachfolgen, und um ihretwillen wird der Weg der Wahrheit verlästert werden. ³ Und aus Habsucht werden sie euch mit betrügerischen Worten ausbeuten; aber das Gericht über sie ist längst vorbereitet, und ihr Verderben schlummert nicht.

Vorbilder des göttlichen Strafgerichts über Gottlose und Frevler
Jud 5-15; Mt 7,21-23; 2Th 1,8-2,12; Offb 18 u. 19

4 Denn wenn Gott die Engel nicht verschonte, die gesündigt hatten, sondern sie in Fesseln der Finsternis in den Abgrund warf, um sie zum Gericht aufzubewahren, ⁵ und wenn er die alte Welt nicht verschonte, sondern [nur] Noah, den Verkündiger der Gerechtigkeit, als Achten bewahrte, als er die Sintflut über die Welt der Gottlosen brachte, ⁶ und auch die Städte Sodom und Gomorra einäscherte und so zum Untergang verurteilte, womit er sie künftigen Gottlosen zum warnenden Beispiel setzte, ⁷ während er den gerechten Lot herausrettete, der durch den zügellosen Lebenswandel der Frevler geplagt worden war ⁸ (denn dadurch, daß er es mit ansehen und mit anhören mußte, quälte der Gerechte, der unter ihnen wohnte, Tag für Tag seine gerechte Seele mit ihren gesetzlosen Werken) ⁹ – so weiß der Herr die Gottesfürchtigen aus der Versuchung zu erretten, die Ungerechten aber zur Bestrafung aufzubewahren für den Tag des Gerichts.

Das vermessene, frevlerische Verhalten der Verführer   Jud 8-19

10 Das gilt besonders für die, welche dem Fleisch nachlaufen aus Begierde nach Befleckung und die Herrschergewalt verachten. Verwegen und frech, wie sie sind, fürchten sie sich nicht, die Mächte zu lästern, ¹¹ wo doch Engel, die an Stärke und Macht größer sind, kein lästerndes Urteil gegen sie bei dem Herrn vorbringen.
12 Diese aber, wie unvernünftige Tiere von Natur zum Fang und Verderben geboren, lästern über das, was sie nicht verstehen, und werden in ihrer Verdorbenheit völlig zugrundegerichtet werden, ¹³ indem sie so den Lohn der Ungerechtigkeit empfangen. Sie halten die Schwelgerei bei Tage für ihr Vergnügen; als Schmutz- und Schandflecken tun sie groß mit ihren Betrügereien, wenn sie mit euch zusammen speisen. ¹⁴ Dabei haben sie Augen voller Ehebruch; sie hören nie auf zu sündigen und locken die unbefestigten Seelen an sich; sie haben ein Herz, das geübt ist in Habsucht, und sind Kinder des Fluchs.

15 Weil sie den geraden Weg verlassen haben, sind sie in die Irre gegangen und sind dem Weg Bileams, des Sohnes Beors, gefolgt, der den Lohn der Ungerechtigkeit liebte; 16 aber er bekam eine Zurechtweisung für seinen Frevel: das stumme Lasttier redete mit Menschenstimme und wehrte der Torheit des Propheten.

17 Diese Leute sind Brunnen ohne Wasser, Wolken, vom Sturmwind getrieben, und ihnen ist das Dunkel der Finsternis aufbehalten in Ewigkeit. 18 Denn mit hochfahrenden, nichtigen Reden locken sie durch ausschweifende fleischliche Begierden diejenigen an, die doch in Wahrheit hinweggeflohen waren von denen, die in die Irre gehen. 19 Dabei verheißen sie ihnen Freiheit, obgleich sie doch selbst Sklaven des Verderbens sind; denn wovon jemand überwunden ist, dessen Sklave ist er geworden.

20 Denn wenn sie durch die Erkenntnis des Herrn und Retters Jesus Christus den Befleckungen der Welt entflohen sind, aber wieder darin verstrickt und überwunden werden, so ist der letzte Zustand für sie schlimmer als der erste. 21 Denn es wäre für sie besser, daß sie den Weg der Gerechtigkeit nie erkannt hätten, als daß sie, nachdem sie ihn erkannt haben, wieder umkehren, hinweg von dem ihnen überlieferten heiligen Gebot. 22 Doch es ist ihnen ergangen nach dem wahren Sprichwort: »Der Hund kehrt wieder um zu dem, was er erbrochen hat, und die gewaschene Sau zum Wälzen im Schlamm.«

Das kommende Gericht und die Heilsabsichten Gottes in der Gnadenzeit

3 Geliebte, dies ist nun schon der zweite Brief, den ich euch schreibe, um durch Erinnerung eure lautere Gesinnung aufzuwecken, 2 damit ihr der Worte gedenkt, die von den heiligen Propheten vorausgesagt worden sind, und dessen, was euch der Herr und Retter durch uns, die Apostel, aufgetragen hat. 3 Dabei sollt ihr vor allem das erkennen, daß am Ende der Tage Spötter kommen werden, die nach ihren eigenen Begierden wandeln 4 und sagen: Wo ist die Verheißung seiner Wiederkunft? Denn seitdem die Väter entschlafen sind, bleibt alles so, wie es von Anfang der Schöpfung an gewesen ist!

5 Dabei übersehen sie aber absichtlich, daß schon vorzeiten Himmel waren und eine Erde aus dem Wasser heraus [entstanden ist] und inmitten der Wasser bestanden hat durch das Wort Gottes; 6 und daß durch diese [Wasser] die damalige Erde infolge einer Wasserflut zugrundeging. 7 Die jetzigen Himmel

aber und die Erde werden durch sein Wort aufgespart und für das Feuer bewahrt bis zum Tag des Gerichts und des Verderbens der gottlosen Menschen.

8 Dieses eine aber sollt ihr nicht übersehen, Geliebte, daß *ein* Tag vor dem Herrn ist wie tausend Jahre, und tausend Jahre wie *ein* Tag! 9 Der Herr zögert nicht die Verheißung hinaus, wie etliche es für ein Hinauszögern halten, sondern er ist langmütig gegen uns, weil er nicht will, daß jemand verloren gehe, sondern daß jedermann Raum zur Buße habe.

10 Es wird aber der Tag des Herrn kommen wie ein Dieb in der Nacht; dann werden die Himmel mit Krachen vergehen, die Elemente aber vor Hitze sich auflösen und die Erde und die Werke darauf verbrennen.

Die Hoffnung der Gläubigen und ihr heiliger Wandel. Warnung vor der Verdrehung der heiligen Schriften 1Th 5,1-10; 1Pt 1,13-16

11 Da nun dies alles derart aufgelöst wird, wie sehr solltet ihr euch auszeichnen durch heiligen Wandel und Gottseligkeit, 12 indem ihr das Kommen des Tages Gottes erwartet und ihm entgegeneilt, an welchem die Himmel in Glut sich auflösen und die Elemente vor Hitze zerschmelzen werden!

13 Wir erwarten aber nach seiner Verheißung neue Himmel und eine neue Erde, in denen Gerechtigkeit wohnt. 14 Darum, Geliebte, weil ihr dies erwartet, so seid eifrig darum bemüht, daß ihr unbefleckt und tadellos vor ihm erfunden werdet in Frieden!

15 Und seht die Langmut unseres Herrn als Rettung an, wie auch unser geliebter Bruder Paulus euch geschrieben hat nach der ihm gegebenen Weisheit, 16 so wie auch in allen Briefen, wo er von diesen Dingen spricht. In ihnen ist manches schwer zu verstehen, was die Ungelehrten und Ungefestigten verdrehen, wie auch die übrigen Schriften, zu ihrem eigenen Verderben.

17 Ihr aber, Geliebte, da ihr dies im voraus wißt, so hütet euch, daß ihr nicht durch die Verführung der Frevler mit fortgerissen werdet und euren eigenen festen Stand verliert!

18 Wachset dagegen in der Gnade und in der Erkenntnis unseres Herrn und Retters Jesus Christus! Ihm sei die Ehre, sowohl jetzt als auch bis zum Tag der Ewigkeit! Amen.

DER ERSTE BRIEF DES APOSTELS JOHANNES

Am Ende der Apostelzeit, etwa 90 n. Chr., schreibt der letzte überlebende Bote des Herrn Jesus Christus, der Apostel Johannes, diesen Brief. Angesichts eines um sich greifenden falschen, nur äußerlichen Christentums ohne wahren Glauben und innerliche Erneuerung durch den Geist Gottes zeigt er, was die echten Kinder Gottes auszeichnet. Er warnt davor, daß ein bewußtes Leben in Sünde und Verletzung der Gebote Gottes ein sicheres Kennzeichen für einen unechten Christen ist. Echte Christen dagegen bereuen und bekennen ihre Sünden und empfangen Vergebung. Er warnt vor falschen Propheten und Verführern, die Antichristentum in christlichem Gewand verbreiten (Kap. 4,1-6). Er zeigt aber auch die große Liebe Gottes des Vaters zu all denen, die wirklich umkehren und an Jesus Christus glauben, seine Fürsorge und Güte gegenüber allen seinen Kindern.

Das Wort des Lebens Joh 1,1-4.14; 17,20-23; 1Joh 5,11-13

1 Was von Anfang war, was wir gehört haben, was wir mit unseren Augen gesehen haben, was wir angeschaut und was unsere Hände betastet haben vom Wort des Lebens ² – und das Leben ist erschienen, und wir haben gesehen und bezeugen und verkündigen euch das ewige Leben, das bei dem Vater war und uns erschienen ist –, ³ was wir gesehen und gehört haben, das verkündigen wir euch, damit auch ihr Gemeinschaft mit uns habt; und unsere Gemeinschaft ist mit dem Vater und mit seinem Sohn Jesus Christus. ⁴ Und dies schreiben wir euch, damit eure Freude völlig sei.

Wandel im Licht und Sündenvergebung Eph 5,1-2; 5,8-14

5 Und das ist die Botschaft, die wir von ihm gehört haben und euch verkündigen, daß Gott Licht ist und in ihm gar keine Finsternis ist. ⁶ Wenn wir sagen, daß wir Gemeinschaft mit ihm haben, und doch in der Finsternis wandeln, so lügen wir und tun nicht die Wahrheit; ⁷ wenn wir aber im Licht wandeln, wie er im Licht ist, so haben wir Gemeinschaft miteinander, und das Blut Jesu Christi, seines Sohnes, reinigt uns von aller Sünde.

8 Wenn wir sagen, wir haben keine Sünde, so verführen wir uns selbst, und die Wahrheit ist nicht in uns. ⁹ Wenn wir aber unsere Sünden bekennen, so ist er treu und gerecht, daß er uns die Sünden vergibt und uns reinigt von aller Ungerechtigkeit.

10 Wenn wir sagen, wir haben nicht gesündigt, so machen wir ihn zum Lügner, und sein Wort ist nicht in uns.

2 Meine Kinder, dies schreibe ich euch, damit ihr nicht sündigt! Und wenn jemand sündigt, so haben wir einen Fürsprecher bei dem Vater, Jesus Christus, den Gerechten; 2 und er ist das Sühnopfer für unsere Sünden, aber nicht nur für die unseren, sondern auch für die der ganzen Welt.

Wahre Gotteserkenntnis zeigt sich im Halten der Gebote Gottes und in der Bruderliebe Mt 7,21-23; Joh 14,21-24; 15,12-14

3 Und daran erkennen wir, daß wir ihn erkannt haben, wenn wir seine Gebote halten. 4 Wer sagt: Ich habe ihn erkannt, und hält doch seine Gebote nicht, der ist ein Lügner, und in einem solchen ist die Wahrheit nicht; 5 wer aber sein Wort hält, in dem ist wahrhaftig die Liebe Gottes vollkommen geworden. Daran erkennen wir, daß wir in ihm sind. 6 Wer sagt, daß er in ihm bleibt, der ist verpflichtet, auch selbst so zu wandeln, wie jener gewandelt ist.

7 Brüder, ich schreibe euch nicht ein neues Gebot, sondern ein altes Gebot, das ihr von Anfang an hattet; das alte Gebot ist das Wort, das ihr von Anfang an gehört habt. 8 Und doch schreibe ich euch ein neues Gebot, was wahr ist in Ihm und in euch; denn die Finsternis vergeht, und das wahre Licht scheint schon.

9 Wer sagt, daß er im Licht ist, und doch seinen Bruder haßt, der ist noch immer in der Finsternis. 10 Wer seinen Bruder liebt, der bleibt im Licht, und nichts Anstößiges ist in ihm; 11 wer aber seinen Bruder haßt, der ist in der Finsternis und wandelt in der Finsternis und weiß nicht, wohin er geht, weil die Finsternis seine Augen verblendet hat.

12 Kinder, ich schreibe euch, weil euch die Sünden vergeben sind um seines Namens willen. 13 Ich schreibe euch Vätern, weil ihr den erkannt habt, der von Anfang an ist. Ich schreibe euch Jünglingen, weil ihr den Bösen überwunden habt. Euch Kindern schreibe ich, weil ihr den Vater erkannt habt; 14 euch Vätern habe ich geschrieben, weil ihr den erkannt habt, der von Anfang an ist. Euch Jünglingen habe ich geschrieben, weil ihr stark seid und das Wort Gottes in euch bleibt und ihr den Bösen überwunden habt.

Warnung vor der Liebe zur Welt Jak 4,4; Gal 6,14

15 Habt nicht lieb die Welt, noch was in der Welt ist! Wenn jemand die Welt lieb hat, so ist die Liebe des Vaters nicht in ihm.

[16] Denn alles, was in der Welt ist, die Fleischeslust, die Augen-
lust und der Hochmut des Lebens, ist nicht aus dem Vater, sondern aus der Welt. [17] Und die Welt vergeht und ihre Lust, wer
aber den Willen Gottes tut, der bleibt in Ewigkeit.

Warnung vor der antichristlichen Verführung 1Joh 4,1-6; 2Joh 7-11

18 Kinder, es ist die letzte Stunde! Und wie ihr gehört habt, daß
der Antichrist kommt, so sind nun viele Antichristen aufgetreten; daran erkennen wir, daß es die letzte Stunde ist. [19] Sie sind
von uns ausgegangen, aber sie waren nicht von uns; denn
wenn sie von uns gewesen wären, so wären sie bei uns geblieben. Aber es sollte offenbar werden, daß sie alle nicht von uns
sind.
20 Und ihr habt die Salbung von dem Heiligen und wißt alles.
[21] Ich habe euch nicht geschrieben, als ob ihr die Wahrheit
nicht kennen würdet, sondern weil ihr sie kennt und weil keine
Lüge aus der Wahrheit ist.
22 Wer ist der Lügner, wenn nicht der, welcher leugnet, daß Jesus der Christus ist? Das ist der Antichrist, der den Vater und
den Sohn leugnet. [23] Wer den Sohn leugnet, der hat auch den
Vater nicht.
24 Was ihr nun von Anfang an gehört habt, das bleibe in euch!
Wenn in euch bleibt, was ihr von Anfang an gehört habt, so
werdet auch ihr in dem Sohn und in dem Vater bleiben. [25] Und
das ist die Verheißung, die er uns verheißen hat: das ewige Leben.
26 Dies habe ich euch geschrieben von denen, die euch verführ-
ren. [27] Und die Salbung, die ihr von ihm empfangen habt,
bleibt in euch, und ihr habt es nicht nötig, daß euch jemand
lehrt; sondern so, wie euch die Salbung selbst über alles belehrt, ist es wahr und keine Lüge; und so wie sie euch belehrt
hat, werdet ihr in ihm bleiben.

Die wahren Kinder Gottes und ihre Kennzeichen

28 Und nun, Kinder, bleibt in ihm, damit wir Freudigkeit haben, wenn er erscheint, und uns nicht schämen müssen vor
ihm bei seiner Wiederkunft. [29] Wenn ihr wißt, daß er gerecht
ist, so erkennt auch, daß jeder, der die Gerechtigkeit tut, aus
ihm geboren ist.

3 Seht, welch eine Liebe hat uns der Vater erzeigt, daß wir
Kinder Gottes heißen sollen! Darum erkennt uns die Welt
nicht, weil sie Ihn nicht erkannt hat. [2] Geliebte, wir sind nun
Kinder Gottes, und noch ist nicht offenbar geworden, was wir

sein werden; wir wissen aber, daß, wenn er offenbar werden wird, wir ihm ähnlich sein werden; denn wir werden ihn sehen, wie er ist. ³ Und jeder, der diese Hoffnung auf ihn hat, reinigt sich, gleichwie auch Er rein ist.

4 Ein jeder, der Sünde tut, tut auch die Gesetzlosigkeit, und die Sünde ist die Gesetzlosigkeit. ⁵ Und ihr wißt, daß Er erschienen ist, um unsere Sünden wegzunehmen; und in ihm ist keine Sünde. ⁶ Wer in ihm bleibt, sündigt nicht; wer sündigt, der hat ihn nicht gesehen und nicht erkannt.

7 Kinder, laßt euch von niemand verführen! Wer die Gerechtigkeit übt, der ist gerecht, gleichwie Er gerecht ist. ⁸ Wer die Sünde tut, der ist aus dem Teufel; denn der Teufel sündigt von Anfang an. Dazu ist der Sohn Gottes erschienen, daß er die Werke des Teufels zerstöre.

9 Jeder, der aus Gott geboren ist, tut nicht Sünde[a]; denn Sein Same bleibt in ihm, und er kann nicht sündigen, weil er aus Gott geboren ist. ¹⁰ Daran sind die Kinder Gottes und die Kinder des Teufels offenbar: Jeder, der nicht Gerechtigkeit übt, ist nicht aus Gott, ebenso wer seinen Bruder nicht liebt.

11 Denn das ist die Botschaft, die ihr von Anfang an gehört habt, daß wir einander lieben sollen; ¹² nicht wie Kain, der aus dem Bösen war und seinen Bruder erschlug. Und warum erschlug er ihn? Weil seine Werke böse waren, die seines Bruders aber gerecht.

Das Gebot der Liebe   Joh 15,12; 1Th 3,12; 4,9-10

13 Verwundert euch nicht, meine Brüder, wenn euch die Welt haßt!

14 Wir wissen, daß wir aus dem Tod zum Leben gelangt sind, denn wir lieben die Brüder. Wer den Bruder nicht liebt, bleibt im Tod. ¹⁵ Jeder, der seinen Bruder haßt, ist ein Mörder; und ihr wißt, daß kein Mörder ewiges Leben bleibend in sich hat.

16 Daran haben wir die Liebe erkannt, daß Er sein Leben für uns eingesetzt hat; auch wir sind schuldig, für die Brüder das Leben einzusetzen. ¹⁷ Wer aber die Güter dieser Welt hat und seinen Bruder Not leiden sieht und sein Herz vor ihm verschließt – wie bleibt die Liebe Gottes in ihm? ¹⁸ Meine Kinder, laßt uns nicht mit Worten lieben noch mit der Zunge, sondern in Tat und Wahrheit!

19 Und daran erkennen wir, daß wir aus der Wahrheit sind, und damit werden wir unsere Herzen vor Ihm stillen, ²⁰ daß, wenn unser Herz uns verurteilt, Gott größer ist als unser Herz und al-

a. (3,9) d.h. sündigt nicht beständig, lebt nicht in Sünde.

les weiß. [21] Geliebte, wenn unser Herz uns nicht verurteilt, so haben wir Freimütigkeit zu Gott; [22] und was immer wir bitten, das empfangen wir von ihm, weil wir seine Gebote halten und tun, was vor ihm wohlgefällig ist.

23 Und das ist sein Gebot, daß wir glauben an den Namen seines Sohnes Jesus Christus und einander lieben, nach dem Gebot, das er uns gegeben hat. [24] Und wer seine Gebote hält, der bleibt in Ihm und Er in ihm; und daran erkennen wir, daß Er in uns bleibt: an dem Geist, den Er uns gegeben hat.

Notwendigkeit, die Geister zu prüfen Mt 24,4-5.11.24

4 Geliebte, glaubt nicht jedem Geist, sondern prüft die Geister, ob sie aus Gott sind! Denn es sind viele falsche Propheten hinausgegangen in die Welt. [2] Daran erkennt ihr den Geist Gottes: Jeder Geist, der bekennt, daß Jesus Christus im Fleisch gekommen ist, der ist aus Gott; [3] und jeder Geist, der nicht bekennt, daß Jesus Christus im Fleisch gekommen ist, der ist nicht aus Gott. Und das ist der [Geist] des Antichristen, von dem ihr gehört habt, daß er kommt; und jetzt schon ist er in der Welt.

4 Kinder, ihr seid aus Gott und habt jene überwunden, weil der in euch größer ist als der in der Welt. [5] Sie sind aus der Welt; darum reden sie von der Welt, und die Welt hört auf sie. [6] Wir sind aus Gott. Wer Gott erkennt, hört auf uns; wer nicht aus Gott ist, hört nicht auf uns. Daran erkennen wir den Geist der Wahrheit und den Geist des Irrtums.

Gottes Liebe zu uns und die Liebe zum Bruder 1Joh 3,11-24

7 Geliebte, laßt uns einander lieben! Denn die Liebe ist aus Gott, und jeder, der liebt, ist aus Gott geboren und erkennt Gott. [8] Wer nicht liebt, der hat Gott nicht erkannt; denn Gott ist Liebe.

9 Darin ist die Liebe Gottes zu uns geoffenbart worden, daß Gott seinen eingeborenen Sohn in die Welt gesandt hat, damit wir durch ihn leben sollen. [10] Darin besteht die Liebe – nicht daß wir Gott geliebt haben, sondern daß er uns geliebt hat und seinen Sohn gesandt hat als Sühnopfer für unsere Sünden. [11] Geliebte, wenn Gott uns so geliebt hat, so sind auch wir schuldig, einander zu lieben.

12 Niemand hat Gott jemals gesehen; wenn wir einander lieben, so bleibt Gott in uns, und seine Liebe ist in uns vollkommen geworden. [13] Daran erkennen wir, daß wir in ihm bleiben und er in uns, daß er uns von seinem Geist gegeben hat.

14 Und wir haben gesehen und bezeugen, daß der Vater den Sohn gesandt hat als Retter der Welt. 15 Wer nun bekennt, daß Jesus der Sohn Gottes ist, in dem bleibt Gott und er in Gott. 16 Und wir haben die Liebe erkannt und geglaubt, die Gott zu uns hat. Gott ist Liebe, und wer in der Liebe bleibt, der bleibt in Gott und Gott in ihm.

17 Darin ist die Liebe bei uns vollkommen geworden, daß wir Freimütigkeit haben am Tag des Gerichts, denn gleichwie Er ist, so sind auch wir in dieser Welt. 18 Furcht ist nicht in der Liebe, sondern die vollkommene Liebe treibt die Furcht aus, denn die Furcht hat mit Strafe zu tun; wer sich nun fürchtet, ist nicht vollkommen geworden in der Liebe. 19 Wir lieben ihn, weil er uns zuerst geliebt hat.

20 Wenn jemand sagt: Ich liebe Gott, und haßt doch seinen Bruder, so ist er ein Lügner; denn wer seinen Bruder nicht liebt, den er sieht, wie kann der Gott lieben, den er nicht sieht? 21 Und dieses Gebot haben wir von ihm, daß, wer Gott liebt, auch seinen Bruder lieben soll.

Der wahre Glaube und seine Früchte

5 Jeder, der glaubt, daß Jesus der Christus ist, ist aus Gott geboren; und wer den liebt, der ihn geboren hat, der liebt auch den, der aus Ihm geboren ist. 2 Daran erkennen wir, daß wir die Kinder Gottes lieben, wenn wir Gott lieben und seine Gebote halten. 3 Denn das ist die Liebe zu Gott, daß wir seine Gebote halten; und seine Gebote sind nicht schwer.

4 Denn alles, was aus Gott geboren ist, überwindet die Welt; und unser Glaube ist der Sieg, der die Welt überwunden hat. 5 Wer ist es, der die Welt überwindet, wenn nicht der, welcher glaubt, daß Jesus der Sohn Gottes ist?

Das Zeugnis Gottes über seinen Sohn

6 Er ist es, der mit Wasser und Blut gekommen ist, Jesus der Christus; nicht mit Wasser allein, sondern mit Wasser und Blut. Und der Geist ist es, der Zeugnis gibt, weil der Geist die Wahrheit ist. 7 Denn drei sind es, die Zeugnis ablegen im Himmel: der Vater, das Wort und der Heilige Geist, und diese drei sind eins; 8 und drei sind es, die Zeugnis ablegen auf der Erde: der Geist und das Wasser und das Blut, und die drei stimmen überein.

9 Wenn wir das Zeugnis der Menschen annehmen, so ist das Zeugnis Gottes größer; denn das ist das Zeugnis Gottes, das er von seinem Sohn abgelegt hat.

10 Wer an den Sohn Gottes glaubt, der hat das Zeugnis in sich; wer Gott nicht glaubt, der hat ihn zum Lügner gemacht, weil er nicht an das Zeugnis geglaubt hat, das Gott von seinem Sohn abgelegt hat. 11 Und darin besteht das Zeugnis, daß Gott uns ewiges Leben gegeben hat, und dieses Leben ist in seinem Sohn. 12 Wer den Sohn hat, der hat das Leben; wer den Sohn Gottes nicht hat, der hat das Leben nicht.

13 Dies habe ich euch geschrieben, die ihr glaubt an den Namen des Sohnes Gottes, damit ihr wißt, daß ihr ewiges Leben habt, und damit ihr [auch weiterhin] an den Namen des Sohnes Gottes glaubt.

Das Gebet der Kinder Gottes und ihre Haltung zur Sünde

14 Und das ist die Freimütigkeit, die wir ihm gegenüber haben, daß er uns hört, wenn wir seinem Willen gemäß um etwas bitten. 15 Und wenn wir wissen, daß er uns hört, um was wir auch bitten, so wissen wir, daß wir das Erbetene haben, das wir von ihm erbeten haben.

16 Wenn jemand seinen Bruder sündigen sieht, eine Sünde nicht zum Tode, so soll er bitten, und Er wird ihm Leben geben, solchen, die nicht zum Tode sündigen. Es gibt Sünde zum Tode; daß man für eine solche bitten soll, sage ich nicht. 17 Jede Ungerechtigkeit ist Sünde; aber es gibt Sünde nicht zum Tode.

18 Wir wissen, daß jeder, der aus Gott geboren ist, nicht sündigt; sondern wer aus Gott geboren ist, der bewahrt sich selbst, und der Böse tastet ihn nicht an. 19 Wir wissen, daß wir aus Gott sind und die ganze Welt sich in der Gewalt des Bösen befindet. 20 Wir wissen aber, daß der Sohn Gottes gekommen ist und uns Verständnis gegeben hat, damit wir den Wahrhaftigen erkennen. Und wir sind in dem Wahrhaftigen, in seinem Sohn Jesus Christus. Dieser ist der wahrhaftige Gott und das ewige Leben.

21 Kinder, hütet euch vor den Götzen! Amen.

Der zweite Brief des Apostels Johannes

Der 2. Johannesbrief wurde von dem Apostel Johannes ca. 90 n. Chr. an eine ihm bekannte Witwe geschrieben. Hier warnt der Apostel vor falschen, verführerischen Lehrern, die Jesus Christus nicht so verkündigten, wie dies der Lehre der Apostel entspricht.

Zuschrift und Gruß

Der Älteste an die auserwählte Frau und ihre Kinder, die ich in Wahrheit liebe, und nicht ich allein, sondern auch alle, welche die Wahrheit erkannt haben, **2** um der Wahrheit willen, die in uns bleibt und mit uns sein wird in Ewigkeit. **3** Gnade, Barmherzigkeit und Friede sei mit euch von Gott, dem Vater, und von dem Herrn Jesus Christus, dem Sohn des Vaters, in Wahrheit und Liebe!

Wahrheit und Liebe   3Joh 3-4; Joh 13,34-35; 1Joh 5,1-3

4 Es freut mich sehr, daß ich unter deinen Kindern solche gefunden habe, die in der Wahrheit wandeln, wie wir ein Gebot empfangen haben vom Vater. **5** Und nun bitte ich dich, Frau – nicht als ob ich dir ein neues Gebot schreiben würde, sondern dasjenige, welches wir von Anfang an gehabt haben –, daß wir einander lieben. **6** Und darin besteht die Liebe, daß wir nach seinen Geboten wandeln; dies ist das Gebot, wie ihr es von Anfang an gehört habt, daß ihr darin wandeln sollt.

Warnung vor verführerischen Irrlehrern – Schlußworte

7 Denn viele Verführer sind in die Welt hineingekommen, die nicht bekennen, daß Jesus Christus im Fleisch gekommen ist – das ist der Verführer und der Antichrist. **8** Seht euch vor, daß wir nicht verlieren, was wir erarbeitet haben, sondern vollen Lohn empfangen! **9** Jeder, der Übertretung begeht und nicht in der Lehre des Christus bleibt, der hat Gott nicht; wer in der Lehre des Christus bleibt, der hat den Vater und den Sohn.
10 Wenn jemand zu euch kommt und diese Lehre nicht bringt, den nehmt nicht auf ins Haus und grüßt ihn nicht! **11** Denn wer ihn grüßt, macht sich seiner bösen Werke teilhaftig.
12 Ich hätte euch viel zu schreiben, will es aber nicht mit Papier und Tinte tun, sondern ich hoffe, zu euch zu kommen und mündlich mit euch zu reden, damit unsere Freude völlig sei. **13** Es grüßen dich die Kinder deiner Schwester, der Auserwählten. Amen.

DER DRITTE BRIEF DES APOSTELS JOHANNES

Der dritte Johannesbrief wurde von dem Apostel ca. 90 n. Chr. an einen Christen geschrieben, der wohl durch ihn zum Glauben kam und deshalb von ihm als sein Kind bezeichnet wird. Er ermuntert die Christen, treu und wahrhaftig zu leben, und warnt vor falschen Führern in der Gemeinde, die ihre eigene Machtstellung aufrichten wollten - eine Entwicklung, die in den folgenden Jahrhunderten verhängnisvolle Ausmaße annehmen sollte.

Zuschrift und Gruß

Der Älteste an den geliebten Gajus, den ich in Wahrheit liebe. [2] Mein Lieber, ich wünsche dir in allen Dingen Wohlergehen und Gesundheit, so wie es deiner Seele wohlgeht! [3] Denn ich freute mich sehr, als Brüder kamen und von deiner Wahrhaftigkeit Zeugnis ablegten, wie du in der Wahrheit wandelst. [4] Ich habe keine größere Freude als die, zu hören, daß meine Kinder in der Wahrheit wandeln.

Die Treue des Gajus

5 Mein Lieber, du handelst treu in dem, was du an den Brüdern tust, auch an den unbekannten, [6] die von deiner Liebe Zeugnis abgelegt haben vor der Gemeinde. Du wirst wohltun, wenn du ihnen ein Geleit gibst, wie es Gottes würdig ist; [7] denn um seines Namens willen sind sie ausgezogen, ohne von den Heiden etwas anzunehmen. [8] So sind wir nun verpflichtet, solche aufzunehmen, damit wir Mitarbeiter der Wahrheit werden.

Falsche Führer in der Gemeinde Mk 9,35; Lk 20,46-47; Phil 2,3

9 Ich habe der Gemeinde geschrieben; aber Diotrephes, der bei ihnen der erste sein möchte, nimmt uns nicht an. [10] Darum will ich ihm, wenn ich komme, seine Werke vorhalten, die er tut, indem er uns mit bösen Worten verleumdet; und daran nicht genug, er selbst nimmt die Brüder nicht auf und verwehrt es noch denen, die es tun wollen, und stößt sie aus der Gemeinde.

11 Mein Lieber, ahme nicht das Böse nach, sondern das Gute! Wer Gutes tut, der ist aus Gott; wer aber Böses tut, der hat Gott nicht gesehen.

Schlußworte

12 Dem Demetrius wird von allen und von der Wahrheit selbst ein gutes Zeugnis ausgestellt; auch wir geben Zeugnis dafür, und ihr wißt, daß unser Zeugnis wahr ist.

13 Ich hätte vieles zu schreiben; aber ich will dir nicht mit Tinte und Feder schreiben. 14 Ich hoffe aber, dich bald zu sehen, und dann wollen wir mündlich miteinander reden.

15 Friede sei mit dir! Es grüßen dich die Freunde. Grüße die Freunde mit Namen!

DER BRIEF DES JUDAS

Dieser Brief wurde etwa 68 n. Chr. von Judas, dem Bruder des Jakobus und des Herrn Jesus Christus (vgl. Mk 6,3), geschrieben. Er
bekräftigt noch einmal nachdrücklich die Warnungen des 2. Petrus-
briefes und zeigt, daß der von den Aposteln überlieferte christliche
Glaube schon im 1. Jahrhundert von falschen Lehrern und Verführern angegriffen und verfälscht wurde - eine Entwicklung, die sich in
den folgenden Jahrhunderten verstärken sollte. Die echten Christen sollten demgegenüber an der Überlieferung der Apostel, wie
sie im Neuen Testament niedergelegt ist, festhalten und für diese
biblische Wahrheit kämpfen (V. 3).

Zuschrift und Gruß

Judas, Knecht Jesu Christi und Bruder des Jakobus, an die Berufenen, die in Gott, dem Vater, geheiligt und durch Jesus Christus bewahrt sind: ² Barmherzigkeit, Friede und Liebe widerfahre euch mehr und mehr!

Ermahnung, für den überlieferten Glauben zu kämpfen

3 Geliebte, da es mir ein großes Anliegen ist, euch von dem
gemeinsamen Heil zu schreiben, halte ich es für notwendig,
euch mit der Ermahnung zu schreiben, daß ihr für den Glauben kämpft, der den Heiligen ein für allemal überliefert worden
ist.

Das Eindringen von Verführern und das Gericht über sie
2Pt 2,1-9; Apg 20,29-30; 2Kor 11,3-15; Offb 2,14-15; 2,20-23

4 Es haben sich nämlich etliche Menschen eingeschlichen, die
schon längst zu diesem Gericht aufgeschrieben worden sind,
Gottlose, welche die Gnade unseres Gottes in Zügellosigkeit
verkehren und Gott, den einzigen Herrscher, und unseren
Herrn Jesus Christus verleugnen.
5 Ich will euch aber daran erinnern, obgleich ihr dies ja schon
wißt, daß der Herr, nachdem er das Volk aus dem Land Ägypten
errettet hatte, das zweite Mal diejenigen vertilgte, die nicht
glaubten, ⁶ und daß er die Engel, die ihren Herrschaftsbereich
nicht bewahrten, sondern ihre eigene Behausung verließen, für
das Gericht des großen Tages mit ewigen Fesseln unter der Finsternis verwahrt hat; ⁷ wie Sodom und Gomorra und die umliegenden Städte, die in gleicher Weise wie diese die Unzucht
bis zum äußersten trieben und anderem Fleisch nachgingen,

nun als warnendes Beispiel dastehen, indem sie die Strafe eines ewigen Feuers zu erleiden haben.

Das frevlerische Verhalten der Verführer 2Pt 2,10-22; 2Tim 3,1-9.13
8 Trotzdem beflecken auch diese in gleicher Weise mit ihren Träumereien das Fleisch, verachten die Herrschaft und lästern Mächte. ⁹ Der Erzengel Michael dagegen, als er mit dem Teufel Streit hatte und über den Leib Moses verhandelte, wagte kein lästerndes Urteil zu fällen, sondern sprach: Der Herr strafe dich!
10 Diese aber lästern alles, was sie nicht verstehen; was sie aber von Natur wie die unvernünftigen Tiere wissen, darin verderben sie sich. ¹¹ Wehe ihnen! Denn sie sind den Weg Kains gegangen und haben sich um Gewinnes willen völlig dem Betrug Bileams hingegeben und sind durch die Widersetzlichkeit Korahs ins Verderben geraten! ¹² Diese sind Schandflecken bei euren Liebesmahlen und schmausen mit [euch], indem sie ohne Scheu sich selbst weiden; Wolken ohne Wasser, von Winden umhergetrieben, unfruchtbare Bäume im Spätherbst, zweimal erstorben und entwurzelt, ¹³ wilde Wellen des Meeres, die ihre eigene Schande ausschäumen, Irrsterne, denen das Dunkel der Finsternis in Ewigkeit aufbewahrt ist.
14 Von diesen hat aber auch Henoch, der siebte nach Adam, geweissagt, indem er sprach: »Siehe, der Herr ist gekommen mit seinen heiligen Zehntausenden, ¹⁵ um Gericht zu halten über alle und alle Gottlosen unter ihnen zu strafen wegen all ihrer gottlosen Taten, womit sie sich vergangen haben, und wegen all der harten Dinge, die gottlose Sünder gegen ihn geredet haben.«
16 Das sind Unzufriedene, die mit ihrem Schicksal hadern und dabei nach ihren Begierden wandeln; und ihr Mund redet übertriebene Worte, wenn sie aus Eigennutz ins Angesicht schmeicheln.
17 Ihr aber, Geliebte, erinnert euch an die Worte, die im voraus von den Aposteln unseres Herrn Jesus Christus gesprochen worden sind, ¹⁸ als sie euch sagten: In der letzten Zeit werden Spötter auftreten, die nach ihren eigenen gottlosen Begierden wandeln. ¹⁹ Das sind die, welche Trennungen verursachen, natürliche [Menschen], die den Geist nicht haben.

Ermunterung der treuen Gläubigen und Lobpreis Gottes
20 Ihr aber, Geliebte, erbaut euch auf euren allerheiligsten Glauben und betet im Heiligen Geist; ²¹ bewahrt euch in der

Liebe Gottes und hofft auf die Barmherzigkeit unseres Herrn Jesus Christus zum ewigen Leben.

22 Und erbarmt euch über die einen, indem ihr einen Unterschied macht; 23 andere aber rettet mit Furcht, indem ihr sie aus dem Feuer reißt, wobei ihr auch das vom Fleisch befleckte Gewand hassen sollt.

24 Dem aber, der mächtig genug ist, euch ohne Straucheln zu bewahren und euch unsträflich, mit Freuden vor das Angesicht seiner Herrlichkeit zu stellen, 25 dem allein weisen Gott, unserem Retter, gebührt Herrlichkeit und Majestät, Macht und Herrschaft jetzt und in alle Ewigkeit! Amen.

DIE OFFENBARUNG JESU CHRISTI DURCH JOHANNES

Im Buch der Offenbarung schildert der Apostel Johannes am Ende des 1. Jahrhunderts (ca. 96 n. Chr.) die gewaltige geistliche Schau, die ihm von Jesus Christus selbst, dem verherrlichten Sohn Gottes im Himmel, gegeben wurde. Gott offenbart, d. h. enthüllt hier in bildhafter Sprache, was er am Ende der Zeiten tun wird. Das Buch der Offenbarung ist also eine Zukunftsvision, und zwar - im Gegensatz zu zahllosen „Visionen" und „Weissagungen" falscher Propheten und Wahrsager - eine von dem lebendigen, allmächtigen Gott selbst gegebene zuverlässige Schau der kommenden Dinge, die das Ende dieser Welt herbeiführen. Der ewige Gott, der Schöpfer und Beherrscher der Welt, sagt hier voraus, daß er ein ernstes Gericht über die gottlose Menschheit bringen wird - gewaltige Naturkatastrophen und Kriege, aber auch übernatürliche Strafgerichte vom Himmel her, den lange vorhergesagten „Tag des Herrn". Jesus Christus wird als Richter und König auf diese Erde kommen, um die Bösen und Gottlosen zu richten und sein Friedensreich aufzurichten. Am Ende der Wege Gottes steht ein neuer Himmel und eine neue Erde für die Erlösten, aber das ewige Feuer der Hölle für die, die nicht umkehrten und sich nicht mit Gott versöhnen ließen durch Jesus Christus.

Inhalt und Zweck des Buches der Offenbarung

1 Offenbarung Jesu Christi, die Gott ihm gegeben hat, um seinen Knechten zu zeigen, was in Bälde geschehen soll; und er hat sie kundgetan und durch seinen Engel seinem Knecht Johannes gesandt, 2 der das Wort Gottes und das Zeugnis Jesu Christi bezeugt hat und alles, was er sah.
3 Glückselig ist, der die Worte der Weissagung liest und die sie hören und bewahren, was darin geschrieben steht! Denn die Zeit ist nahe.

Gruß an die sieben Gemeinden in der Provinz Asia. Lobpreis Jesu Christi

4 Johannes an die sieben Gemeinden, die in Asia[a] sind: Gnade sei mit euch und Friede von dem, der ist und der war und der kommt, und von den sieben Geistern, die vor seinem Thron sind, 5 und von Jesus Christus, dem treuen Zeugen, dem Erstgeborenen aus den Toten und dem Fürsten über die Könige

a. (1,4) d.h. in der römischen Provinz Asia im Gebiet der heutigen Türkei.

der Erde. Ihm, der uns geliebt hat und uns von unseren Sünden gewaschen hat durch sein Blut, 6 und der uns zu Königen und Priestern gemacht hat für seinen Gott und Vater – Ihm sei die Herrlichkeit und die Macht von Ewigkeit zu Ewigkeit! Amen.

7 Siehe, er kommt mit den Wolken, und jedes Auge wird ihn sehen, auch die, welche ihn durchstochen haben, und es werden sich seinetwegen an die Brust schlagen alle Geschlechter der Erde! Ja, Amen.

8 Ich bin das A und das O[a], der Anfang und das Ende, spricht der Herr, der ist und der war und der kommt, der Allmächtige.

Der Auftrag, das Buch der Offenbarung zu schreiben

9 Ich, Johannes, der ich auch euer Bruder bin und mit euch Anteil habe an der Drangsal und am Reich und am Ausharren Jesu Christi, war auf der Insel, die Patmos genannt wird[b], um des Wortes Gottes und um des Zeugnisses Jesu Christi willen. 10 Ich war im Geist am Tag des Herrn, und ich hörte hinter mir eine gewaltige Stimme, wie von einer Posaune, 11 die sprach: Ich bin das A und das O, der Erste und der Letzte! und: Was du siehst, das schreibe in ein Buch und sende es den Gemeinden, die in Asia sind: nach Ephesus und nach Smyrna und nach Pergamus und nach Thyatira und nach Sardes und nach Philadelphia und nach Łaodizea!

Der erhöhte Herr Jesus Christus

12 Und ich wandte mich um und wollte nach der Stimme sehen, die mit mir redete; und als ich mich umwandte, da sah ich sieben goldene Leuchter, 13 und mitten unter den sieben Leuchtern Einen, der einem Sohn des Menschen glich, bekleidet mit einem Gewand, das bis zu den Füßen reichte, und um die Brust gegürtet mit einem goldenen Gürtel. 14 Sein Haupt aber und seine Haare waren weiß, wie weiße Wolle, wie Schnee, und seine Augen wie eine Feuerflamme, 15 und seine Füße wie schimmerndes Erz, als glühten sie im Ofen, und seine Stimme wie das Rauschen vieler Wasser. 16 Und er hatte in seiner rechten Hand sieben Sterne, und aus seinem Mund ging ein scharfes, zweischneidiges Schwert hervor, und sein Angesicht leuchtete wie die Sonne in ihrer Kraft.

---

a. (1,8) Alpha und Omega, der erste und der letzte Buchstabe des griechischen Alphabets (vgl. Offb 22,13).

b. (1,9) eine der heutigen türkischen Ägaisküste vorgelagerte Insel, ca. 90 km südwestlich von Ephesus.

17 Und als ich ihn sah, fiel ich zu seinen Füßen nieder wie tot. Und er legte seine rechte Hand auf mich und sprach zu mir: Fürchte dich nicht! Ich bin der Erste und der Letzte [18] und der Lebende; und ich war tot, und siehe, ich lebe von Ewigkeit zu Ewigkeit, Amen! Und ich habe die Schlüssel des Totenreiches und des Todes.

19 Schreibe, was du gesehen hast, und was ist, und was nach diesem geschehen soll: [20] das Geheimnis der sieben Sterne, die du in meiner Rechten gesehen hast, und der sieben goldenen Leuchter. Die sieben Sterne sind Engel der sieben Gemeinden, und die sieben Leuchter, die du gesehen hast, sind die sieben Gemeinden.

Sendschreiben an die Gemeinde von Ephesus

2 Dem Engel der Gemeinde von Ephesus schreibe: Das sagt, der die sieben Sterne in seiner Rechten hält, der inmitten der sieben goldenen Leuchter wandelt: [2] Ich kenne deine Werke und deine Arbeit und dein Ausharren, und daß du die Bösen nicht ertragen kannst; und du hast die geprüft, die sagen, sie seien Apostel und sind es nicht, und hast sie als Lügner erkannt; [3] und du hast [Schweres] ertragen und hast Ausharren, und um meines Namens willen hast du gearbeitet und bist nicht müde geworden.

4 Aber ich habe gegen dich, daß du deine erste Liebe verlassen hast. [5] Bedenke nun, wovon du gefallen bist, und tue Buße und tue die ersten Werke! Sonst komme ich rasch über dich und werde deinen Leuchter von seiner Stelle wegrücken, wenn du nicht Buße tust! [6] Aber dieses hast du, daß du die Werke der Nikolaiten haßt, die auch ich hasse.

7 Wer ein Ohr hat, der höre, was der Geist den Gemeinden sagt! Wer überwindet, dem will ich zu essen geben von dem Baum des Lebens, der in der Mitte des Paradieses Gottes ist.

Sendschreiben an die Gemeinde von Smyrna   Mt 5,10-12; 10,22

8 Und dem Engel der Gemeinde von Smyrna schreibe: Das sagt der Erste und der Letzte, der tot war und lebendig geworden ist: [9] Ich kenne deine Werke und deine Drangsal und deine Armut – du bist aber reich! – und die Lästerung von denen, die sagen, sie seien Juden und sind es nicht, sondern eine Synagoge des Satans.

10 Fürchte nichts von dem, was du erleiden wirst! Siehe, der Teufel wird etliche von euch ins Gefängnis werfen, damit ihr geprüft werdet, und ihr werdet Drangsal haben zehn Tage lang.

Sei getreu bis in den Tod, so werde ich dir die Krone des Lebens geben!

11 Wer ein Ohr hat, der höre, was der Geist den Gemeinden sagt! Wer überwindet, dem wird kein Leid geschehen von dem zweiten Tod.

Sendschreiben an die Gemeinde von Pergamus   Jud 3-11; 2Joh 7-11

12 Und dem Engel der Gemeinde in Pergamus schreibe: Das sagt, der das scharfe zweischneidige Schwert hat: [13] Ich kenne deine Werke und [weiß,] wo du wohnst: da, wo der Thron des Satans ist, und daß du an meinem Namen festhältst und den Glauben an mich nicht verleugnet hast, auch in den Tagen, in denen Antipas mein treuer Zeuge war, der bei euch getötet wurde, da, wo der Satan wohnt.

14 Aber ich habe ein weniges gegen dich, daß du dort solche hast, die an der Lehre Bileams festhalten, der den Balak lehrte, einen Anstoß zur Sünde vor die Kinder Israels zu legen, so daß sie Götzenopfer aßen und Unzucht trieben. [15] So hast auch du solche, die an der Lehre der Nikolaiten festhalten, was ich hasse. [16] Tue Buße! Sonst komme ich rasch über dich und werde gegen sie Krieg führen mit dem Schwert meines Mundes.

17 Wer ein Ohr hat, der höre, was der Geist den Gemeinden sagt! Wer überwindet, dem werde ich von dem verborgenen Manna[a] zu essen geben; und ich werde ihm einen weißen Stein geben und auf dem Stein geschrieben einen neuen Namen, den niemand kennt außer dem, der ihn empfängt.

Sendschreiben an die Gemeinde von Thyatira   1Joh 4,1-6

18 Und dem Engel der Gemeinde in Thyatira schreibe: Das sagt der Sohn Gottes, der Augen hat wie eine Feuerflamme und dessen Füße schimmerndem Erz gleichen: [19] Ich kenne deine Werke und deine Liebe und deinen Dienst und deinen Glauben und dein Ausharren und deine Werke, und [ich weiß], daß die letzten mehr sind als die ersten.

20 Aber ich habe ein weniges gegen dich, daß du es zuläßt, daß die Frau Isebel, die sich eine Prophetin nennt, meine Knechte lehrt und verführt, Unzucht zu treiben und Götzenopfer zu essen. [21] Und ich gab ihr Zeit, Buße zu tun von ihrer Unzucht, und sie hat nicht Buße getan. [22] Siehe, ich werfe sie auf ein [Kranken-]Bett und die, welche mit ihr ehebrechen, in große Drangsal, wenn sie nicht Buße tun von ihren Werken. [23] Und ihre Kinder will ich schlagen mit dem Tod, und alle Gemeinden

a.   (2,17) hebr. Name für das Brot vom Himmel, das Gott den Israeliten gab.

werden erkennen, daß ich es bin, der Nieren und Herzen erforscht. Und ich werde einem jeden von euch geben nach seinen Werken.

24 Euch aber sage ich, und den übrigen in Thyatira, all denen, die diese Lehre nicht haben und die nicht die Tiefen des Satans erkannt haben, wie sie sagen: Ich will keine weitere Last auf euch legen; ²⁵ doch was ihr habt, das haltet fest, bis ich komme!

26 Und wer überwindet und meine Werke bis ans Ende bewahrt, dem werde ich Vollmacht geben über die Heiden, ²⁷ und er wird sie mit einem eisernen Stab weiden, wie man irdene Gefäße zerschlägt, wie auch ich es von meinem Vater empfangen habe; ²⁸ und ich werde ihm den Morgenstern geben.

29 Wer ein Ohr hat, der höre, was der Geist den Gemeinden sagt!

Sendschreiben an die Gemeinde von Sardes   Jak 2,14-26; Mt 7,21

3 Und dem Engel der Gemeinde in Sardes schreibe: Das sagt der, welcher die sieben Geister Gottes und die sieben Sterne hat: Ich kenne deine Werke: Du hast den Namen, daß du lebst, und bist doch tot.

2 Werde wach und stärke das Übrige, das im Begriff steht zu sterben; denn ich habe deine Werke nicht vollendet erfunden vor Gott. ³ So denke nun daran, wie du empfangen und gehört hast, und bewahre es und tue Buße! Wenn du nun nicht wachst, so werde ich über dich kommen wie ein Dieb, und du wirst nicht erkennen, zu welcher Stunde ich über dich kommen werde.

4 Doch du hast einige wenige Namen selbst in Sardes, die ihre Kleider nicht befleckt haben; und sie werden mit mir wandeln in weißen Kleidern, denn sie sind es wert.

5 Wer überwindet, der wird mit weißen Kleidern bekleidet werden; und ich will seinen Namen nicht auslöschen aus dem Buch des Lebens, und ich werde seinen Namen bekennen vor meinem Vater und vor seinen Engeln.

6 Wer ein Ohr hat, der höre, was der Geist den Gemeinden sagt!

Sendschreiben an die Gemeinde von Philadelphia

7 Und dem Engel der Gemeinde in Philadelphia schreibe: Das sagt der Heilige, der Wahrhaftige, der den Schlüssel Davids hat; der öffnet, so daß niemand zuschließt, und zuschließt, so daß niemand öffnet: ⁸ Ich kenne deine Werke. Siehe, ich habe vor dir eine geöffnete Tür gegeben, und niemand kann sie schlie-

ßen; denn du hast eine kleine Kraft und hast mein Wort bewahrt und meinen Namen nicht verleugnet.

9 Siehe, ich gebe, daß solche aus der Synagoge des Satans, die sich Juden nennen und es nicht sind, sondern lügen, siehe, ich will sie dazu bringen, daß sie kommen und vor deinen Füßen niederfallen und erkennen, daß ich dich geliebt habe.

10 Weil du das Wort vom standhaften Harren auf mich bewahrt hast, werde auch ich dich bewahren vor der Stunde der Versuchung, die über den ganzen Erdkreis kommen wird, damit die versucht werden, die auf der Erde wohnen.

11 Siehe, ich komme bald; halte fest, was du hast, damit [dir] niemand deine Krone nehme! 12 Wer überwindet, den will ich zu einer Säule im Tempel meines Gottes machen, und er wird nie mehr hinausgehen; und ich will auf ihn den Namen meines Gottes schreiben und den Namen der Stadt meines Gottes, des neuen Jerusalem, das vom Himmel herabkommt von meinem Gott aus, und meinen neuen Namen.

13 Wer ein Ohr hat, der höre, was der Geist den Gemeinden sagt!

Sendschreiben an die Gemeinde von Laodizea Lk 14,34-35

14 Und dem Engel der Gemeinde von Laodizea schreibe: Das sagt der »Amen«, der treue und wahrhaftige Zeuge, der Ursprung der Schöpfung Gottes: 15 Ich kenne deine Werke, daß du weder kalt noch heiß bist. Ach, daß du kalt oder heiß wärst! 16 So aber, weil du lau bist und weder kalt noch heiß, werde ich dich ausspeien aus meinem Mund. 17 Denn du sprichst: Ich bin reich und habe Überfluß, und mir mangelt es an nichts! – und du erkennst nicht, daß du elend und erbärmlich bist, arm, blind und entblößt.

18 Ich rate dir, von mir Gold zu kaufen, das im Feuer geläutert ist, damit du reich wirst, und weiße Kleider, damit du dich bekleidest und die Schande deiner Blöße nicht offenbar wird; und salbe deine Augen mit Augensalbe, damit du sehen kannst!

19 Alle, die ich liebhabe, die überführe und züchtige ich. So sei nun eifrig und tue Buße! 20 Siehe, ich stehe vor der Tür und klopfe an. Wenn jemand meine Stimme hört und die Tür öffnet, so werde ich zu ihm hineingehen und das Mahl mit ihm essen und er mit mir.

21 Wer überwindet, dem will ich geben, mit mir auf meinem Thron zu sitzen, so wie auch ich überwunden habe und mich mit meinem Vater auf seinen Thron gesetzt habe.

22 Wer ein Ohr hat, der höre, was der Geist den Gemeinden sagt!

Der Thron der göttlichen Majestät und die Anbetung Gottes im Himmel

4 Nach diesem schaute ich, und siehe, eine Tür war geöffnet im Himmel; und die erste Stimme, die ich gleich einer Posaune mit mir reden gehört hatte, sprach: Komm hier herauf, und ich will dir zeigen, was nach diesem geschehen muß! 2 Und sogleich war ich im Geist; und siehe, ein Thron stand im Himmel, und auf dem Thron saß Einer. 3 Und der darauf saß, glich in seinem Aussehen einem Jaspis- und einem Sardisstein; und ein Regenbogen war rings um den Thron, der glich in seinem Aussehen einem Smaragd. 4 Und rings um den Thron waren vierundzwanzig Throne, und auf den Thronen sah ich vierundzwanzig Älteste sitzen, die mit weißen Kleidern bekleidet waren und auf ihren Häuptern goldene Kronen hatten.

5 Und von dem Thron gingen Blitze und Donner und Stimmen aus, und sieben Feuerfackeln brennen vor dem Thron, welche die sieben Geister Gottes sind. 6 Und vor dem Thron war ein gläsernes Meer, gleich Kristall; und in der Mitte des Thrones und rings um den Thron waren vier lebendige Wesen, voller Augen vorn und hinten. 7 Und das erste lebendige Wesen glich einem Löwen, das zweite lebendige Wesen glich einem jungen Stier, das dritte lebendige Wesen hatte ein Angesicht wie ein Mensch, und das vierte lebendige Wesen glich einem fliegenden Adler. 8 Und jedes einzelne von den vier lebendigen Wesen hatte sechs Flügel; ringsherum und inwendig waren sie voller Augen, und ohne Aufhören rufen sie bei Tag und bei Nacht: Heilig, heilig, heilig ist der Herr, Gott der Allmächtige, der war und der ist und der kommt!

9 Und jedesmal, wenn die lebendigen Wesen Herrlichkeit und Ehre und Dank darbringen dem, der auf dem Thron sitzt, der lebt von Ewigkeit zu Ewigkeit, 10 so fallen die vierundzwanzig Ältesten nieder vor dem, der auf dem Thron sitzt, und beten den an, der lebt von Ewigkeit zu Ewigkeit; und sie werfen ihre Kronen vor dem Thron nieder und sprechen: 11 Würdig bist du, o Herr, zu empfangen die Herrlichkeit und die Ehre und die Macht; denn du hast alle Dinge geschaffen, und durch deinen Willen sind sie und wurden sie geschaffen!

Das Lamm ist würdig, das versiegelte Buch zu öffnen Offb 1,5-6

5 Und ich sah in der Rechten dessen, der auf dem Thron saß, ein Buch, innen und außen beschrieben, mit sieben Siegeln versiegelt. 2 Und ich sah einen starken Engel, der verkündete mit lauter Stimme: Wer ist würdig, das Buch zu öffnen und sei-

ne Siegel zu brechen? ³ Und niemand, weder im Himmel noch auf der Erde noch unter der Erde, vermochte das Buch zu öffnen noch hineinzublicken. ⁴ Und ich weinte sehr, weil niemand für würdig befunden wurde, das Buch zu öffnen und zu lesen, noch auch hineinzublicken. ⁵ Und einer von den Ältesten spricht zu mir: Weine nicht! Siehe, es hat überwunden der Löwe, der aus dem Stamm Juda ist, die Wurzel Davids, um das Buch zu öffnen und seine sieben Siegel zu brechen!

6 Und ich sah, und siehe, in der Mitte des Thrones und der vier lebendigen Wesen und inmitten der Ältesten stand ein Lamm, wie geschlachtet; es hatte sieben Hörner und sieben Augen, welche die sieben Geister Gottes sind, die ausgesandt sind über die ganze Erde. ⁷ Und es kam und nahm das Buch aus der Rechten dessen, der auf dem Thron saß.

Die Anbetung des Lammes

8 Und als es das Buch nahm, fielen die vier lebendigen Wesen und die vierundzwanzig Ältesten vor dem Lamm nieder, und sie hatten jeder Harfen und goldene Schalen voll Räucherwerk; das sind die Gebete der Heiligen. ⁹ Und sie sangen ein neues Lied, indem sie sprachen: Du bist würdig, das Buch zu nehmen und seine Siegel zu brechen; denn du bist geschlachtet worden und hast uns für Gott erkauft mit deinem Blut aus allen Stämmen und Sprachen und Völkern und Nationen, ¹⁰ und hast uns zu Königen und Priestern gemacht für unseren Gott, und wir werden herrschen auf Erden.

11 Und ich sah, und ich hörte eine Stimme von vielen Engeln rings um den Thron und um die lebendigen Wesen und die Ältesten; und ihre Zahl war zehntausendmal zehntausend und tausendmal tausend; ¹² die sprachen mit lauter Stimme: Würdig ist das Lamm, das geschlachtet worden ist, zu empfangen Macht und Reichtum und Weisheit und Stärke und Ehre und Herrlichkeit und Lob!

13 Und jedes Geschöpf, das im Himmel und auf der Erde und unter der Erde ist, und was auf dem Meer ist, und alles, was in ihnen ist, hörte ich sagen: Dem, der auf dem Thron sitzt, und dem Lamm gebührt das Lob und die Ehre und die Herrlichkeit und die Macht von Ewigkeit zu Ewigkeit! ¹⁴ Und die vier lebendigen Wesen sprachen: Amen! Und die vierundzwanzig Ältesten fielen nieder und beteten den an, der lebt von Ewigkeit zu Ewigkeit.

Die Öffnung der sechs ersten Siegel

6 Und ich sah, wie das Lamm eines von den Siegeln öffnete, und ich hörte eines von den vier lebendigen Wesen wie mit Donnerstimme sagen: Komm und sieh! ² Und ich sah, und siehe, ein weißes Pferd, und der darauf saß, hatte einen Bogen; und es wurde ihm eine Krone gegeben, und er zog aus als ein Sieger und um zu siegen.

3 Und als es das zweite Siegel öffnete, hörte ich das zweite lebendige Wesen sagen: Komm und sieh! ⁴ Und es zog ein anderes Pferd aus, das war feuerrot, und dem, der darauf saß, dem wurde gegeben, den Frieden von der Erde zu nehmen, damit sie einander hinschlachten sollten; und es wurde ihm ein großes Schwert gegeben.

5 Und als es das dritte Siegel öffnete, hörte ich das dritte lebendige Wesen sagen: Komm und sieh! Und ich sah, und siehe, ein schwarzes Pferd, und der darauf saß, hatte eine Waage in seiner Hand. ⁶ Und ich hörte eine Stimme inmitten der vier lebendigen Wesen, die sprach: Ein Maßª Weizen für einen Denar, und drei Maß Gerste für einen Denar; doch das Öl und den Wein schädige nicht!

7 Und als es das vierte Siegel öffnete, hörte ich die Stimme des vierten lebendigen Wesens sagen: Komm und sieh! ⁸ Und ich sah, und siehe, ein fahles Pferd, und der darauf saß, dessen Name ist »der Tod«; und das Totenreich folgte ihm nach, und ihnen wurde Vollmacht gegeben über den vierten Teil der Erde, zu töten mit dem Schwert und mit Hunger und mit Pest und durch die wilden Tiere der Erde.

9 Und als es das fünfte Siegel öffnete, sah ich unter dem Altar die Seelen derer, die hingeschlachtet worden waren um des Wortes Gottes willen und um des Zeugnisses willen, das sie hatten. ¹⁰ Und sie riefen mit lauter Stimme und sprachen: Wie lange, o Herr, du Heiliger und Wahrhaftiger, richtest und rächst du nicht unser Blut an denen, die auf der Erde wohnen? ¹¹ Und jedem von ihnen wurden weiße Kleider gegeben, und es wurde ihnen gesagt, daß sie noch eine kleine Zeit ruhen sollten, bis auch ihre Mitknechte und ihre Brüder vollendet wären, die auch wie sie getötet werden sollten.

12 Und ich sah, als es das sechste Siegel öffnete, und siehe, ein großes Erdbeben entstand, und die Sonne wurde schwarz wie ein härener Sack, und der Mond wurde wie Blut. ¹³ Und die Sterne des Himmels fielen auf die Erde, wie ein Feigenbaum seine unreifen Früchte abwirft, wenn er von einem starken

---

a.   (6,6) ein Getreidemaß von ca. einem Liter, das den Bedarf eines Tages faßte.

Wind geschüttelt wird. ¹⁴ Und der Himmel entwich wie eine Buchrolle, die zusammengerollt wird, und alle Berge und Inseln wurden von ihrem Ort wegbewegt.

15 Und die Könige der Erde und die Großen und die Reichen und die Heerführer und die Mächtigen und alle Knechte und alle Freien verbargen sich in den Klüften und in den Felsen der Berge, ¹⁶ und sie sprachen zu den Bergen und zu den Felsen: Fallt auf uns und verbergt uns vor dem Angesicht dessen, der auf dem Thron sitzt, und vor dem Zorn des Lammes! ¹⁷ Denn der große Tag seines Zorns ist gekommen, und wer kann bestehen?

Die Versiegelung der 144 000 Auserwählten aus Israel

7 Und nach diesem sah ich vier Engel an den vier Enden der Erde stehen, die hielten die vier Winde der Erde fest, damit kein Wind wehe über die Erde noch über das Meer noch über irgend einen Baum. ² Und ich sah einen anderen Engel, der aufstieg vom Aufgang der Sonne und das Siegel des lebendigen Gottes hatte; und er rief mit lauter Stimme den vier Engeln zu, denen es gegeben war, der Erde und dem Meer Schaden zuzufügen, ³ und sprach: Schädigt die Erde nicht, noch das Meer noch die Bäume, bis wir die Knechte unseres Gottes an ihren Stirnen versiegelt haben!

4 Und ich hörte die Zahl der Versiegelten: Hundertvierundvierzigtausend Versiegelte, aus allen Stämmen der Kinder Israels. ⁵ Aus dem Stamm Juda zwölftausend Versiegelte; aus dem Stamm Ruben zwölftausend Versiegelte; aus dem Stamm Gad zwölftausend Versiegelte; ⁶ aus dem Stamm Asser zwölftausend Versiegelte; aus dem Stamm Naphtali zwölftausend Versiegelte; aus dem Stamm Manasse zwölftausend Versiegelte; ⁷ aus dem Stamm Simeon zwölftausend Versiegelte; aus dem Stamm Levi zwölftausend Versiegelte; aus dem Stamm Issaschar zwölftausend Versiegelte; ⁸ aus dem Stamm Sebulon zwölftausend Versiegelte; aus dem Stamm Joseph zwölftausend Versiegelte; aus dem Stamm Benjamin zwölftausend Versiegelte.

Die große Schar aus allen Völkern vor dem Thron

9 Nach diesem sah ich, und siehe, eine große Volksmenge, die niemand zählen konnte, aus allen Nationen und Stämmen und Völkern und Sprachen; die standen vor dem Thron und vor dem Lamm, bekleidet mit weißen Kleidern, und Palmzweige in ihren Händen. ¹⁰ Und sie riefen mit lauter Stimme und sprachen: Das Heil ist bei unserem Gott, der auf dem Thron sitzt, und bei dem Lamm!

11 Und alle Engel standen rings um den Thron und um die Ältesten und die vier lebendigen Wesen und fielen vor dem Thron auf ihr Angesicht und beteten Gott an [12] und sprachen: Amen! Lob und Herrlichkeit und Weisheit und Dank und Ehre und Macht und Stärke gebührt unserem Gott von Ewigkeit zu Ewigkeit! Amen.

13 Und einer von den Ältesten ergriff das Wort und sprach zu mir: Wer sind diese, die mit weißen Kleidern bekleidet sind, und woher sind sie gekommen? [14] Und ich sprach zu ihm: Herr, du weißt es! Und er sprach zu mir: Das sind die, welche aus der großen Drangsal kommen; und sie haben ihre Kleider gewaschen, und sie haben ihre Kleider weiß gemacht in dem Blut des Lammes. [15] Darum sind sie vor dem Thron Gottes und dienen ihm Tag und Nacht in seinem Tempel; und der auf dem Thron sitzt, wird sein Zelt aufschlagen über ihnen. [16] Und sie werden nicht mehr hungern und nicht mehr dürsten; auch wird sie die Sonne nicht treffen noch irgend eine Hitze; [17] denn das Lamm, das inmitten des Thrones ist, wird sie weiden und sie leiten zu lebendigen Wasserquellen, und Gott wird abwischen alle Tränen von ihren Augen.

Das siebte Siegel und die sieben Engel mit den sieben Posaunen

8 Und als es das siebte Siegel[a] öffnete, entstand eine Stille im Himmel, etwa eine halbe Stunde lang. [2] Und ich sah die sieben Engel, die vor Gott standen; und es wurden ihnen sieben Posaunen gegeben.

3 Und ein anderer Engel kam und stellte sich an den Altar, der hatte ein goldenes Räucherfaß; und ihm wurde viel Räucherwerk gegeben, damit er es zusammen mit den Gebeten aller Heiligen auf dem goldenen Altar darbringe, der vor dem Thron ist. [4] Und der Rauch des Räucherwerks stieg auf vor Gott, zusammen mit den Gebeten der Heiligen, aus der Hand des Engels.

5 Und der Engel nahm das Räucherfaß und füllte es mit Feuer vom Altar und warf es auf die Erde; und es geschahen Stimmen und Donner und Blitze und ein Erdbeben.

Die vier ersten Posaunen

6 Und die sieben Engel, welche die sieben Posaunen hatten, machten sich bereit, in die Posaunen zu stoßen.

7 Und der erste Engel stieß in die Posaune, und es entstand Hagel und Feuer, mit Blut vermischt, und wurde auf die Erde ge-

a. (8,1) Das 7. Siegel beinhaltet die sieben Posaunengerichte.

worfen; und der dritte Teil der Bäume verbrannte, und alles grüne Gras verbrannte.

8 Und der zweite Engel stieß in die Posaune, und es wurde etwas wie ein großer, mit Feuer brennender Berg ins Meer geworfen; und der dritte Teil des Meeres wurde zu Blut, 9 und der dritte Teil der Geschöpfe im Meer, die Leben hatten, starb, und der dritte Teil der Schiffe ging zugrunde.

10 Und der dritte Engel stieß in die Posaune; da fiel ein großer Stern vom Himmel, brennend wie eine Fackel, und er fiel auf den dritten Teil der Flüsse und auf die Wasserquellen; 11 und der Name des Sternes heißt Wermut. Und der dritte Teil der Gewässer wurde zu Wermut, und viele Menschen starben von den Gewässern, weil sie bitter geworden waren.

12 Und der vierte Engel stieß in die Posaune; da wurde der dritte Teil der Sonne und der dritte Teil des Mondes und der dritte Teil der Sterne geschlagen, damit der dritte Teil derselben verfinstert würde und der Tag seinen dritten Teil nicht schiene, und die Nacht in gleicher Weise.

13 Und ich sah und hörte einen Engel, der in der Mitte des Himmels flog und mit lauter Stimme rief: Wehe, wehe, wehe denen, die auf der Erde wohnen, wegen der übrigen Posaunenstöße der drei Engel, die noch in die Posaune stoßen sollen!

Die fünfte Posaune

9 Und der fünfte Engel stieß in die Posaune; und ich sah einen Stern, der vom Himmel auf die Erde gefallen war, und es wurde ihm der Schlüssel zum Schlund des Abgrunds gegeben. 2 Und er öffnete den Schlund des Abgrunds, und ein Rauch stieg empor aus dem Schlund, wie der Rauch eines großen Schmelzofens, und die Sonne und die Luft wurden verfinstert von dem Rauch des Schlundes.

3 Und aus dem Rauch kamen Heuschrecken hervor auf die Erde; und es wurde ihnen Vollmacht gegeben, wie die Skorpione der Erde Vollmacht haben. 4 Und es wurde ihnen gesagt, daß sie dem Gras der Erde keinen Schaden zufügen sollten, auch nicht irgend etwas Grünem, noch irgend einem Baum, sondern nur den Menschen, die das Siegel Gottes nicht an ihrer Stirne haben. 5 Und es wurde ihnen gegeben, sie nicht zu töten, sondern daß sie fünf Monate lang gequält würden. Und ihre Qual war wie die Qual von einem Skorpion, wenn er einen Menschen sticht. 6 Und in jenen Tagen werden die Menschen den Tod suchen und ihn nicht finden; und sie werden begehren zu sterben, und der Tod wird von ihnen fliehen.

7 Und die Gestalten der Heuschrecken glichen Pferden, die zum Kampf gerüstet sind, und auf ihren Köpfen [trugen sie] etwas wie Kronen, dem Gold gleich, und ihre Angesichter waren wie menschliche Angesichter. 8 Und sie hatten Haare wie Frauenhaare, und ihre Zähne waren wie die der Löwen. 9 Und sie hatten Panzer wie eiserne Panzer, und das Geräusch ihrer Flügel war wie das Geräusch vieler Wagen und Pferde, die zur Schlacht eilen. 10 Und sie hatten Schwänze wie Skorpione, und Stacheln waren in ihren Schwänzen, und ihre Vollmacht bestand darin, den Menschen Schaden zuzufügen fünf Monate lang. 11 Und sie haben als König über sich den Engel des Abgrunds; sein Name ist auf hebräisch Abaddon, und im Griechischen hat er den Namen Apollyon.

12 Das erste Wehe ist vorüber; siehe, es kommen noch zwei Wehe nach diesem!

Die sechste Posaune

13 Und der sechste Engel stieß in die Posaune, und ich hörte eine Stimme aus den vier Hörnern des goldenen Altars, der vor Gott steht, 14 die sprach zu dem sechsten Engel, der die Posaune hatte: Löse die vier Engel, die gebunden sind an dem großen Strom Euphrat! 15 Und die vier Engel wurden losgebunden, die auf Stunde und Tag und Monat und Jahr bereitstanden, den dritten Teil der Menschen zu töten. 16 Und die Zahl des Reiterheeres war zweimal zehntausendmal zehntausend; und ich hörte ihre Zahl.

17 Und so sah ich in dem Gesicht die Pferde und die darauf saßen: sie hatten feurige und violette und schwefelgelbe Panzer, und die Köpfe der Pferde waren wie Löwenköpfe; und aus ihren Mäulern ging Feuer und Rauch und Schwefel hervor. 18 Durch diese drei wurde der dritte Teil der Menschen getötet: von dem Feuer und von dem Rauch und von dem Schwefel, die aus ihren Mäulern hervorkamen. 19 Denn ihre Macht liegt in ihrem Maul; und ihre Schwänze gleichen Schlangen und haben Köpfe, und auch mit diesen fügen sie Schaden zu.

20 Und die übrigen Menschen, die durch diese Plagen nicht getötet wurden, taten nicht Buße von den Werken ihrer Hände, so daß sie nicht mehr die Dämonen und die Götzen aus Gold und Silber und Erz und Stein und Holz angebetet hätten, die weder sehen, noch hören, noch gehen können. 21 Und sie taten nicht Buße, weder von ihren Mordtaten, noch von ihren Zaubereien, noch von ihrer Unzucht, noch von ihren Dtebereien.

Der Engel mit dem offenen Büchlein

10 Und ich sah einen anderen starken Engel aus dem Himmel herabsteigen, bekleidet mit einer Wolke, und ein Regenbogen war auf seinem Haupt; und sein Angesicht war wie die Sonne und seine Füße wie Feuersäulen. ² Und er hielt in seiner Hand ein offenes Büchlein; und er setzte seinen rechten Fuß auf das Meer, den linken aber auf die Erde, ³ und er rief mit lauter Stimme, wie ein Löwe brüllt. Und als er gerufen hatte, ließen die sieben Donner ihre Stimmen vernehmen. ⁴ Und als die sieben Donner ihre Stimmen hatten vernehmen lassen, wollte ich schreiben; da hörte ich eine Stimme aus dem Himmel, die zu mir sprach: Versiegle, was die sieben Donner geredet haben, und schreibe diese Dinge nicht auf!

5 Und der Engel, den ich auf dem Meer und auf der Erde stehen sah, erhob seine Hand zum Himmel ⁶ und schwor bei dem, der lebt von Ewigkeit zu Ewigkeit, der den Himmel geschaffen hat und was darin ist, und die Erde und was darauf ist, und das Meer und was darin ist: Es wird keine Zeit mehr sein; ⁷ sondern in den Tagen der Stimme des siebten Engels, wenn er in die Posaune stoßen wird, soll das Geheimnis Gottes vollendet werden, wie er seinen Knechten, den Propheten, als Heilsbotschaft verkündet hat.

8 Und die Stimme, die ich aus dem Himmel gehört hatte, redete nochmals mit mir und sprach: Geh hin, nimm das offene Büchlein in der Hand des Engels, der auf dem Meer und auf der Erde steht! ⁹ Und ich ging zu dem Engel und sprach zu ihm: Gib mir das Büchlein! Und er sprach zu mir: Nimm es und iß es auf; und es wird dir Bitterkeit im Bauch verursachen, in deinem Mund aber wird es süß sein wie Honig. ¹⁰ Und ich nahm das Büchlein aus der Hand des Engels und aß es auf; und es war in meinem Mund süß wie Honig. Als ich es aber aufgegessen hatte, wurde es mir bitter im Bauch. ¹¹ Und er sprach zu mir: Du sollst nochmals weissagen über viele Völker und Nationen und Sprachen und Könige!

Die heilige Stadt Jerusalem und die zwei Zeugen

11 Und mir wurde ein Rohr gegeben, gleich einem Stab; und der Engel stand da und sagte: Mache dich auf und miß den Tempel Gottes und den Altar und die, welche dort anbeten! ² Aber den Vorhof, der außerhalb des Tempels ist, laß aus und miß ihn nicht; denn er ist den Heiden übergeben worden, und sie werden die heilige Stadt zertreten zweiundvierzig Monate lang. 3 Und ich will meinen zwei Zeugen geben, daß sie weissagen werden tausendzweihundertsechzig Tage lang, bekleidet mit Sacktuch. [4] Das sind die zwei Ölbäume und die zwei Leuchter, die vor dem Gott der Erde stehen. [5] Und wenn jemand ihnen Schaden zufügen will, geht Feuer aus ihrem Mund hervor und verzehrt ihre Feinde; und wenn jemand ihnen Schaden zufügen will, muß er so getötet werden. [6] Diese haben Vollmacht, den Himmel zu verschließen, damit kein Regen fällt in den Tagen ihrer Weissagung; und sie haben Vollmacht über die Gewässer, sie in Blut zu verwandeln und die Erde zu schlagen mit jeder Plage, so oft sie wollen.

7 Und wenn sie ihr Zeugnis vollendet haben, wird das Tier, das aus dem Abgrund heraufsteigt, mit ihnen Krieg führen und sie überwinden und sie töten. [8] Und ihre Leichname werden auf der Straße der großen Stadt liegen, die im geistlichen Sinn Sodom und Ägypten heißt, wo auch unser Herr gekreuzigt worden ist. [9] Und [viele] aus den Völkern und Stämmen und Sprachen und Nationen werden ihre Leichname sehen, dreieinhalb Tage lang, und sie werden nicht zulassen, daß ihre Leichname in Gräber gelegt werden. [10] Und die auf der Erde wohnen, werden sich über sie freuen und frohlocken und werden einander Geschenke schicken, weil diese zwei Propheten diejenigen gequält hatten, die auf der Erde wohnen.

11 Und nach den dreieinhalb Tagen kam der Geist des Lebens aus Gott in sie, und sie stellten sich auf ihre Füße, und eine große Furcht überfiel die, welche sie sahen. [12] Und sie hörten eine laute Stimme aus dem Himmel, die zu ihnen sprach: Steigt hier herauf! Da stiegen sie in der Wolke in den Himmel hinauf, und ihre Feinde sahen sie. [13] Und zur selben Stunde entstand ein großes Erdbeben, und der zehnte Teil der Stadt fiel; und es wurden in dem Erdbeben siebentausend Menschen getötet. Und die übrigen wurden voll Furcht und gaben dem Gott des Himmels die Ehre.

14 Das zweite Wehe ist vorüber; siehe, das dritte Wehe kommt schnell!

Die siebte Posaune

15 Und der siebte Engel stieß in die Posaune; da ertönten laute Stimmen im Himmel, die sprachen: Die Königreiche der Welt sind unserem Herrn und seinem Gesalbten zuteil geworden, und er wird herrschen von Ewigkeit zu Ewigkeit!

16 Und die vierundzwanzig Ältesten, die vor Gott auf ihren Thronen saßen, fielen auf ihr Angesicht und beteten Gott an [17] und sprachen: Wir danken dir, o Herr, Gott, du Allmächtiger,

der du bist und der du warst und der du kommst, daß du deine
große Macht an dich genommen und die Königsherrschaft angetreten hast! [18] Und die Völker sind zornig geworden, und
dein Zorn ist gekommen und die Zeit, daß die Toten gerichtet
werden, und daß du den Lohn gibst deinen Knechten, den Propheten, und den Heiligen und denen, die deinen Namen fürchten, den Kleinen und den Großen, und daß du die verdirbst,
welche die Erde verderben!

19 Und der Tempel Gottes im Himmel wurde geöffnet, und die
Lade seines Bundes wurde sichtbar in seinem Tempel. Und es
geschahen Blitze und Stimmen und Donner und Erdbeben und
ein großer Hagel.

Die Frau und der Drache

12 Und ein großes Zeichen erschien im Himmel: eine Frau,
mit der Sonne bekleidet, und der Mond unter ihren Füßen, und auf ihrem Haupt eine Krone mit zwölf Sternen. [2] Und
sie war schwanger und schrie in Wehen und Schmerzen der
Geburt.

3 Und es erschien ein anderes Zeichen im Himmel: siehe, ein
großer, feuerroter Drache, der hatte sieben Köpfe und zehn
Hörner und auf seinen Köpfen sieben Kronen; [4] und sein
Schwanz zog den dritten Teil der Sterne des Himmels nach sich
und warf sie auf die Erde. Und der Drache stand vor der Frau,
die gebären sollte, um ihr Kind zu verschlingen, wenn sie geboren hätte.

5 Und sie gebar einen Sohn, einen männlichen, der alle Heiden
mit eisernem Stab weiden wird; und ihr Kind wurde entrückt
zu Gott und seinem Thron. [6] Und die Frau floh in die Wüste,
wo sie einen von Gott bereiteten Ort hat, damit man sie dort
tausendzweihundertsechzig Tage ernähre.

Satan wird auf die Erde hinabgeworfen   Lk 10,18-19

7 Und es entstand ein Kampf im Himmel: Michael und seine
Engel kämpften gegen den Drachen. Und der Drache und seine
Engel kämpften; [8] aber sie siegten nicht, und ihre Stätte wurde
nicht mehr gefunden im Himmel. [9] Und so wurde der große
Drache niedergeworfen, die alte Schlange, genannt der Teufel
und der Satan, der den ganzen Erdkreis verführt; er wurde auf
die Erde hinabgeworfen, und seine Engel wurden mit ihm hinabgeworfen.

10 Und ich hörte eine laute Stimme im Himmel sagen: Nun ist
gekommen das Heil und die Macht und das Reich unseres Got-

tes und die Herrschaft seines Gesalbten[a]! Denn hinabgestürzt wurde der Verkläger unserer Brüder, der sie vor unserem Gott verklagte Tag und Nacht. [11] Und sie haben ihn überwunden um des Blutes des Lammes und um des Wortes ihres Zeugnisses willen und haben ihr Leben nicht geliebt bis in den Tod! [12] Darum seid fröhlich, ihr Himmel, und die ihr darin wohnt! Wehe denen, die auf der Erde wohnen und auf dem Meer! Denn der Teufel ist zu euch hinabgekommen und hat einen großen Zorn, da er weiß, daß er nur wenig Zeit hat.

Der Drache verfolgt die Frau

13 Und als der Drache sah, daß er auf die Erde geworfen war, verfolgte er die Frau, die den Knaben geboren hatte. [14] Und es wurden der Frau zwei Flügel des großen Adlers gegeben, damit sie in die Wüste fliegen kann an ihren Ort, wo sie ernährt wird eine Zeit und zwei Zeiten und eine halbe Zeit, fern von dem Angesicht der Schlange.

15 Und die Schlange schleuderte aus ihrem Maul der Frau Wasser nach, wie einen Strom, damit sie von dem Strom fortgerissen würde. [16] Und die Erde half der Frau, und die Erde tat ihren Mund auf und verschlang den Strom, den der Drache aus seinem Maul geschleudert hatte. [17] Und der Drache wurde zornig über die Frau und ging hin, um Krieg zu führen mit den übrigen von ihrem Samen, welche die Gebote Gottes befolgen und das Zeugnis Jesu Christi haben.

18 Und ich stellte mich auf den Sand des Meeres.

Das Tier aus dem Meer   Offb 17,7-17

13 Und ich sah aus dem Meer ein Tier aufsteigen, das sieben Köpfe und zehn Hörner hatte und auf seinen Hörnern zehn Kronen, und auf seinen Köpfen einen Namen der Lästerung.

2 Und das Tier, das ich sah, glich einem Panther, und seine Füße waren wie die eines Bären und sein Rachen wie ein Löwenrachen; und der Drache gab ihm seine Kraft und seinen Thron und große Vollmacht. [3] Und ich sah einen seiner Köpfe wie zu Tode verwundet, und seine Todeswunde wurde geheilt. Und die ganze Erde sah verwundert dem Tier nach. [4] Und sie beteten den Drachen an, der dem Tier die Macht gegeben hatte, und sie beteten das Tier an und sprachen: Wer ist dem Tier gleich? Wer vermag mit ihm zu kämpfen?

5 Und es wurde ihm ein Maul gegeben, das große Worte und Lästerungen redete; und es wurde ihm Macht gegeben, zwei-

a. (12,10) gr. *Christus.*

undvierzig Monate lang zu wirken. **6** Und es tat sein Maul auf zur Lästerung gegen Gott, um seinen Namen zu lästern und sein Zelt und die, welche im Himmel wohnen. **7** Und es wurde ihm gegeben, Krieg zu führen mit den Heiligen und sie zu überwinden; und es wurde ihm Macht gegeben über jeden Volksstamm und jede Sprache und jede Nation. **8** Und alle, die auf der Erde wohnen, werden es anbeten, deren Namen nicht geschrieben stehen im Buch des Lebens des Lammes, das geschlachtet worden ist, von Grundlegung der Welt an.

9 Wenn jemand ein Ohr hat, der höre! **10** Wenn jemand in Gefangenschaft führt, so geht er in die Gefangenschaft; wenn jemand mit dem Schwert tötet, so soll er durchs Schwert getötet werden. Hier ist die Standhaftigkeit und der Glaube der Heiligen!

Das Tier aus der Erde Offb 14,9-11; 19,20; 2Th 2,9-12

11 Und ich sah ein anderes Tier aus der Erde aufsteigen, und es hatte zwei Hörner gleich einem Lamm und redete wie ein Drache. **12** Und es übt alle Vollmacht des ersten Tieres aus vor dessen Augen und bringt die Erde und die auf ihr wohnen dazu, daß sie das erste Tier anbeten, dessen Todeswunde geheilt wurde. **13** Und es tut große Zeichen, so daß es sogar Feuer vom Himmel auf die Erde herabfallen läßt vor den Menschen.

14 Und es verführt die, welche auf der Erde wohnen, durch die Zeichen, die vor dem Tier zu tun ihm gegeben sind, und es sagt denen, die auf der Erde wohnen, daß sie dem Tier, das die Wunde von dem Schwert hat und am Leben geblieben ist, ein Bild machen sollen. **15** Und es wurde ihm gegeben, dem Bild des Tieres einen Geist zu verleihen, so daß das Bild des Tieres sogar redete und bewirkte, daß alle getötet wurden, die das Bild des Tieres nicht anbeteten.

16 Und es bewirkt, daß allen, den Kleinen und den Großen, den Reichen und den Armen, den Freien und den Knechten, ein Malzeichen gegeben wird auf ihre rechte Hand oder auf ihre Stirn, **17** und daß niemand kaufen oder verkaufen kann als nur der, welcher das Malzeichen hat oder den Namen des Tieres oder die Zahl seines Namens. **18** Hier ist die Weisheit! Wer das Verständnis hat, der berechne die Zahl des Tieres, denn es ist die Zahl eines Menschen, und seine Zahl ist 666.

Das Lamm und seine Erkauften

14 Und ich sah, und siehe, das Lamm stand auf dem Berg Zion, und mit ihm hundertvierundvierzigtausend, die trugen den Namen seines Vaters auf ihren Stirnen geschrieben.

2 Und ich hörte eine Stimme aus dem Himmel wie die Stimme vieler Wasser und wie die Stimme eines starken Donners; und ich hörte die Stimme von Harfenspielern, die auf ihren Harfen spielen. 3 Und sie sangen wie ein neues Lied vor dem Thron und vor den vier lebendigen Wesen und den Ältesten, und niemand konnte das Lied lernen als nur die Hundertvierundvierzigtausend, die erkauft worden sind von der Erde.

4 Diese sind es, die sich mit Frauen nicht befleckt haben; denn sie sind jungfräulich [rein]. Diese sind es, die dem Lamm nachfolgen, wohin es auch geht. Diese sind aus den Menschen erkauft worden als Erstlinge für Gott und das Lamm, 5 und in ihrem Mund ist kein Betrug gefunden worden; denn sie sind unsträflich vor dem Thron Gottes.

Drei Engel künden Gericht an

6 Und ich sah einen anderen Engel inmitten des Himmels fliegen, der hatte ein ewiges Evangelium zu verkündigen denen, die auf der Erde wohnen, und zwar jeder Nation und jedem Volksstamm und jeder Sprache und jedem Volk. 7 Der sprach mit lauter Stimme: Fürchtet Gott und gebt ihm die Ehre, denn die Stunde seines Gerichts ist gekommen; und betet den an, der den Himmel und die Erde und das Meer und die Wasserquellen gemacht hat!

8 Und ein anderer Engel folgte ihm, der sprach: Gefallen, gefallen ist Babylon, die große Stadt, weil sie mit dem Glutwein ihrer Unzucht alle Völker getränkt hat!

9 Und ein dritter Engel folgte ihnen, der sprach mit lauter Stimme: Wenn jemand das Tier und sein Bild anbetet und das Malzeichen auf seine Stirn oder auf seine Hand annimmt, 10 so wird auch er von dem Glutwein Gottes trinken, der unvermischt eingeschenkt ist in dem Kelch seines Zornes, und er wird mit Feuer und Schwefel gepeinigt werden vor den heiligen Engeln und vor dem Lamm. 11 Und der Rauch ihrer Qual steigt auf von Ewigkeit zu Ewigkeit; und die das Tier und sein Bild anbeten, haben keine Ruhe Tag und Nacht, und wer das Malzeichen seines Namens annimmt.

12 Hier ist die Standhaftigkeit der Heiligen, hier sind die, welche die Gebote Gottes und den Glauben an Jesus bewahren!

13 Und ich hörte eine Stimme aus dem Himmel, die zu mir sprach: Schreibe: Glückselig sind die Toten, die im Herrn sterben, von nun an! Ja, spricht der Geist, sie sollen ruhen von ihren Mühen; ihre Werke aber folgen ihnen nach.

Die Ernte und die Weinlese des Gerichts Mt 13,37-43

14 Und ich sah, und siehe, eine weiße Wolke, und auf der Wolke saß einer, der glich einem Sohn des Menschen; er hatte auf seinem Haupt eine goldene Krone und in seiner Hand eine scharfe Sichel. ¹⁵ Und ein weiterer Engel kam aus dem Tempel hervor, der rief mit lauter Stimme dem zu, der auf der Wolke saß: Sende deine Sichel und ernte; denn die Stunde des Erntens ist für dich gekommen, weil die Ernte der Erde überreif geworden ist! ¹⁶ Und der auf der Wolke saß, warf seine Sichel auf die Erde, und die Erde wurde abgeerntet.

17 Und ein weiterer Engel kam hervor aus dem Tempel, der im Himmel ist, und auch er hatte eine scharfe Sichel. ¹⁸ Und ein weiterer Engel kam vom Altar her, der hatte Vollmacht über das Feuer und rief mit lauter Stimme dem zu, der die scharfe Sichel hatte, und sprach: Sende deine scharfe Sichel aus und schneide die Trauben des Weinstocks der Erde ab, denn seine Beeren sind reif geworden! ¹⁹ Und der Engel warf seine Sichel auf die Erde und schnitt den Weinstock der Erde und warf die Trauben in die große Kelter des Zornes Gottes. ²⁰ Und die Kelter wurde außerhalb der Stadt getreten, und es floß Blut aus der Kelter bis an die Zäume der Pferde, tausendsechshundert Stadien weit.

Die sieben Engel und die sieben letzten Plagen

15 Und ich sah ein anderes Zeichen im Himmel, groß und wunderbar: sieben Engel, welche die sieben letzten Plagen hatten, denn mit ihnen ist der Zorn Gottes vollendet.

2 Und ich sah etwas wie ein gläsernes Meer, mit Feuer vermischt; und die, welche als Überwinder hervorgegangen waren über das Tier und über sein Bild und über sein Malzeichen, über die Zahl seines Namens, standen an dem gläsernen Meer und hatten Harfen Gottes. ³ Und sie singen das Lied Moses, des Knechtes Gottes, und das Lied des Lammes und sprechen: Groß und wunderbar sind deine Werke, o Herr, Gott, du Allmächtiger! Gerecht und wahrhaftig sind deine Wege, du König der Heiligen! ⁴ Wer sollte dich nicht fürchten, o Herr, und deinen Namen nicht preisen? Denn du allein bist heilig. Ja, alle Völker werden kommen und vor dir anbeten, denn deine Gerichte sind offenbar geworden!

5 Und nach diesem sah ich, und siehe, der Tempel des Zeltes des Zeugnisses im Himmel wurde geöffnet, ⁶ und die sieben Engel, welche die sieben Plagen hatten, kamen hervor aus dem Tempel, bekleidet mit reiner und glänzender Leinwand und um die Brust gegürtet mit goldenen Gürteln. ⁷ Und eines der

vier lebendigen Wesen gab den sieben Engeln sieben goldene
Schalen voll von dem Zorn Gottes, der lebt von Ewigkeit zu
Ewigkeit. 8 Und der Tempel wurde erfüllt mit Rauch von der
Herrlichkeit Gottes und von seiner Kraft, und niemand konnte
in den Tempel hineingehen, bis die sieben Plagen der sieben
Engel vollendet waren.

Die sieben Zornschalen Gottes

16 Und ich hörte eine laute Stimme aus dem Tempel, die
sprach zu den sieben Engeln: Geht hin und gießt die
Schalen des Zornes Gottes aus auf die Erde!

2 Und der erste ging hin und goß seine Schale aus auf die Erde;
da entstand ein böses und schmerzhaftes Geschwür an den
Menschen, die das Malzeichen des Tieres hatten und die sein
Bild anbeteten.

3 Und der zweite Engel goß seine Schale aus in das Meer, und
es wurde zu Blut wie von einem Toten, und alle lebendigen Wesen starben im Meer.

4 Und der dritte Engel goß seine Schale aus in die Flüsse und in
die Wasserquellen, und sie wurden zu Blut. 5 Und ich hörte den
Engel der Gewässer sagen: Gerecht bist du, o Herr, der du bist
und der du warst, und heilig, daß du so gerichtet hast! 6 Denn
das Blut der Heiligen und Propheten haben sie vergossen, und
Blut hast du ihnen zu trinken gegeben; denn sie verdienen es!
7 Und ich hörte einen anderen vom Altar her sagen: Ja, o Herr,
Gott, du Allmächtiger, wahrhaftig und gerecht sind deine Gerichte!

8 Und der vierte Engel goß seine Schale aus auf die Sonne; und
ihr wurde gegeben, die Menschen zu versengen mit Feuer.
9 Und die Menschen wurden versengt von großer Hitze, und sie
lästerten den Namen Gottes, der Macht hat über diese Plagen,
und sie taten nicht Buße, um ihm die Ehre zu geben.

10 Und der fünfte Engel goß seine Schale aus auf den Thron des
Tieres, und dessen Reich wurde verfinstert, und sie zerbissen
ihre Zungen vor Schmerz, 11 und sie lästerten den Gott des
Himmels wegen ihrer Schmerzen und wegen ihrer Geschwüre,
und sie taten nicht Buße von ihren Werken.

12 Und der sechste Engel goß seine Schale aus auf den großen
Strom Euphrat; und sein Wasser vertrocknete, damit den Königen vom Aufgang der Sonne der Weg bereitet würde. 13 Und
ich sah aus dem Maul des Drachen und aus dem Maul des Tieres und aus dem Maul des falschen Propheten drei unreine
Geister herauskommen, gleich Fröschen. 14 Es sind nämlich

Geister von Dämonen, die Zeichen tun und ausgehen zu den Königen der Erde und des ganzen Erdkreises, um sie zum Kampf zu versammeln an jenem großen Tag Gottes, des Allmächtigen.

15 – Siehe, ich komme wie ein Dieb! Glückselig ist, wer wacht und seine Kleider bewahrt, damit er nicht entblößt einhergeht und man seine Schande sieht! –

16 Und er versammelte sie an den Ort, der auf hebräisch Harmageddon[a] heißt.

17 Und der siebte Engel goß seine Schale aus in die Luft; und es ging eine laute Stimme aus vom Tempel des Himmels, vom Thron her, die sprach: Es ist geschehen! [18] Und es geschahen Stimmen und Donner und Blitze, und ein großes Erdbeben geschah, wie dergleichen noch nie gewesen ist, seit es Menschen gab auf Erden, ein solch gewaltiges und großes Erdbeben.

19 Und die große Stadt wurde in drei Teile [zerrissen], und die Städte der Heiden fielen, und Babylon, der Großen, wurde vor Gott gedacht, damit er ihr den Becher des Glutweines seines Zornes gebe. [20] Und jede Insel entfloh, und es waren keine Berge mehr zu finden. [21] Und ein großer Hagel mit zentnerschweren Steinen kam aus dem Himmel auf die Menschen herab, und die Menschen lästerten Gott wegen der Plage des Hagels, weil seine Plage sehr groß war.

Die große Hure Babylon Offb 16,19; Offb 13 u. 18

17 Und es kam einer von den sieben Engeln, welche die sieben Schalen hatten, redete mit mir und sprach zu mir: Komm! ich will dir das Gericht über die große Hure zeigen, die an den vielen Wassern sitzt, [2] mit der die Könige der Erde Unzucht getrieben haben, und von deren Wein der Unzucht die, welche die Erde bewohnen, trunken geworden sind.

3 Und er brachte mich im Geist in eine Wüste. Und ich sah eine Frau auf einem scharlachroten Tier sitzen, das voll Namen der Lästerung war und sieben Köpfe und zehn Hörner hatte. [4] Und die Frau war gekleidet in Purpur und Scharlach und übergoldet mit Gold und Edelsteinen und Perlen; und sie hatte einen goldenen Becher in ihrer Hand, voll von Greueln und der Unreinheit ihrer Unzucht, [5] und auf ihrer Stirn war ein Name geschrieben: Geheimnis, Babylon, die Große, die Mutter der Huren und der Greuel der Erde.

6 Und ich sah die Frau berauscht vom Blut der Heiligen und vom Blut der Zeugen Jesu; und ich verwunderte mich sehr, als

a. (16,16) bed. »Berg von Megiddo« (einer Stadt in der Jesreel-Ebene).

ich sie sah. **7** Und der Engel sprach zu mir: Warum verwunderst du dich? Ich will dir das Geheimnis der Frau sagen und des Tieres, das sie trägt, das die sieben Köpfe und die zehn Hörner hat.

8 Das Tier, das du gesehen hast, war und ist nicht mehr, und es wird aus dem Abgrund heraufkommen und ins Verderben laufen; und die auf der Erde wohnen, deren Namen nicht geschrieben stehen im Buch des Lebens von Grundlegung der Welt an, werden sich verwundern, wenn sie das Tier sehen, das war und nicht ist und doch ist.

9 Hier ist der Verstand [nötig], der Weisheit hat! Die sieben Köpfe sind sieben Berge, auf denen die Frau sitzt. **10** Und [es] sind sieben Könige: Fünf sind gefallen, und der eine ist da – der andere ist noch nicht gekommen; und wenn er kommt, muß er für eine kurze Zeit bleiben. **11** Und das Tier, das war und nicht ist, ist auch selbst der achte, und es ist einer von den sieben, und es läuft ins Verderben.

12 Und die zehn Hörner, die du gesehen hast, sind zehn Könige, die noch kein Reich empfangen haben; aber sie erlangen Macht wie Könige für eine Stunde zusammen mit dem Tier. **13** Diese haben einen einmütigen Sinn, und sie übergeben ihre Macht und Herrschaft dem Tier. **14** Diese werden mit dem Lamm Krieg führen, und das Lamm wird sie besiegen – denn es ist der Herr der Herren und der König der Könige –, und mit ihm sind die Berufenen, Auserwählten und Gläubigen.

15 Und er sprach zu mir: Die Wasser, die du gesehen hast, wo die Hure sitzt, sind Völker und Scharen und Nationen und Sprachen. **16** Und die zehn Hörner, die du auf dem Tier gesehen hast, diese werden die Hure hassen und sie verwüsten und entblößen, und sie werden ihr Fleisch verzehren und sie mit Feuer verbrennen. **17** Denn Gott hat ihnen ins Herz gegeben, seine Absicht auszuführen und in *einer* Absicht zu handeln und ihr Reich dem Tier zu geben, bis die Worte Gottes erfüllt sein werden. **18** Und die Frau, die du gesehen hast, ist die große Stadt, die Herrschaft hat über die Könige der Erde.

Das Gericht über Babylon   Offb 14,8

18 Und nach diesem sah ich einen Engel aus dem Himmel herabsteigen, der hatte große Vollmacht, und die Erde wurde erleuchtet von seiner Herrlichkeit.

2 Und er rief kraftvoll mit lauter Stimme und sprach: Gefallen, gefallen ist Babylon, die Große, und ist eine Behausung der Dämonen geworden und ein Gefängnis aller unreinen Geister und

ein Gefängnis aller unreinen und verhaßten Vögel. ³ Denn von dem Glutwein ihrer Unzucht haben alle Völker getrunken, und die Könige der Erde haben mit ihr Unzucht getrieben, und die Kaufleute der Erde sind von ihrer gewaltigen Üppigkeit reich geworden.

4 Und ich hörte eine andere Stimme aus dem Himmel, die sprach: Geht heraus aus ihr, mein Volk, damit ihr nicht ihrer Sünden teilhaftig werdet und damit ihr nicht von ihren Plagen empfangt! ⁵ Denn ihre Sünden reichen bis zum Himmel, und Gott hat ihrer Ungerechtigkeiten gedacht. ⁶ Vergeltet ihr, wie auch sie euch vergolten hat, und zahlt ihr das Doppelte heim gemäß ihren Werken; in den Becher, in den sie euch eingeschenkt hat, schenkt ihr doppelt ein! ⁷ In dem Maße, wie sie sich selbst verherrlichte und üppig lebte, gebt ihr nun Qual und Leid! Denn sie spricht in ihrem Herzen: Ich throne als Königin und bin keine Witwe und werde kein Leid sehen! ⁸ Darum werden an *einem* Tag ihre Plagen kommen, Tod und Leid und Hunger, und sie wird mit Feuer verbrannt werden; denn stark ist Gott, der Herr, der sie richtet.

9 Und es werden sie beweinen und sich ihretwegen an die Brust schlagen die Könige der Erde, die mit ihr Unzucht getrieben und üppig gelebt haben, wenn sie den Rauch ihrer Feuersbrunst sehen, ¹⁰ und sie werden von ferne stehen aus Furcht vor ihrer Qual und sagen: Wehe, wehe, du große Stadt Babylon, du gewaltige Stadt; denn in *einer* Stunde ist dein Gericht gekommen!

11 Und die Kaufleute der Erde weinen und trauern über sie, weil niemand mehr ihre Ware kauft, ¹² Ware von Gold und Silber und Edelsteinen und Perlen und feiner Leinwand und Purpur und Seide und Scharlach und allerlei Tujaholz und allerlei Elfenbeingeräte und allerlei Geräte vom köstlichsten Holz und von Erz und Eisen und Marmor, ¹³ und Zimt und Räucherwerk und Salbe und Weihrauch und Wein und Öl und Feinmehl und Weizen und Vieh und Schafe und Pferde und Wagen und Leiber und Seelen der Menschen.

14 Und die Früchte, nach denen deine Seele begehrte, sind dir entschwunden, und aller Glanz und Flitter ist dir entschwunden, und du wirst sie nicht mehr finden. ¹⁵ Die Verkäufer dieser Waren, die von ihr reich geworden sind, werden aus Furcht vor ihrer Qual von ferne stehen; sie werden weinen und trauern ¹⁶ und sagen: Wehe, wehe! die große Stadt, die bekleidet war mit feiner Leinwand und Purpur und Scharlach und übergoldet mit Gold und Edelsteinen und Perlen!

17 Denn in *einer* Stunde wurde dieser so große Reichtum verwüstet! Und jeder Kapitän und die ganze Menge derer, die auf den Schiffen sind, und die Matrosen, und alle, die auf dem Meer arbeiten, standen von ferne ¹⁸ und riefen, als sie den Rauch ihrer Feuersbrunst sahen: Wer war der großen Stadt gleich? ¹⁹ Und sie warfen Staub auf ihre Häupter und riefen weinend und trauernd: Wehe, wehe! die große Stadt, in der alle, die Schiffe auf dem Meer hatten, reich gemacht wurden durch ihren Wohlstand! Denn in *einer* Stunde ist sie verwüstet worden!

20 Freut euch über sie, du Himmel und ihr heiligen Apostel und Propheten; denn Gott hat euch an ihr gerächt!

21 Und ein starker Engel hob einen Stein auf, wie ein großer Mühlstein, und warf ihn ins Meer und sprach: So wird Babylon, die große Stadt, mit Wucht hingeschleudert und nicht mehr gefunden werden! ²² Und der Klang der Harfenspieler und Sänger und Flötenspieler und Trompeter wird nicht mehr in dir gehört werden, und kein Künstler irgend einer Kunst wird mehr in dir gefunden werden, und der Klang der Mühle soll nicht mehr in dir gehört werden; ²³ und das Licht des Leuchters wird nicht mehr in dir scheinen, und die Stimme des Bräutigams und die Braut nicht mehr in dir gehört werden. Denn deine Kaufleute waren die Großen der Erde, und durch deine Zauberei wurden alle Völker verführt. ²⁴ Und in ihr wurde das Blut der Propheten und Heiligen gefunden und aller derer, die hingeschlachtet worden sind auf Erden.

Der Jubel im Himmel. Die Hochzeit des Lammes

19 Und nach diesem hörte ich eine laute Stimme einer großen Volksmenge im Himmel, die sprach: Hallelujah! Das Heil und die Herrlichkeit und die Ehre und die Macht gehören dem Herrn, unserem Gott! ² Denn wahrhaftig und gerecht sind seine Gerichte; denn er hat die große Hure gerichtet, welche die Erde verderbte mit ihrer Unzucht, und hat das Blut seiner Knechte von ihrer Hand gefordert! ³ Und nochmals sprachen sie: Hallelujah! Und ihr Rauch steigt auf von Ewigkeit zu Ewigkeit.

4 Und die vierundzwanzig Ältesten und die vier lebendigen Wesen fielen nieder und beteten Gott an, der auf dem Thron saß, und sprachen: Amen! Hallelujah!

5 Und eine Stimme kam aus dem Thron hervor, die sprach: Lobt unseren Gott, alle seine Knechte und die ihr ihn fürchtet, sowohl die Kleinen als auch die Großen!

6 Und ich hörte etwas wie die Stimme einer großen Volksmenge und wie das Rauschen vieler Wasser und wie der Schall starker Donner, die sprachen: Hallelujah! Denn der Herr, Gott, der Allmächtige, hat die Königsherrschaft angetreten! 7 Laßt uns fröhlich sein und jubeln und ihm die Ehre geben! Denn die Hochzeit des Lammes ist gekommen, und seine Frau hat sich bereit gemacht. 8 Und es wurde ihr gegeben, sich in feine Leinwand zu kleiden, rein und glänzend; denn die feine Leinwand ist die Gerechtigkeit der Heiligen.

9 Und er sprach zu mir: Schreibe: Glückselig sind die, welche zum Hochzeitsmahl des Lammes berufen sind! Und er sprach zu mir: Dies sind die wahrhaftigen Worte Gottes! 10 Und ich fiel vor seinen Füßen nieder, um ihn anzubeten. Und er sprach zu mir: Siehe zu, tue es nicht! Ich bin dein Mitknecht und der deiner Brüder, die das Zeugnis Jesu haben. Bete Gott an! Denn das Zeugnis Jesu ist der Geist der Weissagung.

Der Herr Jesus Christus als König und Richter   Mt 24,30-31; 2Th 1,7

11 Und ich sah den Himmel geöffnet, und siehe, ein weißes Pferd, und der darauf saß, heißt »der Treue und der Wahrhaftige«; und in Gerechtigkeit richtet und kämpft er. 12 Seine Augen aber sind wie eine Feuerflamme, und auf seinem Haupt sind viele Kronen, und er trägt einen Namen geschrieben, den niemand kennt als nur er selbst. 13 Und er ist bekleidet mit einem Gewand, das in Blut getaucht ist, und sein Name heißt: »Das Wort Gottes«.

14 Und die Heere im Himmel folgten ihm nach auf weißen Pferden, und sie waren bekleidet mit weißer und reiner Leinwand. 15 Und aus seinem Mund geht ein scharfes Schwert hervor, damit er die Heiden mit ihm schlage, und er wird sie mit eisernem Stab weiden, und er tritt die Weinkelter des Grimmes und des Zornes Gottes, des Allmächtigen. 16 Und er trägt an seinem Gewand und an seiner Hüfte den Namen geschrieben: »König der Könige und Herr der Herren«.

Der Sieg über das Tier und den falschen Propheten   2Th 2,8

17 Und ich sah einen Engel in der Sonne stehen, der rief mit lauter Stimme und sprach zu allen Vögeln, die inmitten des Himmels fliegen: Kommt und versammelt euch zu dem Mahl des großen Gottes, 18 um zu verzehren das Fleisch der Könige und das Fleisch der Heerführer und das Fleisch der Starken und das Fleisch der Pferde und derer, die darauf sitzen, und das Fleisch aller Freien und Knechte, sowohl der Kleinen als auch der Großen!

19 Und ich sah das Tier und die Könige der Erde und ihre Heere versammelt, um Krieg zu führen mit dem, der auf dem Pferd sitzt, und mit seinem Heer.

20 Und das Tier wurde ergriffen und mit diesem der falsche Prophet, der die Zeichen vor ihm tat, durch welche er die verführte, die das Malzeichen des Tieres annahmen, und die sein Bild anbeteten; die beiden wurden lebendig in den Feuersee geworfen, der mit Schwefel brennt. 21 Und die übrigen wurden getötet mit dem Schwert dessen, der auf dem Pferd sitzt, das aus seinem Mund hervorgeht, und alle Vögel sättigten sich von ihrem Fleisch.

Satan für tausend Jahre gebunden. Erste Auferstehung. Das Friedensreich des Christus Offb 5,9-10

20 Und ich sah einen Engel aus dem Himmel herabsteigen, der hatte den Schlüssel des Abgrundes und eine große Kette in seiner Hand. 2 Und er ergriff den Drachen, die alte Schlange, die der Teufel und der Satan ist, und band ihn für tausend Jahre 3 und warf ihn in den Abgrund und schloß ihn ein und versiegelte über ihm, damit er die Völker nicht mehr verführen kann, bis die tausend Jahre vollendet sind. Und nach diesen muß er für kurze Zeit losgelassen werden.

4 Und ich sah Throne, und sie setzten sich darauf, und das Gericht wurde ihnen übergeben; und [ich sah] die Seelen derer, die enthauptet worden waren um des Zeugnisses Jesu und um des Wortes Gottes willen, und die das Tier nicht angebetet hatten noch sein Bild, und das Malzeichen weder auf ihre Stirn noch auf ihre Hand angenommen hatten; und sie wurden lebendig und regierten die tausend Jahre mit dem Christus.

5 Die übrigen der Toten aber wurden nicht wieder lebendig, bis die tausend Jahre vollendet waren. Dies ist die erste Auferstehung. 6 Glückselig und heilig ist, wer Anteil hat an der ersten Auferstehung! Über diese hat der zweite Tod keine Macht, sondern sie werden Priester Gottes und des Christus sein und mit ihm regieren tausend Jahre.

Satan wird losgelassen und mit den abtrünnigen Völkern endgültig gerichtet

7 Und wenn die tausend Jahre vollendet sind, wird der Satan aus seinem Gefängnis losgelassen werden, 8 und er wird ausgehen, um die Heiden zu verführen, die an den vier Enden der Erde leben, den Gog und den Magog, um sie zum Kampf zu versammeln, deren Zahl wie der Sand am Meer ist.

9 Und sie zogen herauf auf die Fläche des Landes und umringten das Heerlager der Heiligen und die geliebte Stadt. Und es fiel Feuer von Gott aus dem Himmel herab und verzehrte sie. [10] Und der Teufel, der sie verführt hatte, wurde in den Feuer- und Schwefelsee geworfen, wo das Tier ist und der falsche Prophet, und sie werden gepeinigt werden Tag und Nacht, von Ewigkeit zu Ewigkeit.

Das Endgericht vor dem großen weißen Thron   2Petr 3,7-12

11 Und ich sah einen großen weißen Thron und den, der darauf saß; vor seinem Angesicht flohen die Erde und der Himmel, und es wurde kein Platz für sie gefunden. [12] Und ich sah die Toten, Kleine und Große, vor Gott stehen, und es wurden Bücher geöffnet, und ein anderes Buch wurde geöffnet, das ist das Buch des Lebens; und die Toten wurden gerichtet gemäß ihren Werken, entsprechend dem, was in den Büchern geschrieben stand.

13 Und das Meer gab die Toten heraus, die in ihm waren, und der Tod und das Totenreich gaben die Toten heraus, die in ihnen waren; und sie wurden gerichtet, ein jeder nach seinen Werken. [14] Und der Tod und das Totenreich wurden in den Feuersee geworfen. Das ist der zweite Tod. [15] Und wenn jemand nicht im Buch des Lebens eingeschrieben gefunden wurde, so wurde er in den Feuersee geworfen.

Der neue Himmel und die neue Erde   2Petr 3,13-14

21 Und ich sah einen neuen Himmel und eine neue Erde; denn der erste Himmel und die erste Erde waren vergangen, und das Meer ist nicht mehr. [2] Und ich, Johannes, sah die heilige Stadt, das neue Jerusalem, von Gott aus dem Himmel herabsteigen, zubereitet wie eine für ihren Mann geschmückte Braut. [3] Und ich hörte eine laute Stimme aus dem Himmel sagen: Siehe da, das Zelt Gottes bei den Menschen! Und er wird bei ihnen wohnen, und sie werden seine Völker sein, und Gott selbst wird bei ihnen sein, ihr Gott. [4] Und Gott wird abwischen alle Tränen von ihren Augen, und der Tod wird nicht mehr sein, weder Leid noch Geschrei noch Schmerz wird mehr sein; denn das Erste ist vergangen.

5 Und der auf dem Thron saß, sprach: Siehe, ich mache alles neu! Und er sprach zu mir: Schreibe; denn diese Worte sind wahrhaftig und gewiß! [6] Und er sprach zu mir: Es ist geschehen! Ich bin das A und das O, der Anfang und das Ende. Ich will dem Dürstenden geben aus dem Quell des Wassers des Lebens

umsonst! [7] Wer überwindet, der wird alles erben, und ich werde sein Gott sein, und er wird mein Sohn sein. [8] Den Feiglingen
aber und Ungläubigen und mit Greueln Befleckten und Mör-
dern und Unzüchtigen und Zauberern und Götzendienern und
allen Lügnern wird ihr Teil sein in dem See, der von Feuer und
Schwefel brennt; das ist der zweite Tod.

Das neue Jerusalem   Hebr 11,10.16

9 Und es kam zu mir einer von den sieben Engeln, welche die
sieben Schalen hatten, die mit den sieben letzten Plagen gefüllt
waren, und redete mit mir und sprach: Komm, ich will dir die
Frau, die Braut des Lammes zeigen!
10 Und er brachte mich im Geist auf einen großen und hohen
Berg und zeigte mir die große Stadt, das heilige Jerusalem, die
von Gott aus dem Himmel herabkam, [11] welche die Herrlichkeit Gottes hat. Und ihr Lichtglanz gleicht dem köstlichsten
Edelstein, wie ein kristallheller Jaspis. [12] Und sie hat eine große
und hohe Mauer und zwölf Tore, und an den Toren zwölf Engel,
und Namen angeschrieben, nämlich die der zwölf Stämme der
Kinder Israels. [13] Von Osten drei Tore, von Norden drei Tore,
von Süden drei Tore, von Westen drei Tore. [14] Und die Mauer
der Stadt hatte zwölf Grundsteine, und in ihnen waren die Namen der zwölf Apostel des Lammes.
15 Und der mit mir redete, hatte ein goldenes Rohr, um die
Stadt und ihre Tore und ihre Mauer zu messen. [16] Und die
Stadt bildet ein Viereck, und ihre Länge ist so groß wie auch
ihre Breite. Und er maß die Stadt mit dem Rohr, auf zwölftausend Stadien; die Länge und die Breite und die Höhe derselben sind gleich. [17] Und er maß ihre Mauer: hundertvierund-
vierzig Ellen [nach dem] Maß eines Menschen, das der Engel
hat.
18 Und der Baustoff ihrer Mauer war Jaspis, und die Stadt war
aus reinem Gold, wie reines Glas. [19] Und die Grundsteine der
Stadtmauer waren mit allerlei Edelsteinen geschmückt; der erste Grundstein ein Jaspis, der zweite ein Saphir, der dritte ein
Chalcedon, der vierte ein Smaragd, [20] der fünfte ein Sardonyx,
der sechste ein Sardis, der siebente ein Chrysolit, der achte ein
Beryll, der neunte ein Topas, der zehnte ein Chrysopras, der
elfte ein Hyazinth, der zwölfte ein Amethyst. [21] Und die zwölf
Tore waren zwölf Perlen, jedes der Tore aus einer Perle, und die
Straßen der Stadt waren aus reinem Gold, wie durchsichtiges
Glas.

22 Und einen Tempel sah ich nicht in ihr; denn der Herr, Gott der Allmächtige, ist ihr Tempel, und das Lamm.

23 Und die Stadt bedarf nicht der Sonne noch des Mondes, daß sie in ihr scheinen; denn die Herrlichkeit Gottes erleuchtet sie, und ihre Leuchte ist das Lamm. 24 Und die Heiden, die gerettet werden, werden in ihrem Licht wandeln, und die Könige der Erde werden ihre Herrlichkeit und Ehre in sie bringen. 25 Und ihre Tore sollen niemals geschlossen werden den ganzen Tag; denn dort wird keine Nacht sein. 26 Und man wird die Herrlichkeit und die Ehre der Völker in sie bringen. 27 Und es wird niemals jemand in sie eingehen, der verunreinigt, noch jemand, der Greuel und Lüge verübt, sondern nur die, welche geschrieben stehen im Buch des Lebens des Lammes.

Der Strom vom Wasser des Lebens

22 Und er zeigte mir einen reinen Strom vom Wasser des Lebens, glänzend wie Kristall, der ausging vom Thron Gottes und des Lammes. 2 In der Mitte zwischen ihrer Straße und dem Strom, von dieser und von jener Seite aus, [war] der Baum des Lebens, der zwölfmal Früchte trägt und jeden Monat seine Frucht gibt, jeweils eine; und die Blätter des Baumes dienen zur Heilung der Völker.

3 Und es wird kein Fluch mehr sein; und der Thron Gottes und des Lammes wird in ihr sein, und seine Knechte werden ihm dienen; 4 und sie werden sein Angesicht sehen, und sein Name wird auf ihren Stirnen sein. 5 Und es wird dort keine Nacht mehr sein, und sie bedürfen nicht eines Leuchters, noch des Lichtes der Sonne; denn Gott der Herr erleuchtet sie, und sie werden herrschen von Ewigkeit zu Ewigkeit.

Abschließende Ermahnungen - »Siehe, ich komme bald!« Offb 1,1

6 Und er sprach zu mir: Diese Worte sind gewiß und wahrhaftig; und der Herr, der Gott der heiligen Propheten, hat seinen Engel gesandt, um seinen Knechten zu zeigen, was in Bälde geschehen soll. 7 Siehe, ich komme bald! Glückselig, wer die Worte der Weissagung dieses Buches bewahrt!

8 Und ich, Johannes, bin es, der diese Dinge gesehen und gehört hat; und als ich es gehört und gesehen hatte, fiel ich nieder, um anzubeten vor den Füßen des Engels, der mir diese Dinge zeigte. 9 Und er sprach zu mir: Sieh dich vor, tue es nicht! Denn ich bin dein Mitknecht und der deiner Brüder, der Propheten, und derer, welche die Worte dieses Buches bewahren. Bete Gott an!

10 Und er sprach zu mir: Versiegle die Worte der Weissagung dieses Buches nicht; denn die Zeit ist nahe!

11 Wer Unrecht tut, der tue weiter Unrecht, und wer unrein ist, der verunreinige sich weiter, und der Gerechte übe weiter Gerechtigkeit, und der Heilige heilige sich weiter! 12 Und siehe, ich komme bald und mein Lohn mit mir, um einem jeden so zu vergelten, wie sein Werk sein wird. 13 Ich bin das A und das O, der Anfang und das Ende, der Erste und der Letzte.

14 Glückselig sind, die seine Gebote tun, damit sie ihr Anrecht erlangen am Baum des Lebens und durch die Tore in die Stadt eingehen können. 15 Draußen aber sind die Hunde und die Zauberer und die Unzüchtigen und die Mörder und die Götzendiener und jeder, der die Lüge liebt und tut.

16 Ich, Jesus, habe meinen Engel gesandt, um euch diese Dinge für die Gemeinden zu bezeugen. Ich bin die Wurzel und der Sproß Davids, der leuchtende Morgenstern.

17 Und der Geist und die Braut sprechen: Komm! Und wer es hört, der spreche: Komm! Und wen dürstet, der komme; und wer will, der nehme das Wasser des Lebens umsonst!

18 Fürwahr, ich bezeuge jedem, der die Worte der Weissagung dieses Buches hört: Wenn jemand etwas zu diesen Dingen hinzufügt, so wird Gott ihm die Plagen zufügen, von denen in diesem Buch geschrieben steht; 19 und wenn jemand etwas wegnimmt von den Worten des Buches dieser Weissagung, so wird Gott wegnehmen seinen Teil vom Buch des Lebens und von der heiligen Stadt, und von den Dingen, die in diesem Buch geschrieben stehen.

20 Es spricht, der dies bezeugt: Ja, ich komme bald! Amen. – Ja, komm, Herr Jesus!

21 Die Gnade unseres Herrn Jesus Christus sei mit euch allen! Amen.

DIE BOTSCHAFT DES EVANGELIUMS

Das Wort „Evangelium" bedeutet im Griechischen „gute Botschaft", „Botschaft von der Errettung". Das Neue Testament enthält Gottes gute Botschaft von der Errettung durch Jesus Christus. Diese Botschaft ist in den folgenden Bibelworten kurz zusammengefaßt:

Jesus Christus - Schöpfer und Herr des Universums
Im Anfang war das Wort [Jesus Christus], und das Wort war bei Gott, und das Wort war Gott. Dieses war im Anfang bei Gott. Alles ist durch dasselbe entstanden, und ohne dasselbe ist auch nicht eines entstanden, was entstanden ist. In ihm war Leben, und das Leben war das Licht der Menschen

Johannes 1,1-4 (Seite 171)

Er [Jesus Christus] ist das Ebenbild des unsichtbaren Gottes, der Erstgeborene, der über aller Schöpfung ist. Denn in ihm ist alles erschaffen worden, die Dinge im Himmel und die Dinge auf der Erde, das Sichtbare und das Unsichtbare, seien es Throne oder Herrschaften oder Fürstentümer oder Gewalten: alles ist durch ihn und für ihn geschaffen, und er ist vor allem, und alles besteht in ihm.

Kolosser 1,15-17 (Seite 377)

Die Errettung durch den Glauben
Denn aus Gnade seid ihr errettet durch den Glauben, und das nicht aus euch - Gottes Gabe ist es; nicht aus Werken, damit niemand sich rühme.

Epheser 2,8-9 (Seite 362)

Ohne Glauben aber ist es unmöglich, ihm wohlzugefallen; denn wer zu Gott kommt, muß glauben, daß er ist, und daß er die belohnen wird, welche ihn suchen.

Hebräer 11,6 (Seite 425)

Gewißheit des Heils
Allen denen aber, die ihn [Jesus Christus] aufnahmen, gab er Vollmacht, Gottes Kinder zu werden, denen, die an seinen Namen glauben, die nicht aus Geblüt, noch aus dem Willen des Fleisches, noch aus dem Willen des Mannes, sondern aus Gott geboren sind.

Johannes 1,12-13 (Seite 171)

Wahrlich, wahrlich, ich sage euch: Wer mein Wort hört und dem glaubt, der mich gesandt hat, der hat ewiges Leben und kommt nicht ins Gericht, sondern er ist vom Tod zum Leben hindurchgedrungen.

Johannes 5,24 (Seite 181)

Ein neues Leben
Darum: ist jemand in Christus, so ist er eine neue Schöpfung; das Alte ist vergangen, siehe, es ist alles neu geworden! Das alles aber kommt von Gott, der uns mit sich selbst versöhnt hat durch Jesus Christus.

2. Korinther 5,17 (Seite 340)

Wandelt im Geist, so werdet ihr die Begierden des Fleisches nicht vollbringen.

Galater 5,16 (Seite 358)

Hoffnung für das Ende der Zeiten

Und siehe, ich komme bald und mein Lohn mit mir, um einem jeden so zu vergelten, wie sein Werk sein wird. Ich bin das A und das O, der Anfang und das Ende, der Erste und der Letzte.

Offenbarung 22,12-13 (Seite 495)

Der Mensch ist von Gott getrennt

Es ist keiner gerecht, auch nicht einer; es ist keiner, der verständig ist, der nach Gott fragt. Sie sind alle abgewichen, sie taugen alle zusammen nichts; da ist keiner, der Gutes tut, da ist auch nicht einer!

Römer 3,10-12 (Seite 288)

Denn alle haben gesündigt und verfehlen die Herrlichkeit Gottes.

Römer 3,23 (Seite 289)

Gott erlöst verlorene Menschen durch seinen Sohn

Denn so sehr hat Gott die Welt geliebt, daß er seinen eingeborenen Sohn gab, damit jeder, der an ihn glaubt, nicht verloren geht, sondern ewiges Leben hat.

Johannes 3,16 (Seite 176)

Denn auch Christus hat einmal für Sünden gelitten, der Gerechte für die Ungerechten, damit er uns zu Gott führte.

1. Petrus 3,18 (Seite 443)

Jesus Christus ist der einzige Weg zu Gott

Jesus spricht zu ihm: Ich bin der Weg und die Wahrheit und das Leben; niemand kommt zum Vater als nur durch mich!

Johannes 14,6 (Seite 203)

Und es ist in keinem anderen das Heil; denn es ist kein anderer Name unter dem Himmel den Menschen gegeben, in dem wir gerettet werden sollen.

Apostelgeschichte 4,12 (Seite 226)

Was sollen wir tun?

So tut nun Buße und bekehrt euch, daß eure Sünden ausgetilgt werden, damit Zeiten der Erquickung vom Angesicht des Herrn kommen.

Apostelgeschichte 3,19-20 (Seite 225)

Denn wenn du mit deinem Mund Jesus als den Herrn bekennst und in deinem Herzen glaubst, daß Gott ihn aus den Toten auferweckt hat, so wirst du gerettet.

Römer 10,9 (Seite 300)

GESCHICHTLICHE ÜBERSICHTEN

Alle hier genannten Daten sind ungefähre Angaben, die aufgrund der nicht ganz sicheren Datierungsmöglichkeiten um 1-2 Jahre, manchmal auch mehr schwanken können. Dennoch können sie eine Orientierung über den zeitlichen Rahmen der neutestamentlichen Geschehnisse bieten.

Wichtige biblische Ereignisse

Jahr

-5	Geburt von Jesus Christus
28-29	Dienst Johannes des Täufers
29-32	Dienst von Jesus Christus
32	Passah: Tod und Auferstehung von Jesus Christus
	Pfingsten: Ausgießung des Heiligen Geistes
	und Entstehung der Gemeinde
34	Märtyrertod des Stephanus
36	Bekehrung des Paulus
43	Märtyrertod des Jakobus
46-48	Erste Missionsreise des Paulus
49	Beratung der Apostel in Jerusalem
49-52	Zweite Missionsreise des Paulus
53-58	Dritte Missionsreise des Paulus
58	Verhaftung des Paulus in Jerusalem
58-60	Gefangenschaft des Paulus in Caesarea
60-62	Erste Gefangenschaft des Paulus in Rom
62-66	Erneute Missionstätigkeit des Paulus
66	Zweite Gefangenschaft und Märtyrertod des Paulus in Rom
96	Gefangenschaft des Johannes auf Patmos

Geschichtliche Ereignisse
in neutestamentlicher Zeit

Jahr

-37 bis - 4	Herodes der Große König von Judäa
-29 bis 14	Augustus Kaiser in Rom
-19 bis 26	Wiederaufbau des Tempels in Jerusalem
-4	Tod des Herodes; Aufteilung seines Reiches
-4 bis 6	Archelaus Ethnarch von Judäa u. Samaria
4 bis 39	Herodes Antipas Tetrarch (Vierfürst) von Galiläa u. Peräa
6 bis 41	Judäa u. Samaria wird römische Provinz unter Statthaltern
14 bis 37	Tiberius Kaiser in Rom
18 bis 36	Kaiaphas Hoherpriester in Jerusalem
26 bis 36	Pilatus Statthalter von Judäa
37 bis 41	Caligula Kaiser in Rom
37 bis 44	Herodes Agrippa I. König (später auch über Galiläa u. Judäa)
41 bis 54	Claudius Kaiser in Rom
52 bis 60	Antonius Felix Statthalter von Judäa
53 bis 95	Agrippa II. König über versch. Gebiete im Norden Israels
54 bis 68	Nero Kaiser in Rom
60 bis 62	Porcius Festus Statthalter von Judäa
64	Brand Roms. Christenverfolgungen in Rom
66	Beginn des jüdischen Aufstandes gegen Rom
69 bis 79	Vespasian Kaiser in Rom
70	Einnahme Jerusalems durch Titus; Zerstörung der Stadt und des Tempels
73	Fall von Masada
79 bis 81	Titus Kaiser in Rom
81 bis 96	Domitian Kaiser in Rom

Masse, Gewichte und Münzen in Neutestamentlicher Zeit

Im Neuen Testament sind zahlreiche Maße und Gewichte der damaligen Zeit erwähnt, sowohl hebräische als auch griechische und römische. Es ist nicht leicht, den Wert dieser Maße genau zu bestimmen, so daß die nachfolgenden Angaben nur als ungefähre Richtwerte zu verstehen sind. Wo möglich, wurde auch das verwendete Wort im griechischen Grundtext und das Vorkommen im Neuen Testament angezeigt.

Längenmaße

Kleine Elle	*pechys*	45 cm	
Große Elle	*pechys*	52,5 cm	Offb 21,17; Joh 21,8; Mt 6,27; Lk 12,25
Faden (röm.)	*orgya*	1,85 m	Apg 27,28
Stadie (gr.)	*stadion*	185 m	Lk 24,13; Joh 6,19; 11,18; Offb 14,20; 21,16
Meile (röm.)	*milion*	1,5 km	Mt 5,41
Sabbatweg	*sabbaton*	1,1 km	Apg 1,12

Hohlmaße für feste und flüssige Stoffe

Maß (gr.)	*choinix*	1,1 Liter	Offb 6,6
Scheffel (hebr.)	*saton*	12 Liter	Mt 13,33; Lk 13,21
Kor (hebr.)	*koros*	350 Liter	Lk 16,7
Scheffel (röm.)	*modios*	9 Liter	Mt 5,15; Mk 4,21; Lk 11,33
Bat (hebr.)	*batos*	35 Liter	Lk 16,6
Eimer (gr.)	*metretes*	39 Liter	Joh 2,6

Gewichte

Schekel (hebr.)		16,4 g	
Pfund ("Mine", hebr.)	*mna*	820 g	Lk 19,13 (Geld)
Talent (hebr./gr.)	*talanton*	49 kg	Mt 18,24; 25,15; Offb 16,21
Pfund (röm.)	*litra*	330 g	Joh 12,3; 19,39

1 Mine = 50 Schekel; 1 Talent = 60 Minen = 300 Schekel

Geldeinheiten

Groschen (gr.)	*lepton*	Mk 12,42 („Scherflein"); Lk 12,59
Groschen („Quadrans", röm.)	*kodrantes*	Mt 5,26 (Luther „Heller"); Mk 12,42
Groschen (gr.)	*assarion*	Mt 10,29; Lk 12,6
Denar (röm.)	*denarion*	Mt 18,28; 22,19; Mk 6,37; Lk 7,41 u. a.
Drachme (gr.)	*drachme*	Lk 15,8-9
Doppeldrachme (gr.)	*didrachmon*	Mt 17,24
Stater (Tetradrachme, gr.)	*stater*	Mt 17,27
Pfund („Mine", gr.)	*mna*	Lk 19,13
Talent (gr.)	*talanton*	Mt 18,25; 25,15

1 Assarion = 4 Quadrans = 8 Lepton (jeweils Kupfer)
1 Denar = 1 Drachme = 16 Assarion; 1 Stater = 2 Doppeldrachmen = 4 Drachmen (Denare) (jeweils Silber)
1 Mine (Pfund) = 100 Drachmen; 1 Talent = 60 Minen = 6000 Drachmen (Denare) (jeweils Silber)

1 Drachme (Denar) entsprach laut Mt 20,2 dem Taglohn eines Arbeiters im Weinberg, ein Talent also etwa 20 Jahresverdiensten.

Zeitmaße

Zur Zeit des Neuen Testaments wurde die Nacht in vier Nachtwachen aufgeteilt (Matthäus 14,25; Lukas 12,38). Die Römer zählten die Zeit von Mitternacht an auch in Stunden. Jesus Christus wurde zur sechsten Stunde nach römischer Zeitrechnung, d. h. ungefähr um 6 Uhr morgens verurteilt (vgl. Johannes 19,14). Die Juden teilten den Tag in zwölf Stunden auf, beginnend mit dem Sonnenaufgang, bis gegen 18 Uhr. Die 3., 6. und 9. Stunde waren dem Gebet vorbehalten. Jesus Christus wurde in der dritten Stunde nach jüdischer Zeitrechnung, d. h. etwa um 9 Uhr morgens gekreuzigt (Markus 15,25), und er starb um die 9. Stunde, d. h. ungefähr um 15 Uhr (Matthäus 27,46-50).